Ver bij jou vandaan

Lynn Austin

Ver bij jou vandaan

ROMAN

Vertaald door Marianne van Reenen

 Voorhoeve

Voor mijn moeder Virginia, die in de Tweede Wereldoorlog als verpleegster werkte en al haar plakboeken voor me bewaarde.
Voor mijn vader Paul, die tijdens de Tweede Wereldoorlog voor de Amerikaanse marine in de Stille Zuidzee was gestationeerd.
En voor Yaacov en Miriam, die de Holocaust in Hongarije overleefden
en bijna familie van ons werden.
Ik ben dankbaar voor de moed en het geloof die jullie ons hebben na-
gelaten.

© Uitgeverij Voorhoeve – Kampen, 2010
Postbus 5018, 8260 GA Kampen
www.kok.nl

Oorspronkelijk verschenen onder de titel *While We're Far Apart* bij Bethany House, a
division of Baker Publishing Group, Grand Rapids, Michigan, 49516, USA
© Lynn Austin, 2010

Vertaling Marianne van Reenen
Omslagillustratie Bethany House Publishers
Omslagontwerp Hendriks grafische vormgeving & webdesign
ISBN 978 90 297 9614 9
NUR 302

*De HERE houde wacht tussen mij en u, wanneer wij van elkander
gescheiden zullen zijn.*

Genesis 31:49

1

Brooklyn, New York
September 1943

De vader van Esther bracht de stoel op de veranda waarin hij zachtjes had zitten schommelen tot stilstand. 'Hoor eens,' zei hij, 'ik moet jullie iets vertellen.' Esthers huid begon te tintelen door de sombere klank in zijn stem. Hij had dezelfde woorden op dezelfde toon gezegd toen hij haar had verteld dat haar moeder naar de hemel was gegaan.

'Ik heb eens goed nagedacht...' Hij sprak niet verder en wreef over zijn voorhoofd alsof hij hoofdpijn had. Hij zag er zo verdrietig uit. Esther wilde dat ze iets kon bedenken om hem weer te laten glimlachen zoals vroeger.

Na de kerkdienst waren ze naar oma Shaffers huis gelopen en hadden bij haar gegeten. Haar vader had de hele middag amper een woord gezegd. Op zich was dat niet ongewoon. Oma vulde de lange stiltes met nieuws over oom Steve, die tegen de Japanners vocht, en oom Joe, die binnenkort per schip naar Noord-Afrika zou reizen. Het buurmeisje van oma, Penny Goodrich, was ook op de veranda komen zitten en ze hadden allemaal naar Peter, het broertje van Esther, gekeken, die in de achtertuin achter oma's hond aan rende. Het was een fijne middag geweest – tot op dit moment.

Papa schraapte zijn keel. 'Ik heb... eh... ik heb een besluit genomen.'

Opnieuw zweeg hij en het werd heel stil om hen heen, alsof ook de wind zijn adem inhield om te luisteren naar wat hij te zeggen had. Woofer was opgehouden te blaffen en zelfs het verkeer een paar huizenblokken verder op Brooklyn Boulevard leek te zijn gestopt.

'Wat dan, Eddie?' vroeg oma. 'Je kijkt zo ernstig. Gaat het wel?'

'Ik ga in het leger, ma.'

'Wat?'

'Ik zei dat ik in het leger ga.' Deze keer sprak hij wat harder, omdat oma slechthorend was, maar Esther wist dat ze hem de eerste keer prima had verstaan.

Esther kreeg het koud en sloeg haar magere armen om haar middel. Als twaalfjarige was ze oud genoeg om te weten wat 'in het leger gaan' betekende. Iedere avond luisterde ze naar het nieuws over de oorlog op de radio. Ook volgde ze het bioscoopjournaal in Loew's Brooklyn Theatre dat voor de middagvoorstelling werd uitgezonden. O ja, ze wist precies wat het betekende: haar vader zou naar een vergelegen gebied vertrekken, net als haar twee ooms, en misschien nooit meer terugkomen. Het leek tien graden kouder te zijn geworden, alsof de zon zich achter een wolk had verscholen.

'Wat zeg je nu, Eddie!' riep oma. 'Ben je helemaal gek geworden? Je kunt niet in het leger gaan! Je hebt twee kinderen. Wie moet er voor hen zorgen?'

'Nou, daar wilde ik het juist met je over hebben. Ik hoopte dat jij dat zou willen doen. Je hebt zelf gezegd dat als we iets nodig hadden...'

'Waar zit je verstand? Hoe haal je het in je hoofd? In vredesnaam, Eddie!'

'De oorlog zal niet eindeloos blijven voortduren. Ik kom weer terug.'

Oma gaf hem een duw tegen zijn schouder. 'En als je nu eens niet terugkomt? Wat dan? Als je net zoals de zoon van Millie Barker op de bodem van de Stille Zuidzee eindigt? Wat dan? Wil je deze arme kinderen als wezen achterlaten?'

Esther begreep hoe onherroepelijk de dood was. Ze wist dat ze haar moeder op aarde niet meer zou terugzien. Ze wist ook dat heel veel mannen in de oorlog sneuvelden. Oma had een kleine vlag in het raam gehangen met twee sterren erop – een voor oom Joe en een voor oom Steve – en ze had aan Esther uitgelegd waarom mevrouw Barker van de overkant nu een vlaggetje met een gouden ster in haar raam had hangen.

Esther had de neiging om in huilen uit te barsten en haar vader te smeken om niet te gaan, maar ze wilde hem niet boos maken. De liefde die ze voor elkaar voelden, leek zo kwetsbaar als een spinnenweb en Esther wist nooit of hij echt naar haar luisterde, laat staan genegenheid voor haar voelde. Soms leek het alsof haar vader niet thuis was, ook al was hij dat in feite wel. Ze besloot om het aan haar oma over te laten om hem op andere gedachten te brengen.

'Mij zal echt niets overkomen, ma. Ik ga bij de landmacht.'

'Denk je dat er geen soldaten bij de landmacht omkomen?'

'Zeg, eigenlijk hoopte ik dat Esther en Peter bij jou zouden mogen wonen, totdat ik weer thuis ben.'

Oma staarde haar vader met open mond aan alsof ze op het punt stond een hap te nemen. Toen Esther zich probeerde voor te stellen hoe het zou zijn om hier te wonen, kreeg ze buikpijn. Oma had zo veel regeltjes, zoals 'Laat de deur niet open staan, want anders loopt de hond weg', en 'Laat mijn parkiet met rust', en 'Maak niet zo veel lawaai, want je stoort de buren', en 'Zit niet aan mijn spullen' – die overal opgestapeld lagen. Esther vond het niet erg om op zondag bij haar op bezoek te gaan, maar als haar vader, Peter en zij aan het einde van de middag weer met de bus naar huis gingen, had ze altijd het gevoel alsof ze haar adem drie uur lang had ingehouden.

'Hoe kunnen ze hier nu komen wonen?' vroeg oma aan haar vader. 'En hoe zit het met school? Heb je daar al aan gedacht? Als ze bij mij komen wonen, zullen ze naar een andere school moeten. Bovendien is er niet genoeg ruimte voor hen in dit huis.'

'Wat bedoel je ermee dat er niet genoeg ruimte voor hen is? Pa en jij hebben hier drie jongens grootgebracht.' Esther had zich altijd afgevraagd hoe haar vader en ooms in het huis hadden gepast. Oma bewaarde dingen die de meeste mensen weggooiden: overal lagen spullen opgestapeld, zodat het moeilijk was van de ene kamer naar de andere te lopen.

'Dat was jaren geleden, Eddie. Jullie stapelbedden heb ik een hele tijd geleden weggedaan en ik gebruik die kamer nu voor mezelf. Ik zou niet weten hoe ik die kamer zou moeten leeghalen. Waar moet ik al mijn spullen laten?'

'Je kunt ook naar ons appartement verhuizen.'

'En wat doe ik dan met mijn hond? En mijn vogel? Bij jou in het gebouw zijn huisdieren niet toegestaan. Bovendien zijn er te veel trappen.'

'Luister nu even, ma…'

'Nee, jij moet naar mij luisteren. Ik houd van Peter en Esther, dat weet je.' Op Esther kwam de opmerking over als een slag in een honkbalwedstrijd die uit bleek te zijn. Je had hoge verwachtingen als de bal de knuppel raakte, maar uiteindelijk kwamen deze niet uit.

'In vredesnaam, Eddie. Ik ben toch veel te oud om die kinderen op te voeden? Met huiswerk helpen, me zorgen maken over mazelen en waterpokken. Dat gaat me echt te ver! Het is te veel om dag en nacht voor ze te zorgen. Laat iemand anders maar tegen de nazi's vechten. Je bent nota bene eenendertig jaar oud. Je hebt verantwoordelijkheden hier thuis.'

Esther keek naar haar vader om te zien of de argumenten van haar oma enig effect op hem hadden, maar toen ze de uitdrukking op zijn gezicht zag, huiverde ze. Zijn lippen waren wit geworden en hij leek zijn adem in te houden. Oma moest het ook hebben gemerkt. 'Wat? Wat is er met je aan de hand?' vroeg ze.

'Het is te laat. Ik heb me al aangemeld.'

'Je hebt wat gedaan?' Oma leek op een flesje frisdrank dat uit elkaar spatte nadat er te lang mee was geschud. Ze stak haar hand uit en gaf hem een oorvijg alsof hij nog een klein jongetje was. 'Hoe haal je het in je hoofd om zoiets stoms te doen? Wat een onverantwoordelijk dwaas...'

'Luister nu eens even naar me, ma. Ik kan zo niet verdergaan. Echt niet.' Zijn stem klonk even koud en ijzig als een metalen ijsblokjesbakje dat net uit de vriezer kwam. 'Er zijn hier te veel herinneringen. Te veel dingen die nooit meer hetzelfde zullen zijn. Rachel is overal in dat appartement – en tegelijkertijd is ze er niet.'

'Verhuis dan naar een ander appartement. Je hoeft niet in de oorlog te gaan vechten om je leven te veranderen. Bouw gewoon ergens anders een nieuw bestaan op. New York is een grote stad. Er staan talloze appartementen te huur in Brooklyn. Je kinderen hebben je nodig.'

Haar vader wreef over het oor dat oma had geraakt. 'Ze hebben niets aan mij, ma. Ik ben niet eens een goede vader, laat staan een goede moeder.'

Esther probeerde iets te zeggen, maar in haar borst voelde ze dezelfde pijn als die keer toen ze op school van het klimrek was gevallen. Ze kon niet ademen. Ze wilde hem vertellen dat hij wél een goede vader was. Hij kookte voor hen en luisterde 's avonds mét hen naar honkbalwedstrijden op de radio. Iedere dag smeerde hij boterhammen voor tussen de middag, hielp hen te oefenen voor dictees en op zondag ging hij met hen naar de kerk. Maar het was te stil in huis. Hij zong niet en speelde ook nooit op de piano zoals haar moeder had gedaan. En hij vertelde ook geen verhalen over mensen uit de Bijbel voor het slapengaan. Ze aten vaak soep uit blik in plaats van vlees en aardappelen, maar dat vond Esther niet erg. Ze wilde alleen maar dat haar vader bij hen zou blijven en hen niet bij oma zou achterlaten om in de oorlog te gaan vechten.

Ze legde haar hand op zijn arm, terwijl ze naar iets zocht om te zeggen, maar toen hij zich naar haar omdraaide en ze de tranen in zijn ogen zag, kon ze geen woord uitbrengen. Stel je voor dat ze iets verkeerds zou zeggen en hij zou beginnen te huilen zoals was gebeurd toen haar moeder was gestorven? Esther herinnerde zich het afschuwelijke, hulpeloze gevoel toen ze haar vader had horen huilen, vooral omdat ze zelf ook in tranen was en er in de hele wereld niemand was die hen beiden kon troosten. Haar vader had zijn best gedaan. Heel even had hij zijn armen onhandig om haar heen geslagen, alsof hij bang was dat Esther zou breken als hij haar te hard tegen zich aan zou drukken. Haar moeder was zacht en warm geweest en had Esther altijd heel lang vastgehouden.

'Doe het niet, Eddie. Alsjeblieft,' smeekte oma. 'Denk aan je kinderen. Ga morgen naar de kazerne en vertel hun dat je je hebt bedacht.'

'Dat gaat niet. Het is te laat.' Hij sprak zo zacht dat Esther niet wist of ze het zich ingebeeld had. In ieder geval had oma hem niet gehoord. Maar toen schraapte hij zijn keel en zei iets luider: 'Ik heb mijn baan al opgezegd. Over twee weken begin ik aan de basistraining.'

Zijn woorden bezorgden Esther hetzelfde lege, zwevende gevoel als toen haar moeder was overleden, alsof ze een pluisje van een paardenbloem was dat niet langer verbonden was met de aarde. Wat zou er met haar gebeuren? Hoe zou ze kunnen voorkomen dat ze door het kleinste zuchtje wind zou worden meegevoerd?

'In vredesnaam, Eddie! Over twee weken al! Hoe kon je zoiets stoms doen?'

Peter moest oma hebben gehoord, want hij liet Woofer achter en rende naar de veranda. Hij was drie jaar jonger dan Esther en zo mager als een lat – heel anders dan de meeste jongens van zijn leeftijd. Zijn haar had dezelfde glanzende kastanjebruine tint als dat van zijn moeder. Esther hoefde alleen maar naar Peter te kijken om zich de kleur van hun moeders haar te herinneren. Met rode wangen en zijn haar nat van het zweet stommelde hij de trap van de veranda op en keek hen een voor een aan. 'Wat is er aan de hand?'

Zijn vader leek hem niet te horen. 'Ik moet het doen, ma. Begrijp je dat dan niet?'

'Nee, ik begrijp het helemaal niet. Hoe kun je je kinderen dit aandoen? Na alles wat ze hebben meegemaakt? Ben je gek geworden?'

'Nee, maar misschien word ik dat wel als ik hier nog langer blijf.'

'Ik wil er geen woord meer over horen.' Moeizaam kwam oma overeind uit haar schommelstoel, stommelde het huis binnen en liet de hordeur met een klap achter zich dichtslaan. Als Esther en Peter dit deden, schreeuwde ze altijd tegen hen. De stoel schommelde gewoon verder en Esther boog zich over haar vader heen om deze tegen te houden. Mevrouw Mendel, de onderbuurvrouw, had ooit gezegd dat het ongeluk bracht om een stoel verder te laten schommelen zonder dat er iemand in zat. En ze hadden al meer dan genoeg ongeluk gehad, dat was zeker. Opnieuw werd het vreemd stil in de achtertuin. Toen verbrak Penny Goodrich, het buurmeisje van oma, de stilte.

'Eddie?'

'Ja.'

'Ik zal wel op hen passen.'

Esther was vergeten dat Penny er ook was. Iedereen was haar vergeten. Penny was zo rustig en onopvallend dat je haar kon aankijken zonder haar te zien. Esther had geen idee waarom Penny iedere zondagmiddag langskwam, als ze bij hun oma op bezoek waren. Ze was een van die nieuwsgierige buurvrouwen zonder eigen leven die daarom het leven van anderen volgen alsof het een film was.

Penny was jonger dan haar vader, maar zag er oud genoeg uit om te trouwen. Esthers vader had haar verteld dat Penny met haar ouders in de andere helft van het huis woonde sinds hij een klein jongetje en Penny een baby was. Meneer en mevrouw

13

Goodrich moesten wel heel oud zijn geweest toen ze Penny hadden gekregen – net zoals Sara en Abraham in de Bijbel – omdat ze nu hoogbejaard waren, zelfs nog ouder dan oma. Ze kwamen bijna nooit op hun veranda zitten en hun helft van de piepkleine achtertuin gebruikten ze niet. Haar vader had verteld dat hij Penny als kind vaak had geplaagd, omdat ze zo'n vervelend meisje was. Nu draaide hij zich om en keek haar aan, alsof hij ook was vergeten dat zij er was.

'Wat zei je precies, Penny?'

'Ik zal voor je kinderen zorgen. Natuurlijk zou ik liever willen dat je niet in het leger ging, omdat het gevaarlijk is, maar ik zou naar je appartement kunnen verhuizen, zodat ze niet naar een andere school hoeven.' Haar vader keek haar vol verbazing aan, maar zei niets. 'Ik weet dat ik zelf geen kinderen heb,' ging Penny verder, 'maar ik kan wel koken en het huishouden doen, en dat soort dingen.'

'En je werk dan? Waar werkte je ook al weer?'

'Ik verkoop kaartjes op het busstation.' Ze wees met haar duim over haar schouder. 'Maar jij zou toch wel voor me uit kunnen zoeken hoe ik naar mijn werk kan reizen? Welke bus ik moet nemen?'

'Hebben je ouders je niet nodig?'

'O, die redden het wel zonder mij,' zei ze, terwijl ze luchtig met haar hand wuifde. 'Mijn moeder zegt altijd dat ik op haar zenuwen werk. Bovendien kan ik na het werk en in de weekenden bij hen langsgaan. Ze redden het echt wel.'

Esther merkte welke kant het gesprek uit ging en was niet blij. Ze moest ingrijpen en het idee in de kiem smoren, voordat ze met Penny Goodrich in hun appartement opgescheept zou zitten, terwijl haar vader ergens ver weg gestationeerd zou zijn. Penny was best aardig en ze had altijd snoepgoed en kauwgom voor Peter en haar bij zich, maar iets in haar manier van doen irriteerde Esther. Ze stak haar hand in haar zak en zocht naar het rood-wit gestreepte snoepje dat Penny haar vandaag had gegeven. Esther had tegen haar gezegd: 'Nee, dank je', maar Penny had haar het snoepje in de hand gedrukt en gezegd: 'Ach, kom. Neem toch een snoepje. Je vader vindt het vast niet erg.'

Oma had haar verteld dat als ze een keer iets terugdeed om Penny te bedanken voor haar hulp, deze de volgende keer dubbel zo hard haar best deed. '*Als je tegen Penny zou zeggen dat je haar schoenen leuk vond,*' had oma ooit gezegd, '*zou ze die onmiddellijk uittrekken en in je handen duwen zonder naar je protesten te luisteren.*' Esther zou Penny's kleren nooit willen hebben. Ze kleedde zich als een oude vrouw in vormeloze jurken, bloemetjesschorten en schoenen met dikke zolen.

'Ik kan de wekelijkse boodschappen voor mijn ouders blijven doen,' ging Penny verder, 'en als ik hier ben, kan ik de was en andere klusjes voor hen doen – terwijl je kinderen hun oma bezoeken.'

'Dat lijkt me een behoorlijk zware belasting,' zei mijn vader.

'Ach, dat geeft niet. Ik vind het niet erg. Af en toe voel ik me echt eenzaam. Het zou leuk zijn om eens iets anders te doen.'

'Ik begrijp echt niet waarom mijn moeder me niet wil helpen.'

'Misschien komt het doordat je broers al in de oorlog vechten en jij de enige bent die ze nog heeft. Waarschijnlijk is ze bang om jullie alle drie te verliezen. Dat snap ik heel goed. Jij niet?'

'Ik zal waarschijnlijk niet eens hoeven vechten. Het leger heeft monteurs nodig om legervoertuigen te onderhouden en repareren. Ze hebben gezegd dat ze me misschien leren om tanks te repareren. En ik zou graag werken met vliegtuigmotoren.'

'Dat zou leuk zijn. En het zou geen gevaarlijk werk zijn, hè?'

'Ik wil gewoon weg, Penny. Er zijn te veel herinneringen in het appartement en… en ik kan er gewoon niet meer tegen. Waarom wil mijn moeder dat niet begrijpen?'

'Arme Eddie. Ik begrijp het wel. Het moet heel moeilijk voor je zijn.' Penny legde haar hand op die van hem. Hij keek er vol verbazing naar en richtte zijn blik toen op haar. Penny deed

Esther denken aan de cockerspaniël van oma met haar grote, droevige ogen en haar hoofd een tikje schuin.

'Je wilt het dus echt voor me doen?' vroeg haar vader. 'Je zou het geen bezwaar vinden om naar mijn appartement te verhuizen en voor de kinderen te zorgen als ik weg ben?'

'Natuurlijk. Ik wil je heel graag helpen.'

Esther zag hoe hij over het idee nadacht. Ze wilde haar vader met haar elleboog een por in zijn ribben geven en zeggen: *Hé! En ik dan? Waarom vraag je niet wat ik ervan vind?* Maar er drukte weer iets zwaars op haar borst, zodat het moeilijk was om adem te halen. 'Papa,' zei ze zachtjes.

'Waarschijnlijk zal het niet van lange duur zijn,' ging hij verder. 'Ik weet zeker dat mijn moeder zich zal bedenken en de kinderen bij zich in huis zal nemen als ze eenmaal aan het idee gewend is.'

'Papa.' Esther sprak deze keer iets harder.

'En ik kan er toch van op aan dat je voor mijn moeder klaar blijft staan als ze hulp nodig heeft? Als het haar bijvoorbeeld allemaal even te veel wordt?'

'Natuurlijk. We redden het best. Maak je echt geen zorgen.'

Esther werd door paniek overvallen. Het gesprek ging helemaal de verkeerde kant op en ze wist niet hoe ze het onheil kon afwenden. Ze wilde niet dat haar vader weg zou gaan – en helemaal niet dat die saaie Penny Goodrich bij hen zou komen wonen en haar moeders plaats zou innemen. 'Papa!'

'Ja, pop?' Zijn antwoord klonk verstrooid en hij keek naar de piepkleine achtertuin, niet naar haar. Toen nam hij haar hand in de zijne en streelde die zachtjes met zijn duim, maar ze wist dat hij niet echt naar haar luisterde. Het was alsof hij samen met oom Joe en oom Steve was vertrokken en al mijlenver weg was.

Esther aarzelde of ze eerlijk tegenover hem zou zijn. Ze was bang dat als ze de waarheid tegen haar vader zou zeggen, hij boos op haar zou worden en haar hand zou loslaten. En dat mocht niet gebeuren.

'Laat maar zitten,' mompelde ze.

Want dat was de fout die ze met haar moeder had gemaakt. Esther had haar hand losgelaten, omdat ze het kinderachtig vond om haar moeder een hand te geven. En nu zou ze de hand van haar moeder nooit meer kunnen vasthouden.

2

Penny Goodrich wist dat ze een tweede kans had gekregen. De vrouw van Eddie Shaffer was meer dan een jaar geleden overleden en dat was een heel tragische gebeurtenis geweest. Maar nu had hij een andere vrouw en een moeder voor zijn twee kinderen nodig en Penny wilde deze rol dolgraag op zich nemen. Deze keer zou Eddie verliefd worden op *haar*. Daar zou ze voor zorgen.

Penny kon zich geen enkele tijd in haar leven herinneren dat ze niet verliefd was geweest op de lange buurjongen met de goudblonde haren. Zelfs als klein meisje had ze vol bewondering toegekeken wanneer hij op straat met zijn broers had gehonkbald. Wat zou ze graag mee hebben gedaan toen en homeruns voor hem hebben gescoord, zodat hij ook verliefd op haar zou zijn geworden, maar haar moeder had het haar verboden. '*Je bent veel te onhandig, Penny. Je kunt niet met die grote jongens spelen. Je zou je bezeren. Bovendien zitten ze niet te wachten op iemand als jij in hun team.*'

Op warme zomeravonden speelden Eddie en de andere kinderen vaak verstoppertje of tikkertje en keek Penny toe vanaf de stoep voor haar huis. Zijn blonde haar zag er geelgroen uit in het licht van de lantaarn en hij schreeuwde altijd: 'Ik kom, wie niet weg is, wordt gezien,' voordat hij wegstoof om de andere kinderen te zoeken. Ze verlangde ernaar om zich, net zoals de andere kinderen, in de struiken te verstoppen en van opwinding te gillen als Eddie haar eindelijk zou vinden. Maar haar moeder zei dat het te gevaarlijk was voor een meisje als zij om in het donker rond te rennen. '*Je weet maar nooit wie zich in die bosjes*

heeft verstopt en je zal pakken, zodra hij de kans krijgt. De wereld is
vol slechte mensen, of je dit nu wilt inzien of niet.'

Toen ze eindelijk oud genoeg was om naar school te gaan, wilde Penny achter Eddie en zijn broers aan huppelen als ze door de herfstbladeren heen banjerden of door de sneeuwhopen die de sneeuwploegen hadden achtergelaten, maar in plaats hiervan had Penny's moeder haar altijd naar school gebracht. *'Je bent nog veel te jong om op het verkeer te letten. Je hebt geen greintje verstand. De eerste de beste keer dat je zou oversteken, zou je door een auto worden overreden.'*

Op de middelbare school mocht Penny niet naar de honkbal-wedstrijden kijken waaraan Eddie deelnam, omdat ze anders was dan andere meisjes. De ouders van Penny waren ouder dan alle andere ouders en haar zus Hazel, die zeventien jaar ouder was dan zij, was uit huis gegaan voordat Penny oud genoeg was om zich haar te herinneren. Soms keek Penny van een afstand naar Eddie en als hij het papiertje van een stukje kauwgom liet vallen, raapte ze dit op en stopte ze het in de schoenendoos die ze in haar kast bewaarde. Ze schreef zijn naam in haar schrift, terwijl ze tijdens de les zat te dagdromen en vulde de ene bladzijde na de andere met 'Ik hou van Eddie' en 'Eddie en Penny' met hartjes om hun namen getekend.

Penny herinnerde zich hoe ze tranen met tuiten had gehuild toen mevrouw Shaffer haar had verteld dat Eddie ging trouwen. Haar ouders en zij waren uitgenodigd voor een bruidslunch in de achtertuin, maar Penny was te verdrietig geweest om ook maar één hap taart door haar keel te krijgen. In plaats hiervan had ze haar stukje taart diezelfde avond onder haar kussen gelegd, omdat werd gezegd dat als je dit deed, je zou dromen van de man met wie je later zou trouwen. Net als vele andere nachten had ze van Eddie gedroomd. De volgende ochtend had ze het geplette stukje taart weggegooid, omdat ze ervan overtuigd was dat haar droom nooit zou uitkomen.

Maar misschien zou dit nu toch gebeuren.

Eddie had haar hulp nodig. Penny zou de nieuwe mevrouw Shaffer worden. Natuurlijk zou ze moeten wachten totdat de oorlog voorbij was en hij weer thuis was. Maar tijdens zijn afwezigheid zou ze hem iedere dag een lange brief schrijven over hoe het aan het thuisfront ging. Na de oorlog zou zijn appartement haar thuis zijn en zou ze een tweede moeder voor zijn twee kinderen zijn geworden.

Haar wangen begonnen te gloeien van opwinding, terwijl ze naast hem op de veranda zat aan de achterkant van het huis en hem zag nadenken over haar voorstel. Als hij ermee instemde, zou ze misschien de tuin in rennen van blijdschap, net als Woofer die de bal achterna rende.

'Het is heel aardig van je dit aan te bieden,' zei Eddie. 'Ik zal er even met mijn moeder over praten.'

Terwijl hij opstond, gleed Penny's hand van die van hem af. 'Zeg maar tegen je moeder dat het helemaal niet erg is dat ze de kinderen niet bij zich in huis kan nemen. Vertel haar dat ik met alle liefde voor hen wil zorgen.'

Hij knikte en verdween via de achterdeur, die zijn moeder even ervoor achter zich dicht had geslagen, naar binnen. Eerlijk gezegd wist Penny ook niet hoe deze twee kinderen ooit in mevrouw Shaffers huis zouden passen, als ze de spullen die overal in haar huis lagen opgehoopt niet zou weggooien. Penny had nog nooit een blik geworpen in de twee slaapkamers, maar als die er net zo uitzagen als de andere vertrekken, zouden de twee kinderen geen ruimte hebben om er te zitten, laat staan te slapen. Iedere centimeter in de woonkamer, keuken en eethoek was gevuld met torenhoge stapels kranten, oude tijdschriften en kartonnen dozen vol afgedragen kleding en er was amper genoeg ruimte om erlangs te lopen. Soms maakte Penny zich er zorgen over dat mevrouw Shaffers helft van de twee-onder-een-kapwoning in brand zou vliegen en haar ouders en zij levend zouden verbranden, omdat ze in de andere helft woonden. Het was maar goed dat haar ouders niet wisten hoe mevrouw Shaffers huis eruitzag. Ze maakten zich al genoeg zorgen over andere dingen.

De hordeur sloeg achter Eddie dicht en Penny bleef achter met de twee kinderen. Ze waren veel stiller dan de meeste kinderen en ze was niet goed in het voeren van gesprekken.

'Hé, hebben jullie zin in een ijsje?' zei ze ten slotte. 'Op warme dagen komt de ijscoman vaak langs. Als je vader het goed vindt, krijgen jullie een ijsje van me. Of misschien kunnen we even naar de winkel op de hoek lopen om er eentje te kopen. Ik trakteer. Vinden jullie dat een goed idee?'

Het meisje schudde haar hoofd en zei: 'Nee, dank je.' Haar haar leek op dat van Eddie: het was dik, blond en krullend. De jongen leek Penny niet gehoord te hebben, want hij bleef naar de achterdeur staren, waarachter zijn oma en nu zijn vader waren verdwenen. Hij stond zo stil dat hij met zijn ogen open leek te slapen.

'Wat is jullie lievelingssmaak?' vroeg Penny. 'Ik denk dat het chocolade-ijs is. Dat vinden de meeste mensen het lekkerst, maar ik vind ijslolly's met druivensmaak heerlijk. Jullie niet? Maar natuurlijk mogen jullie zelf kiezen wat jullie willen.'

'Nee, dank je,' zei Esther opnieuw.

Penny kon zichzelf wel om de oren slaan dat ze de kinderen van Eddie vanaf het begin tegen zich in het harnas had gejaagd. Soms sloofde ze zich zo uit dat ze het voor zichzelf verbruide. Haar moeder zei altijd dat ze minder verstand had dan een sperzieboon. Gelukkig ging de achterdeur weer open en kwam Eddie met gefronste wenkbrauwen naar buiten.

'Kunnen we nu eindelijk naar huis, papa?' vroeg Esther. Ze was twaalf. De jongen heette Aaron Peter, maar ze noemden hem Peter. Hij was negen. Penny kende hen goed, omdat mevrouw Shaffer haar op de hoogte hield van ieder detail van hun leven sinds ze waren geboren.

'We gaan zo naar huis, pop,' antwoordde Eddie. 'Zeg, Penny... ik denk dat mijn moeder meer tijd nodig heeft om aan het idee te wennen. Wat vind je ervan dat we vrijdagavond langskomen om er verder over te praten?'

'Prima! Ik kan voor je koken en...'

'Dat hoeft niet. We komen na het eten. En als mijn moeder tegen die tijd nog niet op andere gedachten is gekomen... nou ja, dan maak ik misschien gebruik van je aanbod.'

'Dat is goed, Eddie. Echt waar. Ik wil met alle liefde voor de kinderen zorgen.'

'Ik had nooit gedacht dat mijn moeder zou weigeren om me te helpen en daarom heb ik me al aangemeld voor het leger. En nu...'

'Het zal allemaal in orde komen. Maak je geen zorgen.'

Penny liep met hen mee naar de hoek van de straat en bleef bij hen totdat de bus kwam. Toen haastte ze zich naar huis om haar ouders het nieuws te vertellen. Ze zaten in de sombere voorkamer achter gesloten gordijnen naar de radio te luisteren. Zelfs overdag zaten de gordijnen dicht, omdat ze niet wilden dat vreemden naar binnen konden gluren – niet dat er veel te zien was. Penny wachtte totdat er een reclamespotje voor het zeepmerk Lux werd uitgezonden, voordat ze besloot van wal te steken. Haar vader had er een hekel aan als ze door zijn programma's heen praatte.

'Zeg, moet u eens horen. Ik was bij de buren. Eddie Shaffer was er ook en...'

'Je moet daar niet zo vaak naartoe gaan,' onderbrak haar moeder haar. 'Je dringt jezelf op. Waarom kun je niet in je eigen huis blijven, waar je thuishoort?'

'Mevrouw Shaffer vindt het niet erg. Om verder te gaan waar ik was gebleven: Eddie gaat in het leger, net als zijn broers hebben gedaan, en hij vroeg aan zijn moeder om op zijn twee kinderen te passen. Zijn moeder denkt dat ze te oud is om voor hen te zorgen en dus heb ik Eddie aangeboden om op hen te passen als hij weg is.'

'Wat?' Penny's moeder gaapte haar dochter aan alsof ze haar

net had verteld dat ze een bank had beroofd. Penny had andere moeders met een liefdevolle blik naar hun kinderen zien kijken en ze wenste dat haar moeder haar ook zo zou aankijken, al was het maar één keer. Haar ouders waren al behoorlijk op leeftijd toen ze werd geboren en ze vroeg zich af of ze boos waren geweest dat ze op hun leeftijd met een baby opgezadeld zaten, vooral omdat ze al een dochter hadden grootgebracht.

'Ik heb tegen Eddie gezegd dat ik op zijn kinderen zal passen.'

'Doe niet zo gek. Je hebt geen verstand van het opvoeden van kinderen. Verder weet ik zeker dat hij eronderuit kan komen, omdat de kinderen geen moeder hebben.'

'Eddie is niet opgeroepen. Hij heeft zich als vrijwilliger aangemeld.' Penny begreep precies hoe hij zich voelde. Zij verlangde er ook naar om ergens anders helemaal opnieuw te beginnen, maar wat kon ze doen? Ze verdiende niet genoeg op het busstation om een eigen appartement te huren. En ze had geen vriendinnen met wie ze er een kon delen. Als ze na de middelbare school verpleegster was geworden, zoals ze had gewild, had ze op zichzelf kunnen gaan wonen, maar haar moeder had gezegd dat ze niet slim genoeg was om naar de verpleegstersopleiding te gaan. *'Alleen met goede cijfers kun je verpleegster worden en jouw cijfers zijn gemiddeld.'*

Penny wist dat ze gewoon en gemiddeld was. De eerste vrouw van Eddie, Rachel, was knap, intelligent en levenslustig geweest. Ze had prachtig kastanjekleurig haar en de slankste taille die Penny ooit had gezien. Als Eddie zijn grote, sterke handen eromheen legde, hadden zijn vingertoppen elkaar waarschijnlijk geraakt.

'Jullie hadden moeten zien hoe dankbaar Eddie was toen ik aanbood hem te helpen.'

'Ten eerste,' mengde haar vader zich in het gesprek, 'vind ik het heel erg dat hij zijn kinderen alleen achterlaat. Als hem iets overkomt, hebben ze niemand meer.'

'Ze hebben mij. Ik zal van hen houden en voor hen zorgen.'

'Ten tweede zijn dit jouw zaken helemaal niet. Of wel soms?'

'Je hebt geen idee wat er allemaal komt kijken bij het besturen van een eigen huishouden en het grootbrengen van kinderen,' voegde haar moeder eraan toe. 'Stel je voor dat een van die kinderen iets oploopt en ziek wordt? Je zou niet weten wat je moest beginnen.'

'En hoe zit het met je werk?' zei haar vader. 'Van zijn huis kun je niet naar je werk lopen.'

'Eddie zal uitzoeken welke bus ik moet nemen.'

'Bus?' Haar moeder herhaalde het woord alsof Penny haar net had verteld dat ze op een olifant naar haar werk zou rijden. 'Dat hele stuk? Helemaal in je eentje? Deze stad is te gevaarlijk om er als meisje in je eentje in rond te reizen. Je bent zo naïef, Penny. Je kunt niet eens voor jezelf zorgen, laat staan voor twee moederloze kinderen.'

Daar had je het weer: haar ouders gaven haar het gevoel onnozel te zijn. Iedere keer dat Penny begon te denken dat ze misschien toch niet zo dom was, overtuigden haar ouders haar van het tegendeel.

'En nog iets,' zei haar vader. 'Je weet niet hoe je met geld moet omgaan. Hoe denk je de huur en de rekeningen te betalen? Je zult er een puinhoop van maken. Weet je nog dat je een paniekaanval kreeg, die keer toen de kruidenier je het verkeerde wisselgeld gaf?'

'Dat is al zo lang geleden, pa. Ik was twaalf. Op mijn werk doe ik niets anders dan met geld omgaan en wisselgeld geven.' Maar ondanks haar weerwoord voelde Penny zich steeds kleiner worden als een ijsje op een middag in augustus. Als ze niet voet bij stuk hield, zou ze de kans mislopen om met Eddie Shaffer te trouwen. Ze kon de gedachte niet verdragen hem nog een keer te verliezen.

'Je weet toch dat hij in het Joodse deel van Brooklyn woont?'

zei haar vader. 'Zijn moeder heeft me verteld dat hij tegenover een synagoge woont.'

'Je vader heeft gelijk. En het zijn bovendien Joden met baarden en rare zwarte hoeden. Onder het appartement van Ed en zijn gezin woont ook zo'n Jood.'

Even voelde Penny een steek van angst. Haar ouders hadden een hekel aan Joden en hadden altijd over hen gepraat zoals andere ouders over de duivel. Soms kwam er een Jood een kaartje op het busstation kopen en kon Penny bij de aanblik van de zwarte hoed en baard en de dansende pijpenkrullen een huivering niet onderdrukken. Haar hart begon te bonken als ze een Jood zag met zo'n grote bontmuts op, alsof er een wild dier op zijn hoofd lag.

'Misschien vindt Ed Shaffer het niet erg om in die buurt te wonen,' zei haar vader, 'maar waarom zou jij er in vredesnaam naartoe verhuizen? Het is ons soort mensen niet, Penny. Jij hoort niet thuis in die buurt. Blijf aan je eigen kant van Brooklyn.'

Penny wist dat haar plan niet door zou gaan als ze nog langer naar haar ouders zou luisteren. Ze ging zelden tegen hen in, maar dit was een van die zeldzame keren. 'Ik... ik heb Eddie al verteld dat ik het zou doen. Hij rekent op me.' Ze wilde dat haar stem iets zekerder, iets minder beverig klonk.

Met zijn handpalm sloeg haar vader op de leuning van zijn stoel. 'Daar komt niets van in. Ik wil het niet hebben.'

Penny slikte de brok in haar keel weg. 'Ik ben vierentwintig, pa. Ik kan doen wat ik wil.' Ze draaide zich om en vluchtte naar haar kamer. Zachtjes deed ze de deur achter zich dicht, maar toch kon ze haar moeder achter zich horen schreeuwen.

'Penny!... Penny Sue Goodrich, kom onmiddellijk hier!'

Ze bleef op haar kamer en leunde tegen de deur. Eerlijk gezegd had ze er niet echt bij stilgestaan wat er bij kwam kijken om voor twee kinderen te zorgen en een huishouden te runnen. Laat staan voor de eerste keer van haar leven op zichzelf te wonen. In een vreemde buurt. Met Joodse mensen. Maar hoe eng deze dingen ook waren, toch zou het veel, veel erger zijn om Eddie te laten zitten en de kans mis te lopen om zijn hart te winnen. Want dat zou betekenen dat ze hier de rest van haar leven zou moeten blijven. Alleen en ongeliefd.

3

Terwijl de muziek van Beethovens Derde Symfonie zachtjes uit de radio klonk, was Jacob Mendel weer bezig een brief te schrijven. Wie weet zou hij deze keer antwoord krijgen. Of misschien zou zijn inspanning opnieuw nergens toe leiden. Alle mogelijke politici had hij aangeschreven: congresleden, staatssenatoren, federale senatoren. Hij had zelfs naar president Roosevelt geschreven. Niemand wilde hem helpen. Geen enkele brief had tot ook maar enig resultaat geleid. Maar desnoods zou hij al deze politici onder zo'n hoge berg brieven bedelven dat een van hen hem eindelijk zou helpen om zijn zoon Avraham, zijn schoondochter Sarah Rivkah en kleindochtertje Fredeleh te vinden.

Andere familieleden werden ook vermist: Jacobs broers Yehuda en Baruch en hun gezinnen, ooms en tantes, neven en nichten – ze waren allemaal in Hongarije en hij had niets meer van hen vernomen sinds Amerika in 1941 de oorlog had verklaard aan Duitsland en Japan. Zijn familieleden hadden net als hij en Miriam naar Amerika moeten emigreren. Ze hadden moeten gaan toen ze nog de kans hadden om te vluchten. Waar zouden ze zijn, nu deze krankzinnige dictator het in grote delen van Europa voor het zeggen had? Dat was precies wat Jacob wilde weten. Maar iedere poging die hij had ondernomen, was op niets uitgelopen.

Jacob en Miriam hadden hun zoon hier in Amerika – in Brooklyn – opgevoed. Maar vijf jaar geleden had Avraham het als de wil van *Hasjem* gezien om naar Hongarije te vertrekken en in een *jesjiva* bij een wereldberoemde rabbijn de Thora te bestuderen. Tijdens zijn studie had Avraham Sarah Rivkah ontmoet. Ze waren getrouwd en hadden een dochter gekregen. Nu waren ze alle drie spoorloos verdwenen.

Vanaf de dag dat Hitler Tsjechoslowakije was binnengevallen, had Jacob krantenartikelen over de oorlog uitgeknipt en kaarten en nieuwsberichten bewaard om op de hoogte te blijven van wat er gebeurde. De foto's en krantenknipsels lagen uitgespreid op de eettafel, zodat hij er niet langer aan kon eten. Maar die tafel was toch niet meer nodig, dus wat maakte het uit?

Het weinige nieuws dat over Hongarije binnendruppelde, was altijd slecht. De Hongaren hadden een bondgenootschap gesloten met Duitsland. En de foto's van wat Hitler in Duitsland had aangericht waren gruwelijk: uitgebrande synagogen, de ravage die tijdens de Kristallnacht was aangericht, Joden die uit hun huizen en winkels werden verdreven en gedwongen werden een gele ster te dragen.

De muziek eindigde en de nieuwsuitzending zou zo beginnen. Ongetwijfeld zouden het slechte berichten zijn. Het nieuws was altijd en alleen maar slecht. Meer U-boten die de Atlantische oceaan terroriseerden. Weer een eiland in de Stille Zuidzee dat door de Japanners was bezet. Wat zou het deze keer zijn? De nieuwslezer begon te spreken, maar alsof ze het erom deden, sloegen juist op dat moment Jacobs huurders van de verdieping erboven de deur van hun appartement hard achter zich dicht en stormden de trap af – aan het geluid te horen was het meer dan één persoon – zodat de woorden van de nieuwslezer onverstaanbaar werden. Voordat ze de voordeur met een klap dichttrokken, wat ze altijd deden, kwam Jacob uit zijn stoel overeind en slofte de kamer door om de radio harder te zetten. Maar de voetstappen verstomden voor de deur van zijn appartement en even later klopte iemand aan. Miriam was veel te vriendelijk tegen hun huurders geweest en had de twee kinderen altijd uitgenodigd alsof het haar eigen kleinkinderen waren.

Jacob deed de deur op een kier open en zag dat het de vader was, Edward Shaffer. Zijn dochter stond naast hem en hield zijn hand vast, terwijl het jongetje aan zijn middel leek te kleven als een stuk kauwgom aan een schoenzool.

'Goedemiddag, meneer Mendel. Sorry dat ik u stoor, maar ik wilde u de huur van deze maand betalen.'

'Het is nog niet het einde van de maand, maar pas de vierentwintigste.' Jacob wist dit, omdat hij de datum zojuist op de brief had geschreven.

'Dat weet ik, meneer Mendel. Dat weet ik. Maar morgen vertrek ik en…'

'Hè? Gaat u weg? Hoelang?'

Shaffer glimlachte even. 'Nou… totdat de oorlog voorbij is, denk ik, en de nazi's en jappen definitief verslagen zijn. Ik heb me aangemeld bij het leger.'

Het nieuws verbijsterde Jacob. Hij wist niet wat hij moest zeggen. Was de overheid zo meedogenloos dat ze een man met twee moederloze kinderen opriepen om zijn dienstplicht te vervullen? Maar nee, Shaffer had gezegd dat hij vrijwillig in het leger ging. Dat sloeg helemaal nergens op, maar Jacob zou dit nooit zeggen. Het waren zijn zaken niet wat de man deed.

'U mag het appartement niet onderverhuren. Dat staat in de huurovereenkomst.'

'Dat ben ik niet van plan, meneer Mendel. Een vriendin van de familie komt voor Esther en Peter zorgen. Het leger zal iedere maand mijn soldij rechtstreeks naar haar sturen, zodat ze de huur kan betalen.'

Opnieuw wist Jacob niet wat hij moest zeggen.

'Als ik klaar ben met de basistraining, heb ik een paar dagen verlof en kom ik naar huis,' ging Shaffer verder. 'Als er problemen zijn, kunt u die dan met me bespreken.'

'Wie zei u dat hier komt wonen?'

'Ze heet Penny Goodrich. Ik ken haar al mijn hele leven en ze heeft een groot verantwoordelijkheidsgevoel. Ze drinkt en rookt niet… en ze is niet het type dat een wild leven leidt, als u begrijpt wat ik bedoel. Anders zou ik mijn kinderen nooit aan haar toevertrouwen. Penny is betrouwbaar.'

Jacob nam het geld voor de huur van Shaffer aan en knikte alsof hij het begreep. Maar dat deed hij niet. Hij begreep er helemaal niets van. Waarom wilde deze man zijn gezin achterlaten, terwijl dat helemaal niet nodig was? Jonge kinderen nota bene. Jacob stelde alles in het werk om zijn zoon en zijn gezin naar Amerika te halen. Hij zou zijn kind nooit alleen achterlaten, voor geen prijs.

Hij bedankte Shaffer voor het geld en had de deur al bijna dichtgedaan toen hij bedacht dat hij iets moest zeggen. 'Sterkte toegewenst. In de oorlog bedoel ik. Pas goed op uzelf.'

'Dat zal ik zeker doen, meneer Mendel. Dank u wel.'

Pas goed op uzelf. Wat een domme opmerking. Het waren nietszeggende woorden. Jacob had met Shaffer te doen. Hij wist hoe de man onder het verlies van zijn vrouw gebukt ging. Jacob had zijn Miriam Shoshanna ook verloren en meer dan een jaar later was hij nog steeds boos op Hasjem dat Hij haar van hem had weggenomen. Welke Heerser van het Heelal nam nu een goede vrouw als Miriam Shoshanna weg – om maar te zwijgen van de moeder van die arme kinderen – als er zo veel slechte mensen op deze aarde rondliepen die het niet verdienden om te leven? Wie regeerde er nu over een wereld waar remmen van auto's het zomaar begaven en twee vrouwen omkwamen die aardappelen gingen kopen voor de *sjabbat*?

Hij ging weer aan zijn bureau zitten om zijn brief af te maken en voelde het gewicht van zijn vijfenzestig jaren op zijn schouders drukken. Toen hij de envelop had dichtgeplakt en er een postzegel op had gedaan, besloot hij iets eetbaars in de koelkast te zoeken.

Niets. Helemaal niets. En dat nota bene op de sjabbat. Miriam was vroeger de hele vrijdag bezig geweest om een feestmaal voor de sjabbat te koken. Vaak nodigde ze vrienden uit om de sjabbat met hen te vieren. Altijd veel vrienden. Nu was het vrij-dagavond en er was helemaal niets te eten in huis.

O, hij had uitnodigingen gekregen, veel uitnodigingen. Maar Jacob kon het niet verdragen om een andere vrouw de sjabbats-kaarsen te zien aansteken en de zegenbede te horen uitspreken. Hij kon het glas niet heffen om iedereen *sjabbat sjalom* te wen-sen. Hij kon niet bidden. Zijn vrienden baden nog steeds tot Hasjem, maar Jacob Mendel niet meer.

Hij deed de deur van de koelkast dicht en besloot naar de win-kel te gaan om een blik soep voor het avondeten te kopen. On-derweg kon hij zijn brief posten. Hij wist dat de zon al was onder-gegaan en dat de sjabbat was begonnen, maar dat weerhield hem er niet van om boodschappen te doen. Vijfenzestig jaar lang had Jacob Aaron Mendel nooit met opzet een van Hasjems geboden overtreden. Maar waar was het uiteindelijk goed voor geweest?

Jacob trok zijn jas aan, zette zijn hoed op en deed de deur van het appartement op slot. Hij stak de straat over en liep langs de *sjoel* waar *rebbe* Grunfeld en de andere vrienden van Jacob nu de *kabbalat sjabbat* vierden. Hij liep verder en kwam langs de groen-tekraam waar het ongeluk was gebeurd, alsof hij Hasjem tartte om nog een auto zonder remmen de stoep op te sturen. Deze keer mocht die op hem in rijden.

Alles zag er weer uit als vroeger. Per slot van rekening was het al meer dan een jaar geleden. Wat verwachtte hij? Dat ze een gedenkteken zouden oprichten voor zijn Miriam Shoshanna, Rachel Shaffer en de andere vrouw die was omgekomen? De eigenaar was Joods en daarom was zijn winkel op de sjabbat gesloten. Dat deerde Jacob niet. Hij deed er toch geen inkopen meer. Vroeger ging hij er iedere vrijdag graag met Miriam naar-toe om een praatje te maken met Chaim, de slager, die ook uit Hongarije kwam. Hij genoot ervan om aardbeien of een andere lekkernij voor zijn vrouw uit te zoeken. Maar na haar overlijden had Jacob er nooit meer boodschappen gedaan.

Vanavond ging hij naar de smoezelige Italiaanse winkel, die

een blok verder lag, om een blik tomatensoep en een pak hartige crackers te kopen. Zoals altijd was het druk in de winkel en daarom duurde het lang voordat hij kon afrekenen. Vervolgens gooide hij zijn brief in de brievenbus op de hoek van de straat en keerde terug naar huis.

Hij bedacht dat hij een omweg had moeten nemen en om het blok heen had moeten lopen naar het steegje dat langs zijn huis liep. Hij had niet het risico moeten nemen opnieuw langs de sjoel te lopen voor het geval de dienst was afgelopen en de mannen net naar buiten kwamen. Maar Jacob kon niet helder denken. Hij was te veel bezig met het nieuws dat zijn huurder morgen in het leger zou gaan. Had Shaffer eigenlijk wel gezegd dat hij morgen zou vertrekken?

De gebedsdienst was vroeger dan normaal afgelopen – of misschien stond Jacobs horloge stil – want hij zag de mannen via de achteruitgang van de sjoel naar buiten stromen. Jacob draaide zich snel om en liep zo snel mogelijk de andere kant uit, maar het was te laat. Rebbe Grunfeld had hem gezien en kwam haastig achter hem aan.

'Yaacov! Yaacov, wacht!' riep hij.

Hij had geen keus. Nu moest hij wel blijven staan. En een gesprek voeren waar hij geen zin in had. 'Goedenavond, rebbe.' Jacob wilde hem geen gezegende sjabbat wensen.

'*Sjabbat sjalom*, Yaacov. We hebben je de afgelopen maanden bij de gebeden gemist. Je komt toch binnenkort weer, hè?'

'Nee.'

De rebbe gaapte hem aan alsof hij iets godslasterlijks had gezegd.

Jacob schoot uit zijn slof. 'Waarom moet ik bidden? Nou? Vertelt u me eens waarom ik moet bidden.'

'We hoeven niet te bidden, we kunnen ook gewoon praten. Ik zou naar je kunnen luisteren… en misschien zou Hasjem…'

'Ik heb u en Hasjem helemaal niets te melden. En helemaal geen reden om Hem ergens voor te danken.'

'Dat meen je niet, Yaacov.'

'Ja, dat meen ik wel. Op die dag was ik met het werk van Hasjem bezig. Ik was bezig met de voorbereiding van de inzegening van Zijn nieuwe thorarol. Daarom was ik te laat thuis die dag. Als ik wel op tijd zou zijn geweest, zou ík naar de winkel zijn gegaan, niet Miriam. Niet die jonge moeder met twee kleine kinderen van boven. Als ik thuis was geweest, had ze Miriam niet aangeboden om met haar mee te gaan.'

'Ik weet het, ik weet het. Het was een heel tragische gebeurtenis, maar...'

'Hoe kon Hasjem, die alwetend is, niet voorzien dat als ik te laat thuis zou zijn, mijn Miriam Shoshanna zou sterven? Nou?' schreeuwde Jacob, maar het kon hem niet schelen. 'Hasjem had moeten weten dat juist Miriam boodschappen wilde doen voor zonsondergang op *erev* sjabbat. En dat ze nooit een gebod van Hem zou breken.'

'Ik weet niet wat ik moet zeggen, Yaacov, maar als je weer zou terugkomen, zouden we misschien samen naar de antwoorden kunnen zoeken.'

'Waarom? Wat voor zin heeft dat? Hasjem heeft geen enkel gebed van mij verhoord. Hij heeft me ook niet geholpen om mijn zoon Avraham te vinden. Ik stel Hem zo veel vragen en het enige wat ik ooit hoor, is een oorverdovende stilte. Zo'n snerpende stilte dat mijn oren ervan tuiten.'

'Je hoeft niet zo te schreeuwen, Yaacov.'

'Ik schreeuw als ik daar zin in heb!' Hij zag dat hij werd aangestaard, zelfs door mensen aan de overkant van de straat. De wangen van de rabbijn werden roze onder zijn witte baard.

'Vertel me eens, rebbe: waarom gaf Hasjem mijn zoon Avraham opdracht om in Zijn jesjiva te gaan studeren, terwijl Hij wist dat die gek van een Hitler aan de macht zou komen? Nou? Was Adolf Hitler aan Zijn aandacht ontsnapt? Zag Hij niet wat die gek allemaal van plan was?'

'Ik weet het niet, vriend. Ik weet het niet... maar we missen je. De sjoel is niet hetzelfde zonder jou. Als onze *gabbai* deed je zulk fantastisch werk met het organiseren van al onze samenkomsten. Zonder jou redden we het niet.'

'Het kan me niet schelen wat er met de sjoel gebeurt!' Jacob zweeg even om op adem te komen en zag de rebbe naar zijn papieren boodschappentas met soep en crackers staren. 'Ja, rebbe Grunfeld. Ik draag een last op de sjabbat. Heeft iedereen me gehoord? Jacob Aaron Mendel is boodschappen gaan doen op de sjabbat! Kijk!' Hij hield de tas omhoog, zodat iedereen die kon zien. 'Dit gebeurt er als Hasjem een man zijn vrouw en zoon wegneemt. Hasjem had moeten weten dat dit zou gebeuren. Hij had het moeten weten!'

Jacob draaide zich om en liep met stevige passen weg – niet naar zijn appartement, omdat hij dan langs al zijn vrienden met hun zwarte hoeden zou moeten lopen, maar de andere kant op, in de richting van de groentekraam, de Italiaanse winkel en de brievenbus. Jacob passeerde ze alle drie, maar bleef doorlopen.

Een half uur later toen zijn woede eindelijk was gezakt, keerde hij uitgeput en hongerig naar huis terug. Iedereen zou inmiddels al lang en breed thuis zijn. Ze aten hun sjabbatsmaal, zongen psalmen en dankten Hasjem. Jacob hoefde niet langer bang te zijn dat hij een bekende tegen zou komen.

Toen hij een paar meter bij de achterkant van de sjoel vandaan was, zag hij rook. Hij bleef staan en keek naar het hem zo vertrouwde bakstenen gebouw, alsof hij niet kon bevatten wat hij voor zich zag. Van onder het dak kringelde een dikke, zwarte rookpluim omhoog. Achter de ramen op de begane grond zag hij felle, oranje vlammetjes dansen.

'Nee…' fluisterde hij. 'Nee!' Jacob draaide zich om en rende naar de sigarenwinkel die hij zojuist was gepasseerd en die op vrijdagavond tot laat geopend was. Buiten adem duwde hij de deur open. 'Bel de brandweer. De sjoel staat in brand!'

'Wat staat in brand?'

'De synagoge! De synagoge op de hoek! De Ohel Mosje Gemeente. Snel. Ik zag rook. En vlammen binnen!'

Zodra de man de telefoon pakte, haastte Jacob zich weer naar buiten. Misschien kon hij alvast beginnen met blussen. Hij was amper een minuut weg geweest, maar toen hij weer bij het gebouw aankwam, zag hij dat hij niets tegen de vlammen kon beginnen. Ze waren nu ook op de eerste verdieping zichtbaar, waar ze dansten achter het raam van de vrouwenafdeling. Het vuur greep snel om zich heen en zou weldra niet meer te blussen zijn.

Waarschijnlijk was het in de *beet midrasj* ontstaan en omdat er zo veel boeken in die studieruimte stonden, had de brand zich zo snel verspreid. Al die boeken – heilige boeken! Wat verschrikkelijk dat de heilige boeken met de woorden van Hasjem nu zouden verbranden. Dat was precies wat die gek van een Hitler had gedaan: boeken verbranden. En synagogen. Jacob keek in paniek om zich heen. Hij had inmiddels sirenes moeten horen. Waarom kwam de brandweer niet?

De thorarollen! Die zouden ook verbranden.

Dat mocht hij niet laten gebeuren.

De achterkant van het gebouw stond ook al in brand en daarom haastte Jacob zich naar de hoofdingang, maar die bleek op slot te zijn. Uiteraard. De gebedsdienst was voorbij en iedereen was al naar huis. Hij stak zijn hand in zijn zak om de sleutel te vinden die hij had gekregen toen hij tot *gabbai* was benoemd, de gebedsdiensten had georganiseerd en een *chazan* had aangewezen om die te leiden. Hier had hij de sleutel. Hij zat nog aan zijn sleutelhanger, samen met de sleutel van zijn appartement. Er was al een jaar verstreken en hij had er nooit aan gedacht hem terug te geven.

Mensen bleven op straat staan en wezen naar de rook en de vlammen. Terwijl Jacob de sleutel met trillende hand in het slot stak, hoorde hij iemand schreeuwen: 'Ga niet naar binnen! Wacht op de brandweer!'

Hij opende de deur en werd begroet door een deken van rook die hem had opgewacht en nu over hem heen viel. Hete, verblindende rook. Hij kon amper zien waar hij liep, maar dat maakte niet uit. De synagoge was met het vooraanzicht op het oosten gebouwd, waar Jeruzalem lag, en de *Aron hakodesj*, waarin de thorarollen waren opgeborgen, stond tegen de meest oostelijke muur.

'Ziet U, Hasjem? Ziet U de *mitswa* die ik voor U doe?' zei hij, terwijl hij op de tast zijn weg zocht. 'U vond het niet nodig om mijn Miriam te redden, maar desondanks neem ik wel de moeite om Uw Thora te redden.'

Bij een van de wasbekkens buiten het heiligdom bleef hij staan en trok zijn jas uit om die nat te maken. De knoppen van de kraan waren gloeiend heet en brandden aan zijn handen, maar hij hield de kletsnatte jas voor zijn neus en mond terwijl hij de deuren openduwde. Boven hem vraten gulzige vlammen zich een weg door de vrouwenafdeling. Hij moest kokhalzen en hoesten van de dikke rook die zelfs door zijn jas heen drong. Hij voelde de hitte op zijn blote armen terwijl hij op de tast langs de *bima* naar voren liep. Wat was hij trots geweest toen zijn zoon op deze verhoging had gestaan om voor de eerste keer uit de Thora voor te lezen. Zou Hasjem het nu toelaten dat er niets zou overblijven van deze sjoel en de herinneringen die eraan verbonden waren?

Jacob schoof de gordijnen opzij om de deuren van de ark te openen. Hij voelde de zachte fluwelen stof die om de rollen heen zat, maar kon ze amper zien door de rook. Vlug legde Jacob zijn natte jas over zijn arm. Heel voorzichtig haalde hij de thorarollen uit de ark en wikkelde zijn jas eromheen om ze te beschermen. Dit waren heilige voorwerpen die niet zomaar weggegrist en slordig behandeld mochten worden. Nadat hij ze met de grootste zorg had ingepakt begon hij met de bundel in zijn handen aan de terugtocht over het middenpad. As regende van boven op hem neer. De hitte was even intens als in een smeltoven.

U weet alles, Hasjem. U wist dat ik Uw Thora wilde redden. U wist

dat ik die niet zomaar kon laten verbranden – ook al bid ik niet meer
tot U.

Hij probeerde zijn adem in te houden om de rook niet te
inhaleren. Die schroeide in zijn keel en longen. Zijn ogen staken
zo erg dat hij ze niet langer open kon houden om te zien waar
hij liep. Op de plek waar hij dacht dat de deur zich bevond,
botste hij tegen de muur op. Hij snakte naar adem, maar in de
lucht die hij inademde, zat geen zuurstof.

Is dit soms mijn straf? Dat ik hier moet sterven? Op de plek die ik
de rug heb toegekeerd?

Uiteindelijk vond hij de deur naar het voorportaal en liet
zich op de grond vallen, omdat daar misschien nog een beetje
zuurstof was. Op zijn knieën kroop hij naar de voordeur met
de rollen tegen zijn borst geklemd, dicht bij zijn hart. Hij zag
de rode knipperlichten van de brandweerwagens door het raam
van de hoofdingang en kwam met grote moeite overeind om de
deurknop te pakken. Het metaal brandde aan zijn handen, maar
hij liet zich met zijn volle gewicht tegen de deur vallen, zodat
die uiteindelijk toch openzwaaide. Hij viel voorover en zakte
op de stoep in elkaar met één arm voor zich uitgestrekt om zijn
val te breken. Een felle pijn schoot door zijn knieën en pols en
hij rolde op zijn zij, toen zijn arm zijn gewicht niet meer kon
houden. Hij mocht niet toestaan dat Hasjems Thora de grond
raakte, zelfs al had hij er zijn jas om gewikkeld.

Een brandweerman in een zwarte jas rende naar hem toe,
greep hem onder zijn oksels en sleepte hem bij het gebouw
vandaan. 'Bel een ziekenauto!' schreeuwde de man. 'Ik heb een
ziekenauto nodig.'

Jacob probeerde hem de bundel aan te reiken. Zijn keel voelde
aan alsof hij een brandend zwaard had ingeslikt. Met hese stem
stamelde hij: 'Geef dit… aan… rebbe Grunfeld.'

Hij kon niet ademhalen en niets zien. Op zijn borst lag een
stapel bakstenen. Toen verdween de brandweerman die over
hem heen stond gebogen achter een donker gordijn.

4

'Waarom kan oma niet gewoon bij ons komen wonen en op ons passen zolang jij weg bent?' vroeg Esther. 'Ik wil niet dat die andere vrouw hier komt wonen.' Ze wist best hoe Penny heette, maar deed net alsof ze zich haar naam niet meer herinnerde om haar standpunt kracht bij te zetten.

Haar vaders koffer lag open op zijn onopgemaakte bed en hij was bezig die in te pakken, omdat hij morgen naar zijn trainingskamp zou vertrekken. Hij liep van de ene kant van de kamer naar de andere om spullen uit zijn kledingkast, ladekast en nachtkastje te halen en te controleren of hij niets had vergeten. Hij was langer dan de schuine kant van het plafond, maar kende de afmetingen van de kamer zo goed dat hij zijn hoofd geen enkele keer stootte.

'Dat heb ik je al tien keer uitgelegd, Esther. Oma kan geen trappen lopen. En je weet dat hier geen huisdieren zijn toegestaan. Wie zou er voor Woofer zorgen? En voor haar vogel?'

'Dat kan Penny toch doen?'

'Alles is al geregeld, pop.'

'Ik wil niet dat je weggaat!' Esther had altijd een standje van haar moeder gekregen als ze met een zeurstemmetje sprak, maar dat kon haar nu niet schelen. Ze klom op het bed van haar vader, waardoor het kofferdeksel dichtviel. De afgelopen dagen had ze zo veel gehuild dat haar buik er pijn van deed, maar haar vader was ongevoelig gebleven voor haar tranen. Hij was niet op andere gedachten te brengen.

'Ik zal maar een week of zes, zeven weg zijn. Na de basistraining krijg ik verlof en kom ik voor een paar dagen naar huis.

Misschien zal oma het tegen die tijd wel goedvinden als jullie bij haar komen wonen.'

'En dan ga je dus weer weg?'

'Als de oorlog voorbij is, kom ik weer terug.' Hij deed het deksel weer open en propte nog twee paar sokken in de koffer. 'De vaders van al je vriendinnetjes vechten toch ook in de oorlog? En de vader van onze buren, de Hoffmans, ook. Ik moet mijn steentje bijdragen, lieverd.'

'De andere kinderen hebben nog een moeder om voor hen te zorgen.' Meteen had Esther spijt van haar woorden.

Haar vader deed zijn ogen dicht en kneep in zijn neusbrug. 'Ik weet het, pop, ik weet het. Maar Penny zal heel lief voor jullie zijn en...'

'Ik wil haar niet. Ik wil jou!'

Haar vader zuchtte en stak zijn hand uit om over haar hoofd te aaien. Zijn hand voelde warm en zwaar aan. 'Sorry, Esther. Ik heb verder niets meer te zeggen.' Hij draaide zich om en liep terug naar de ladekast om de ingelijste foto van haar moeder te pakken die er altijd bovenop stond. 'Deze wil ik meenemen,' zei hij zachtjes. 'Vind je het erg?'

Esther haalde haar schouders op en begreep niet waarom hij haar om toestemming vroeg. Hij blies het stof van het glas en veegde met zijn hand over de lijst, waarna hij die in de koffer legde en het deksel sloot. Hij keek de kamer rond om te zien of hij iets had vergeten en terwijl hij nog even bleef staan, hoorde Esther de hordeur beneden in de keuken dichtslaan. Even later stormde Peter de trap op en rende de slaapkamer binnen. Hij sloeg zijn armen om zijn vader heen en drukte zich zo stijf tegen hem aan dat hij diens overhemd verkreukelde.

'Hé, wat is er aan de hand?' vroeg zijn vader. 'Ik dacht dat je buiten aan het spelen was?'

Peter drukte zijn gezicht tegen zijn vaders buik en zei niets. Hij had zijn vader niet gesmeekt om te blijven, zoals Esther had gedaan, en ook niet talloze keren 'maar waarom dan?' gevraagd.

In plaats hiervan was hij hem de afgelopen dagen als een hondje achternagelopen en had hij zich aan zijn broekspijp, overhemd of middel vastgeklampt. Nu begon hij te huilen met een iel, gedempt geluid als een gewond katje.

'Hé, kom op, Peter. Maak het nu niet moeilijker dan het al is.'

Het slaapkamerraam stond wijd open en terwijl Peter zachtjes bleef jammeren, hoorde Esther een ander huilend geluid. Ze herkende het als de sirenes van de brandweerkazerne die drie blokken verderop lag. Het gehuil zwol steeds verder aan, totdat de brandweerwagen vlak bij het appartementencomplex leek te stoppen. Peter liet zijn vader los en sloeg zijn handen over zijn oren om het lawaai niet te horen. Hij had een hekel aan sirenes, waarschijnlijk omdat ze hem herinnerden aan de ambulances en politieauto's bij de groentekraam op die verschrikkelijke dag dat hun moeder was overleden. Haar vader liep naar het raam en trok er de hor met een ruk uit om beter naar buiten te kunnen kijken. 'Lieve help!' riep hij. 'De synagoge staat in brand!'

Esther kwam naar haar vader toe en keek ook uit het raam. Uit de achterkant van het gebouw stegen dikke, zwarte rookwolken op en achter de ramen schoten oranje vlammen omhoog. Ze zag hoe de lange vingers van het vuur uit een van de ramen naar het dak grepen en het in lichterlaaie zetten. Ze balde haar vuisten en wilde dat de brandweerlieden opschoten en het vuur onmiddellijk zouden doven. Ze wilde dat het griezelige, onnatuurlijke schouwspel zou verdwijnen en dat het vertrouwde, bruine bakstenen gebouw aan de overkant van de straat er weer normaal zou uitzien. Drie verdiepingen lager waren brandweerlieden in zwarte jassen en rubberen laarzen op straat bezig ladders uit te schuiven en lange slangen uit te rollen die op platte, grijze reptielen leken. Waarom schoten ze toch niet op?

Ze kon er niet tegen om de vlammen het gebouw te zien verteren en draaide zich om. Peter stond midden in de kamer en had zijn handen nog steeds over zijn oren geslagen. Vroeger was een van zijn lievelingsspeeltjes een speelgoedbrandweerauto geweest en hij smeekte hun moeder altijd om langs de brandweerkazerne te lopen als ze naar het park gingen, zodat hij de grote wagens kon zien. Maar na het overlijden van hun moeder was dat veranderd.

'We kunnen de ramen beter dichtdoen,' zei hun vader, 'want anders staat de kamer vol rook. Help me eens even, Esther.'

Ze bleef roerloos staan en zag hoe hij de ramen in de slaapkamer dichtdeed en de horren tegen de muur zette. 'Zal de hele synagoge afbranden, papa?'

'Ik weet het niet, pop. De brandweerlieden zullen uiteraard hun best doen om het gebouw te redden. Ga vlug naar je kamer en doe het raam daar dicht alsjeblieft.' Haar vader haastte zich naar beneden om te controleren of de ramen in de rest van het appartement gesloten waren.

Esther liep naar de slaapkamer die ze met Peter deelde en haalde de hor uit het zware raam, zodat ze het kon sluiten. Toen ging ze naar beneden, waar haar vader en broertje al waren. Haar vader had zijn hoofd en schouders uit het open raam in de woonkamer gestoken om het schouwspel beneden te volgen.

'Niet doen, papa. Straks val je nog.'

Hij trok zich terug en sloot het raam. 'Wat is er aan de hand, pop? Je bent toch niet bang, hè?' Esther knikte en Peter klampte zich weer aan zijn vader vast. 'Wees maar niet ongerust. Het vuur zal deze kant van de straat niet bereiken. Kom, we gaan even op straat kijken.'

Esther wilde eigenlijk niet mee. Haar moeder had haar verteld dat een synagoge net zoiets was als een kerk, behalve dat je net zoals meneer en mevrouw Mendel joods moest zijn om erin te mogen. Esther zou haar eigen kerk ook niet willen zien afbranden, maar haar vader gaf Peter een hand en liep met hem naar beneden. In de gang beneden hing al een dikke rookwolk. Haar vader bleef staan om bij de huisbaas aan te kloppen.

'Meneer Mendel, meneer Mendel, bent u thuis?' Het bleef stil.

Ze gingen naar buiten en Esther zag tientallen buren voor hun huizen zitten of op de stoep naar de brand staan kijken. Meneer Mendel zag ze niet. Mevrouw Hoffman, die in het gebouw naast dat van hen woonde, riep haar vader met onzekere stem.

'Meneer Shaffer… Meneer Shaffer… Denkt u dat de brand kan overslaan naar onze kant van de straat? Moeten we onze waardevolle spullen in veiligheid brengen?' Esther was in het appartement van de Hoffmans geweest en kon zich niet herinneren er iets waardevols gezien te hebben.

'Onze gebouwen lopen geen gevaar,' antwoordde haar vader. 'Er staat geen wind. Maar wat jammer van de synagoge.'

De kinderen van de familie Hoffman stonden ook allemaal op de stoep te kijken. Hun zoon Jack was een jaar ouder dan Esther en zei soms lelijke woorden. Op school werd hij vaak naar de directeur gestuurd. Esthers moeder had hem en zijn jongere broer Gary 'tuig' genoemd. Nu stonden ze vlak bij de brandkraan in de plassen te stampen die zich onder de lekkende slangen hadden gevormd en liepen ze de brandweerlieden voor de voeten. Esther huiverde toen ze de opgewonden uitdrukking op hun gezicht zag.

Het oudere zusje van Jack, Lois, was vijftien en een jongensgek. Ze had altijd met Esther naar school gelopen, maar de laatste tijd deed ze alsof ze veel te volwassen was om nog met haar om te gaan. Lois zat op de stoep voor het appartementencomplex op een stuk kauwgom te kauwen waarmee ze grote, roze bellen blies. Het was veel rustiger in de buurt geworden sinds meneer Hoffman in het leger was gegaan. Daarvoor hadden de Hoffmans vaak ruzie gehad en zo hard geschreeuwd dat Esther ze in hun eigen appartement kon horen, vooral in de zomer, als de ramen openstonden.

Er was geen spoor van hun huisbaas, meneer Mendel, te bekennen, maar voor het gebouw waar Esther woonde, had zich een groep Joodse mannen met zwarte hoeden en lange baarden verzameld. Ze zag zo'n grote afschuw en wanhoop op hun gezicht dat ze snel de andere kant op keek. Een van hen liep naar de brandweerlieden toe. Hij was even lang als Esther en droeg een zwarte hoed en had een sneeuwwitte baard.

'Alstublieft, u moet de thorarollen redden. Die mogen niet verbranden.'

'We doen wat we kunnen, rabbijn. Wilt u nu alstublieft even opzij gaan?'

Plotseling zwaaide de voordeur van de synagoge open en strompelde hun huisbaas, meneer Mendel, naar buiten en zakte op de stoep in elkaar. Hij had geen jas aan en Esther herkende de gestreepte bretels die hij had gedragen toen ze eerder die avond bij hem hadden aangeklopt. Een van de brandweerlieden vloog op hem af en schreeuwde: 'Ik heb een ziekenauto nodig!'

De rabbijn met de witte baard maakte zich uit de groep los, liep om de brandweerlieden en brandweerwagens heen en stak door een wirwar van slangen de straat over. 'Yaacov! Yaacov!' riep hij. 'Ben je gewond?'

Meneer Mendel was met een donkere bundel in zijn handen naar buiten gekomen. De brandweerman overhandigde die aan de rabbijn en gebaarde hem de straat weer over te steken en daar te blijven wachten. Esther voelde de hitte van de vlammen en wist dat het in de buurt van de synagoge zelfs nog heter moest zijn. Haar vader liet haar hand los en haastte zich naar de rabbijn.

'Is dat meneer Mendel daar?' vroeg hij. 'Is hij gewond?'

De man met de witte baard haalde zijn schouders op en knikte verdrietig. 'Ja, het is meneer Mendel. We moeten erom bidden dat hij herstelt. Het was heel moedig van hem om onze Thora te redden.'

'Ik ben de huurder van meneer Mendel,' zei haar vader. 'Laat me weten als ik iets voor hem kan doen.' De man leek haar vader niet te horen: de andere mannen kwamen om hem heen staan om de bundel uit te pakken en spraken in een taal die Esther niet verstond.

'Enig idee hoe de brand is ontstaan?' hoorde ze haar vader aan een van de mannen vragen.

De man schudde zijn hoofd. 'Nee, maar ik vraag me af… met zo veel haat in de wereld zou het me niet verbazen als er sprake is van opzet.'

Eindelijk arriveerde de ziekenauto. De sirenes loeiden zo hard dat Peter zijn handen opnieuw over zijn oren sloeg. Esther ook. Ze zag hoe de mannen hun huisbaas voorzichtig op een brancard achter in de ziekenauto tilden en herinnerde zich hoe ze hetzelfde hadden gedaan met het levenloze lichaam van haar moeder. Met gillende sirenes reed de ambulance weer weg.

Ondertussen klommen enkele brandweerlieden de ladders op om hun slangen op het dak van de synagoge te richten. Andere brandweerlieden sloegen met bijlen de lagergelegen ramen in en begonnen het vuur op de begane grond te blussen. Vanuit twee verschillende richtingen kwamen politieauto's aangereden. Midden op straat stopten ze om die voor het verkeer af te zetten. De verkeersagenten sprongen uit de auto's en lieten de portieren wijd open staan. Ze begonnen de menigte terug te dringen en riepen tegen de mensen dat ze de doorgang vrij moesten laten. 'Uit de weg, mensen. Laat de brandweerlieden hun werk doen.'

Esther gaf haar vader weer een hand en Peter pakte de andere, terwijl ze op de stoep van hun gebouw gingen staan om aan de rook en hitte te ontsnappen. De donkere avond werd slechts verlicht door de koplampen van de brandweerwagens en het griezelige schijnsel van de vlammen. Maanden geleden was de straatverlichting in Brooklyn uitgeschakeld en was er een maatregel uitgevaardigd dat alle bewoners verduisteringsgordijnen voor de ramen moesten hangen om de stad te beschermen tegen vijandelijke U-boten en vliegtuigen. Als de maan vanavond al aan de hemel stond, dan was die niet zichtbaar vanwege de rook.

Ze bleven heel lang kijken. De brandweerlieden werkten door totdat ze uitgeput waren, maar konden de synagoge niet redden. Esthers ogen brandden en jeukten van de rook. Ze kon die achter in haar mond en in haar keel proeven.

'Ja, mijn ogen branden ook,' zei haar vader toen hij haar in haar ogen zag wrijven. 'Laten we maar naar binnen gaan.' Samen liepen ze de trap op. Door alle opwinding was Esther vergeten dat haar vader morgen zou vertrekken, maar nu kwam haar verdriet in alle hevigheid terug.

'Ga je nog steeds weg, ook nu de synagoge is afgebrand en meneer Mendel in het ziekenhuis ligt?'

Haar vader knikte verdrietig. 'Daar kan ik niets aan veranderen, pop. Ga je maar uitkleden. Jij ook, Peter.' Nadat ze hun gezicht hadden gewassen en hun tanden gepoetst, kwam hun vader naar boven om hen in te stoppen.

Esther kon de slaap moeilijk vatten. De lichtbundel die onder haar deur de kamer binnenviel, was troebel van de rook. Als ze haar ogen probeerde dicht te doen, begonnen ze te tranen en ze wist niet of het kwam door de rook of haar verdriet. Misschien wel door allebei. Dit was de laatste avond in heel lange tijd dat haar vader thuis zou zijn, de laatste avond dat hij haar had ingestopt en een nachtkus had gegeven. Ze hoorde Peter snikken in zijn kussen.

Ze sliep nog steeds niet toen haar vader uren later naar bed ging. Hij bleef in de deuropening van hun kamer staan en keek lange tijd naar hen. Uiteindelijk kwam hij naar binnen en boog zich over Peter heen om hem over zijn hoofd te aaien. Toen haar vader zich vervolgens ook over haar heen boog, deed ze net alsof ze sliep. Hij trok de deken op en raakte haar haar aan. Ze verlangde ernaar om iets tegen hem te zeggen, maar was bang dat hij boos zou worden, omdat het erg laat was en ze nog steeds niet sliep. Ten slotte draaide hij zich om, liep de kamer uit en trok de deur achter zich dicht.

De synagoge aan de overkant was het zoveelste onherstelbare verlies in Esthers leven. Haar moeder was er niet meer. En die aardige mevrouw Mendel die honingcake en koekjes bakte ook niet. Nu was de synagoge verwoest en lag meneer Mendel in het ziekenhuis. Langzaam viel Esthers wereld uit elkaar, net als de roze lievelingstrui die ze ooit had gehad. Het was begonnen met een klein gaatje nadat ze met haar mouw achter een spijker was blijven haken. Naarmate de tijd verstreek, was het gat langzaam maar zeker groter geworden, totdat het zo groot was dat ze de trui niet meer kon dragen. Morgen zou haar vader vertrekken.

Het was iets waar ze helemaal niets aan kon veranderen.

5

Penny werd voor zonsopgang wakker en was veel te opgewonden om weer in slaap te vallen. Vandaag zou ze in Eddie Shaffers appartement trekken! Ze had hetzelfde verwachtingsvolle gevoel als wanneer de lichten in het theater werden gedoofd en de muziek begon te spelen. Ook op deze prachtige dag zou er overal muziek moeten klinken. En in de lucht zou een enorme vlag moeten hangen waarop stond: *dit is het begin van Penny Goodrich' nieuwe leven.*

Omdat ze niet langer wilde wachten, stapte ze uit bed en maakte het voor de allerlaatste keer op. Met grote zorg trok ze de dekens recht en schudde ze haar kussen op. Het enige wat nu nog een domper op haar vreugde kon zetten, was ruzie met haar ouders. Daarom had ze besloten om nog voordat die wakker werden te vertrekken. Penny had haar uiterste best gedaan om hun uit te leggen waarom ze Eddie moest helpen en zij hadden alles gedaan wat in hun vermogen lag om haar op andere gedachten te brengen. De afgelopen twee weken was de toon van de gesprekken met de dag heftiger en bozer geworden, maar niemand was van mening veranderd – Penny niet en haar ouders al helemaal niet. Gisteravond was ze vroeg naar bed gegaan, omdat ze niet meer tegen de ruzies kon. Ze wilde dat haar moeder vanochtend afscheid zou komen nemen en Penny haar zegen zou geven, maar de kans dat dit zou gebeuren was even groot als die op een sneeuwstorm in juli.

Met twee tassen vol spullen liep Penny op haar tenen de keuken in en maakte in plaats van toast een kom met cornflakes voor zichzelf klaar, zodat haar ouders niet wakker zouden worden van de geur. Toen ze de melk in de koelkast terugzette, hoorde ze de stem van haar moeder achter zich.

'Je begaat een grote vergissing, Penny. Het is nog niet te laat om je te bedenken.'

'Ja, dat is het wel. Ik heb Eddie beloofd dat ik hem zou helpen. Hij rekent op me.'

'Zoals ik je al zo vaak heb verteld, moet zijn moeder, en niet jij, hem met de kinderen helpen. Ik heb je ook aangeboden om met haar te gaan praten.'

'Doe dat alstublieft niet. Alles is al geregeld. Ik heb u toch al verteld dat ik heb beloofd om op de kinderen te passen?'

'En ik heb je verteld dat je dat niet moet doen. Je vader en ik zijn heel boos op je dat je je niets aantrekt van wat wij ervan vinden.'

'Ik weet het. Ik weet dat jullie boos zijn.' Penny ging aan tafel zitten en boog haar hoofd om voor het eten te bidden, waarna ze vlug begon te eten. Ze wilde eigenlijk het liefst meteen vertrekken om een preek te vermijden, maar kon niet met een lege maag weggaan.

Ze keek op naar haar moeder en zag haar met haar armen over elkaar in de deuropening staan. Haar gezicht stond zo boos dat de tranen Penny in de ogen schoten. Ze wist dat ze haar vader en moeder moest eren – die Bijbeltekst hadden ze verschillende keren aangehaald om haar over te halen haar plan op te geven – maar betekende dit dat Penny altijd bij hen moest blijven wonen? Andere dochters werden toch ook volwassen en gingen het huis uit om een eigen leven te beginnen? Penny wilde zo graag zoals haar leeftijdgenoten zijn, maar haar moeder herinnerde haar er constant aan dat ze niet zoals andere meisjes was.

Ze werkte de laatste lepel cornflakes naar binnen en stond op om de kom in de gootsteen te zetten. 'Over een dag of twee kom ik even langs om jullie te laten weten hoe het me gaat.'

'Nee, Penny. Je belt me zodra je er bent. Als je per se tegen onze wensen in wilt verhuizen, is het minste wat je kunt doen, ons bellen om ons te laten weten dat je veilig bent aangekomen. Ik denk niet dat ik je er nogmaals aan moet herinneren wat er onderweg allemaal mis kan gaan.'

'Goed dan. Ik zal jullie bellen.' Ze had de neiging om eraan toe te voegen dat ze alleen maar naar de andere kant van Brooklyn zou gaan, niet naar de maan, maar Penny was nog nooit in haar leven brutaal geweest tegen haar ouders. Toen ze vanochtend wakker was geworden, had ze zich sterk gevoeld, maar nu draaiden de cornflakes die ze net had gegeten in haar maag rond als de was in een wasmachine. Ze moest onmiddellijk vertrekken, voordat haar moeder haar nog banger maakte.

Ze trok de schouderriem van haar tas over haar hoofd en kruiselings over haar borst, zoals ze van haar moeder had geleerd, zodat tasjesdieven die niet konden weggrissen, en tilde de twee boodschappentassen op waar al haar spullen in zaten. Penny noch haar ouders bezaten een koffer, omdat ze geen van drieën ooit reisden.

'Ik ga nu. Tot over een paar dagen.'

'Wacht!'

Penny gehoorzaamde en draaide zich weer naar haar moeder om.

'Je bent zo chaotisch, Penny. Blijf staan en denk eerst even na voordat je als een kip zonder kop wegrent. Heb je alles bij je wat je nodig hebt? Genoeg geld voor de bus? Een routebeschrijving? En je kunt beter je trui aandoen. Het lijkt me nogal fris buiten.'

Penny kreeg een brok in haar keel. 'Het zal wel gaan, ma. Tot ziens.'

Ze deed de deur achter zich dicht en liep zo snel ze kon met de zware boodschappentassen naar de bushalte. Penny bezat niet veel kleren en ze had bedacht dat ze ieder weekend wat kleding mee kon nemen. Eddie had geen auto. Hij had de route voor haar uitgetekend en uitgelegd welke bus ze moest nemen en bij welke haltes de bus onderweg stopte.

De eerste bus die stopte, was die ze moest hebben. Hij leek erg vol te zitten voor een zaterdagochtend en bijna alle passagiers waren militairen. Een jongeman in een mariniersuniform die voorin zat, sprong overeind toen ze instapte en stond haar zijn plaats af. Ze bedankte hem en ging bij het raam zitten, waar ze de straatnamen kon lezen en opvallende gebouwen kon zien. Twintig minuten later bereikte ze de halte waar ze moest uitstappen. Volgens de routebeschrijving van Eddie lag het appartement maar één blok verder. Ze was trots op zichzelf dat ze niet verdwaald of lastiggevallen was, de twee dingen die haar moeder haar vol angst had voorspeld.

Op de gevels van winkels en uithangborden in Eddies buurt waren veel Joodse namen en Hebreeuwse letters te zien. Ze liep langs een aantal mannen met zwarte hoeden en baarden en voelde een vage angst. Haar vader had haar gewaarschuwd dat er veel Joden in dit deel van Brooklyn woonden. Ten slotte kwam ze bij de straat van Eddie aan. Ze liep de hoek om en bleef verbaasd staan toen ze een uitgebrand gebouw voor zich zag opdoemen. Een deel van het dak was ingestort en de bruine bakstenen rondom de kapotte ruiten waren met roet bedekt. Het rook naar een kampvuur. Was dat het appartement van Eddie? Ze haastte zich de straat in en probeerde zijn huisnummer te vinden. Ten slotte vond ze het tegenover het uitgebrande gebouw.

Penny was geschokt door de ravage die was aangericht. Stel je voor dat Eddies appartement op deze manier zou afbranden? Wat zou ze doen? Hoe zouden zij en de kinderen uit hun slaapkamers op de tweede verdieping kunnen ontsnappen? Misschien was het inderdaad een verkeerde beslissing geweest om zo veel verantwoordelijkheid op zich te nemen. Misschien had haar moeder gelijk gehad.

Maar nee, Eddie rekende op haar. Vlug liep Penny de smalle trap naar de voordeur op en drukte op de bel waar *E. Shaffer* naast stond. Even later hoorde ze iemand de trap in het gebouw afkomen. Eddie deed de deur open. Hij leek opgelucht haar te zien.

'Hallo. Je hebt het dus gevonden.'

'Ja, zonder problemen. Je routebeschrijving was fantastisch.'

'Ik zal je tassen even van je aannemen.'

Hij leidde haar de kleine, naar rook stinkende hal binnen en ze zag onmiddellijk dat Eddies moeder, die aan reuma leed, de steile trap naar het appartement onmogelijk iedere dag op en af zou kunnen lopen. Zelfs Penny hijgde toen ze naar boven liep.

'Onze huisbaas woont op de begane grond,' legde Eddie uit, 'en wij op de eerste en tweede verdieping. Zorg ervoor dat de kinderen niet te veel in de woonkamer rondrennen en hem lastigvallen met hun gebonk.' Eddie opende een tweede deur boven aan de trap, waar Penny zijn ingepakte koffer zag staan in de smalle gang. 'Kom binnen, dan zal ik je de kamers laten zien.'

Penny wierp eerst een blik in de badkamer met de zwarte en witte tegels. Een goede schoonmaakbeurt zou geen overbodige luxe zijn, maar dat zei ze niet. In de keuken stond een kleine houten tafel met vier stoelen, een hoekkast voor servies en een van die mooie buffetkasten die Penny in tijdschriften had bewonderd. De kast had een uittrekbaar porseleinen werkblad waarop je deeg kon uitrollen en achter de nette kastdeuren bevond zich een ingebouwde bus voor meel en een kruidenrekje. Door het raam boven de gootsteen ving ze een glimp op van de overdekte, schaduwrijke veranda op de eerste verdieping.

'Wat een mooie keuken.'

'Er hangt nog wat rook van de brand van gisteravond.' Eddie leidde haar via de eetkamer naar de huiskamer, die uitzag op de straat beneden. 'Later kun je de ramen wel opendoen.'

'Bedoel je dat het gebouw gisteravond is afgebrand? Was het een appartementencomplex?'

'Nee, een synagoge. Wil je even boven kijken? Peter en Esther slapen nog.'

'Nee hoor, dat hoeft niet. Dat kan ik later wel doen. Zijn er mensen gewond geraakt bij de brand?'

'Ja, onze huisbaas, meneer Mendel. Ze hebben hem in een ambulance naar het ziekenhuis gebracht. Nu we het toch over hem hebben: kun je af en toe even bij hem langsgaan, als hij uit het ziekenhuis komt? Om te zien of hij iets nodig heeft?'

Penny wist niet hoe ze Eddie kon uitleggen dat ze bang was voor Joodse mensen, vooral het soort dat zwarte hoeden en lange baarden droeg. Zo lang ze zich kon herinneren, had haar vader op Joden gescholden. Net toen ze wilde opbiechten dat Joden haar angst inboezemden, zei Eddie: 'Rachel was bevriend met de vrouw van onze huisbaas. Ze ging vaak met mevrouw Mendel boodschappen doen en dat soort dingen. Ze zijn…' Hij zweeg even om zijn keel te schrapen, omdat zijn stem plotseling heel hees klonk. 'Mevrouw Mendel en Rachel zijn bij hetzelfde ongeluk omgekomen.'

'O! Dat wist ik niet.'

'Ja, en nog iemand. De andere twee waren op slag dood en Rachel is een paar uur later in het ziekenhuis gestorven. Esther en Peter hebben alles gezien. Ze waren bij haar.' Eddie draaide zich om en liep terug naar de keuken. 'Dit zijn de sleutels van het appartement. Deze is voor de achterdeur en deze twee zijn voor de voordeur en de buitendeur.' Een ogenblik later hoorde Penny voetstappen boven en vervolgens het gestommel van twee paar kindervoeten op de trap. Esther verstijfde in de deuropening toen ze Penny zag staan. Er verscheen een harde en wantrouwende blik in haar ogen. Peter liep langs zijn zusje heen en sloeg zijn armen om zijn vaders middel. Penny kon zich niet herinneren dat ze haar eigen vader ooit op die manier had omhelsd.

'Goedemorgen, slaapkopjes,' zei Penny, omdat ze per se iets wilde zeggen. 'Hoe gaat het met jullie? Hebben jullie lekker geslapen en fijn gedroomd?'

'We zijn geen baby's meer,' zei Esther.

'Dat weet ik. S-sorry.' Penny wist niet hoe de meeste moeders hun kinderen 's ochtends begroetten en daarom had ze iets gezegd wat ze graag uit haar eigen moeders mond zou hebben gehoord.

'Hé, wees eens wat vriendelijker tegen Penny,' zei Eddie. 'Ze bewijst ons een grote dienst. En als jullie je niet gedragen, zal Penny me dat per omgaande laten weten. Ja toch, Penny?'

'Ik vind het fijn om je te schrijven. Laat je adres voor me achter.'

Esther keek nog steeds nors en daarom tilde Eddie haar kin op om haar te dwingen hem aan te kijken. 'Beloof je me dat je je zult gedragen?' vroeg hij opnieuw. Ze knikte even.

'Ik kan pannenkoeken voor jullie bakken of roerei voor jullie maken, als jullie daar zin in hebben,' zei Penny. 'Wat vind je ervan, Esther? Heb je vanochtend zin in iets lekkers?'

'Nee, dank je.' Esther liep de keuken door, pakte twee kommen uit de hoekkast en vulde die met cornflakes voor haarzelf en haar broertje. Peter klampte zich aan zijn vader vast alsof hij hem nooit meer wilde loslaten.

'Sorry voor de rommel,' zei Eddie, terwijl hij naar de vuile borden in de gootsteen wees.

'Dat geeft niet. Ik kan later afwassen.'

'En ik heb geen tijd gehad om de bedden te verschonen. In de linnenkast vind je schone lakens. Esther zal je laten zien waar alles ligt. Ja toch, pop?'

'Als het moet.' Haar stem klonk ijzig genoeg om het huis de hele zomer koel te houden, bedacht Penny.

'De wasmachine staat in de kelder. Een van de machines is van de huisbaas. Achter het appartement hangt een waslijn waar je kleren aan kunt drogen.'

'Misschien doe ik de was in mijn eigen huis,' zei Penny. 'Ik moet er toch iedere zaterdag naartoe om mijn ouders te helpen. De kinderen kunnen dan ook hun oma zien. Zouden jullie dat leuk vinden?' Ze antwoordden geen van beiden.

'Zeg, ik weet niet hoe ik je kan bedanken,' zei Eddie.

Trouw met me, wilde ze bijna zeggen. Maar in plaats daarvan antwoordde ze: 'Ik vind het echt niet erg.'

'Nou… dan kan ik maar beter gaan.'

'Nee!' jammerde Esther. 'Ga niet, papa!'

'Maak het alsjeblieft niet moeilijker dan het al is, pop,' zei hij zachtjes. Hij drukte Peter lang tegen zich aan en kuste hem boven op zijn hoofd. Toen maakte hij zich van hem los, zodat hij Esther kon omhelzen. Zelfs Penny kreeg een korte, stijve omhelzing – en daarmee een hoopvolle glimp van het leven dat ze na de oorlog samen zouden leiden. Ze zou hem iedere ochtend met een kus wakker maken en hem ook een kus geven voordat hij naar zijn werk ging, zoals vrouwen in films altijd deden.

De kinderen huilden hartverscheurend en Eddie gebaarde Penny dat ze hen tegen moest houden. Het brak haar hart toen ze zag hoe Eddie zich omdraaide, snel zijn koffer pakte en zich uit de voeten maakte. De kinderen probeerden niet achter hem aan te rennen. In plaats daarvan worstelden ze zich los uit Penny's greep en vlogen de trap op naar hun kamer.

Ook Penny kon niet stoppen met huilen. Ze liep de keuken in en deed de afwas, terwijl de tranen over haar wangen rolden. Bijna ieder bord in het huis leek vuil te zijn en daarom duurde het een hele tijd voordat ze klaar was. Ze probeerde erachter te komen waar alles in de kast stond en bedacht dat het niet uitmaakte. De twee kommen met cornflakes stonden nog onaangeroerd op tafel. Moest ze het ontbijt van de kinderen naar boven brengen?

Nee, misschien was het beter hen even met rust te laten.

Penny slenterde de huiskamer in en zag de mooie kanten gordijnen voor het raam en een piano die haar eerder niet was opgevallen. Ze vroeg zich af wie erop speelde. Het was heel stil in het appartement. Ze wist niet wat ze moest doen en daarom ging ze in de schommelstoel bij het raam zitten en keek naar de straat beneden haar. Er had zich een menigte verzameld voor het uitgebrande gebouw.

Een hele tijd later ging de telefoon. Moest ze opnemen? Het voelde niet juist aan om andermans telefoon op te nemen, maar de kinderen zaten nog steeds op hun kamer. Bovendien kon het Eddie zijn, die misschien wilde vragen hoe het ging. Ze nam de hoorn van de haak.

'Hallo… eh… met het huis van de familie Shaffer.'

'Penny, jij zou me toch bellen? Ik zit al uren te wachten!' De stem van haar moeder klonk woedend.

'O, sorry… i-ik moest eerst nog een paar dingen doen… Eddie heeft me het appartement laten zien… en daarna ben ik het helemaal vergeten.'

'Je bent vergeten te bellen? Je zou zelfs je hoofd vergeten als dat niet aan je romp vastzat. Je vader en ik waren heel ongerust. Ik had bijna de politie gebeld. Je hebt me het telefoonnummer niet gegeven en daarom moest ik mevrouw Shaffer lastigvallen. Ze is trouwens een wrak nu alle *drie* haar zoons dankzij jou in het leger zitten!'

'Nou, de reis is goed gegaan. Sorry dat ik ben vergeten te bellen. Maar nu hebt u in ieder geval het telefoonnummer. Ik moet nu ophangen. Tot ziens.'

Penny hing op, haalde haar boodschappentassen uit de gang en bracht ze naar Eddies slaapkamer. Hij had een van de lades van de ladekast voor haar leeggemaakt en ze legde haar keurig opgevouwen goed erin. Het was een rommel in de kamer, maar misschien zou ze dat even zo laten. Dit waren de kleren van Eddie. Hij had onder deze verkreukelde lakens geslapen. Zijn geur hing nog in de kamer.

Rachel was ook overal, in alle details die een vrouwenhand verraadden. De gehaakte kleedjes op de ladekast en nachtkastjes, het gekloste kant en het borduurwerk op de kussenslopen. Penny ging op het onopgemaakte bed zitten. Ze had een verschrikkelijke vergissing begaan. Wat deed ze hier? Eddie was vertrokken en de kinderen konden haar niet uitstaan. Ze had nooit moeten komen. Zoals altijd had haar moeder gelijk gehad. Penny had nog minder verstand dan een sperzieboon.

6

'Ik wil dat u nog een nacht in het ziekenhuis blijft, meneer Mendel. Voor de zekerheid.' De arts die de avondronde deed, krabbelde iets op het dossier dat aan het voeteneinde van Jacobs bed hing. Maar Jacob zelf lag niet in bed. Waarom zou hij? Zijn beurse knieën deden nog pijn van de val op de stoep, maar hij had zijn benen toch niet gebroken? Alleen zijn arm.

'Voor de zekerheid?' Jacob wendde zich van het raam af dat een weinig inspirerend uitzicht bood. Hij had pijn in zijn keel en zijn stem klonk hees, heel anders dan normaal. Telkens als hij piepend ademhaalde, deed zijn borst pijn.

'Uw bloeddruk is aan de hoge kant. En er is altijd een risico op infecties bij derdegraadsbrandwonden.'

Jacob keek naar het verband om zijn handen en het gips om zijn rechterarm. Zoals de rechtvaardige Job in de Schrift was Jacob zijn familie kwijtgeraakt en nu dus ook zijn gezondheid. Maar hij wilde naar huis gaan en in zijn eigen bed slapen.

'Ik voel me goed en wil graag naar huis. Wilt u me alstublieft mijn kleren teruggeven?'

De zon was al ondergegaan, wat betekende dat de sjabbat was afgelopen. Hij mocht dus weer reizen – niet dat het hem wat uitmaakte. Wat konden Hasjems geboden hem schelen?

Een kwestie van gewoonte was het. Meer niet. Een levenslange gewoonte.

'U mag gaan, meneer Mendel, maar daarmee gaat u wel tegen mijn advies in.'

'Dat begrijp ik. Dank u wel.'

Toen de verpleegster hem zijn kleren bracht, merkte hij dat

ze naar rook stonken. Hij ging naar de kleine badkamer om zich aan te kleden en de mouw van zijn overhemd paste amper om het gips. Omdat zijn handen niet wilden meewerken, duurde het heel lang voordat hij klaar was met de knopen en rits. Hij moest de helft van de knopen overslaan. Toen hij weer in zijn kamer kwam, zag hij tot zijn verbazing zijn vriend Meir Wolfe en rebbe Grunfeld naast zijn bed staan. Uiteraard hadden ze tot na de sjabbat gewacht om hem op te zoeken.

'Yaacov! Daar ben je!' zei zijn vriend met een brede grijns.

'Ik hoop dat je met de auto gekomen bent, Meir, want ik mag naar huis. Je mag me een lift geven.'

'Maar de verpleegster zei dat je nog één nacht moest blijven.'

'De verpleegster vergist zich. Wil je me nu alsjeblieft naar huis brengen?'

Jacob ging naast zijn vriend voor in de auto zitten, terwijl de rebbe op de achterbank plaatsnam tussen pannetjes met eten, fruitmanden en dozen met levensmiddelen. De geur van aardappelkugel deed hem watertanden. In het ziekenhuis had hij bijna niets gegeten. Zijn keel deed zo'n pijn dat het moeilijk was om te slikken.

De rebbe boog zich vanaf de achterbank naar hem toe. 'Zoals je ziet, hebben de vrouwen wat eten voor je klaargemaakt, Yaacov. En ik zal ervoor zorgen dat er elke dag iemand bij je langskomt om schoon te maken, af te wassen, de vuilnis buiten te zetten – alles wat je nodig hebt.'

'Dank je wel, maar dat is niet nodig.'

'Er zit verband om je handen, Yaacov, en je hebt je arm gebroken. Iedereen wil je helpen. Het is het minste wat we kunnen doen om je ervoor te bedanken dat je de rollen hebt gered. Wat een zegen dat je in de buurt was en de brand hebt ontdekt. Natuurlijk is het minder fijn dat je gewond bent geraakt.'

'Ik red me wel. Heeft de brandweer de sjoel kunnen redden?'

'Nee, dat niet. Het gebouw ziet er slecht uit. Eén grote ravage.

Zodra de brandweer zegt dat het veilig is, zullen we de schade opnemen en zien wat er nog te redden valt, maar…'

'Weten ze hoe de brand is ontstaan?'

'Er zal een inspecteur van de brandweer langskomen om dat uit te zoeken. Tot die tijd weten we het niet. Het schijnt dat de brand in de beet midrasj achter in het gebouw is ontstaan. Daar is de schade het grootst. We hebben erover nagedacht wat de brand in die ruimte heeft kunnen veroorzaken – iets met elektriciteit bijvoorbeeld – maar we hebben niets kunnen bedenken.'

Meir Wolfe gromde boos. 'Ik denk dat de brand is aangestoken. In het oude land was dit soort vandalisme schering en inslag, weet je nog? En nu is de haat tegen ons ook overgewaaid naar Amerika.'

'Laten we zo niet denken, Meir,' zei de rabbijn sussend. 'We weten niet hoe de brand is ontstaan.'

'Maar we weten wel dat we ook in Amerika worden gehaat. Iedereen vindt het erg dat Hitler de Joden vervolgt, maar steekt er ook maar iemand een hand uit om ons te helpen? Nee. Geen enkel land zit op Joden te wachten.'

De rabbijn schudde zijn hoofd. 'Ik ben ervan overtuigd dat ze zullen ontdekken dat de brand een ongeluk was. Let op mijn woorden.'

Een paar minuten later reden ze de straat van Jacob in en kon hij de schade met eigen ogen zien. Hoewel hij al meer dan een jaar niet naar de sjoel was gegaan, stemde de aanblik van het verwoeste gebouw hem verdrietig. Zo veel hoogtepunten in zijn leven hadden er plaatsgevonden. Hij had er zijn pasgeboren zoontje voor de *pidjon haben* – de lossing van de eerstgeborene – gepresenteerd. Zes jaar later was hij met zijn zoontje aan zijn hand naar de overkant gelopen voor zijn eerste Hebreeuwse les in de beet midrasj. En vol trots had hij toegezien hoe Avraham, toen hij twaalf was geworden, de *tefillien* – de gebedsriemen – had omgedaan om voor de eerste keer met de mannen te bidden. Jacob keerde het verwoeste gebouw en een leven vol herinneringen de rug toe en liep de trap naar zijn appartement op, gevolgd door zijn vrienden die dozen en manden met eten droegen.

Op de stoep voor zijn voordeur lag de krant. Hij zou die later pakken om het laatste nieuws over de oorlog te lezen en de foto's en artikelen uit te knippen die hij wilde bewaren. Maar hoe kon hij een schaar vasthouden nu hij zijn handen niet kon gebruiken?

'Jullie zullen me moeten helpen om beide deuren open te maken,' zei hij toen hij voor de buitendeur stond. Hij kon het niet uitstaan dat hij van anderen afhankelijk was. 'De sleutel zit in mijn zak.' Toen hij naar binnen ging, besefte hij dat hij een van de ramen open had gelaten. In het appartement hing een dikke rookwalm.

'Kunnen we nog even praten, Yaacov?' vroeg de rabbijn toen hij en Meir al het eten naar binnen hadden gebracht.

'Niemand houdt je tegen.'

'Ik wil je om een gunst vragen. Nu de sjoel zo zwaar beschadigd is, moeten we een andere plek vinden om samen te komen. Ik vroeg me af of we onze gebedsdiensten hier zouden mogen houden. Jouw appartement is ruim en dicht bij de sjoel.'

'Waarom denk je dat ik weer mee wil doen aan de gebeden?'

Rebbe Grunfeld glimlachte mild. 'Je hebt je leven op het spel gezet om de boekrollen te redden, Yaacov. Dat zegt toch genoeg?'

Maar Jacob wist het niet. Bijna de hele nacht in het ziekenhuis had hij met brandende ogen en pijnlijke longen over dezelfde vraag gepiekerd.

'We hebben elkaar harder nodig dan ooit,' zei Meir. 'We leven in vreselijke tijden en moeten bij elkaar blijven. Sinds de tijd van koningin Esther – toen de boosaardige Haman onze ondergang beval – is ons volk niet meer zo zwaar vervolgd.'

'We weten niet hoelang het zal duren voordat onze sjoel is herbouwd,' voegde de rabbijn eraan toe.

60

'Geef me een paar dagen de tijd,' zei Jacob. 'Ik moet erover nadenken… maar zelfs al zou ik jullie toestaan om hier samen te komen, dan nog kan ik niet beloven dat ik zelf mee zal doen.'

'Dank je wel. En dan nog iets, Yaacov. Ik weet hoe ongerust je bent over je familie in Hongarije. Velen van ons wachten op nieuws en daarom probeert een groep gemeenten met contacten in Europa een afspraak met het Amerikaanse ministerie van Buitenlandse Zaken te maken. Ik dacht dat je er misschien bij wilde zijn.'

'Ja, natuurlijk wil ik dat.' Jacob was bereid om iedere dollar die hij had te gebruiken om Avraham en zijn gezin op te sporen. Hij zou al het geld van zijn bankrekening halen, dit appartementencomplex verkopen en al zijn bezittingen van de hand doen. Hij zou bereid zijn in een van de nieuwe wapenfabrieken te gaan werken om meer geld te verdienen als ze hem op zijn leeftijd nog in dienst wilden nemen. 'Vertel me waar en wanneer de bijeenkomst wordt gehouden.'

'Ik zal je alle informatie geven. Verder is een groep van zo'n vierhonderd rabbijnen van plan om in oktober een mars in Washington te houden.'

'Ik vraag me af of het wat uithaalt,' mopperde Meir. 'De regering weet heel goed wat er aan de hand is. Sinds afgelopen november zijn ze ervan op de hoogte dat Hitler de Joden vervolgt. Weet je nog dat we een Dag van Nationale Rouw hebben georganiseerd? Wat heeft het opgeleverd? Ze steken nog steeds geen hand voor ons uit.'

'Dat komt omdat niemand wil geloven dat het waar is,' zei de rebbe.

'Hoe kunnen ze het ontkennen?' vroeg Meir. 'Ze weten dat we al honderden, ja, duizenden jaren worden gehaat. Wat is hier nieuw aan? Het is toch de reden dat we naar dit land zijn gekomen?'

'Ja, ze weten dat het waar is,' zei Jacob. Iedere keer dat hij sprak, deed zijn keel zo'n pijn dat zijn ogen ervan traanden. 'Maar in

Washington zitten ook hoge functionarissen die ons naar het leven staan.' Rebbe Grunfeld stak zijn handen op. 'Alsjeblieft, laten we geen kwaad spreken van onze regering. We hebben hun hulp nodig.'

'Als ze ons echt hadden willen helpen,' zei Jacob, 'hadden ze, voordat de storm losbarstte, de immigratiequota kunnen verhogen, zodat de Joden in Europa een plek hadden om naartoe te gaan. Mijn zoon is Amerikaan, hij is hier in Amerika geboren, maar hij kon geen papieren krijgen voor zijn vrouw en kind, die in Hongarije waren geboren. En hij wilde ze niet alleen achterlaten.'

'En weten jullie nog van dat schip vol vluchtelingen dat door geen enkel land werd toegelaten?' Meirs stem klonk steeds luider en bozer. 'Hitler zei: "Ga maar! Iedere Jood in Duitsland is vrij om te vertrekken. Opgeruimd staat netjes!" Maar liet onze regering vervolgens ook maar één Jood het land binnen? Nee! Meer dan negenhonderd Joodse passagiers konden nergens aan land, zodat er uiteindelijk niets anders opzat dan terug te keren naar Duitsland. Probeer me dus niet wijs te maken dat onze regering graag wil helpen.'

'Ik denk dat het tijd is om te gaan,' zei rebbe Grunfeld. 'Yaacov heeft rust nodig, Meir, geen gekijf. Maar wil je alsjeblieft nadenken over mijn verzoek, Yaacov? Of we hier mogen samenkomen voor onze gebedsdiensten?'

Jacob knikte en liep met de rabbijn en Meir naar de deur. Zijn keel voelde als schuurpapier aan en daarom was het goed dat ze hem alleen lieten. Nadat ze waren vertrokken, liep hij naar de keuken en nam een paar scheppen van de aardappelkugel, zo uit de schaal. Die smaakte heerlijk, net als Miriam die vroeger altijd klaarmaakte, maar hij kon maar een paar hapjes eten. De aardappelen schuurden in zijn keel als hij ze doorslikte. Hij haalde een banaan uit een van de fruitmanden en probeerde die met zijn ingezwachtelde handen te pellen, totdat hij er genoeg van had en het uiteinde ervan afbeet en de schil er met zijn tanden af trok. De banaan voelde in ieder geval zachter aan in zijn keel.

Even later ging hij aan zijn bureau zitten en bekeek het stapeltje oude brieven van zijn zoon. Jacob had ze op chronologische volgorde gelegd en stond zichzelf toe om er eentje per dag te lezen. Hij pakte de bovenste brief en zag het keurige handschrift. Op een regenachtige middag hadden Miriam Shoshanna en hij hun zoon naar de kade gebracht waar het schip waarmee hij naar Hongarije zou varen, lag aangemeerd. Hij herinnerde zich hoe trots hij op zijn zoon was geweest, hoe trots op diens wens om de Thora te bestuderen, maar ook hoe bang, toen hij hem zag wegvaren de zoveelste oorlog in Europa tegemoet. Jacob was naar Amerika gekomen om pogroms, oorlogen en haat te ontvluchten. Waarom had Hasjem Avraham weer teruggestuurd?

Jacob had de grootste moeite om de brief uit de envelop te halen, maar uiteindelijk lukte het hem door in de envelop te blazen en de brief er met zijn tanden uit te trekken. Het was een van Avrahams eerste brieven. Jacob legde hem op zijn bureau.

Lieve mama en abba,
Ik weet dat ik hier nog maar zes maanden ben, maar u zult blij zijn te horen dat ik me hier al helemaal thuis voel. Mijn studie valt nog steeds niet mee, maar ik leer zo veel — en wat ik leer, vind ik heel interessant. Iedere laag in een tekst die ik bestudeer, onthult meer geheimen over Hasjem en ik besef dat een heel leven vol studie niet genoeg zal zijn om alle juwelen die erin verborgen liggen bloot te leggen.
Ik heb ook nieuws over een ander juweel dat ik heb ontdekt. Samuel, mijn studievriend, had me het afgelopen weekend uitgenodigd om de sjabbat bij zijn familie te vieren en daar heb ik een prachtige vrouw ontmoet, zijn jongere zus Sarah Rivkah. Ik weet dat het ongelooflijk klinkt, maar toen ik haar zag, wist ik hoe onze voorvader Jakob zich voelde toen hij Rachel voor de eerste keer zag. Sarah Rivkah is niet alleen mooi, maar ook lief en goed. Ik zou haar vader met liefde zeven jaar dienen om met haar te mogen trouwen!

Ik weet dat ik hier ben gekomen om te studeren en ik werk heel hard. Maar ik ben nog nooit een vrouw tegengekomen die me zo betoverd heeft als Sarah Rivkah...

Er werd aangebeld en Jacob stopte met lezen. Hij slofte naar de deur, liep de hal in en slaagde er eindelijk in de buitendeur te ontgrendelen. Op de stoep stond een man met grijs haar. Hij droeg een vreemd soort uniform. Vanwege zijn ervaringen in zijn oude vaderland had Jacob een instinctief wantrouwen tegen mannen in uniformen. Hij opende de deur op een kier. 'Ja?'

'Jacob Mendel?' vroeg de man. Voor een militair was hij te oud en bovendien had zijn uniform een andere kleur dan die van de gewone krijgsmachtonderdelen.

'Wie bent u?'

'Ik ben inspecteur Dalton van de brandweer.' Hij haalde een legitimatiebewijs tevoorschijn en hield dat voor de kier van de deur. 'Ik ben verantwoordelijk voor het onderzoek naar de brand in de synagoge aan de overkant. Mij is verteld dat u het gebouw bent binnengegaan om een paar boekrollen te redden en ik wilde u vragen of u een aantal vragen wilt beantwoorden.'

'Als het niet anders kan.' Jacob deed de deur een eindje verder open, zodat de koele avondlucht naar binnen stroomde. Hij had geen zin om de man binnen uit te nodigen. Hij wilde met rust gelaten worden.

'Kunt u me vertellen wat er gisteravond is gebeurd – in uw eigen woorden?'

Jacob fronste zijn wenkbrauwen. Wiens woorden zou hij anders gebruiken? 'Ik ging een eindje wandelen...'

'Weet u nog hoe laat u uw huis verliet?'

'Nee, maar het was na zonsondergang. Op de terugweg...'

'Hoe lang bent u weggebleven?'

'Dat weet ik niet. Ik heb niet op de tijd gelet.'

'Oké, gaat u verder.'

'Op de terugweg zag ik rook en vlammen aan de achterkant van de sjoel, in de beet midrasj en…'

'Sorry, deze woorden zeggen me niets.'

'De sjoel. U zou het de synagoge noemen. En de beet midrasj is de ruimte aan de achterkant van het gebouw waar we studeren. Waar alle boeken worden bewaard.'

'Dank u wel. Gaat u verder.'

'Toen ik langs de achterkant van de sjoel liep, zag ik dat er brand was uitgebroken. Ik was net langs de sigarenwinkel gekomen en dus rende ik terug om de winkelbediende te vertellen dat hij de brandweer moest bellen.'

Jacob zweeg even. De man schreef alles wat hij zei in een klein notitieboekje en Jacob was bang dat hij te snel sprak. Maar de inspecteur knikte zonder op te kijken en zei: 'Gaat u verder alstublieft.'

'Ik keek om me heen om te zien of ik ergens water kon vinden waarmee ik de brand zou kunnen blussen totdat de brandweer er was, maar zag dat het te laat was. Het vuur greep te snel om zich heen. Toen schoot het door me heen dat de heilige thorarollen ook zouden verbranden en dat mocht ik niet laten gebeuren. Dus rende ik naar de hoofdingang…'

'Waarom de hoofdingang?'

'Waarom? Omdat de brand aan de achterkant veel erger leek dan aan de voorkant. Bovendien is het gemakkelijker om vanaf de voorkant bij de Aron hakodesj – de plek waar de boekrollen worden bewaard – te komen.'

'Was u niet bang om een brandend gebouw in te gaan?'

'Ik dacht er niet over na, maar handelde gewoon. Ik had geen keus.'

'Voor zover ik heb begrepen, is het u gelukt om de rollen in veiligheid te brengen, meneer Mendel. Maar hebt u daarbij verwondingen opgelopen?'

'Ja.' Hij deed de deur een klein eindje verder open en tilde zijn gebroken arm op. 'Ik heb een paar brandwonden op mijn handen, ik heb rook geïnhaleerd en mijn arm gebroken toen ik op de stoep viel.'

'Hoe hebt u uw handen gebrand?'

'Hoe? Dat weet ik niet precies,' antwoordde hij terwijl hij zijn schouders ophaalde. 'Waarschijnlijk heb ik iets heets aangeraakt. Het gebeurde allemaal zo snel.'

'Dat begrijp ik. Is er nog iets anders wat u me over de brand kunt vertellen? Andere dingen die u zich herinnert?'

Jacob schudde zijn hoofd. 'Nee, dat is alles wat ik weet.' Hij wilde dat de man wegging. Hij wilde niet aan de brand denken en aan de verwoesting van zijn geliefde sjoel.

'Nou, als u nog iets te binnen schiet, meneer Mendel, dan kunt u contact opnemen met de brandweercommandant.'

'Weten ze hoe de brand is ontstaan?'

'Ik kan er niets over zeggen zolang het onderzoek nog loopt.'

Terwijl hij de deur dichtdeed, dacht Jacob na over het antwoord van de inspecteur. Betekende dit dat ze nog niets wisten of dat de man niets mocht vertellen? Stel dat de brand was aangestoken, zoals zijn vriend Meir geloofde? Iedereen wist dat de nazi's synagogen en Joodse winkels in Duitsland in brand hadden gestoken. En zijn zoon had de haat beschreven die hij in Hongarije had ervaren, dat wil zeggen: toen hij nog brieven van hem kreeg. Jacob wist dat er antisemieten in Amerika waren, maar ze zouden toch geen synagogen in Brooklyn in brand steken en uiteindelijk iedere Jood dwingen een gele ster te dragen?

Hij wist de antwoorden op deze vragen niet. Evenmin wist hij hoe hij deze verontrustende gedachten kon onderdrukken.

7

Esther hoorde geen woord van wat de juffrouw van de zondagsschool zei. Vroeger vond ze het geweldig om de vragen van mevrouw Nevin te beantwoorden en was ze altijd de eerste die haar vinger opstak, maar nu leek het allemaal zo onbelangrijk. Wat maakte het uit wat mensen die heel lang geleden in een vergelegen land woonden, hadden gedaan of gezegd? Hun verhalen hadden niets met Esther te maken. Ze konden niet uitleggen waarom haar leven zo stuurloos was geworden, zoals de auto die op haar moeder was ingereden. Voor zover Esther kon zien, stond er nergens in de Bijbel hoe ze haar oude leven weer terug kon krijgen.

Een week was voorbijgegaan sinds haar vader was vertrokken. Het leek eerder een jaar. Zondag een week geleden waren ze niet naar de kerk gegaan, omdat hij de dag ervoor was vertrokken. De hele week waren Esther en Peter na school op hun kamer gebleven om Penny Goodrich te ontlopen. Deze zondag had Esther zich ook niet voor de kerk willen kleden, maar Penny had voet bij stuk gehouden.

'Ik heb je vader beloofd dat ik met jullie naar de kerk zou gaan… en je wilt je vader toch niet teleurstellen? Bovendien rekent jullie oma erop dat jullie na de kerk bij haar komen eten.'

Daarom zat ze hier, op de zondagsschool. Esther wierp een blik op Peter en zag dat hij wezenloos voor zich uit staarde. Hij toonde even weinig interesse in de les als zij. Eigenlijk moest hij in een groep zitten met kinderen van zijn eigen leeftijd, maar sinds hij oud genoeg was om naar de zondagsschool te gaan, had hij erop gestaan om met Esther mee te gaan en geweigerd om van haar gescheiden te worden. 'Hij blijft bij mij of anders gaan we naar huis,' had ze de leidster van de zondagsschool die dag verteld. Sindsdien had Peter in dezelfde klas als zij gezeten.

'Het is bijna tijd,' zei mevrouw Nevin. 'Zijn er nog vragen? Of wil iemand nog iets zeggen?'

Voor de eerste keer die ochtend stak Esther haar hand op. 'Onze vader is verleden week in het leger gegaan om in de oorlog te vechten.'

'Mijn vader vecht ook in de oorlog,' zei iemand.

'Ja, die van mij ook.'

Opnieuw stak Esther haar hand op. 'Waarom zijn er oorlogen?'

De juffrouw zette haar bril af en wreef die met een punt van haar trui schoon. De kleine, keurige vrouw had kroeshaar dat zo grijs was dat het wel blauw leek. 'Het is vervelend om te zeggen, Esther, maar dat komt, omdat er slechte mensen in de wereld zijn en die moeten we tegenhouden.'

'Waarom maakt God al die slechte mensen dan Zelf niet dood? Waarom moeten onze vaders het doen?'

De vriendelijke glimlach bestierf op mevrouw Nevins lippen. Ze boende haar bril zo hardhandig schoon dat Esther bang was dat de glazen eruit zouden springen. 'Vandaag hebben we geen tijd om...'

De onbeantwoorde vragen van een heel jaar lang borrelden plotseling op als overkokende soep. Esther had er schoon genoeg van om ze allemaal in te slikken en het kon haar niet meer schelen wat mevrouw Nevin of de anderen van haar dachten. 'Ik wil weten waarom mensen die helemaal niets verkeerds hebben gedaan, doodgaan en slechte mensen ondertussen gewoon mogen doorleven.'

Het werd muisstil in de ruimte. Zelfs de wilde jongens die gewoonlijk de hele les zaten te fluisteren en te ginnegappen, zaten zo stil als etalagepoppen. 'Ik weet het eerlijk gezegd niet,' zei mevrouw Nevin eindelijk, 'maar ik denk dat we moeten bidden voor onze dierbare familieleden die in de oorlog vechten.'

'Waarom?' vroeg Esther. 'Wat voor zin heeft het te bidden? Iedereen bad dat mijn moeder niet dood zou gaan na het auto-ongeluk, maar toch is ze in het ziekenhuis gestorven.' Mevrouw Nevin leek met een mond vol tanden te staan. 'Ook al bidden we nog zo hard,' ging Esther verder, 'toch zorgt God er niet voor dat mensen niet doodgaan, dus wat voor zin heeft het?'

'Iedereen moet sterven, Esther. Maar God heeft beloofd dat degenen die Hem vrezen na hun dood naar de hemel gaan en eeuwig bij Hem mogen leven.'

'Waarom heeft Hij meer mensen in de hemel nodig? Hebt u ons niet verteld dat het heelal, de sterren en planeten van God zijn? Zijn er niet genoeg engelen bij Hem?'

Mevrouw Nevin liep naar Esther toe en legde haar hand op Esthers schouder. 'Ik kan je vragen niet beantwoorden, kind. Het spijt me.'

'En wie kan dat wel?'

'Wil je dat ik dominee McClure vraag om thuis bij je langs te komen?'

Als vuurwerk dat tot ontploffing is gebracht, verdween Esthers woede en haar gewoonlijke somberheid keerde weer terug. 'Nee, laat maar zitten. Het maakt niet uit.'

'Ja, dat doet het wel, kind. Na de dienst zal ik meteen met de dominee praten. Goed?'

'U hoeft geen moeite te doen.'

Penny Goodrich stond in de hal van de kerk op Esther en Peter te wachten. Ze glimlachte en kletste iedereen de oren van het hoofd alsof ze al heel haar leven lid was van Esthers kerk. Maar dat was ze niet. Penny had nog nooit een voet in deze kerk gezet. Ze hoorde hier niet thuis. 'Waarom ga je niet naar je eigen kerk?' had Esther haar die ochtend gevraagd toen ze op de bus stapten.

Even leek Penny's glimlach te verdwijnen zoals het vlammetje op een verjaardagskaars in de wind. 'Omdat... eh... je vader wil dat je regelmatig naar de kerk blijft gaan. En nu zorg ik voor jullie.'

Esther werd woedend toen ze zag hoe Penny deed alsof dit haar kerk was, zoals ze ook met het appartement had gedaan. Ze haastte zich de kerk binnen en plofte ergens op een hoek neer, zodat Peter naast Penny moest zitten. Esther boog haar hoofd en staarde naar haar schoenen. Om de een of andere reden leek de vertrouwde kerk te zijn veranderd. Haar vader en moeder gingen altijd samen naar de kerk. Op de zondagen dat haar moeder de dienst op de piano begeleidde, zaten ze helemaal voorin, vlak achter haar moeder. Esther vond het heerlijk om haar moeders sterke vingers over de toetsen te zien glijden. Ze was ermee begonnen Esther piano te leren spelen, maar nu was alle muziek in huis verstomd.

Na een eindeloze dienst liepen ze naar het huis van oma Shaffer voor het middageten. Penny zei hun gedag en ging bij haar eigen ouders eten. Oma begroette Esther en Peter in haar kamerjas en op sloffen.

'Het had geen zin om uitgebreid te koken, nu je vader er toch niet bij is,' zei ze. 'Ik heb boontjes en knakworst. Dat lusten jullie wel, hè?'

Esther haalde haar schouders op. 'Ja, best.' Ze had geen trek.

Het leek heel stil zonder Penny's onophoudelijke, opgewekte geklets. Oma zette het eten op tafel en ging bij Esther en Peter zitten, maar ze at niet mee. Ze had zelfs niet voor zichzelf gedekt en leek heel verdrietig. 'Wat is er aan de hand, oma?' vroeg Esther.

'Wat denk je dat er aan de hand is? Mijn drie jongens vechten allemaal in deze verschrikkelijke oorlog en ik weet niet wat ik zou moeten beginnen als een van hen iets overkwam.'

Esther wist niet wat ze moest zeggen. Met haar vork prikte ze in haar knakworst terwijl oma's parkiet luid op de achtergrond tsjilpte. 'Deze week hebben we een brief van papa gekregen,' zei ze na lange tijd. 'Hij schrijft dat hij met veel mannen op één zaal moet slapen.'

'Ja, hij heeft me ook geschreven. Zijn brief ligt hier ergens, als je die wilt lezen.' Oma leunde met haar handen op tafel en kwam overeind om door de eindeloze stapels papier op het aanrecht te zoeken.

'Het geeft niet,' zei Esther. 'Er staat waarschijnlijk hetzelfde in als in die van mij.'

Na het eten speelde Peter niet zoals altijd met Woofer in de tuin, hoewel de hond haar slijmerige bal voor Peters voeten legde en met een blijde grijns op haar snoet en de tong uit haar bek naar hem opkeek. In plaats daarvan gingen ze met zijn drieën in de overvolle woonkamer zitten en luisterden ze naar *The Old Fashioned Revival Hour*, een evangelisatieprogramma op de radio. Oma's huis rook muf en bedompt, als een kast vol oude kleren die nooit werden gelucht.

'Klop, klop,' riep Penny eindelijk door de hordeur aan de achterkant van het huis. 'Zijn jullie klaar met eten?'

Esther baande zich door de rommel een weg naar de deur en was heimelijk opgelucht om Penny te zien. 'Mogen we nu naar huis?' fluisterde ze.

Penny had weer twee boodschappentassen vol met spullen bij zich en ze zeulde ermee naar de bushalte. Toen de bus er was, zette ze de tassen even neer om een oude vrouw de bus in te helpen en vergat ze vervolgens bijna. 'Wat ben ik toch verstrooid,' mopperde ze toen ze eenmaal in de bus zaten.

De vrouw gaf Penny vanaf de andere kant van het gangpad een klopje op haar hand. 'Dank je wel, kind. Je vindt tegenwoordig nog maar weinig jonge mensen die zo vriendelijk zijn, vooral een knappe jongedame zoals jij.'

Esther trok een grimas. Had de vrouw geen ogen in haar hoofd? Penny was helemaal niet knap.

Zodra Esther de bus uit stapte, rende ze voor Penny en Peter uit en stommelde de trap naar hun appartement op. Ze had haar eigen sleutels. Die had haar vader haar gegeven, zodat Peter en zij zichzelf konden binnenlaten als ze uit school kwamen.

Die avond na het eten hoorde Esther, terwijl ze een boek in de huiskamer zat te lezen, Penny met luide stem in de keuken zeggen: 'Dat is niet aardig van je, Peter. Als iemand je een vraag stelt, hoor je er antwoord op te geven.'

Esther had hun timide oppas nog nooit haar stem horen verheffen. De hele week had ze op walgelijk lieve toon tegen hen gesproken, alsof ze baby's waren. Had ze al deze tijd geveinsd dat ze bescheiden en aardig was? Esther legde een boekenlegger in haar boek en haastte zich naar de keuken om haar broer te hulp te schieten.

Penny hield Peter bij zijn arm vast, terwijl deze probeerde te ontsnappen. 'Nee, wacht eens even. Ik wil weten waarom je niets tegen me zegt. De hele week heb je niet geantwoord op mijn vragen. Ik wil geen brief aan je vader schrijven, maar...'

'Blijf met je handen van mijn broer af!' Esther pakte Peter bij zijn andere arm en won de touwtrekwedstrijd toen Penny losliet. Hij zag er bleek en angstig uit, maar gaf geen kik. 'Kom, Peter.' Esther trok hem mee naar de slaapkamer die ze deelden en sloeg de deur achter zich dicht.

'Gaat het?' vroeg ze. Hij knikte.

'Waarom was Penny zo boos?' Hij staarde haar aan zonder met zijn ogen te knipperen. 'Kom op. Je kunt het me best vertellen. Ik sta aan jouw kant.' Ze wachtte en probeerde haar geduld niet te verliezen, maar hij zei nog steeds geen woord. 'Ben je boos op me of zo?'

Hij schudde zijn hoofd, terwijl de tranen in zijn ogen opwelden. 'Waarom vertel je me dan niet wat er aan de hand is?' Peter werd rood en bleef haar met zijn mond een eindje open aanstaren alsof hij iets probeerde te zeggen – maar er kwam geen woord over zijn lippen.

'Wat mankeert jou?' vroeg ze, terwijl ze hem een duw gaf. Esther zou haar broer nooit pijn doen, maar er was iets onnatuurlijks in de manier waarop hij zwijgend voor haar stond, alsof hij niet kon ademen en bijna ergens in stikte. Haar hart begon sneller te kloppen. 'Zeg dan iets! Als dit een spelletje is, vind ik het helemaal niet leuk.'

Peter sloeg zijn ogen neer en haalde zijn magere schouders op alsof hij zijn hoofd wilde laten verdwijnen in de kraag van zijn hemd. Hij was altijd veel minder praatlustig dan Esther geweest en als hij iets zei, was het altijd een zacht gemompel. Mensen moesten zich naar hem toe buigen om te horen wat hij zei en oma Shaffer, die slechthorend was, kón hem helemaal niet verstaan. Iedereen zei altijd dat Esther genoeg praatte voor twee.

'Hé, luister eens, Peter. Ik ben ook boos over hoe het er hier aan toegaat, maar het wordt nog veel erger als we Penny boos maken. Kom op, praat tegen me. Vertel me wat er aan de hand is. Ik zal het echt aan niemand doorvertellen, dat beloof ik.' Ze wachtte bijna een minuut, maar Peter gaf geen antwoord. 'Ben je boos op me?' vroeg ze voor de tweede keer.

Hij schudde zijn hoofd en een traan rolde over zijn wang. Hij veegde die met de rug van zijn hand af. Esther zuchtte en plofte op haar eigen bed neer dat tegen dat van hem aan stond. Ze luisterde naar het verkeer op straat terwijl ze elkaar zwijgend aankeken.

Pas toen drong het tot Esther door dat Peter geen woord had gezegd sinds hun vader een week geleden was vertrokken. Peter was zwijgend naar school gelopen, had zwijgend gegeten, zijn huiswerk gedaan en stripboeken gelezen, en was zwijgend naar bed gegaan. Haar hart begon te bonken alsof ze zojuist de twee trappen naar haar slaapkamer was opgerend. In paniek sprong ze op en begon in de kist met speelgoed te rommelen om naar Peters kleine, vierkante lei en een stukje krijt te zoeken. Toen ze deze had gevonden, drukte ze de lei in zijn handen. 'Als je niet met me wilt praten, dan kun je me toch wel vertellen waarom niet.'

Heel even hield hij de lei tegen zijn borst, legde die toen op zijn schoot en schreef: *Dat kan ik niet.*

'Je kunt me gerust vertellen wat er aan de hand is, Peter. Ik beloof je dat ik het niet door zal vertellen.' Hij bewoog zijn hoofd heen en weer alsof hij water van zich af probeerde te schudden en tikte met zijn knokkels op de lei. Toen ze hem aankeek, begon hij opnieuw te schrijven.

Ik kan niet praten.

'Doe niet zo stom. Een week geleden kon je nog prima praten – en de week daarvoor ook. Heb je keelpijn of zoiets?'

Weer schudde hij zijn hoofd, waarna hij de woorden met zijn vuist uitveegde en schreef: *Er komen geen woorden uit mijn mond.*

De angst sloeg Esther om het hart. Ze wist niet wat ze moest zeggen. Opnieuw wiste Peter de lei schoon en schreef: *Ik kan het echt niet.*

'Oké,' zei ze zachtjes. 'Rustig maar. We vinden wel een oplossing.' Maar ze was er allesbehalve zeker van dat dit zo was. Wat zou ze moeten beginnen als er iets met Peter gebeurde? Hij was de enige die ze nog had.

Er werd op de slaapkamerdeur geklopt. Penny. 'Ga alsjeblieft weg,' zei Esther. Er volgde een lange stilte, maar ze wist dat Penny nog steeds voor de deur stond. Esther zag voor zich hoe ze op haar lip beet en in haar handen wreef op die irritante manier van haar.

'Eh… Esther?' Penny's stem klonk onzeker. 'Sorry dat ik schreeuwde. Het kwam omdat… eh… het enige wat ik Peter vroeg was of hij de vaat wilde afdrogen, omdat het zijn beurt was… maar hij gaf gewoon geen antwoord. Toen vroeg ik hem of er iets aan de hand was, want hij was de hele week zo stil geweest, maar… hij gaf nog steeds geen antwoord. Je weet toch dat ik jullie nooit pijn zou doen, hè?'

Esther voelde haar macht een klein beetje groeien. Waarschijnlijk was Penny bang dat ze iets negatiefs over haar aan Esthers vader zou schrijven. 'Ik kom zo,' zei ze. 'En ik zal de vaat wel voor hem afdrogen.' Ze draaide zich naar haar broertje om en wees naar de lei. 'Als je niet kunt praten, dan kun je me in ieder geval laten weten wat er aan de hand is, oké?' Peter knikte.

Penny stond pal voor de deur toen Esther die open deed. 'Hé, is alles goed met Peter?' vroeg ze.

'Ja, hoor.' Esther glipte langs haar heen en ging naar de keuken. Penny had de borden al afgewassen en op het afdruiprek gezet. Esther nam de theedoek van het haakje om ze af te drogen. Van haar vader hadden ze nooit hoeven afdrogen. Soms liet hij de vuile borden dagenlang staan en als hij er zich eindelijk toe zette om ze af te wassen, liet hij ze in het afdruiprek opdrogen. Maar Penny had hun huishoudelijke taken gegeven. Ze moesten helpen schoonmaken, koken en afwassen. Esther nam het haar kwalijk, hoewel ze ook van haar eigen moeder hadden moeten helpen in het huishouden. Maar Penny was hun moeder niet. Ze zou haar moeders plaats nooit kunnen innemen.

Net toen Esther het laatste bord in de kast had gezet, werd er aangebeld. Penny was als eerste bij de deur, maar Esther kwam nog net op tijd aan om de man te horen zeggen: 'Goedenavond, mevrouw Shaffer.'

'Ze is mevrouw Shaffer niet,' riep Esther, voordat Penny de tijd had om te antwoorden.

'Aha. Nou, ik ben inspecteur Dalton van de brandweerkazerne.' Hij hield een zilveren legitimatiepenning omhoog. 'Ik ben bezig met een buurtonderzoek en op zoek naar getuigen van de brand die verleden week in de synagoge aan de overkant heeft gewoed. Ik zou u graag een paar vragen willen stellen.'

'Sorry,' zei Penny, 'maar die avond was ik hier niet. Ik ben pas de dag na de brand gekomen.'

'Is meneer Shaffer thuis?'

'Nee, het spijt me,' begon Penny. 'Hij...'

'Hij is in het leger gegaan om te vechten,' maakte Esther de zin af.

'Hoe heet jij, jongedame?'

'Esther Shaffer.'

'Was jij wel thuis op de avond van de brand?'

'Ja.'

'Kun je me in je eigen woorden vertellen wat je je ervan herinnert?' Hij haalde een notitieboekje en een pen uit zijn zak en schreef alles op wat Esther zei.

'We waren boven en hoorden sirenes. Mijn vader was bezig zijn koffer in te pakken. Hij vroeg ons de ramen dicht te doen tegen de rook en daarna zijn we buiten gaan kijken. Toen zagen we onze huisbaas, meneer Mendel, uit het brandende gebouw komen. Ik denk dat hij gewond was, want hij werd weggebracht in een ziekenauto.'

'Hoe wist je dat het meneer Mendel was?'

'Omdat hij gestreepte bretels droeg. Voor de brand hadden we eventjes met hem gepraat en toen had hij die ook om.'

'Wat voor indruk maakte hij op je eerder die avond?'

Esther haalde haar schouders op, omdat ze de vraag niet goed begreep. 'Knorrig. Maar dat is hij altijd. Zijn vrouw was heel aardig, maar die…' Esther sprak niet verder. In gedachten hoorde ze het verschrikkelijke geluid van de auto die op de groentekraam inreed. 'Zijn vrouw is dood.'

'Je weet dus zeker dat het meneer Mendel was die uit de synagoge kwam?'

'Mijn vader vroeg aan een van de andere mannen of hij het was en die zei ja.'

'Herinner je je nog iets anders?'

Ze haalde haar schouders op en schudde haar hoofd. Ze wilde zich niets herinneren. Het kijken naar die brand was een afschuwelijke manier geweest om de laatste avond met haar vader door te brengen. Ze zou de hitte op haar gezicht nooit vergeten, evenmin als de rook en de as die in haar ogen en keel prikten. Of het gevoel van haar vaders hand in de hare terwijl ze naar het brandende gebouw keken. Een jaar geleden had Esther gezegd dat ze oud genoeg was om de straat over te steken zonder haar moeder een hand te geven. Ze had haar moeders hand losgelaten en was in haar eentje over de markt geslenterd. En nu zou ze haar moeders hand nooit meer vast kunnen houden. Maar deze keer was het haar vader geweest die haar hand als eerste had losgelaten.

Nadat de inspecteur was vertrokken, nam Penny Esther even terzijde. 'Zeg, ik hoop dat jij ook niet zult stoppen om tegen me te praten. Omwille van je vader moeten we proberen om het met elkaar te vinden. Ik wil geen negatieve dingen over jullie vertellen in mijn brieven.'

'Schrijf hem maar wat je wilt – het kan me helemaal niets schelen. Misschien zal hij dan naar huis komen en weer zelf voor ons zorgen.'

Penny schudde haar hoofd. 'Hij is in het leger gegaan, Esther. Hij kan niet zomaar zijn ontslag indienen en weer naar huis komen. Hij heeft het leger beloofd te blijven.'

'Hij *moet* zijn ontslag indienen. Ze *moeten* hem laten gaan!'

'Zo gemakkelijk gaat dat niet in het leger. Als je me niet gelooft, moet je het maar aan de juffrouw op school vragen. Of iemand anders.'

Esther probeerde te ontsnappen, maar Penny hield haar tegen. 'Luister eens. Wil je liever bij je oma wonen? Ik kan met haar gaan praten als je dat wilt. Ik kan proberen haar op andere gedachten te brengen.'

Esther schudde haar hoofd. 'Ik wil niet bij oma wonen.'

'Ik doe mijn best, Esther. Het enige wat ik wil is je vader helpen. Ik weet zeker dat hij zich zorgen om jullie maakt.'

'Papa houdt helemaal niet van ons, want anders zou hij ons nooit zomaar hebben achtergelaten!' Opnieuw probeerde ze te ontsnappen, maar weer hield Penny haar tegen.

'Ik wil alleen maar dat Peter en jij gelukkig zijn. Wat zou je gelukkig maken?'

'Dat alles weer wordt als vroeger.'

Uiteindelijk liet Penny Esther gaan en ze rende de trap op naar haar kamer. Peter lag met zijn gezicht naar beneden op bed.

Zijn lievelingsstripboeken van Captain Marvel lagen er verloren bij. Zijn snikken werden gesmoord in het kussen. Hij had de lei op Esthers bed gelegd. Ze pakte die om te zien wat hij had geschreven.

Ik weet niet wat er aan de hand is.
Ik probeer te praten maar er komt geen geluid uit mijn keel.
Help me!

8

Oktober 1943

Penny deed de broodtrommels van de kinderen dicht en zette ze op het uitschuifbare, porseleinen werkblad. 'Jullie moeten opschieten, want anders komen jullie te laat op school.'

'We gaan nu al meer dan een jaar alleen naar school,' mompelde Esther boven haar kom met cornflakes. 'Papa ging altijd vóór ons naar zijn werk.'

'O, sorry.' Penny kon zich wel voor het hoofd slaan. Waarom zei ze altijd de verkeerde dingen? 'Oké, dan zie ik jullie later. Tot vanavond.' Penny pakte haar eigen broodtrommel en zwaaide de kinderen gedag, maar ze keken zelfs niet op.

Het bleek veel moeilijker dan ze had verwacht om de genegenheid van de kinderen te winnen. Ze was er nu al bijna drie weken, maar Esther bleef koel en afstandelijk en Peter had nog geen woord tegen haar gezegd sinds ze was aangekomen. Iedere week stuurde Eddie haar een kort briefje waarin hij haar vroeg hoe het ging – samen met veel langere brieven aan zijn kinderen. Ze kon hem toch niet vertellen dat het heel slecht ging? Daarom schreef ze hem lange brieven terug en deed ze net alsof alles op rolletjes liep. Misschien zou het over een week wel beter gaan. Ze wilde niet dat Eddie zich zorgen maakte – of een vervangster voor haar zou zoeken.

Penny haastte zich naar de bushalte op de hoek van de straat en wachtte tussen in het zwart geklede Joodse mannen op de bus. Ze gaven haar het gevoel een musje tussen een groep zwarte raven te zijn. Haar vader zou erop staan dat ze onmiddellijk naar

huis kwam, als hij wist dat ze iedere dag zo veel Joden tegenkwam. Daarom zou ze, als ze haar ouders op zondag bezocht,
geen woord zeggen over de buurt waar Eddie woonde. Als ze
dat wel deed, zouden ze de hele middag op haar inpraten om het
dwaze idee op te geven en weer thuis te komen wonen. Dat zou
ze nooit doen. Terugkeren naar huis betekende dat haar droom
om met Eddie te trouwen in rook op zou gaan.

Toen de bus eindelijk aankwam, zag Penny geen enkele lege
plek. Het gangpad stond vol met reizigers die zich vasthielden
aan de leren lussen die aan het plafond hingen. Ze vond het niet
prettig om met zo veel vreemde mensen op een kluitje te staan,
maar als ze op de volgende bus zou wachten, zou ze te laat op
haar werk komen. Toen ze aarzelend op de treeplank van de bus
bleef staan, stond een marinier die voor in de bus zat voor haar
op.

'Gaat u hier maar zitten, juffrouw.'

'Weet… weet u het zeker? Dat is heel vriendelijk van u.' Hij
glimlachte en Penny bedacht dat het misschien dezelfde militair
was die eerder zijn plaats aan haar had afgestaan. Maar omdat er
tegenwoordig zo veel mannen in uniform rondliepen, kon ze
het niet met zekerheid zeggen.

'Bent u op weg naar uw werk, juffrouw?' vroeg hij, terwijl
ze van plaats verwisselden. Penny knikte. Haar moeder had haar
talloze malen ingeprent dat ze niet met vreemden mocht praten.
De glimlach van deze vreemde werd breder en veranderde in
een grijns.

'Niets zeggen,' zei hij. 'Laat me eens raden. Ik denk dat u
een… hoe noemen ze dat tegenwoordig? Een meisje dat schepen voor de oorlogsindustrie bouwt…? Een *Klinknagel Kaatje*
bent!' Hij kwam zo sympathiek op haar over dat ze onwillekeurig naar hem glimlachte. Hij deed haar denken aan Mickey
Rooney met zijn ronde, jeugdige gezicht en mopsneus – en
Penny was dol op films van Mickey Rooney. In tegenstelling tot
andere filmsterren was Mickey niet lang en knap, maar had hij

een alledaags uiterlijk – net als zij. Dankzij hem kon ze geloven dat gewone mensen ook 'lang en gelukkig' konden leven.

'Nee, ik werk op het busstation,' antwoordde ze. De marinier had haar galant zijn plaats afgestaan. Het minste wat ze kon doen, was hem beleefd te woord staan.

'Het busstation is in de buurt van de marinewerf, hè? Daar stap ik uit.'

Penny's nieuwsgierigheid won het van haar angst. Of misschien lag het aan haar eenzaamheid dat ze naar hem opkeek en het gesprek voortzette. Omdat haar ouders nog steeds boos op haar waren en de kinderen amper een woord tegen haar zeiden, had ze al dagenlang geen vriendelijk woord met iemand gewisseld. 'Hoe komt een soldaat als u bij de marinewerf terecht?'

'Beveiliging. Ik moet ervoor zorgen dat mensen die er niets te zoeken hebben niet stiekem naar binnen glippen. Iedereen weet dat er oorlogsschepen worden gebouwd en daarom moeten de mariniers ervoor zorgen dat spionnen en saboteurs buiten de deur worden gehouden. Herinnert u zich de Duitse spion die een paar jaar geleden op Long Island werd betrapt?'

'Jazeker! Maar sindsdien zijn er toch geen anderen meer geweest?'

'Nee, en dat zal zo blijven als ik mijn werk goed doe,' zei hij lachend. Toen de bus bij de volgende halte stopte, liet hij de lus even los en stak zijn hand naar haar uit. 'Ik ben Roy Fuller.'

Penny vond het moeilijk om zich over de angst heen te zetten die haar jarenlang was aangepraat. Ze had het al eng gevonden om iedere dag met de bus in plaats van lopend naar haar werk te moeten gaan. Maar wat voor kwaad kon het om aardig te zijn? Ze schudde hem kort de hand. 'Penny Goodrich.'

'Leuk om kennis met u te maken, juffrouw Goodrich.' Ze moesten het gesprek beëindigen toen nog meer mensen de bus in kwamen en Roy een eindje moest opschuiven. Penny wist niet zeker of ze zich opgelucht of teleurgesteld voelde. Het was prettig om met iemand te praten en een vriendelijk gebaar te maken. Daarom opende Penny, toen ze op het busstation aankwam en een man om eten zag bedelen, haar broodtrommel en gaf ze hem een boterham. Iedereen had af en toe behoefte aan een beetje genegenheid.

De hele ochtend zat ze achter het loket, terwijl de ene bus na de andere het station binnenreed, een grote stroom passagiers uitspuugde en er weer een even groot aantal opslokte, zoals in een scène uit een tekenfilm. Toen de ochtendspits eindelijk begon af te nemen, keerden haar gedachten terug naar de knappe Eddie Shaffer. Over een paar weken zou hij verlof krijgen en naar huis komen. Hoe zou ze het in zijn ogen hebben gedaan? Ja, hij zou een schoon huis en gewassen en gevoede kinderen aantreffen, maar Peter weigerde om met haar te praten en Esther kon haar niet luchten of zien. Penny wist niet hoe ze hun genegenheid moest winnen. Als ze in haar brieven naar Eddie haar beklag over hen deed, zou hij hun kant kiezen. Voorlopig hield hij meer van zijn kinderen dan van haar. Hield hij eigenlijk wel van haar? Ha! Hij besefte amper dat ze bestond.

Denk na, Penny, denk na. Ze wilde dat ze wat slimmer was en betere oplossingen kon bedenken. Moest ze ijsjes en andere traktaties voor hen kopen? Of volgende week zaterdag met hen naar de film gaan?

'Juffrouw Goodrich… juffrouw Goodrich?' Ze draaide zich om en zag haar baas in de deuropening van haar hokje staan. Hoelang had hij daar al gestaan?

'Ja, meneer Whitney?'

'Wilt u even naar mijn kantoor komen? Ik moet met u praten.'

'Maar… mijn loket dan?'

'Dat kunt u even sluiten. Juffrouw Napoli kan het werk wel van u overnemen, nu de ochtendspits voorbij is.'

'Goed, meneer.' Penny sloot het loket en deed de kassa op slot. Vervolgens gleed ze van haar kruk af en volgde haar baas naar zijn kantoor. Zat ze in de problemen? Was er iets ergs gebeurd?

Haar kassa had gisteren tot op de cent geklopt, dus dat kon het niet zijn. Had ze misschien een vals geldbiljet geaccepteerd?

'Gaat u zitten, juffrouw Goodrich.' Hij wees naar een stoel en nam zelf plaats achter zijn bureau. Penny deed wat hij zei, maar was zo ongerust dat ze op het puntje ging zitten, alsof ze zich schrap zette om ervandoor te gaan.

'Juffrouw Goodrich, ik heb begrepen dat u hier inmiddels al meer dan vijf jaar werkt?'

'Ja, meneer. Meteen na de middelbare school ben ik hier begonnen.'

'En u bent een van onze beste medewerksters – intelligent, eerlijk en uiterst betrouwbaar. Wat zou u van een promotie vinden?'

Het duurde even voordat ze iets kon zeggen. 'Ik? Een promotie?'

'Ja,' zei hij met een glimlach. 'En daar hoort ook een salarisverhoging bij. Ik heb begrepen dat u uw bejaarde ouders financieel ondersteunt?'

Ze knikte, omdat ze te verbijsterd was om te spreken.

'Op dit moment heb ik harder buschauffeurs nodig dan kaartjesverkoopsters. Een groot aantal van onze chauffeurs is in dienst gegaan of heeft beter betaald werk in de wapenindustrie gevonden. En daarnaast moeten we meer bussen inzetten naar bestemmingen als de marinewerf en de militaire bases, nu zo veel militairen in deze omgeving zijn gestationeerd. Ik weet zeker dat u hebt gemerkt hoe vol de bussen tegenwoordig zitten.'

'M-maar ik kan niet eens autorijden, meneer Whitney.'

'Dat geeft niet. We beginnen met een rijopleiding voor nieuwe buschauffeurs. De busmaatschappij zal uw rijlessen betalen en u helpen uw rijbewijs te halen. Ik stel het op prijs dat u hier in dienst bent gebleven en niet in een munitiefabriek bent gaan werken.'

'Dat soort werk is niets voor mij, meneer Whitney. Ik zou het verschrikkelijk vinden de hele dag in een lawaaierige fabriek opgesloten te zitten. Ik heb gehoord dat je lange dagen draait op de marinewerf en er zeven dagen per week moet werken. Dat kan ik niet doen, omdat ik voor de twee kinderen van een vriend zorg die in dienst is gegaan.'

'Nou, dan is dit de perfecte baan voor u. We kunnen u een busroute in Brooklyn toewijzen. U werkt van maandag tot en met vrijdag. En u zult uw opgebouwde dienstjaren niet kwijtraken, omdat u toch al voor ons werkt. U bent geknipt voor deze baan, juffrouw Goodrich. Dat weet ik zeker.'

Nog nooit had iemand enig vertrouwen in haar getoond en ze wilde meneer Whitney dolgraag bewijzen dat hij gelijk had. Maar een bus besturen? Dat was geen baan voor haar, zou haar moeder zeggen. En had Penny de laatste tijd al niet meer veranderingen meegemaakt dan goed voor haar was?

'Heb ik al gezegd dat u vijftien dollar per week meer zou gaan verdienen?'

Penny kon hem alleen maar aangapen. Het leek een enorm bedrag.

'Nou, juffrouw Goodrich? Wat vindt u ervan?'

Ze wist niet wat ze moest zeggen. 'Mag… mag ik er nog even over nadenken?'

'Natuurlijk, maar u moet het me morgen laten weten. De rijlessen beginnen binnenkort. O, en als u besluit om het aanbod te accepteren, heb ik een identiteitsbewijs nodig om uw rijbewijs aan te vragen. Een geboorteakte volstaat.'

Penny had het gevoel dat ze slaapwandelde toen ze terugliep naar haar loket en het weer opendeed. 'Waar ging het over?' vroeg de andere kassière. Penny wist niet zeker of ze het haar moest vertellen, maar bedacht dat het niet uitmaakte, omdat ze het aanbod waarschijnlijk toch niet zou accepteren.

'Meneer Whitney vroeg me of ik buschauffeur wilde worden.'

'Wauw. En ga je het doen?'

'Ik weet het niet. Ik ben zo'n uilskuiken. Ik kan niet eens autorijden.'

'Jij? Een uilskuiken? Doe niet zo gek. Jouw kassa klopt iedere dag tot op de cent. De mijne nooit. Jongens, jongens, als ik de kans kreeg om uit dit stinkhok te komen, zou ik die meteen aangrijpen.'

'Maar ik denk niet dat… ik bedoel…ik kan geen grote bus besturen.'

'Je moet het doen. Ik weet zeker dat je veel militairen zult tegenkomen. Tegenwoordig zitten de bussen er vol mee. Jij boft maar.'

Aan het einde van de werkdag had Penny nog steeds niet besloten wat ze zou doen. Als een kind op de wip werd ze heen en weer geslingerd tussen tegenstrijdige gedachten. In een opwelling besloot ze om onderweg even bij haar ouders langs te gaan om haar geboorteakte op te halen, voor het geval ze het aanbod zou accepteren. Haar moeder had de strijkplank in de keuken neergezet en luisterde naar de radio terwijl ze de overhemden van haar vader streek. In de ruimte hing de zoete geur van vochtig katoen.

'Je geboorteakte!' zei ze toen Penny haar vertelde wat ze wilde. 'Waar heb je die nu weer voor nodig?' Het klonk alsof Penny het onmogelijke had gevraagd. Te laat zag Penny haar vergissing in.

Ten eerste zou haar moeder op haar achterste benen staan als ze erachter kwam dat Penny een opleiding tot buschauffeur wilde volgen. En als haar verontwaardiging was bezonken, zou ze net zo lang blijven doorzeuren totdat Penny van het idee afzag. Ze dacht niet dat Penny in staat was te fietsen, laat staan een grote bus te besturen die vol mensen zat – vreemde mensen nog wel!

'Nou,' zei Penny terwijl ze van de keuken naar de huiskamer liep. 'Volgens mijn baas krijg ik misschien binnenkort een promotie, maar daarvoor moet hij mijn geboorteakte zien. Als u me dus vertelt waar die ligt, kan ik hem zelf even pakken. Doet u vooral geen moeite. Ligt hij in pa's bureau bij de andere belangrijke papieren?'

Met een bons zette haar moeder het strijkijzer neer en haastte zich achter Penny de kamer in zonder eerst de stekker uit het stopcontact te trekken – iets waar ze Penny al vaak voor had gewaarschuwd. 'Blijf met je handen van alle papieren af. Die akte zit er niet tussen.'

'Waar is hij dan?'

'We hebben hem niet.'

Penny keek haar aan. 'Maar iedereen heeft toch een geboorteakte?'

'Jij niet. Jaren geleden is de jouwe zoekgeraakt... toen we hiernaartoe verhuisden. Ik heb nooit een nieuwe aangevraagd.'

'Zoekgeraakt? Maar... maar ik heb hem nodig. Anders krijg ik die promotie niet.'

'Wat voor soort promotie is het eigenlijk? Dat je daar een geboorteakte voor nodig zou hebben, heb ik nog nooit gehoord. Je had die toch ook niet nodig toen je voor de busmaatschappij ging werken? Waarom heb je er nu plotseling wel een nodig?'

Penny durfde haar niet de waarheid te vertellen – maar liegen wilde ze ook niet. Ze wist dat haar moeder nog woedend op haar was omdat ze naar Eddies appartement was verhuisd. Waarschijnlijk zou ze haar dus niet helpen om aan de akte te komen en zouden Penny's smeekbeden aan dovemansoren zijn gericht.

'Laat maar zitten. Ik moet gaan. Ik laat de kinderen liever niet te lang alleen thuis na schooltijd.'

'Die kinderen moeten hiernaast bij hun oma komen wonen, niet bij jou. Wanneer geef je dit belachelijke idee om moedertje te spelen nu eens op en kom je hier weer wonen, waar je thuishoort? En waarom wil je in vredesnaam een promotie als je al meer verantwoordelijkheden hebt dan je aankunt?'

Met afhangende schouders liep Penny naar de deur. 'Ik zie u en pa zondag weer. Tot dan.'

De hele weg naar huis was Penny woedend over de reactie van haar moeder. Lang voordat ze thuis was, had ze besloten dat wat er ook zou gebeuren, ze niet meer bij haar ouders zou gaan wonen. Nooit meer. Als Eddie haar zou ontslaan en iemand anders in dienst zou nemen om op zijn kinderen te passen, zou ze een klein appartement voor zichzelf huren. Met een salarisverhoging van vijftien dollar per week zou ze de huur kunnen betalen. Als meneer Whitney dacht dat ze een bus kon besturen, kon ze dát misschien ook.

Penny had voor in de bus een plaats gevonden en ze keek naar de chauffeur, terwijl ze zich voorstelde hoe het zou zijn om dit werk zelf te doen. Hij moest goed opletten met zo veel auto's, voetgangers en bussen op straat. Maar afgezien daarvan hoefde hij alleen op te trekken en te stoppen, de kaartjes van mensen aan te nemen, overstapkaartjes te overhandigen en ervoor te zorgen dat de passagiers genoeg geld in het metalen bakje stopten om de reis te betalen. Haar hele leven lang had Penny dagelijks dezelfde saaie routine meegemaakt – thuis wonen, kaartjes verkopen op het busstation, de kritiek van haar moeder aanhoren – en plotseling kon ze de gedachte niet meer verdragen om de rest van haar leven zo door te brengen. *Vijftien dollar extra per week.* Ze zou rijk zijn. Morgen zou ze zich aanmelden voor de rijopleiding.

Bij het uitstappen glimlachte ze naar de chauffeur. Ze huppelde bijna de trappen naar Eddies appartement op. Ze had haar zelfvertrouwen terug en haar opwinding over haar nieuwe baan groeide met de minuut. Een rinkelende telefoon verstoorde haar in haar overpeinzingen.

'Het huis van de familie Shaffer. U spreekt met Penny Goodrich.'

'Goedemiddag, u spreekt met mevrouw Cole. Ik ben de onderwijzeres van Peter. Ik wilde u vragen of u morgen na schooltijd even tijd hebt om langs te komen.'

'Eh… ik ben geen familie, mevrouw Cole. Ik zorg alleen maar voor Peter en Esther zolang…'

'Dat weet ik. Voor zijn vertrek is meneer Shaffer op school langsgekomen om de situatie uit te leggen. Komt morgen u uit?'

'Ja, ik denk van wel. Ik kan direct uit mijn werk langskomen.'

'Dank u wel. U kunt me in lokaal 5 vinden. Tot morgen.'

Wat nu weer? Had Peter extra hulp nodig bij zijn huiswerk? Was hij ondeugend op school? Penny hoopte van niet, omdat ze niet wist hoe ze met dit soort problemen moest omgaan. Ze kreeg Peter niet eens zover dat hij wat tegen haar zei. Nu zou Eddie er zeker achterkomen dat ze geen verstand had van het opvoeden van kinderen. Het was heel dom van haar geweest om hem zomaar aan te bieden op zijn kinderen te passen. En nog dommer om te denken dat ze een bus kon besturen.

Die nacht deed Penny bijna geen oog dicht, zo ongerust was ze. Toen meneer Whitney de volgende ochtend opnieuw naar haar loket kwam, kon ze amper uit haar ogen kijken van moeheid. 'Ik wil geen druk op u uitoefenen, juffrouw Goodrich, maar ik moet zo snel mogelijk weten wat u doet.'

'Het spijt me, meneer Whitney, maar ik heb geen geboorteakte. Mijn moeder zegt dat ze die jaren geleden is kwijtgeraakt en…'

'Waar bent u geboren?'

'Hier in Brooklyn, neem ik aan.'

'Nou, het bevolkingsregister van de staat New York kan u zonder problemen een nieuwe akte geven. U moet er waarschijnlijk een paar dollar voor betalen, maar op zich zou het geen probleem moeten zijn.'

Ze stond op het punt om hem te vertellen dat ze had besloten om zijn aanbod niet te accepteren toen meneer Whitney eraan toevoegde: 'Weet u wat? Ik geef u een half uur extra lunchpauze vandaag, zodat u er tussen de middag langs kunt gaan om een nieuwe akte aan te vragen. Zozeer zit ik om chauffeurs te springen, juffrouw Goodrich.'

Penny deed wat haar was opgedragen. Zoals altijd. Zodra ze alle papieren bij het bevolkingsregister had ingevuld, verdween de beslissing over haar baan naar de achtergrond, omdat ze nog steeds als een berg opzag tegen de afspraak die ze die middag met Peters onderwijzeres had. Met knikkende knieën ging ze de school binnen.

'Ik zal maar meteen met de deur in huis vallen,' zei mevrouw Cole toen ze zich aan elkaar hadden voorgesteld. 'Peter heeft al wekenlang geen woord gezegd tegen mij of wie dan ook op school.'

Het nieuws verbijsterde Penny. Als ze op een stoel had gezeten, was ze er waarschijnlijk vanaf gevallen. 'Tegen u dus ook niet? Vanaf de dag dat ik bij de familie ben ingetrokken en Peters vader naar de opleiding is vertrokken, heeft hij geen woord tegen me gezegd. Ik dacht dat hij om de een of andere reden boos op me was. Ik had geen idee dat hij tegen niemand praat.'

'Een paar dagen na het vertrek van hun vader kwam zijn zusje bij me langs om me te vertellen dat Peter strottenhoofd- ontsteking had en niet kon spreken. Ik heb hem daarop naar de schoolarts gestuurd, maar die kon niets ontdekken: hij had geen koorts en zijn keel was niet gezwollen. Ik besloot om af te wachten en te zien of het vanzelf over zou gaan, maar omdat de toestand niet is veranderd, wilde ik er met u over te praten. Zijn werk op school heeft er niet onder geleden en hij is niet vervelend. Hij communiceert door te schrijven, niet door te spreken.'

'Wat moet ik doen? Ik weet het echt niet. Ik heb helemaal geen ervaring met kinderen, mevrouw Cole. Ik wilde Eddie alleen maar een handje helpen.'

'Ik weet dat Peters moeder ruim een jaar geleden is overleden en dat zijn vader kort geleden is vertrokken. Ik heb eerder van gevallen gehoord waarbij een kind zo getraumatiseerd raakt dat het niet meer kan praten. Bij een jongen die zo gevoelig is als Peter kan ik me voorstellen dat het verlies van beide ouders in zo'n korte tijd een soortgelijk effect teweeg kan brengen.'

'Denkt u dat ik met hem naar de dokter moet gaan?'

'Nog niet. U lijkt me een vriendelijke en bekwame dame, juffrouw Goodrich. Ik heb het gevoel dat, zodra de kinderen gewend zijn aan de nieuwe situatie, het allemaal goed zal komen met Peter.'

Het was de tweede keer in twee dagen dat iemand Penny bekwaam had genoemd. Ze voelde zich een bedriegster.

'Komt Peters vader binnenkort nog naar huis?' vroeg mevrouw Cole.

'Hij krijgt verlof als hij klaar is met de basisopleiding.'

'In dat geval denk ik dat het beter is om gewoon af te wachten. Zet Peter niet onder druk. Als het probleem zich niet vanzelf oplost, kunnen we als meneer Shaffer weer thuis is een keer bij elkaar komen om de situatie samen te bespreken.'

Penny bedankte mevrouw Cole en liep terug naar het appartement. Om de een of andere reden bleven de tranen maar over haar wangen rollen. Ze wilde niet twee moeilijke kinderen opvoeden. Ze had geen idee hoe ze dat moest doen. Het enige wat ze wilde, was met Eddie Shaffer trouwen. Was dat te veel gevraagd?

9

Uit Jacobs radio schalde het geluid van een honkbalwedstrijd. Al een uur, maar het enige wat hij eraan kon doen, was gefrustreerd naar het apparaat staren. Hij wilde van zender wisselen of, als dat niet ging, in ieder geval het volume lager zetten, maar iedere keer dat hij aan de knopjes probeerde te draaien met zijn nutteloze handen, maakte hij de zaak alleen maar erger. Daarom was hij nu gedwongen om naar een honkbalwedstrijd te luisteren in plaats van zijn vertrouwde muziekprogramma.

Hij had er genoeg van verband om zijn handen te hebben en zo hulpeloos te zijn. Een week geleden had het verband normaal gesproken van zijn handen gemogen, maar de arts had een probleem ontdekt. De brandwonden waren niet goed genezen. Er was sprake van een lichte infectie en nu moest het verband niet alleen een week langer om zijn handen blijven zitten, maar de arts had ze zelfs nog verder ingezwachteld. Het onhandige gips om zijn rechterarm maakte zijn frustratie nog groter.

Op zijn eettafel lag een grote stapel kranten. Ze bevatten artikelen die hij wilde bewaren, de meest recente kaarten waarop de frontlinies stonden aangegeven en foto's van de Duitse bombardementen op Londen. Maar Jacob kon geen schaar vasthouden, laat staan ermee knippen.

Een paar keer in de week kwamen er vrouwen van de gemeente langs met eten en soep. Ze boden aan om Jacob in het huishouden te helpen, maar hij joeg ze allemaal weg. De vuile borden stapelden zich op, maar wat gaf het? Rebbe Grunfeld probeerde hem nog steeds over te halen om de mannen van de sjoel in zijn huis te laten bidden. De overvloed aan eten maakte waarschijnlijk deel uit van het plan om hem over te halen zich weer bij hen aan te sluiten. Maar Jacob bleef hardnekkig weigeren.

'Een strakke bal naar het middenveld… de loper rent naar het tweede honk… de middenvelder duikt naar de bal toe… en laat hem uit zijn hand glippen!'

Zou er ooit een einde komen aan deze honkbalwedstrijd? Jacob wilde het laatste nieuws over de oorlog en de geallieerde invasie in Italië horen. De nieuwsuitzending zou zo beginnen. Normaal gesproken was het rond het avondeten – en het avondeten betekende nog meer frustratie voor hem, omdat hij het met deze wanten om zijn handen moest zien op te warmen. De arts zou zelf eens met deze onhandige dingen moeten werken. Eens kijken wat hij er dan van zou zeggen.

Hij zuchtte en ging aan zijn bureau zitten, waarna hij onhandig in de stapel met brieven van zijn zoon begon te rommelen. Jacob had er de hele dag naar uitgekeken om er eentje te herlezen. Na de afgelopen weken veel geoefend te hebben, wist hij dat hij in de geopende envelop moest blazen, de brief er met zijn tanden uit moest trekken en die vervolgens op zijn bureau glad moest strijken met zijn wanten.

Avrahams brieven hadden Jacob geholpen beter zicht te krijgen op het leven dat zijn zoon in Hongarije leidde. Hij kon zich Avi's opwinding voorstellen toen hij het oude land voor de eerste keer zag en kennismaakte met zijn familieleden en hun gezinnen. Later gingen Avi's brieven vooral over zijn studie en de waardering die hij voor de wijsheid en het inzicht van de rabbijn had. Toen was Sarah Rivkah op het toneel verschenen en Avraham had over weinig anders meer gesproken dan over zijn liefde voor haar. Jacob had de brieven zo vaak herlezen dat hij ze bijna uit zijn hoofd kende. Hij wist al wat er in de brief van vandaag stond en kende de vreugde en pijn die erin besloten lagen.

Lieve mama en abba,

Ik heb geweldig nieuws. Sarah Rivkah en ik hebben besloten om te gaan trouwen. Ik houd van haar en zij van mij. Ik wil geen dag van mijn leven meer zonder haar doorbrengen. Ze is een kostbaar geschenk van Hasjem, gezegend zij Zijn naam.

Ik weet dat u misschien van streek zult zijn door het nieuws van onze verloving en dat spijt me. U zult zeggen dat ik te impulsief heb gehandeld en overhaast te werk ben gegaan. U zult me adviseren om eerst een jaar te wachten en dan pas met haar te trouwen. Ik kan uw gezicht bijna zien, abba, en de bezorgdheid in uw stem horen als u deze dingen tegen me zegt. Maar oom Yehuda kent de familie van Sarah heel goed en hij heeft ermee ingestemd om uw plaats in te nemen bij onze verloving en ons huwelijk. Mama, het spijt me dat u deze blijde dag niet samen met ons kunt vieren, maar ik weet dat u, zodra u Sarah Rivkah ziet, van haar zult houden. Ze is de dochter die u altijd hebt gewenst. Deel alstublieft in onze vreugde.

Ik heb uw laatste brief gekregen, abba, en ik begrijp waarom u me smeekt om weer naar huis te komen. Ik ben even bezorgd als u, nu Duitsland Polen is binnengevallen. U hebt waarschijnlijk gelijk dat de oorlog uiteindelijk ook Amerika zal bereiken. Maar als er echt een nieuwe wereldoorlog op komst is, willen Sarah en ik van ons geluk genieten voordat deze uitbreekt. Momenteel is het heel moeilijk om vanuit Hongarije naar de Verenigde Staten te emigreren vanwege alle quota. Het lijkt erop dat geen enkel land meer bereid is Joden toe te laten. Maar omdat ik Amerikaans staatsburger ben zal het, als we eenmaal getrouwd zijn, eenvoudiger zijn voor Sarah Rivkah om te emigreren, zo is mij verteld. Dan zal het misschien ook gemakkelijker zijn voor haar ouders en de rest van onze familie om over te komen.

Jacob stopte met lezen. Hij wist wat er in de rest van de brief stond. De post deed er zo lang over om een met U-boten en oorlogsschepen bezaaide oceaan te kruisen dat de bruiloft al had plaatsgevonden toen Avrahams volgende brief aankwam. Elf maanden en tientallen brieven later – nadat België, Nederland en Frankrijk in handen van de nazi's waren gevallen – had Hasjem Avi en Sarah met een dochtertje gezegend.

Jacob deed niet eens de moeite om de brief weer in de envelop te steken. Het ging niet. Het verband moest eraf. Nu meteen. Als hij het zelf niet kon losknippen, zou hij zijn trots opzij zetten, naar boven gaan en zijn huurder om hulp vragen. Jacob liep naar de deur, maar bleef halverwege de kamer staan. Hij zou Ed Shaffer niet thuis aantreffen. Vanwege de brand was Jacob helemaal vergeten dat zijn huurder in het leger was gegaan. Maar misschien kon een van zijn kinderen hem helpen het los te knippen. Hij klemde de deurknop tussen beide handen en draaide die om. De deur ging open – en het jongetje van boven viel Jacobs woonkamer binnen alsof hij met zijn rug tegen de deur had geleund.

'Wat heeft dit in vredesnaam te betekenen?'

De jongen krabbelde overeind en maakte aanstalten om weg te rennen.

'Wacht. Blijf even hier alsjeblieft.' Jacob probeerde hem met zijn ingezwachtelde handen tegen te houden. 'Zou je iets voor me willen doen?'

Het kind keek hem aan en toen hij de angst in zijn ogen zag, voelde Jacob zich net de boze reus uit een sprookje. Hij had het jongetje niet bang willen maken. Voor Miriam was het nooit weggerend. Maar Miriam Shoshanna had die twee kinderen verwend met toffees en honingcake. Ze wisten toch dat ze er niet meer was?

Jacob schudde zijn hoofd om zijn gedachten te ordenen. 'Wil je alsjeblieft even binnenkomen om me met de radio te helpen? Ik kan het zelf niet zo goed.' Hij stak zijn handen omhoog. Hij probeerde te glimlachen om de jongen op zijn gemak te stellen, maar zijn glimlach voelde zo geforceerd aan dat Jacob zich afvroeg of hij het lachen was verleerd. 'Kom maar. Daar is de radio.' Hij legde zijn hand op de schouder van de jongen om hem naar binnen te leiden. 'Hoe heet je ook al weer?'

In plaats van te antwoorden, stak de jongen zijn hand in zijn zak en haalde er een velletje lijntjespapier uit dat vele keren was opgevouwen en een potloodstompje. Het papier was aan beide kanten beschreven en zat vol vlekken, maar de jongen vond een blanco stukje en schreef: *Peter.*

Vreemd. Heel vreemd. Maar misschien vond Peter Jacob ook vreemd.

'Sorry dat ik je aan het schrikken heb gemaakt, maar ik wist niet dat er iemand tegen de deur leunde. Ik heb je niet horen aankloppen, omdat mijn radio veel te hard aanstond. Wilde je me iets vragen?' Misschien was hij naar beneden gekomen om Jacob te vragen het ding wat zachter te zetten, wat hij zelf al vele malen tevergeefs had geprobeerd.

Peter knikte verlegen en wees naar de radio.

'Hè? Mijn radio? Je wilde zeker dat ik die zachter zou zetten?' Peter schudde beslist zijn hoofd – nee – en maakte het gebaar van een honkbalspeler die met een knuppel zwaaide. Heel even zweefde er iets van een glimlach om zijn lippen, terwijl hij opnieuw naar de radio wees.

'Aha. Je zat naar de wedstrijd te luisteren.' Een hoofdknik. Jacob vroeg zich af waar de pantomime goed voor was. Waarom praatte de jongen niet gewoon? Hij had geen geduld voor spelletjes.

'En aan het einde van de zevende slagbeurt,' kondigde de verslaggever aan, 'staan de Brooklyn Dodgers met drie runs voor.'

Peters glimlach werd breder en hij stak triomfantelijk drie vingers omhoog.

'Is dat je lievelingsteam?' Opnieuw een verlegen hoofdknik. Jacob had de moed niet om van zender te veranderen. Hij zou dat later wel doen als de jongen hem had geholpen het verband van zijn handen te knippen.

Toen ging de deur van het appartement op de eerste verdieping open en riep het zusje van de jongen naar beneden: 'Peter? Peter, waar zit je?'

De jongen liep naar de open deur, keek naar boven en zwaaide met zijn armen. Blijkbaar speelde hij dit spelletje met iedereen, niet alleen met Jacob.

'Wat doe je daar?' riep ze tegen hem. 'Je weet toch dat we meneer Mendel niet lastig mogen vallen?'

Jacob besefte dat hij op het punt stond om zijn helper te verliezen. Hij haastte zich naar de deur. 'Hij valt me niet lastig, hoor. Ik vroeg hem om binnen te komen om iets voor me te doen.'

Ze keek Jacob even aan en liep toen zachtjes en elegant de trap af. Ze was een lieftallig meisje, even blond als haar vader, en ze had de gratie van een prinses. Hij herinnerde zich dat haar naam Esther was, zoals de koningin uit de Bijbel. Ongetwijfeld zou ze uitgroeien tot een even grote schoonheid als haar moeder. De herinnering aan de moeder van de kinderen – die zo nauw verbonden was met Miriam Shoshanna – stak hem als een mes tussen zijn ribben.

'Hoe gaat het met u, meneer Mendel?' vroeg Esther beleefd. 'Sinds de avond van de brand hebben we u maar weinig gezien. Bent u weer helemaal beter?'

'Ja, ik ben weer beter. Maar ik wil graag dat iemand dit verband voor me losknipt. Zoals je kunt zien, kan ik weinig beginnen met twee handen in het verband.'

Ze deed een stapje achteruit. 'Kan een dokter of een… een verpleegster dat niet beter doen? Ik heb zoiets nog nooit eerder gedaan. Ik wil u geen pijn doen.'

'Je kunt me geen pijn doen. Je hoeft het allemaal maar los te knippen. In de lade van het bureau vind je een schaar.'

'Waarom wilt u het verband ervanaf halen?'

'Omdat ik helemaal niets kan doen met dat verband om mijn handen. Ik kan de knop van het fornuis niet omdraaien om mijn eten op te warmen en de radio niet zachter zetten. Ik kan amper eten en dat begint me de keel uit te hangen.'

'Ik kan het fornuis voor u aanzetten. En de radio zachter zetten.'

'En wil je me soms ook nog voeren?' Hij zag dat hij haar een beetje bang had gemaakt, zonder dat dit zijn bedoeling was. Waarom reageerde hij zijn frustratie op haar af? 'Sorry, dat had ik niet moeten zeggen.'

'Dat geeft niet. Als u wilt, kan ik u in de keuken helpen.'

Jacob wierp een blik op Peter. Hij zat voor de radio in kleermakerszit op de grond aandachtig te luisteren.

'Weer een honkslag voor de Dodgers... ziet ernaaruit dat het een dubbele gaat worden... ja! Hij heeft het tweede honk veilig bereikt.'

'Hebben jullie boven geen radio?' vroeg Jacob aan haar.

'Jawel, maar we mogen er niet naar luisteren voordat we ons huiswerk af hebben.'

'Aha, ik begrijp het.' Hij zou de jongen nog een tijdje laten luisteren. 'Kom dan maar naar de keuken. We zullen eens zien wat ik vanavond kan eten.' Hij opende de overvolle koelkast voor Esther en liet haar zien wat hij wilde eten. 'Weet je hoe je het eten het beste kunt opwarmen? Ik heb er mijn buik vol van om alles koud te eten, maar zoals je ziet, zijn al mijn pannen vuil en kan ik ze zelf niet afwassen.'

'Dat doe ik wel even.'

'Het zou minder werk voor je zijn om het verband ervanaf te halen.' Hij stak zijn handen weer omhoog en voelde dat er een glimlach om zijn lippen speelde. 'Dan kan ik ze zelf afwassen.'

Ze begreep het grapje en glimlachte terug. 'Ik heb geen verstand van verband, meneer Mendel, maar ik weet wel hoe ik moet afwassen.'

'Prima, zoals je wilt.'

Hij zag hoe ze een pan uitzocht en die met water en zeep schoon boende. 'Wat erg dat de synagoge is afgebrand, hè?' zei ze, terwijl ze bezig was.

'Ja, dat is het zeker. Ik neem aan dat ze het gebouw weer zullen herstellen. Maar toch zal het nooit meer worden zoals vroeger.'

Ze schepte een paar lepels van het gerecht dat hij had gekozen in de schone pan en zette die op het fornuis om het op te warmen. Lang geleden had Jacob zijn vrouw in de keuken zien werken. Ze had op een beeldhouwster geleken, zoals ze het deeg van de *challe* had gekneed en gevlochten. Hij dacht aan Sarah Rivkah, de schoondochter die ze nooit had ontmoet. Bakte ze ook challe voor Avraham, stak ze de kaarsen op de sjabbat aan en sprak ze de zegenbede uit? En zijn kleindochter, de kleine Fredeleh…

'Mag ik u iets vragen?' onderbrak Esther zijn overpeinzingen.

'Ja?'

'Iedereen zegt dat mama en mevrouw Mendel in de hemel zijn, maar ik begrijp niet waarom God hen bij zich wilde hebben. U wel? Kon Hij niet zien dat we ze hier op aarde veel harder nodig hebben?'

Jacob voelde de tranen in zijn ogen branden. Hij keek naar zijn rommelige keuken, de vuile vaat en naar het meisje dat op antwoord wachtte, en besefte dat de nood van dit kind even groot was als de zijne, ook al zat er geen verband om haar fijne handen.

'Het spijt me. Maar ik heb geen antwoord op je vraag.'

'Soms…' zei ze zachtjes. 'Soms ben ik heel boos op God.'

Hij kon amper spreken. 'Ja. Ja, ik soms ook.'

Ze keek hem aan en door zijn tranen zag hij haar tranen. En voordat Jacob besefte wat er gebeurde, vloog Esther op hem af, klampte zich aan hem vast en snikte het uit. Hij sloeg zijn armen om haar heen en omhelsde haar – de eerste keer in lange tijd dat hij iemand omhelsde.

10

Vlug droogde Esther de borden af die Penny had afgewassen. Ze streek er met de theedoek over en zette ze in de hoekkast. Ze wilde geen minuut langer met Penny Goodrich in de keuken staan dan nodig was. Ze wenste dat ze naar beneden kon gaan om meneer Mendel met de afwas te helpen. Gisteravond had ze een vreemde verbondenheid met hem gevoeld die ze niet had begrepen. Het enige wat ze wist, was dat hij even verdrietig en eenzaam was als zij. Meneer Mendel had gezegd dat zijn afwas veel te groot was om in één keer te doen en daarom waren haar broertje en zij na het einde van de honkbalwedstrijd weer naar hun eigen appartement teruggekeerd.

Penny leek vanavond geen haast te hebben met de afwas en er niet met haar hoofd bij te zijn. Alle potten en pannen stonden nog ongewassen op het aanrecht, maar plotseling haalde ze haar handen uit het sop, veegde ze aan haar schort af en keek Esther aan. 'Mag ik je iets vragen?'

'Wat?'

'Praat Peter tegen jou?' Penny sprak zachtjes, alsof ze niet wilde dat Peter hen zou horen, hoewel hij boven in hun slaapkamer was.

Esther haalde haar schouders op en keek de andere kant op. Ze had geleerd om de waarheid te spreken en beleefd te zijn tegen oudere mensen, maar ze wilde de vraag niet beantwoorden. Ze probeerde wat tijd te winnen door het serviesgoed in de kast te ordenen en zette een stapel kleinere kommen in de grotere kommen.

'Gisteren had ik een afspraak met de onderwijzeres van Peter,' ging Penny verder door het lawaai van het glaswerk heen. 'Volgens haar zegt hij niets op school. Geen woord. En tegen mij doet hij zijn mond ook niet open. Dus vroeg ik me af of hij met jou praat als jullie samen zijn.'

Langzaam draaide Esther zich om en keek Penny aan. Ze had een brok in haar keel en kon alleen maar haar hoofd schudden. Wekenlang had ze in angst om haar broertje geleefd en hoewel ze het Penny kwalijk nam dat ze zich met Peter bemoeide, was ze te moe om de last van haar broertjes zwijgen alleen te dragen.

'Hij schrijft alles op,' wist Esther eindelijk uit te brengen. 'Zelfs voor mij.'

'Heeft hij je verteld waarom? Of wat er aan de hand is?'

Opnieuw kon Esther alleen maar haar hoofd schudden, terwijl ze uit alle macht haar tranen probeerde te bedwingen. Penny zou haar als een baby behandelen als ze in snikken zou uitbarsten. Ze wachtte even om haar zelfbeheersing te herwinnen. 'Peter zegt dat hij wil praten, maar de woorden niet uit zijn mond kan krijgen. Eerst dacht ik dat hij een spelletje speelde en dat hij er na twee dagen genoeg van zou hebben. Maar ik denk dat hij het echt niet kan en heel bang is.'

'Hij doet het dus niet met opzet?'

'Nee... Denk je dat er iets met hem aan de hand is?'

'Ik weet het niet. Zijn onderwijzeres zei dat hij gewoon tijd nodig heeft om te wennen aan alle veranderingen in zijn leven. Ik heb haar gevraagd of ik met hem naar de dokter moest gaan, maar ze zei dat ik moest wachten totdat jullie vader weer thuis was.'

Esther knikte en keek weer de andere kant uit. Ze probeerde sterk te zijn en Penny niet te laten zien hoe bang ze was.

'Ik weet dat je hem wilt helpen, Esther. Dat wil ik ook. Denk je dat we kunnen samenwerken en elkaar kunnen helpen?' Ze wachtte op antwoord, maar Esther zweeg. 'Na de basisopleiding krijgt je vader een paar dagen verlof en komt hij naar huis. Ik wil niet dat hij zich zorgen zal maken over Peter. Hij heeft al genoeg aan zijn hoofd nu hij misschien binnenkort wordt uitgezonden om ergens te vechten. Zou het niet beter zijn als we Peter konden helpen voordat je vader thuiskomt?'

Esther wist niet wat ze moest doen, omdat ze werd verscheurd door de angst om haar broertje en de wrok die ze tegen Penny koesterde. Ze wilde niet met haar samenwerken. Ze wilde dat alles weer werd als vroeger: zonder Penny en met haar vader weer thuis.

'Zeg iets, Esther.'

Met een ruk draaide Esther zich naar Penny om en in plaats van in huilen, barstte ze in woede uit. 'Dan zal papa tenminste zien hoe hard we hem hier nodig hebben. Hij zal zien dat hij niet zomaar weg kan gaan – want dat kan hij niet! Peter heeft hem nodig!' Ze gooide haar theedoek neer en stormde de keuken uit. Omdat ze bang was dat Penny achter haar aan zou komen en haar zou proberen te kalmeren, vloog ze de trap op en zocht haar toevlucht in de veilige haven van haar kamer.

Peter keek haar verbaasd aan toen ze naar binnen kwam stormen en de deur achter zich dichtgooide. Maar hij zei niets en vroeg niet wat er aan de hand was, ook al had hij Esthers tranen gezien. Hij was het enige familielid dat ze nog had, maar leefde in zijn eigen stille wereld, las stripboeken van Captain Marvel en sloot Esther buiten. Ze griste de lei van de ladekast en gooide die naar hem toe.

'Iedereen maakt zich zorgen over je, weet je. Je juffrouw en Penny weten allebei dat je met niemand praat. En het zal nog veel erger worden. Als je niet gaat praten, zullen ze je naar de dokter sturen. Je moet me vertellen wat er met je aan de hand is!'

Met een boze blik klom Peter uit bed om een krijtje te pakken. Met zijn lippen stijf op elkaar geperst begon hij te schrijven. Hij drukte zo hard op het krijtje dat het in tweeën brak. Toen hij klaar was, hield hij de lei omhoog om Esther te laten lezen wat hij had geschreven.

Ik weet niet wat er aan de hand is!

'Kun je niet gewoon proberen om iets te zeggen?'

Dat doe ik ook!

'Nou, wil je dan dat iemand met je naar de dokter gaat?' Beslist schudde hij zijn hoofd en schreef: *Ik wil alleen zijn.*

'Oké, ik ga al weg!'

Ze had een hekel aan het woord *alleen*. In Brooklyn woonden duizenden mensen, maar Esther had zich nog nooit zo alleen gevoeld. En het was allemaal haar eigen schuld. Als zij die dag bij haar moeder was gebleven in plaats van haar eigen gang te gaan, had ze haar moeder misschien kunnen beschermen tegen die auto. Dan zou ze nu nog leven. Haar vader zou nog bij hen wonen en Peter zou nog gewoon praten. Door die ene eigenwijze beslissing was alles misgegaan en nu moest ze een manier bedenken om het weer goed te maken.

Ze rommelde in haar schooltas om een blaadje en een potlood te vinden en plofte op haar bed neer om een lijst te maken voor haar vader. Bovenaan krabbelde ze: *Waarom je uit het leger moet gaan en weer thuis moet komen.*

1. *We missen je.*
2. *We zijn eenzaam.*
3. *Zonder jou is alles anders.*
4. *Oma Shaffer is ook verdrietig.*
5. *Er is iets met Peter aan de hand en jij moet komen om hem te helpen.*
6. *Penny is…*

Esther tikte met haar potlood op haar schrijfblok, terwijl ze naar het juiste woord zocht. Eigenlijk had ze niets aan te merken op wat Penny in huis deed: koken, schoonmaken, hun kleren wassen. Ze was nooit gemeen tegen hen, viel nooit tegen hen uit en deed altijd haar best om vrolijk en aardig te zijn – te veel zelfs. Esther wilde Penny's vriendin niet zijn. Maar eerlijk gezegd kon

Esther helemaal niets negatiefs over Penny bedenken, behalve dat ze haar moeder niet was en dat nooit zou worden. Niemand kon haar moeders plaats innemen. Nooit. Esther deed haar ogen dicht en probeerde zich haar moeders gezicht voor de geest te halen. Toen dat niet lukte, raakte ze bijna in paniek.

Ze gooide het schrijfblok neer en sprong overeind om naar de foto te kijken die in haar vaders slaapkamer op het dressoir stond – maar de foto stond er niet meer. Esther was vergeten dat haar vader die had meegenomen. In plaats daarvan stonden er een heleboel spullen van Penny Goodrich op het dressoir: een pot huidcrème, een borstel en haarspeldjes, een zakdoek en wat kleingeld voor de bus. Verbijsterd keek Esther de kamer rond. Niets zag er hetzelfde uit of rook hetzelfde, nu Penny er haar intrek had genomen. Na het overlijden van haar moeder had haar vader de gordijnen bijna nooit opengedaan om de zon binnen te laten, maar Penny trok ze iedere morgen zo ver mogelijk open.

Esther liep naar het raam om naar de straat te kijken en zag het lelijke, zwarte geraamte van de synagoge dat met hekken was afgezet om de mensen buiten te houden. Ze kon de aanblik ervan niet verdragen. In de verte zag ze meneer Mendel langzaam aan komen lopen. Zijn hoofd was gebogen en hij hield zijn blik op de grond gericht, alsof hij niet de kracht had om op te kijken. Misschien kon hij de aanblik van de synagoge ook niet verdragen. Esther voelde een verbondenheid met hem die ze niet kon verklaren en zonder te weten waarom, rende ze alle trappen af en ging naar buiten. Buiten adem plofte ze op de onderste trede van de stoep voor het appartementencomplex neer. Even later was meneer Mendel er.

'Hallo, meneer Mendel. Hebt u nog hulp nodig vandaag? Kan ik iets voor u doen?'

Even keek hij haar vragend aan, waarna er een flauwe glimlach op zijn gezicht verscheen. 'Het is heel aardig van je om dit aan te bieden, maar kijk eens…' Hij hield zijn handen omhoog, waar niet langer een verband om gewikkeld was, hoewel zijn rechterarm nog steeds in het gips zat. 'Eindelijk kan ik mijn vingers weer gebruiken. Maar toch bedankt.' Hij liep langs haar heen en legde zijn linkerhand op de leuning van de trap om naar boven te lopen.

'Weet u wanneer ze de synagoge gaan repareren?' vroeg ze.

'Ik denk dat ze moeten wachten op toestemming van de verzekeringsmaatschappij. Deze dingen nemen altijd veel tijd in beslag.'

Esther sprong overeind en liep achter hem aan naar de deur. 'Wat deden de mensen altijd in dat gebouw? Voordat het afbrandde, bedoel ik.'

Hij bleef even staan en draaide zich om, terwijl hij de sleutels in zijn handen liet rinkelen. 'Het was een plek waar de Thora werd bestudeerd en waar werd gebeden.'

Esther voelde haar boosheid weer oplaaien toen ze het woord 'gebeden' hoorde en ze aan al haar onverhoorde gebeden dacht. Ze moest weten wat ze fout deed. 'Verhoort God wel de gebeden van mensen als ze in een synagoge bidden?'

Zijn blik gleed van Esther af en zachtjes schudde hij zijn hoofd, terwijl hij zijn sleutel in het slot stak. 'Dat is een vraag die alleen maar beantwoord kan worden door mannen die veel wijzer zijn dan ik.'

Nadat hij naar binnen was gegaan, bleef Esther op de stoep zitten. Voor midden oktober was het een koele avond en ze droeg geen jas, maar ze wilde nog niet naar haar eenzame appartement terugkeren. Ze sloeg haar armen om haar middel en ging op de veranda op de schommelbank van mevrouw Mendel zitten. Als je erop schommelde, maakte de bank een piepend geluid, omdat hij al meer dan een jaar niet gebruikt was. Ze begon harder te schommelen in de hoop dat haar woede door de beweging zou zakken.

Een paar minuten later zag ze Jacky Hoffman van de buren aan komen fietsen. Ze hield op met schommelen om zijn aandacht niet te trekken en dook in elkaar op de bank. Maar hij had haar al gezien en bleef op de stoep voor de veranda staan.

'Wat doe je daar, schoonheid?'

'Laat me met rust, Jacky.'

Hij zette zijn ene hand in zijn zij en kneep in het stuur van zijn fiets met de andere. 'Nou, mooie manier om een jongen te bedanken voor een compliment.'

'Je meende het toch niet.'

'Wedden van wel?'

'Nee, daar wil ik niet om wedden.' Ze keek langs hem heen naar de synagoge. In de schemering zag die er sinister uit. Hij draaide zich om en volgde haar blik.

'Wat een rotzooi, hè?' vroeg hij. 'Echt geen gezicht. Ik vraag me af wanneer die stomme zwarthoeden hem afbreken.' Ze herinnerde zich de opgewonden blik in Jacks ogen toen hij op de avond van de brand over slangen was gesprongen en in plassen had gestampt. Maar vanavond zag hij er anders uit, bijna fatsoenlijk met zijn overhemd netjes in zijn broek gestopt en zijn donkere haar keurig gekamd. Je zou nooit denken dat hij zo vervelend was op school.

'Waarom zie je er zo netjes uit?' vroeg ze hem.

'Na school bezorg ik boodschappen als bijbaantje. Je moest eens weten hoeveel ik verdien met al die fooien.' Hij grijnsde en Esther was verbaasd hoe leuk hij er eigenlijk uitzag, bijna een jongere versie van filmster Gary Cooper. Ze schudde haar hoofd om het absurde idee te verjagen.

'Wat doe je met al het geld dat je verdient?'

'Nou, zaterdag ga ik na mijn werk naar de middagvoorstelling in de Loewbioscoop. Heb je zin om mee te gaan? Ik trakteer.'

Esthers voelde hoe haar gezicht begon te gloeien, alsof de synagoge aan de overkant weer in brand stond. Jacky had haar mee uit gevraagd. Amper een minuut geleden had ze zich zo eenzaam gevoeld en niemand in de hele wereld gehad om mee te praten. En nu bood een keurig geklede en fatsoenlijk ogende Jacky

Hoffman haar zijn vriendschap aan en nodigde haar uit om naar de film te gaan. Hij had haar zelfs een schoonheid genoemd.

'Dank je wel,' zei ze. 'Maar mijn broertje en ik moeten op zaterdag altijd klusjes doen.'

'Hé, wat is er eigenlijk met je broertje aan de hand? Ik hoorde een paar kinderen hem plagen. Ze noemden hem een sukkel en zeiden dat hij niet kan praten.'

Woedend schoot Esther overeind. Zonder er een seconde over na te denken, rolde er een leugen over haar lippen. 'Hij heeft een probleem met zijn keel en daarom kan hij niet praten. Het is gemeen om hem zo te plagen, want hij kan er niets aan doen!'

'Is dat zo?' Opnieuw grijnsde Jacky charmant naar haar. 'Nou, van nu af aan zal ik het voor hem opnemen als de andere kinderen hem plagen. Oké? Al die kleintjes zijn bang voor me.'

Haar woede zakte even snel als dat hij was opgekomen. 'Bedankt. Heel aardig van je om het voor hem op te nemen.' Ze begreep niet waarom Jacky plotseling zo vriendelijk was en aanbood om haar broer te verdedigen. Ze dacht aan de gevechten die hij regelmatig op het schoolplein had en voegde eraan toe: 'Maar doe niemand pijn, hoor.'

Hij lachte. 'Nee hoor, dat doe ik nooit met kinderen die jonger zijn dan ik. Voortaan mogen jij en je broertje altijd met me mee naar huis lopen uit school.'

Sinds Peter was gestopt met praten had Esther zich op school een buitenbeentje gevoeld. Ze zorgde ervoor dat ze net op het moment dat de bel ging, aankwam op school, zodat ze de andere kinderen kon vermijden. Aan het einde van de schooldag rende ze het gebouw uit en haastte zich naar huis zonder met iemand te praten. Het was de enige manier om haar broer te beschermen tegen de vragen en het gejouw van de andere kinderen. Ze zag Jacky nu in een heel ander licht en glimlachte naar hem. Met Jacky erbij zouden de kinderen het hart niet hebben om Peter te plagen. 'Bedankt voor het aanbod.'

'Tot morgen.' Hij zwaaide en liep met zijn fiets aan de hand verder naar het appartementencomplex waar hij woonde. Halverwege draaide hij zich om en riep: 'Ik meen het echt, Esther, ook al geloof je me niet. Je bent het knapste meisje van de hele school.'

Esther wist niet wat ze van het compliment moest denken, vooral omdat het afkomstig was van Jack Hoffman. Ze sprong van de bank af en opende de voordeur. Hoofdschuddend huppelde ze de trap op. Van de vele veranderingen die de afgelopen maanden in Esthers leven hadden plaatsgevonden, was de omslag die ze zojuist in het gedrag van Jacky Hoffman had gezien één van de vreemdste.

De volgende ochtend brachten Esther en Peter hun vuile kleding naar de kelder, zodat Penny die kon wassen. De eerste twee weken had Penny op zaterdag alle vuile was naar het huis van haar ouders meegenomen, maar al snel had ze besloten dat dit te veel werk was. Nu gebruikte ze hun moeders wasmachine die in de kelder stond. Peter mocht de zeep in de trommel doen en Esther haalde de kleren door de wringer. Toen de schone was eenmaal buiten aan de waslijn hing, mochten Esther en Peter kiezen uit een lijst andere karweitjes, zoals het tapijt vegen, stof afnemen, de vuilnisbakken legen of de wasbak in de badkamer schoonmaken.

'Als iedereen een handje helpt, zijn we zo klaar,' zei ze op die opgewekte toon die Esther niet kon uitstaan. Uiteraard was Esther nog steeds boos op Penny, maar ze vond het niet erg om te helpen. Van hun moeder hadden ze ook moeten meehelpen in het huishouden. En Esther had met lede ogen aangezien hoe haar vader het appartement na de dood van hun moeder had verwaarloosd.

Terwijl Esther bezig was met stof afnemen, herinnerde ze zich hoe haar moeder haar soms met de plumeau achterna had gezeten en haar onder haar kin had gekieteld als ze samen hadden gewerkt. Ze vroeg zich af of Peter zich dit soort dingen herinnerde. Met alle kracht die hij als negenjarige bezat, duwde hij de zware rolveger over het kleed in de woonkamer. Penny was bezig om de pianobank met boenwas in te wrijven, toen de bank per ongeluk omviel en de bladmuziek die erin zat op de grond uitwaaierde.

'Hé, ik wist niet dat je de bovenkant kon openen. Kijk eens wat veel muziek.'

'Niet aanzitten! Dat is van mama!'

Maar Penny negeerde haar en bekeek de muziek terwijl ze de vellen een voor een opraapte. 'Dit was dus de piano van jullie moeder?' Penny sprak zachtjes, alsof ze in een kerk was. 'Speelde ze vaak?'

Esther knikte even. Het voelde verkeerd aan om met Penny Goodrich over haar moeder te praten.

'Kunnen jullie pianospelen?' Penny keek van de een naar de ander, totdat Peter – de verrader – naar Esther wees. 'Kun jij pianospelen, Esther?'

'We kregen allebei les van onze moeder,' zei ze, terwijl ze Peter een boze blik toewierp. 'Maar dat hield op toen ze dood ging.'

'Ik wilde dat ik kon spelen,' zei Penny. 'Het moet zo leuk zijn om op een feestje of verjaardag liedjes op de piano te spelen en iedereen op te vrolijken.' Ze bekeek de kaft van een van de boeken. 'Hier staat jouw naam op, Peter. Kom, ga eens zitten en speel iets voor me.' Hij schudde zijn hoofd. 'Alsjeblieft.' Weer schudde hij zijn hoofd. Penny hield het boek voor zijn neus en glimlachte. 'Ik spreek iets met je af. Als je één liedje voor me speelt, zal ik het tapijt voor je vegen.' Opnieuw schudde hij van nee. 'En zal ik alle vuilnisbakken voor je legen. Wat vind je daarvan?'

Opnieuw ontpopte Peter zich als een verrader. Met een ondeugende grijns verruilde hij de rolveger voor het boek met bladmuziek en ging achter de piano zitten. Sinds hun moeders overlijden had niemand er meer op gespeeld en terwijl Peter zich moeizaam door een van de stukken voor beginners heen werkte, herinnerde Esther zich hoe muziek het appartement ooit als parfum had gevuld. Waar Esther ook was – of ze nu boven op haar kamer zat of op de veranda aan de achterkant van het huis – overal hoorde ze haar moeder oefenen. De muziek had haar altijd gelukkig gemaakt. Dit was een van de dingen die vreemd aanvoelde in hun appartement: de stilte.

Toen Peter klaar was, klapte Penny voor hem, hoewel hij helemaal niet zo goed had gespeeld. 'We hebben al heel lang niet meer geoefend,' zei Esther. 'Daar hadden we geen van beiden zin meer in.' Ze had de behoefte om zichzelf en haar moeders reputatie als muzieklerares te verdedigen.

'Nou, hij speelt veel beter dan ik ooit zou kunnen. Ik kan niet eens muziek lezen. Nu willen we jou horen, Esther.'

Weer voelde ze een koppig verzet tegen Penny's wensen. Ze schudde haar hoofd.

'Dan zal ik de wastafel in de badkamer voor je schoonmaken,' zei Penny, terwijl ze Peter een knipoog gaf. Esther bleef weigeren.

Peter gleed van de bank af en trok de plumeau uit Esthers hand. Toen trok hij haar naar de piano toe en vroeg haar zwijgend met grote, smekende ogen om iets te spelen. Ze vroeg zich af of het hem zou helpen zijn spraak terug te vinden – alsof zijn stomheid verband hield met de piano waarop al zo lang niet gespeeld was. Ze besloot om het te proberen en iets voor haar broertje – niet voor Penny – te spelen.

Esther dook in de collectie lesboeken, totdat ze het boek vond dat ze een jaar geleden had gebruikt. Toen ze erdoorheen bladerde, dacht ze even een vleug van haar moeders eau de cologne op te vangen. Boven aan iedere bladzijde had haar moeder een aantekening gemaakt. Ze had de datum van iedere les opgeschreven en er een krul achter gezet als Esther goed had gespeeld. Esther koos een gemakkelijk stuk uit aan het begin van het boek en begon te spelen – en heel even leek het alsof haar moeder naast haar op de bank zat. Ze herinnerde zich hoe haar moeder met haar hand door haar haar had gestreken, terwijl Esther speelde – haar dat dezelfde diepe mahoniehouten kleur had als de piano.

Esther speelde het volgende stuk en daarna nog één, terwijl ze opging in de muziek en de herinneringen aan haar moeder. Toen ze even naar Peter keek, zag ze hoe hij in kleermakerszit op het kleed zat en met gesloten ogen luisterde. Esther voelde de tranen achter haar ogen prikken toen ze het stuk beëindigde. Zou er ooit een dag komen dat ze haar moeder niet meer zou missen?

Ze haalde haar handen van het klavier en sloot de klep.

11

Het was zondagochtend en Penny kon Esther met geen stok uit bed krijgen om naar de kerk te gaan. 'Waarom moeten we gaan? Het is tijdverspilling. Waarom mogen we niet gewoon uitslapen?'

Met uitzondering van dreigen en schreeuwen probeerde Penny van alles om haar op andere gedachten te brengen. 'Je doet dit niet voor mij, Esther. Ik heb je vader beloofd om iedere week met jou en Peter naar de kerk te gaan. Je wilt je vader toch niet teleurstellen?' Eindelijk gaf Esther toe, maar ze kleedde zich zo langzaam aan dat ze bijna te laat kwamen.

Na de dienst liepen ze zwijgend met zijn drieën naar de twee-onder-een-kapwoningen van Eddies moeder en de ouders van Penny. Penny was tegen de bezoekjes aan haar ouders op zondagmiddag op gaan zien, maar vandaag had ze andere dingen aan haar hoofd. Ze wilde wanhopig graag dat Peter voor Eddies verlof weer zou gaan praten en had de hulp en het advies van oma Shaffer nodig om dit te bereiken. Mevrouw Shaffer stond al op de veranda aan de achterkant van het huis te wachten toen Penny en de kinderen aankwamen.

'Kan ik u even onder vier ogen spreken?' fluisterde Penny, terwijl de kinderen achter de hond aan renden.

'Maak je zondagse kleren niet vies,' riep mevrouw Shaffer, voordat ze haar aandacht op Penny richtte. 'Wat is er aan de hand?'

'Ik maak me zorgen over Peter. Sinds zijn vader is vertrokken, heeft hij niet meer met mij, zijn onderwijzeres of vriendjes op school gepraat. Eigenlijk met niemand, zelfs met Esther niet. Dat ligt waarschijnlijk aan mij, maar ik weet niet wat ik eraan moet doen. Ik heb uw advies nodig. Denkt u dat ik met hem naar de dokter moet gaan?'

'Ik heb Eddie voorspeld dat dit zou gebeuren! Ik heb hem nog zo gewaarschuwd! Daarom wilde ik niet voor die kinderen zorgen.' Plotseling klonk mevrouw Shaffer nogal buiten adem, alsof ze met de kinderen in de tuin had rondgerend. 'Ik weet niet wat ik eraan moet doen. Hoe zou ik het weten?'

Penny besefte dat ze een grote vergissing had begaan. 'Het spijt me, mevrouw Shaffer. Ik wilde u niet van streek of bang maken. Zijn onderwijzeres denkt dat het vanzelf weer over zal gaan. Op praten na gaat het goed met hem. Ik vond alleen dat u het moest weten.'

'Het gaat helemaal niet goed met me. Mijn man is overleden, mijn drie zoons lopen groot gevaar en nu dit nog.'

'Ik weet het, ik weet het. Ik vind het heel vervelend, mevrouw Shaffer.' Penny pakte de oudere vrouw bij haar arm en leidde haar naar een stoel, zodat ze even kon gaan zitten. 'Ik had het beter niet kunnen vertellen. Maar ik dacht dat…'

'Heb je Eddie al geschreven? Om hem te vragen wat je moet doen?'

'Nog niet. Ik wilde hem niet ongerust maken. Ik heb nog steeds goede hoop dat Peter weer gaat praten voordat Eddie thuiskomt.'

Mevrouw Shaffer trok haar arm los en weigerde te gaan zitten. 'Wil je dat ik met Peter ga praten?'

'Ik… ik weet het niet. Eerlijk gezegd weet ik niet wat ik moet doen. Ik vond gewoon dat u het moest weten, omdat u zijn oma bent. U hoeft helemaal niets tegen hem te zeggen… en maakt u zich alstublieft geen zorgen over hem.'

'Zeg tegen de kinderen dat we gaan eten.' Oma Shaffer draaide zich om en liep met grote stappen het huis in. Penny zuchtte. Opnieuw had ze er een puinhoop van gemaakt. Ze riep de kinderen en liep daarna met afhangende schouders naar haar eigen huis. Haar moeder stond haar achter het keukenraam op te wachten.

'Ik hoop dat je mevrouw Shaffer tot rede hebt kunnen brengen,' zei ze toen Penny binnenkwam. 'Het wordt tijd dat ze de verantwoordelijkheid die ze als oma voor die kinderen heeft, op zich neemt.'

'Ze kan echt niet voor hen zorgen, ma. Ze tobt met haar gezondheid. Bovendien zouden al de trappen naar Eddies appartement te veel zijn voor haar.'

'Hoelang ben je nog van plan om jezelf op deze manier uit te putten? Je ziet er verschrikkelijk uit, Penny. En dat totaal onnodig. Wat heb je je op de hals gehaald? Ik heb je nog zo gewaarschuwd dat het een onzinnig idee was. Waarom kon je niet tevreden zijn met hoe alles was?'

'Ik heb Eddie beloofd om hem te helpen. Hij had verder niemand.' Iedere week herhaalde ze hetzelfde refrein, maar haar moeder leek het niet te horen. Ook nu luisterde ze niet. Penny wenste dat ze haar moeder om raad kon vragen, niet alleen over de kinderen, maar ook of ze zich op moest geven voor de opleiding tot buschauffeur bij de busmaatschappij. Sinds het gesprek met meneer Whitney had ze erover gepiekerd, maar ze was er nog steeds niet van overtuigd dat ze het kon. Haar moeder was de laatste persoon naar wie Penny toe zou gaan om wat extra zelfvertrouwen te krijgen.

'Wilt u dat ik de tafel dek?' vroeg Penny, toen ze zag dat dit nog niet was gebeurd.

'Nu jij niet meer thuis woont, eten we nooit meer aan tafel. Het kost te veel moeite. We kunnen net zo goed met een dienblad op onze schoot in de huiskamer eten. Je vader luistert graag naar het nieuws over de oorlog.'

Penny draaide zich om en zag geen pannen op het fornuis staan. Haar moeder was nog niet aan het eten begonnen. 'Hebt u hulp nodig?'

'Wat denk je wel. Natuurlijk heb ik hulp nodig! Hoe kan

ik een uitgebreide maaltijd koken nu jij bent weggelopen? Ik ben amper in staat om boodschappen doen nu ze die onzinnige voedselbonnen hebben ingevoerd. Je hebt alles voor je buren over, maar hoe zit het met je eigen ouders?'

'Dat spijt me. Ik wist niet dat u zo veel problemen had met de boodschappen.' Ze haastte zich naar de voorraadkast en opende die. 'Wat zal ik maken? Ik kan aardappelen schillen. Pa houdt toch van aardappelen?'

Plotseling werd de achterdeur van de Shaffers met zo'n harde knal dichtgegooid dat de ruiten ervan trilden. Even later werd er op Penny's keukendeur gebonsd. Ze liet de zak aardappelen vallen en in de veronderstelling dat er een ramp was gebeurd, rende ze naar de deur. Esther stond op de stoep. Ze zag er niet bang of gewond uit, maar woedend.

'Ik wil naar huis. Breng ons onmiddellijk naar huis.'

Penny ging naar buiten om met haar te praten en deed de deur achter zich dicht zodat haar moeder het gesprek niet kon volgen. 'We kunnen nog niet naar huis, Esther. Je hebt nog niet eens gegeten en met je oma bijgepraat.'

'Ik wil niet met haar praten.'

'Wat is er gebeurd?'

'Oma begon te schreeuwen tegen Peter, omdat hij niet praat. Ze zei dat hij moest ophouden zo stout te zijn. En dat ze hem met een lepel een pak slaag zou geven, als hij er niet mee ophield iedereen voor de gek te houden. Ik probeerde haar te vertellen dat Peter er niets aan kan doen, maar ze wilde niet luisteren.'

'Kom.' Penny pakte Esther bij haar hand en samen liepen ze snel naar de volgende deur. Peter zat aan tafel met zijn hoofd in zijn armen begraven. Zijn schouders schokten van de geluidloze snikken. Mevrouw Shaffer liep met een rood gezicht tussen de stapels oude kranten heen en weer. 'Het spijt me verschrikkelijk, mevrouw Shaffer,' zei Penny. 'Het was echt niet mijn bedoeling om zo veel problemen te veroorzaken. Wat kan ik doen? Hoe kan ik u helpen?'

'Breng ons naar huis,' zei Esther achter Penny's rug.

'Wil je naar huis?' vroeg oma Shaffer. 'Prima! Ga maar! Hup, ga maar naar huis!' Peter sprong overeind en vloog de deur uit.

'Alstublieft, mevrouw Shaffer. Het spijt me enorm.'

'Jij ook, Penny. Maak dat je wegkomt!' Met grote stappen liep mevrouw Shaffer naar haar slaapkamer en sloeg de deur achter zich dicht.

Penny voelde zich misselijk worden. Wat een puinhoop had ze ervan gemaakt. Ze wist niet wie ze het eerst moest troosten, maar omdat mevrouw Shaffer haar het huis uit had gezet, haastte ze zich achter Esther en Peter aan. Ze waren de trap al afgelopen en liepen door de tuin naar het hek. 'Hé!' riep ze, terwijl ze achter hen aan rende. 'Ik zal jullie wel naar huis brengen. Maar ik moet het eerst tegen mijn ouders zeggen. Blijf hier wachten.'

Ze rende de trap naar haar eigen huis op en stormde de keuken binnen om haar tas te pakken. 'Sorry, ma. Er is iets tussen gekomen en we moeten onmiddellijk terug naar het appartement.'

'Wat heb je nu weer gedaan?'

Penny's ogen vulden zich met tranen. Natuurlijk had haar moeder weer gelijk. Het was allemaal haar eigen schuld. Ze had mevrouw Shaffer nooit moeten vertellen wat er met Peter aan de hand was. Nu was het te laat. 'Ik zal u bellen en het u later uitleggen. Doet u de groeten maar aan pa.'

'Je hebt helemaal niets gegeten! En hoe zit het met…'

'Sorry.' Onder hevige protesten van haar moeder deed ze de deur dicht en haastte zich naar de kinderen.

Ze waren verdwenen.

Penny opende het hek en spurtte om het huis heen, waar ze nog net zag hoe Esther en Peter een half huizenblok verder naar de bushalte renden. 'Wacht,' brulde ze. 'Wacht op mij!' Ze zag een bus aankomen en begon nog harder te rennen, maar de kinderen bleven niet wachten. Toen de bus op de hoek stopte, stapten ze zonder haar in. De deuren gingen dicht en de bus trok op.

'Nee, wacht!' Penny rende zo snel ze kon en zwaaide wild met haar armen, maar de chauffeur had haar waarschijnlijk niet gezien. Waarom zeiden de kinderen niet tegen hem dat hij nog even moest wachten? Bijna gek van angst rende ze achter de bus aan. Net toen ze dacht dat ze niet meer verder kon rennen, bleef de bus staan en gingen de deuren open. Ze wankelde ernaartoe en stapte hijgend in. 'Dank u wel... dank u wel dat u voor me gestopt bent.'

De kinderen zaten achter in de bus en negeerden haar terwijl ze met trillende vingers de munten in de gleuf stopte. Ze wilde hen onder handen nemen, maar had er de kracht niet voor.

'Hé, jij bent toch Penny Goodrich?'

Ze keek op toen ze haar naam hoorde en zag de marinier voor in de bus bij het raam zitten. Roy Fuller begroette haar met een grijns. De afgelopen weken had ze hem een aantal malen in de bus gezien op weg naar haar werk, maar sinds die ene keer dat hij haar zijn plaats had afgestaan, hadden ze niet dicht genoeg bij elkaar gezeten om een praatje te maken. Ze was verbaasd dat hij haar naam nog wist, maar aan de andere kant had ze zijn naam ook onthouden.

'Ja, hallo,' zei ze zwakjes. Ze plofte op de plek naast hem neer, terwijl de bus weer optrok.

'Ik zag iemand naar de bus toe rennen en zei tegen de chauffeur dat hij moest stoppen. Maar ik wist niet dat jij het was.'

'Dank je wel. Ik had het niet meer, toen die kinderen zonder mij de bus in stapten.'

'Horen ze bij jou?' vroeg hij met een hoofdgebaar in hun richting. Penny knikte, beschaamd dat ze verantwoordelijk was voor zulke onbeleefde en ongehoorzame kinderen. Iedereen met ogen in zijn hoofd kon zien dat ze haar gezag tartten door haar gewoon te negeren en het op een lopen te zetten.

'Ik weet niet wat hen bezielde om er zomaar in hun eentje vandoor te gaan. Ik had nooit gedacht dat ze in de bus zouden stappen en zonder mij zouden vertrekken. Dank je wel dat je de chauffeur hebt gevraagd om te stoppen. De volgende bus komt pas over twintig minuten en wie weet wat er allemaal had kunnen gebeuren als ze in hun eentje door Brooklyn hadden gereden.'

'Graag gedaan. Gaat het weer een beetje?'

'Ja hoor.' Ze zuchtte diep. Terwijl de tranen over haar wangen stroomden, schudde ze haar hoofd. 'Nee, het gaat niet. Alles gaat mis vandaag.'

'Ach, het zal allemaal wel weer goed komen,' troostte hij haar, terwijl hij haar een klopje op haar arm gaf. 'Het valt niet mee om twee kinderen in je eentje op te voeden, als je man in het leger zit.'

'Het zijn mijn kinderen niet. Ik zorg voor hen…' ze draaide zich om omdat ze er zeker van wilde zijn dat de kinderen haar niet konden horen, 'voor de man met wie ik op een dag hoop te trouwen. Hun moeder is overleden en ze moeten er nog aan wennen dat ik probeer haar plaats in te nemen.'

'Bij welk onderdeel zit hij?'

Ze haalde een zakdoek uit haar tas en droogde haar tranen, dankbaar dat Roy haar een beetje probeerde af te leiden. 'De landmacht. Hij is monteur. In zijn laatste brief schreef hij dat hij na zijn basisopleiding waarschijnlijk naar Engeland zal worden gestuurd om iets met het onderhoud van motoren te gaan doen.'

'Ik wilde dat de mariniers me naar een spannende bestemming zouden sturen. Toen ik in het leger ging, dacht ik dat ik heel wat van de wereld zou zien. In plaats daarvan hebben ze me op een marinewerf in Brooklyn gestationeerd.'

'Ik heb gehoord dat de mariniers heel hard vechten op al die kleine eilandjes in de Stille Zuidzee. Daar zou je toch niet naartoe willen? Zou je familie dan niet ongerust zijn?'

'Ja, waarschijnlijk wel. Mijn vriendin maakt zich nu al grote zorgen over me, terwijl ik alleen maar in Brooklyn ben gestationeerd. Ze denkt dat het hier heel gevaarlijk is.'

'Waar kom je vandaan?'

'Ik ben opgegroeid in Moosic, een stadje in de buurt van Scranton in Pennsylvania.'

'*Muziek*? Dat is een grappige naam voor een stad.'

'Nee, je spelt het als m-o-o-s-i-c. Moosic. Wil je de foto van mijn meisje zien? Ze heet Sally.' Terwijl hij zijn hand in zijn achterzak stak om zijn portemonnee eruit te halen, leunde hij even tegen Penny. Vervolgens liet hij haar twee foto's zien: een schoolfoto van Sally die waarschijnlijk bij haar diploma-uitreiking was gemaakt en eentje waarop Roy en zij gearmd stonden. Ze zag er heel jong uit en Roy keek erg gelukkig op de foto.

'Wat een knap meisje,' zei Penny, terwijl ze hem de foto's teruggaf.

'Ja, hè? Ze is het knapste meisje in heel Pennsylvania. Ik kan niet geloven dat ze mij heeft gekozen.' Opnieuw leunde hij even tegen haar aan toen hij zijn portemonnee weer in zijn broekzak stopte. 'Ik hoop na de oorlog met haar te trouwen.'

Na de oorlog zou Eddie misschien met haar trouwen. Penny haalde diep adem toen ze zich herinnerde waarom ze haar diensten in de eerste plaats had aangeboden. Ze moest dit doel voor ogen houden om door de slechte dagen heen te komen. Dat zeiden de kranten ook over de oorlog waaraan maar geen einde leek te komen. Als mensen het hogere doel voor ogen hielden, namelijk het verslaan van de vijand, zouden ze ook beter bestand zijn tegen de dagelijkse problemen, zoals voedselrantsoenering, lange rijen en tekorten, om maar te zwijgen over de angst en zorg om hun geliefden die in de oorlog vochten.

'Vertel me eens iets over je vriendin, Roy.' Ze luisterde, terwijl Roy vertelde dat hij Sally al een poosje kende en dat ze verkering hadden gekregen nadat ze elkaar weer waren tegengekomen op een picknick van een gezamelijke kennis. Sally wilde schoonheidsspecialiste worden en hoopte ooit een eigen salon te beginnen. Dankzij haar gesprek met Roy werd Penny iets rustiger en kon ze haar eigen problemen een poosje vergeten.

'Dit is onze halte,' zei ze toen in ze Eddies buurt waren. 'Het was fijn om met je te praten, Roy. En nogmaals bedankt dat je de bus voor me hebt laten stoppen.'

Toen ze thuiskwamen, smeerde Penny boterhammen voor de kinderen. Vervolgens belde ze haar moeder om haar uit te leggen waarom ze zo overhaast was vertrokken. Ze liet achterwege dat Peter niet kon praten. Waarom zou ze de situatie nog erger maken?

De rest van de middag besteedde ze aan het schrijven van een lange brief aan Eddie, maar ze repte met geen woord over haar problemen met Esther, Peter en zijn moeder. Penny kon zich voorstellen wat voor verschrikkelijke verhalen de kinderen over haar schreven, maar ze las de brieven die ze hem schreven niet, net zo min als de brieven die ze van hem kregen.

Het leek alsof er geen einde kwam aan de zondagmiddag. Ze waren alle drie van streek door de nare ruzie met oma Shaffer en het incident met de bus. Penny ging die avond vroeg naar bed en nam zich voor om niet langer aan vandaag te denken en morgen vol frisse moed te beginnen aan de nieuwe werkweek.

Het was een hele opluchting om maandag weer naar haar werk te gaan en haar eigen plekje achter het vertrouwde loket van de busmaatschappij in te nemen. Penny had vroeger altijd gedacht dat ze een hectische baan had, maar vergeleken bij het grootbrengen van kinderen was het simpel werk. Toen het na de ochtendspits iets rustiger werd, kwam meneer Whitney weer bij haar langs.

'Bent u klaar voor de rijopleiding, juffrouw Goodrich? Hebt u uw geboorteakte al gekregen?'

Penny kon zichzelf wel voor het hoofd slaan. Wat een warhoofd was ze toch! Niet alleen had ze nog steeds geen besluit genomen over de baan, maar ook was ze helemaal vergeten om haar geboortebewijs op het bevolkingsregister op te halen. 'Het spijt me, meneer Whitney, maar ik heb nog geen tijd gehad om naar het bevolkingsregister te gaan.'

'Waarom hebt u dat niet eerder gezegd? Ik geef u vandaag een half uur extra lunchpauze, als u wilt. Als u meer tijd nodig hebt, is dat ook goed.'

In de bus naar het bevolkingsregister at Penny haar boterhammen op. Langzaam liep ze de trap naar het gebouw op, terwijl ze wenste dat ze wist hoe ze nee moest zeggen tegen mensen en wat assertiever was. Hoe kon ze meneer Whitneys aanbod afslaan, nu hij zo aardig en soepel was geweest en haar tot twee keer toe extra vrij had gegeven? Hij had chauffeurs nodig en rekende op haar.

Terwijl ze in de rij voor haar geboorteakte stond, besloot ze dat het geen kwaad kon om met de opleiding te beginnen. De instructeur zou waarschijnlijk onmiddellijk doorhebben dat Penny niet kon rijden – hopelijk voordat ze een van de bussen in elkaar reed of over iemand heen walste – en daarna zou ze gewoon weer kaartjes gaan verkopen. Natuurlijk hield dat ook in dat ze geen salarisverhoging zou krijgen en niet op zichzelf kon gaan wonen. Als Eddie niet met haar zou trouwen, zou ze weer bij haar ouders moeten intrekken. Ze vond het een deprimerende gedachte.

Toen ze eindelijk aan de beurt was, overhandigde ze de dame achter het loket haar aanvraagbewijs. 'Ik heb een kopie van mijn geboorteakte aangevraagd. Mijn naam is Penny Goodrich.'

De dame zocht in een stapel papieren naar haar document. 'Alstublieft. Het heeft ons grote moeite gekost om uw gegevens te vinden, juffrouw Goodrich. U had ons al die moeite kunnen besparen als u had vermeld dat u geadopteerd bent.'

Penny schudde haar hoofd. 'U moet me verward hebben met iemand anders. Ik ben niet geadopteerd.'

De dame fronste haar wenkbrauwen en bestudeerde het document opnieuw. 'Uw naam is toch Penny Sue Goodrich?'

'Ja, maar…'

'We hebben een geboorteaangifte gevonden met uw naam, geboortedatum en de naam van uw ouders, maar het is een adoptiecertificaat. Ze staan hierop vermeld als uw adoptie-ouders, niet uw biologische ouders.'

Penny's glimlach veranderde in een frons. 'Dat kan onmogelijk het juiste document zijn. Ik ben niet geadopteerd.'

'Kijk hier maar.' De dame schoof het document naar haar toe, zodat Penny het kon lezen. 'Dit is uw adoptiecertificaat. Albert en Gwendolyn Goodrich hebben de adoptie op de dag van uw geboorte aangevraagd en deze is officieel geregistreerd bij de staat New York. Dit betekent dat ze u hebben geadopteerd.'

Penny bleef naar het papier staren, maar kon er geen touw aan vastknopen. Werd ze voor de gek gehouden? 'Dit kan niet van mij zijn. Ik denk dat er een fout is gemaakt.'

De dame sloeg op de balie. 'Zeg, hoe groot is de kans, denkt u, dat er twee mensen zijn in de staat New York die allebei Penny Sue Goodrich heten, allebei geboren zijn op dezelfde dag, met ouders die Albert en Gwendolyn Goodrich heten? Nou? Ik zou zeggen dat dit zeer onwaarschijnlijk is. U niet? Dit moet u wel zijn.'

'Maar… als dit waar is en ik inderdaad geadopteerd ben, waarom hebben mijn ouders me dit nooit verteld?'

'Die vraag moet u hun stellen, juffrouw Goodrich, niet mij.' De dame boog zich een eindje opzij om langs Penny heen te kijken, alsof ze wilde zien hoe lang de rij was. Penny verroerde zich niet – ze stond als aan de grond genageld.

'Wie zijn mijn echte ouders dan?'

'De staat vermeldt deze informatie niet op het adoptiecertificaat.'

'Kunt u erachter komen?'

De geïrriteerde blik van de beambte maakte plaats voor medelijden. 'Misschien. Eerst moeten we erachter komen of uw adoptiedossier verzegeld is of niet.'

'Wat betekent dat?'

'Heel vaak wil de biologische moeder niet dat haar identiteit wordt vrijgegeven en dient ze een verzoek in om het dossier officieel te laten verzegelen. In dat geval weten zelfs uw adoptieouders misschien niet wie uw echte ouders zijn.'

'Hoe kan ik erachter komen of het dossier verzegeld is?'

'We kunnen dit voor u nagaan. Het onderzoek duurt minimaal een week en u moet ervoor betalen. Als het dossier verzegeld is, blijft de identiteit van uw biologische ouders op hun verzoek geheim. En ik moet u waarschuwen, juffrouw Goodrich: in bijna alle adoptiezaken waarmee ik in de loop der jaren te maken heb gehad, was het dossier verzegeld.'

Penny leunde tegen het loket. Haar wereld stortte in en ze was bang dat ze om zou vallen als ze losliet.

'Wenst u voor het onderzoek te betalen, juffrouw Goodrich?'

'Misschien wel. Ik bedoel: ja.' Met trillende handen zocht ze naar haar portemonnee in haar tas. De dame overhandigde Penny een ander formulier.

'Alstublieft, juffrouw Goodrich. Als u klaar bent met invullen, kunt u het formulier bij me inleveren. Wie is er aan de beurt?'

Penny strompelde naar een rij stoelen in de wachtruimte en moest gaan zitten. Geen wonder dat haar moeder zo van streek was geweest toen ze om haar geboorteakte had gevraagd. Ze had de stekker van het strijkijzer zelfs in het stopcontact laten zitten, zo'n haast had ze gehad om te voorkomen dat Penny in het bureau zou gaan zoeken. Ze had niet gewild dat Penny achter de waarheid kwam.

Maar waarom niet? Als ze echt geadopteerd was – iets wat Penny nog steeds niet kon geloven – waarom hadden haar ouders haar dat dan niet verteld?

Op de een of andere manier slaagde Penny erin om naar het busstation terug te reizen en weer aan het werk te gaan. Ze kon haar aandacht niet bij het aannemen van geld en teruggeven van wisselgeld houden en was verbaasd dat haar kassa aan het einde van de dag zoals altijd tot op de cent klopte.

'Zo, bent u klaar voor de opleiding?' vroeg haar baas toen ze de betaalbewijzen controleerde.

'Ik ben geadopteerd. Ik heb een adoptiecertificaat, geen geboorteakte.'

'Ik weet zeker dat dit geen enkel probleem is. Ieder officieel identiteitsbewijs volstaat. U hoeft alleen maar aan te tonen wie u bent.'

Maar wie was ze?

Penny klampte zich nog steeds vast aan de hoop dat iemand zich had vergist. De volgende keer dat ze naar het bevolkingsregister zou gaan, zou ze er ongetwijfeld achter komen dat er sprake was van een groot misverstand of een flauwe grap. Maar wie zou haar voor de gek willen houden? Haar ouders hadden geen gevoel voor humor. En bovendien was het helemaal niet grappig.

12

Jacob keek op de kalender. Vandaag was het de dertigste verjaardag van zijn zoon. Zijn blik gleed naar de brief in zijn handen,
de laatste die hij had gekregen van Avraham, en zag dat die bijna
twee jaar oud was. De eindeloze stilte die erop was gevolgd, was
een marteling voor hem geweest. De waarheid – hoe erg die
ook mocht zijn – was altijd nog beter te verdragen dan deze
verschrikkelijke stilte.

Vandaag zou hij de laatste brief van Avraham herlezen. Morgen zou Jacob weer van voren af aan beginnen. Hij zou er één
per dag lezen, te beginnen met Avi's beschrijving van zijn eerste dagen in Hongarije. Al snel na zijn aankomst in Hongarije
had de regering de eerste anti-Joodse wetten uitgevaardigd. Het
werd Joden verboden om land te bezitten en bepaalde beroepen
uit te oefenen. Avi had toen direct naar huis moeten komen.
Iedereen had kunnen zien aankomen dat het alleen maar erger
zou worden. Later vertelde Avi van alles over zijn studie in de
jesjiva en hoeveel hij leerde, maar ook dat Hongarije samen met
Duitsland Tsjechoslowakije was binnengevallen.

Avrahams brieven werden steeds langer en uitbundiger toen
hij Sarah Rivkah had ontmoet en verliefd op haar was geworden. Ze hadden besloten om te trouwen, schreef hij. Daarna vertelde hij dat Hitler Polen was binnengevallen en dat duizenden
Poolse Joden de grens met Hongarije waren overgestoken om
hun toevlucht in het land te zoeken. Avi's vreugde – en Jacobs
angst – werd verdubbeld toen de kleine Fredeleh werd geboren.
Kon Avraham niet zien dat het Hitlers bedoeling was om de wereld te veroveren? Duitsland was de Sovjet-Unie binnengevallen

met de steun van een aantal Hongaarse divisies en Jacob had Avraham gesmeekt om niet langer in een land te blijven dat een bondgenoot was van deze gek. Jacob had aan iedere mogelijke regeringsfunctionaris een brief geschreven en daarin gesmeekt om zijn familie te redden. Maar hulp, visa en ontsnappingsmogelijkheden voor Avraham en Sarah Rivkah waren uitgebleven. Zelfs op Jacobs gebeden was geen antwoord gekomen.

Lieve mama en abba,
We hebben zojuist het schokkende nieuws gehoord dat de Japanners de Amerikanen hebben aangevallen in Pearl Harbor. Ze zeggen dat de vs nu de oorlog zal verklaren aan de asmogendheden. Dat betekent dat Amerika en Hongarije misschien binnenkort vijanden van elkaar zijn en dat er geen postverkeer meer mogelijk is tussen beide landen. En daarom schrijf ik u dit korte briefje om u te laten weten dat het goed met ons gaat. Voorlopig worden we nog met rust gelaten en kunnen we gewoon doorleven. Ik weet niet zeker of dit ook voor Joden in andere landen geldt. Sommige Poolse Joden die naar ons land zijn ontsnapt, vertellen verschrikkelijke verhalen over bloedbaden in hun land. Maar tot nu toe is Hongarije nog een veilige haven voor ons.
We hebben geruchten gehoord dat gezonde Joodse mannen binnenkort zullen worden opgeroepen om in fabrieken te werken. Ik weet niet zeker of ik moet vertellen dat ik Amerikaan ben of niet. Niemand weet of dit in mijn voordeel of nadeel zal werken, als Amerika en Hongarije vijanden van elkaar zijn geworden. Hoe dan ook, ik bid erom dat Hasjem me de weg zal wijzen en dat ik Sarah en Fredeleh niet achter hoef te laten.
Als er een manier was geweest om Hongarije te verlaten en naar huis te komen, hadden we dat zeker gedaan. Maar het is me nog steeds niet gelukt om de juiste immigratiepapieren voor mijn vrouw en dochter te bemachtigen en binnenkort zal de Amerikaanse ambassade in Boedapest haar deuren sluiten.
We zijn heel bedroefd dat ons geliefde Hongarije zich heeft ingela-

ten met iemand als Adolf Hitler en de haat die hij uitdraagt. Onze regering heeft dit gedaan in ruil voor land, zodat de grenzen van Hongarije in de oorspronkelijke staat hersteld kunnen worden en we de gebieden terugkrijgen die na de Eerste Wereldoorlog van Hongarije zijn gestolen. Misschien vechten onze soldaten voor Hitler, maar ik denk niet dat onze leiders achter Hitlers ideeën staan. Laten we hopen dat er snel een einde aan de oorlog komt. En dat als het eenmaal zover is, de immigratieaanvraag die ik voor Rivkah en de baby heb ingevuld eindelijk goedgekeurd zal worden.

U krijgt de groeten van Sarah Rivkah. We bidden er allemaal om dat er snel een einde zal komen aan deze waanzin, zodat Fredeleh haar Amerikaanse grootouders eindelijk kan zien. Blijf gezond en maakt u zich alstublieft geen zorgen over ons.

Veel liefs,
Avraham

Deze laatste brief was een paar maanden voor Miriams overlijden gekomen. Ze zou haar schoondochter nooit ontmoeten en haar kleinkind nooit in haar armen houden. En tenzij Avraham de laatste paar brieven van Jacob had gekregen, zou hij niet weten dat zijn moeder er niet meer was. Maar misschien was het beter dat Miriam Shoshanna de marteling van de stilte en het lange wachten bespaard was gebleven. Vooral nu de kans bestond dat er iets gebeurd was met hun enige zoon en zijn gezin. Miriams gevoelige ziel had het verschrikkelijke nieuws over de vervolging van de Joden in Europa nooit aangekund: gruweldaden waarvan niemand wilde geloven dat ze echt plaatsvonden en de uithongering van Joden in getto's. Wie weet welke andere wreedheden hun nog te wachten stonden als er niet snel een einde kwam aan de oorlog? Waren de Joden in Hongarije nog steeds veilig? Hoe was dit mogelijk als hun natie de bondgenoot was van een monster?

Maar was dit een reden om Miriam van hem weg te nemen?

Waarom had Hasjem in plaats daarvan geen einde gemaakt aan alle gruweldaden? Waarom had hij Miriam niet laten leven en Adolf Hitler laten sterven?

Jacob bekeek de foto's die hij uit kranten had geknipt, waaronder de meest recente die uit Warschau in Polen was gesmokkeld. Er stonden 'doodswagens' op waarop lijken werden verzameld. Het onderschrift luidde: *Joden worden uitgehongerd onder de nieuwe naziverordening die de rantsoenen voor Joden drastisch heeft beperkt.* Op een andere foto, genomen in april 1941, stond een uitgebrande synagoge in Boekarest, de hoofdstad van Roemenië, met het onderschrift: *Honderden Joden levend verbrand.* Op de datum na had dit een van de synagogen kunnen zijn die vijf jaar ervoor tijdens de Kristallnacht in Duitsland waren afgebrand. En telkens als Jacob uit het voorraam keek, zag hij de ruïne van de sjoel aan de overkant die griezelig veel leek op de foto's uit Europa.

De bel ging en Jacob werd opgeschrikt in zijn overpeinzingen. Nu het verband eindelijk van zijn handen af was, kon hij de deur zonder problemen openen. Alleen zat zijn arm nog in het gips. Toen hij opendeed, zag Jacob tot zijn verbazing de grijze inspecteur van de brandweer voor de deur staan. Wat wilde de man nu weer?

'Goedenavond, meneer Mendel. Ik ben inspecteur Dalton van...'

'Ja, ik weet wie u bent. Van de brandweerkazerne.'

'Ik heb nog een paar vragen voor u over de brand in de synagoge. Hebt u even tijd voor mij?'

'Ik heb u alles al verteld wat ik weet.'

'Dat begrijp ik. Maar ik wil graag nog een paar dingen zeker weten, nu ik met een aantal andere getuigen heb gesproken.'

Jacob leunde gelaten tegen de deurpost. 'Wat wilt u precies weten?'

'Mag ik misschien even binnenkomen? Het duurt niet lang.'

Miriam zou op hem gefoeterd hebben vanwege zijn gebrek

aan manieren. Ze zou meneer Dalton koffie en een plakje honingcake hebben aangeboden. Maar Jacob had geen zin om sociaal te zijn. 'Zijn ze er al achter gekomen wat de oorzaak van de brand is?' vroeg hij terwijl hij de man naar de huiskamer voorging.

'Ja, meneer Mendel. Het is aangestoken. Brandstichting. Daarom hebben we het onderzoek voortgezet.'

Jacob voelde een lichte rilling over zijn rug lopen. Hij moest even gaan zitten. Met opzet? Wie zou zoiets nou doen? Zijn vriend Meir vermoedde al dat haat het motief achter de brand was.

De inspecteur keek de kamer rond alsof hij die in zijn geheugen wilde prenten. Zijn blik bleef rusten op Jacobs bureau. 'Mag ik even?' vroeg hij. Hij stak zijn hand uit om de uitgeknipte foto van de verwoeste synagoge in Roemenië te pakken en legde die toen weer neer. 'Even dacht ik dat het de synagoge aan de overkant was. Ze lijken behoorlijk op elkaar, vindt u ook niet?'

'Overal worden we gehaat.' Jacob gebaarde naar de bank. 'Gaat u zitten, meneer Dalton.'

De inspecteur haalde een notitieboekje uit zijn zak en bladerde even door zijn aantekeningen, waarna hij vroeg: 'Wat is uw relatie met de Ohel Moshe Gemeente?'

'Mijn relatie? Momenteel – geen.'

'Maar u kent de rabbijn en de andere leiders, klopt dat?'

'Ja, het zijn mijn vrienden.'

'Mij is verteld dat u er een aantal jaren lang een eervolle functie hebt vervuld. U was de gabbai van de gemeente, nietwaar?'

'Inderdaad.'

'Hoelang geleden hebt u die functie opgegeven?'

'Een jaar. Misschien iets langer.'

'Waarom bezoekt u de diensten niet langer?'

Inspecteur Dalton had de ene vraag na de andere op hem afgevuurd zonder Jacob de tijd te geven om na te denken. Deze keer haalde Jacob diep adem voordat hij antwoordde. 'Ik begrijp niet wat deze vraag met de brand te maken heeft.'

'Ik probeer alleen maar wat achtergrondinformatie te krijgen.'

'Het gaat niemand iets aan of ik de diensten bezoek of niet.'

'Maar u kent het gebouw goed en weet waarvoor de verschillende ruimtes worden gebruikt?'

'Ja.'

'En u hebt ook een sleutel van de synagoge. Klopt dat?'

'Ja.'

'Hebt u uzelf daarmee binnengelaten op de avond van de brand?'

'Natuurlijk. De voordeur van het gebouw zat op slot.'

'U hebt de deur dus opengemaakt en bent naar binnen gegaan?'

'Ja. Ik zag de vlammen en ben naar binnen gegaan om de thorarollen te redden.'

Inspecteur Dalton knikte en bestudeerde zijn aantekeningen weer. 'Ik heb begrepen dat u vlak voor de brand een gesprek met rebbe Grunfeld hebt gevoerd. Is dat juist?'

Jacob moest hard nadenken om zich de bewuste avond weer voor de geest te halen. Het leek zo lang geleden. Hij herinnerde zich dat hij de rabbijn die avond op de terugweg van de winkel tegen het lijf was gelopen, net toen de mannen uit de sjoel kwamen. 'We hebben die avond inderdaad even met elkaar gepraat.'

'Mag ik u vragen waar het gesprek over ging?'

'Hoe kan ik nog weten wat ik zo veel weken geleden precies heb gezegd? Herinnert u zich alle gesprekken die u in het verleden hebt gevoerd?' Hij begon zijn geduld over deze rare vragen te verliezen.

'Misschien kan ik uw geheugen even opfrissen.' Inspecteur Dalton bladerde door de bladzijden van zijn notitieboekje. 'Aha, hier is het. Verscheidene getuigen hebben u die avond horen schreeuwen. U had ruzie met rabbijn Grunfeld. Ze zeiden dat u heel boos klonk. Waar het op neerkwam, was dat het u niet kon schelen wat er met de synagoge gebeurde. Herinnert u zich nog dat u dat hebt gezegd?'

Voor de eerste keer werd Jacob echt bang. Dit waren geen onschuldige vragen. De inspecteur probeerde hem langs een pad te leiden dat hij van tevoren had uitgestippeld. En Jacob had het gevoel dat hem aan het einde ervan een onaangename verrassing te wachten stond. 'Waarom stelt u mij vragen waarop u het antwoord al weet?'

'Ik probeer er alleen maar achter te komen of de informatie juist is, meneer Mendel. Hebt u die avond met stemverheffing gesproken?'

'Ja, dat zou je wel kunnen zeggen.'

'Mij is verteld dat u een papieren tas droeg. Mag ik vragen wat erin zat?'

'Mijn avondeten. Ik had een blik soep en wat crackers in de winkel gekocht. Dat was de reden dat ik die avond naar buiten was gegaan.'

'Druist het niet tegen uw joodse geloofsopvattingen in om aankopen te doen tussen vrijdag na zonsondergang en zaterdag voor zonsondergang?'

'Mijn opvattingen zijn mijn eigen zaken. Ze hebben niets met de brand te maken.'

'Wat is er die avond met de tas gebeurd?'

'De tas? Wat bedoelt u?'

'Mij is verteld dat u met een bundeltje waarin de rollen zaten uit de brandende synagoge bent gekomen. Op dat moment had u de tas niet langer bij zich en evenmin bevond er zich een tas of een blik soep tussen uw spullen toen u in het ziekenhuis werd opgenomen.'

Ontzet over deze informatie staarde Jacob de man aan. Weer dacht hij terug aan de avond van de brand. Hij herinnerde zich hoe hij de synagoge was binnengegaan en zijn jas nat had gemaakt in het wasbekken. Hij had geen idee wat hij met de soep had gedaan. 'Ik neem aan dat ik de tas ergens binnen heb neergezet. Ik weet het niet meer.'

'Wat deed u precies na uw ruzie met rabbijn Grunfeld?'

'Ik ben een wandeling gaan maken.'

'Naar een bepaalde bestemming?'

'Nee, ik ben gewoon wat gaan lopen.'

'Is er iemand die u heeft gezien en kan bevestigen waar u naartoe bent gelopen?' De angst sloeg Jacob om het hart en zijn maag draaide zich om. Hij schudde zijn hoofd. 'En was de synagoge leeg op het moment dat u aan uw wandeling begon? U zag alle mannen naar buiten komen, nietwaar?'

'Nee, ik zag rebbe Grunfeld en een paar andere mannen naar buiten komen. Ik heb geen idee wie er nog binnen waren.'

Inspecteur Dalton knikte en bladerde nog een paar bladzijden terug in zijn boekje. 'De eigenaar van de sigarenwinkel heeft het signalement gegeven van de man die kwam vertellen dat er brand was uitgebroken en om hulp vroeg. Hij zei dat hij Joods was, een zwarte baard had, een zwarte hoed en zwarte kleding droeg en gestreepte bretels om had. Was u dat, meneer Mendel?'

'Ja, op de terugweg zag ik de vlammen.'

'Wat gebeurde er toen?'

'Ik zag dat het te lang zou duren voordat de brandweer er was. De thorarollen zouden tegen die tijd al verbrand zijn. Daarom ging ik naar binnen om ze in veiligheid te brengen.'

'Met behulp van uw sleutel?'

'Ja. Natuurlijk met mijn sleutel.'

Inspecteur Dalton zweeg even alsof hij diep nadacht. Hij deed Jacob denken aan een jager die in een stil bos met de grootste zorg een val uitzet. 'Meneer Mendel, ik begrijp dat rabbijn Grunfeld en de anderen u heel dankbaar zijn voor wat u hebt gedaan.'

'Dat kunt u hun beter vragen, niet mij.'

'Nadat u dus meer dan een jaar boos bent geweest op de andere leden van de Ohel Moshe Gemeente...'

'Ik heb nooit gezegd dat ik boos was op de leden van de gemeente of wie dan ook.'

'Laat me dit anders formuleren: nadat u meer dan een jaar van de gemeenteleden *vervreemd* was, staat u opnieuw bij hen in de gunst. Klopt dat?'

'*Gunst?*' Jacob werd boos. Met een abrupte beweging stond hij op. 'Ik wil graag dat u vertrekt. Ik heb u alles verteld wat ik weet over de brand. Ik zag de vlammen toen ik terugkwam van mijn wandeling. Daarna heb ik de winkelbediende gevraagd om de brandweer te bellen en ben ik naar binnen gegaan om de rollen te redden. Dat is alles.'

Er speelde een flauwe glimlach om inspecteur Daltons lippen. 'Dank u voor uw medewerking, meneer Mendel.' Hij leek uitgebreid de tijd te nemen om op te staan en naar de deur te lopen. Onderweg bleef hij staan om de kleine kerosinelamp van Miriam te bekijken.

'Is deze van u?'

'Van mijn vrouw.' Miriam had die iedere sjabbat als een nachtlichtje aangestoken. Jacob had het ding al in meer dan een jaar niet aangeraakt.

'Brandt deze lamp op kerosine?' Meneer Dalton boog zich over de lamp heen om eraan te ruiken.

'Ja. Ik wens u verder een prettige avond, meneer Dalton.'

Toen de inspecteur eindelijk was vertrokken, trilde Jacob over zijn hele lichaam van woede. Hij herinnerde zich dat hij als jongeman in Hongarije dezelfde machteloze boosheid had gevoeld toen hij zag hoe zijn volk werd behandeld, maar had dit gevoel in heel lange tijd niet meer ervaren. Niet hier in Amerika. Hij zette zijn hoed op en liep naar het appartement van rebbe Grunfeld, dat twee blokken verder op de begane grond van een gebouw met zes verdiepingen lag.

'Ik wil weten wat er aan de hand is,' zei hij, zodra de rabbijn de deur opende.

'Yaacov? Wat…'

'Ik ben zojuist als een misdadiger ondervraagd door iemand van de brandweer. Wat hebt u hem over mij verteld?'

'Over jou? Niets, Yaacov. Ik heb nooit een woord...'

'Weet u hoe de brand begonnen is? Hebben ze u dat verteld?'

'Kom alsjeblieft even binnen en ga zitten. De gang is geen plek om te praten.' Hij legde zijn hand op Jacobs schouder en leidde hem naar binnen. 'Ik zal mijn vrouw vertellen dat je er bent. Ze zal koffie voor je zetten.'

In de woonkamer van de rabbijn scheen een zacht licht dat nog warmer aanvoelde door het geluid van de fluitende radiatoren. Het rook huiselijk in het appartement: de geur van geroosterd vlees en gekruide aardappelen, van versgebakken brood en pruttelende soep, de geur van kaneel en verse koffie. Ooit had Jacobs huis ook zo geroken.

'Ik hoef geen koffie,' zei hij, terwijl hij weigerde om te gaan zitten. 'Ik wil over de brand praten. Weet u hoe die is begonnen?'

'Ze zeiden dat er sprake is van brandstichting – de brand zou zijn aangestoken. Ze hebben een verbrand kerosineblik in de beet midrasj gevonden.'

Kerosine. Jacob deed zijn ogen dicht. 'Waren er sporen van een inbraak?'

'Nee... Yaacov, alsjeblieft. Ga zitten en vertel me wat er aan de hand is.'

'Begrijpt u het dan nog niet? Ze denken dat ik de brand heb aangestoken!'

'Jij? Dat slaat nergens op. Wie denkt dat?'

'De inspecteur die me zojuist heeft ondervraagd. In alle vragen die hij stelde, zinspeelde hij daarop. Ik had een sleutel van het gebouw. Ik was al meer dan een jaar niet in de sjoel geweest. Ik had een woordenwisseling met u na de gebedsdienst op de avond van de brand... Hij denkt dat ik de dader ben, dat weet ik zeker!'

'Dat is absurd. Ik heb hem juist verteld hoe dankbaar we je allemaal zijn dat je je leven op het spel hebt gezet om de rollen op die avond te redden. Hoe kostbaar ze voor ons zijn en…'

'Juist daarom denkt hij dat ik de dader ben. Om weer bij jullie "in de gunst te komen". Dat waren zijn woorden.'

'Nee. Nee, dat is onmogelijk. Ik zal hem vertellen dat hij zich vergist, Yaacov. Ik zal hem vertellen dat jij nooit zoiets verschrikkelijks zou doen.'

'Dan kunt u hem er beter meteen bij vertellen wie het vuur wel heeft aangestoken. Want er is niet ingebroken, rebbe, en ik ben een van de weinige mannen met een sleutel.'

'Hoe kan ik dat nu weten? Natuurlijk weten we niet wie de brand heeft aangestoken. Of waarom.'

'Natuurlijk heeft een Jood het gedaan. Joden hebben het altijd gedaan, nietwaar?' Jacob draaide zich om en wilde weggaan, maar rebbe Grunfeld pakte hem bij zijn mouw.

'Luister, Yaacov. Ik weet zeker dat er geen reden is om je zorgen te maken. Ik zal met de inspecteur gaan praten. Ik zal hem ervan overtuigen dat je onschuldig bent. Geloof me. Je hoeft je echt nergens zorgen over te maken.'

Maar toen Jacob door de ritselende bladeren naar huis liep, zonk hem de moed in de schoenen.

13

Esther begreep niet dat sommige jongens, zoals Jacky Hoffman, altijd zaten te klieren tijdens de muziekles. Zij vond het fijn om een keer per week naar het muzieklokaal te gaan en te luisteren naar de muziek die de onderwijzeres op haar grammofoon voor hen draaide. Natuurlijk blonk Esther uit in de les, omdat ze al muziek kon lezen. En juffrouw Miller was een van haar lievelingsonderwijzeressen. Esther zou willen dat de gecombineerde klas van twaalf- tot veertienjarigen vaker bij elkaar kwam en dat de jongens zich beter zouden gedragen, zodat juffrouw Miller hen niet steeds tot de orde hoefde te roepen.

Het uur dat de muziekles duurde, was zoals altijd veel te snel voorbij. Maar terwijl Esther en de anderen in de rij gingen staan om terug te keren naar hun eigen lokaal, nam juffrouw Miller haar even terzijde.

'Kan ik je even spreken, Esther?'

Ze keek naar haar eigen onderwijzeres, die ja knikte. Esther bleef wachten, terwijl de andere leerlingen naar buiten schuifelden.

'Juffrouw Goodrich, de dame die op jullie past, is een paar dagen geleden bij me langsgekomen,' begon juffrouw Miller.

'Heeft Penny dat echt gedaan?'

'Ja. Juffrouw Goodrich en ik hadden een heel fijn gesprek.'

Juffrouw Millers woorden maakten Esther boos. Deze school en deze muziekles waren Esthers territorium en Penny Goodrich had niet het recht om er binnen te dringen. Penny hoorde hier niet thuis, en ook niet in het appartement of welk deel van

Esthers leven ook. Ze zou Penny tolereren totdat haar vader thuiskwam, maar...

'Juffrouw Goodrich vertelde me hoe goed je piano kunt spelen en ze vroeg me of ik iemand kende die je les kon geven. Ik zei tegen haar dat ik dat graag zou willen doen.'

Waarom gaf Penny Esther altijd het gevoel heen en weer geslingerd te worden tussen tegenstrijdige gedachten? Ze wilde geen pianolessen volgen als dat Penny's idee was geweest. Wie dacht ze wel niet dat ze was? Maar tegelijkertijd vond Esther juffrouw Miller heel aardig. En ze had het gemist om piano te spelen en muziek in haar appartement te horen. Esther had het geweldig gevonden om de kleine, zwarte noten op het papier te bestuderen, de betovering ervan te ontdekken en ze tot leven te brengen. Ze vond het geweldig om verhalen te maken van de noten en ze iets vrolijks, verdrietigs of majestueus te laten zeggen.

Juffrouw Miller legde haar hand op Esthers schouder. 'Wat zou je ervan vinden om pianolessen bij mij te volgen?'

Esther probeerde haar tranen te bedwingen en wist niet wat ze moest zeggen. Moest ze het doen? Toen herinnerde ze zich hoe haar moeder een paar dagen geleden weer tot leven leek te zijn gekomen toen Esther piano voor Peter had gespeeld. Esther knikte. 'Ja. Ja, graag.'

'Goed. Ik heb tegen juffrouw Goodrich gezegd dat Peter ook lessen mag volgen als hij dat wil. Wil je dat voor me aan hem vragen?'

'Ja, mevrouw. Dat zal ik doen.' Ze vroeg zich af of juffrouw Miller wist dat Peter niet kon praten. Waarschijnlijk wist de hele school het inmiddels.

'Wat vind je ervan om morgen na school met je lessen te beginnen? Je mag een paar boeken meebrengen waaruit je stukken hebt geoefend en dan beginnen we daarmee.'

Opnieuw knikte Esther terwijl ze zich zowel blij als boos voelde. En schuldig. Verried ze haar moeder niet door bij een andere lerares te gaan studeren? 'Hoeveel kost het?' Esther dacht er net op het nippertje aan om dit te vragen. Haar vader maakte zich altijd zorgen over geld.

'Juffrouw Goodrich en ik hebben alles al geregeld. Dan zie ik je morgen meteen na schooltijd. Ik kijk ernaar uit, Esther.'

'Ja, ik ook.'

Terwijl Esther die avond met de afwas hielp, vroeg ze zich af of Penny over de pianolessen zou beginnen. Esther wist dat ze Penny moest bedanken – het was onbeleefd om dit niet te doen – maar ze kon zichzelf er niet toe brengen. Als ze de deur maar op een kiertje openzette, zou Penny zich meteen naar binnen wringen.

Toen de laatste pan was afgedroogd, ontsnapte Esther naar de veranda voor het huis. Het appartement leek bedompt en benauwd met Peter die zwijgend op hun kamer zat, Penny die in de keuken bezig was en de piano in de huiskamer die Esther een gevoel van opwinding en schuld bezorgde.

Het was te kil om buiten te zitten en er stond een harde, vochtige wind, maar toch plofte Esther op de schommelbank van mevrouw Mendel neer. Ze had zin om met meneer Mendel te praten, maar durfde niet bij hem aan te kloppen. Ze wist dat hij thuis was, omdat ze muziek uit zijn radio hoorde komen, die de gang vulde en zachtjes door het raam van zijn huiskamer naar buiten zweefde. Hij hield van orkestmuziek, het soort dat juffrouw Miller tijdens de muziekles liet horen. Esther zat heel stil op de roestige schommelbank te luisteren.

Een paar minuten later eindigde de muziek en hoorde ze de stem van de presentator. Ze had met haar ogen dicht geluisterd en amper gedurfd adem te halen. Toen ze ze weer opende, zag ze Jacky Hoffman aan komen fietsen. Hij had zich aan zijn belofte gehouden en was een paar keer met Peter en haar naar huis gelopen, maar toch dook ze in elkaar in de hoop dat hij haar niet zou zien. Voor de veranda stopte hij met piepende remmen.

'Hoi, schoonheid.'

'Ga weg, Jacky. Ik ben boos op je.'

'Waarom? Wat heb ik gedaan?'

'Jij en de andere jongens zitten altijd te klieren in de muziekles. Je verpest het voor de anderen.'

Er verscheen een boze rimpel op zijn voorhoofd. 'Vind je die muziekles dan leuk?'

'Ja! Juffrouw Miller is een van de aardigste onderwijzeressen van de hele school!'

Hij grijnsde als een filmster. 'Oké, van nu af aan zal ik me heel netjes gedragen. Alleen voor jou. En ik sla iedereen in elkaar die vervelend is tijdens de les. Afgesproken?'

Hij deed weer aardig, maar Esther wist niet of ze hem moest vergeven of niet. Ze had evenveel bedenkingen om hem haar leven binnen te laten als Penny Goodrich, ook al verlangde ze ernaar iemand te hebben met wie ze kon praten.

'Goed,' zei ze eindelijk. 'Bedankt. Ik heb gemerkt dat de andere kinderen mijn broer niet meer zo veel plagen. Heb jij daar iets mee te maken?'

'Ja. Ik heb hun verteld dat ze het met mij aan de stok krijgen als ze hem pesten.' Hij balde zijn vuisten en stak ze als een bokser in de lucht.

'Nou, bedankt.'

'Wat was er ook al weer aan de hand met je broer?'

'Dat weten de artsen nog niet. Zijn keel werkt niet goed.' Ze wist dat ze eigenlijk niet mocht liegen, maar Peter was het enige familielid dat ze nog had en ze moest hem beschermen.

Esthers vroegste herinnering was van de dag dat Peter werd geboren en ze hem voor het eerst had gezien. Hij was maar een paar uur oud geweest en had in haar moeders armen gelegen. Haar moeder had haar later verteld dat ze heel boos naar hem had gekeken, alsof ze had gewenst dat hij nooit was geboren. Hij had Esthers plaatsje in de armen van haar moeder ingenomen, wat genoeg reden was om een hekel aan hem te hebben.

Maar toen mocht Esther Peter van haar moeder vasthouden en haar vader had een foto van hen drieën genomen. Als Esther en haar moeder bij die foto in het album aankwamen, zei haar moeder altijd: 'Zie je hoe klein je broertje was? Maar je hielp me heel goed om voor hem te zorgen.' Negen jaar nadat Aaron Peter Shaffer in Esthers leven was gekomen, wist ze dat ze zou liegen, bedriegen en waarschijnlijk stelen om in plaats van haar moeder voor hem te zorgen.

'Hé, je hebt afgelopen zaterdag een fantastische film gemist,' maakte Jacky een einde aan haar overpeinzingen. 'We hebben *Andy Hardy's double life* gezien. Houd je van Mickey Rooney?'

'Hij is geweldig. Mijn vader nam ons altijd mee naar al zijn films – dat wil zeggen, voordat hij in het leger ging.'

'Je mag altijd met mij mee, als je daar zin in hebt. Ik heb veel zakgeld nu ik werk.'

'Bedankt. Het is aardig van je, maar ik weet niet of het gaat.' Penny zou haar waarschijnlijk wel toestemming geven. Ze had toch ook pianolessen voor haar geregeld? Maar Esther wist niet of ze echt zin had om naar de film te gaan met Jacky Hoffman. Opnieuw werd ze heen en weer geslingerd tussen tegenstrijdige gevoelens. 'Mag Peter ook mee?'

'Ja hoor, als hij zelf maar betaalt. Ik betaal alleen jouw kaartje.' Hij grijnsde en leek precies op Clark Gable met zijn ondeugende glimlach en de haarlok die over zijn ene oog viel.

'Oké. Misschien gaan Peter en ik aankomende zaterdag met je mee.'

''s Ochtends moet ik boodschappen bezorgen, maar we kunnen hier voor de middagvoorstelling afspreken.'

Hij maakte aanstalten om te vertrekken, maar Esther wilde eigenlijk niet dat hij al zou gaan. 'Hoe gaat het met je vader?' vroeg ze. 'Krijg je brieven van hem?'

'Ja. Soms horen we een paar weken niets van hem en dan krijgen we ineens een hele stapel brieven.'

'Waar is hij nu gestationeerd?'

'Op een oorlogsschip ergens in de Stille Zuidzee. Hij mag ons niet vertellen waar, want anders zal de censuur zijn brieven doorboren als Zwitserse kaas.'

'Mis je hem?' vroeg ze, terwijl ze aan haar eigen vader dacht.

'Ja, natuurlijk.' Maar Jacky keek de andere kant op en Esther hoorde dat hij loog. Te laat herinnerde ze zich dat Jacky's vader vaak tegen zijn kinderen had geschreeuwd en hen achterna had gezeten met zijn riem. Meneer en mevrouw Hoffman hadden constant ruzie gehad en het was veel rustiger in de buurt geworden toen hij in het leger was gegaan. Bij hen thuis waarschijnlijk ook.

'Mijn vader zegt dat ik zijn plaats moet innemen zolang hij weg is,' zei Jacky. 'Daarom heb ik dit bijbaantje genomen.'

'Vind je het leuk?'

'Ja. Het verdient goed met alle fooien. Heel veel vrouwen werken nu de hele dag op de marinewerf en hebben geen tijd om in de rij te staan voor hun boodschappen als ze thuiskomen. Ze zijn heel dankbaar als ik hun boodschappen thuisbezorg.'

Esther vroeg zich af of de nieuwe baan en verantwoordelijkheden als de man des huizes de veranderingen hadden teweeggebracht die ze in Jacky had bespeurd. En ze vroeg zich ook af of deze blijvend van aard waren. Misschien was hij als het personage dat Mickey Rooney in zijn laatste film speelde. Alleen was het deze keer Jacky Hoffmans dubbelleven.

'Hé, ik moet gaan,' zei hij. 'Mijn moeder houdt mijn eten warm voor me. Tot zaterdag.' Hij zwaaide en fietste door het nauwe steegje tussen de twee gebouwen.

Nadat Jacky was vertrokken, leek het kouder te worden en Esther besloot om naar binnen gaan. Ze kwam niet verder dan de gang, waar ze de muziek zo duidelijk kon horen dat ze een paar minuten lang bleef luisteren. Toen het stuk voorbij was, raapte ze al haar moed bijeen en klopte bij meneer Mendel aan. Hij opende de deur op een kier.

'Ja?'

'Hallo, meneer Mendel. Ik vond de muziek op uw radio heel mooi. Weet u welke radiozender het was?'

'Hè? Welke zender? Dat weet ik niet. Maar je mag best binnenkomen om te zien welke zender het was. Ik kan de getallen moeilijk lezen zonder mijn bril.'

'Dank u wel.' Ze glipte naar binnen toen hij de deur verder opende en hurkte op het kleed voor de radio neer om de piepkleine getallen te lezen.

'Hier is een papiertje,' zei meneer Mendel. 'Je kunt de nummers opschrijven.'

'Dank u wel. Ik maak altijd ruzie met Peter over de zenders,' zei ze, terwijl ze de getallen opschreef. 'Hij luistert graag naar honkbalwedstrijden. Hij is fan van de Dodgers.'

'Ja, dat heeft hij me verteld.'

Esther verloor bijna haar evenwicht. 'Praat hij wel met u?'

'Nou ja, hij gebruikt zijn handen, als ik me goed herinner. Geen woorden. Ik dacht dat hij een spelletje speelde.'

'Nee, het is geen spelletje. Peter kan niet praten. Er is iets met zijn keel aan de hand, denk ik.' Esther kwam overeind en gaf meneer Mendel zijn potlood terug. 'Kan ik u vandaag ergens mee helpen, meneer Mendel?' De muziek was weer begonnen en ze wilde blijven om ernaar te luisteren. En met hem te praten. 'Het valt vast niet mee om met één arm af te wassen.'

'Dank je wel, maar ik mag geen misbruik maken van je vriendelijkheid.'

'Ik vind het echt niet erg. En onder de afwas kan ik naar de muziek luisteren.'

Hij keek haar lange tijd – zo leek het althans – zwijgend aan. Esther wist dat hij op twee gedachten hinkte, alsof hij heen en weer geslingerd werd, net zoals bij haar soms gebeurde. Maar ze begreep niet waarom het zo'n moeilijke beslissing was.

'Wat zou je ervan vinden als ik je ervoor betaalde?' zei hij eindelijk.

'U hoeft me niet te betalen. Ik doe het voor niets.'

'Nee, ik sta erop. De afwas moet gedaan worden en helaas is die heel groot.'

Hij ging haar voor naar de keuken en toen ze langs de eettafel liepen, zag ze dat die bedekt was met foto's, artikelen en landkaarten die uit kranten geknipt waren. Ze wilde blijven staan om de foto's bekijken, maar liep toch achter hem aan naar de keuken. Onmiddellijk zag Esther dat hij gelijk had wat de rommel betrof. In de gootsteen waren borden, kommen en pannen opgestapeld, zoals bij haar thuis voordat haar vader in het leger was gegaan en Penny bij hen was komen wonen. Op de tafel stonden nog meer borden.

'Zie je wat ik bedoel?' vroeg hij. 'Je kunt je nog bedenken.'

Esther dacht eraan wat ze met het geld kon doen en schudde haar hoofd. 'Bij ons stapelde de afwas zich ook op toen mama was gestorven.' Ze trok haar vest uit en rolde de mouwen van haar jurk op.

'Ik moet je wel waarschuwen dat we deze twee stapels apart moeten afwassen. Het serviesgoed en bestek in de gootsteen mogen niet vermengd worden met dat op de tafel.'

'Oké... maar waarom?'

'Dat is onze wet,' zei hij terwijl hij zijn schouders ophaalde. 'Eén set borden en pannen is om vlees mee op te dienen, de andere voor melkproducten. Het keukengerei dat voor het bereiden van vlees wordt gebruikt, gaat in die kast en deze laden, en de borden die voor melkproducten worden gebruikt, gaan daarheen. De pannen moeten ook worden gescheiden. Vlees hier, melkproducten daar.'

Esther draaide de kraan open en wachtte totdat het water heet was. Ze was bang dat ze een fout zou maken nu ze wist dat je iets ook verkeerd kon afwassen. 'Ik zal proberen om heel voorzichtig te zijn, maar wat gebeurt er als ik een fout maak en de spullen per ongeluk verwissel, meneer Mendel?'

Opnieuw keek hij haar lang aan voordat hij antwoord gaf. Ze vroeg zich af of hij zich had bedacht en haar weg zou sturen. Maar ten slotte haalde hij zijn schouders op en zei: 'Niets. Er gebeurt niets. Ik begrijp niet waar ik me druk om maak, nu Miriam er niet meer is. Ze was altijd heel voorzichtig in haar keuken en zorgde ervoor dat ze zich aan alle wetten van de *kasjroet* hield. Ik denk dat ik het omwille van haar doe. Ze zou heel boos op me zijn als ze hier was en zag hoe ik nu leef. Maar wat maakt het uit? Ze is er niet.'

'Ik vond mevrouw Mendel heel aardig,' zei Esther zachtjes. 'Ze was zo lief. Daarom zal ik ook voorzichtig zijn.' Ze deed de stop in de gootsteen en strooide er wat zeeppoeder in terwijl ze het water liet lopen. 'Ik mis haar echt en weet zeker dat u haar ook mist.'

'Ja.' Ze zag zijn adamsappel op en neer gaan, terwijl hij slikte. 'Ja.'

Esther vond het zielig dat hij hier helemaal alleen woonde. Ze stond op het punt om hem te vragen of ze kinderen hadden toen ze zich herinnerde dat mevrouw Mendel haar moeder over een zoon had verteld die volwassen was, net als haar vader. Esther wist niet meer of hij ook in de oorlog vocht, maar ze herinnerde zich vaag dat hij ergens ver weg was.

'Mevrouw Mendel heeft ons een keer foto's van uw zoon laten zien. Ze vertelde dat hij in het buitenland woonde. Vecht hij in de oorlog?'

Meneer Mendel trok een keukenstoel naar achteren en plofte erop neer. Zijn gips maakte een dof geluid op het porseleinen tafelblad toen hij zijn arm erop liet rusten. 'Nee. Nee, onze zoon is naar een klein stadje in Hongarije vertrokken om de Thora te bestuderen en nu kan hij niet meer terugkeren naar huis. Amerika en Hongarije zijn namelijk vijanden van elkaar geworden.'

'Knipt u daarom al die foto's en landkaarten uit de krant?'

'Ik heb nog geen foto's van Hongarije in de krant gevonden, maar ik probeer het weinige nieuws te verzamelen dat ik over mijn volk kan vinden.'

'Bedoelt u uw familie?'

'In zekere zin wel. Ik bedoel het Joodse volk.'

'O, en natuurlijk wilt u dat de oorlog zo snel mogelijk voorbij is, zodat uw zoon naar huis kan komen.'

'Ja. Hij heeft inmiddels een vrouw en een dochtertje. Ik heb ze nog nooit ontmoet.'

Plotseling begreep Esther de band die ze voelde met meneer Mendel. Hij miste zijn familie, zoals zij haar moeder miste... en haar vader, die nu ook ver weg was. Maar zij had Peter tenminste nog, zelfs al kon hij niet met haar praten. Peter kon haar 's nachts gezelschap houden, met haar naar school lopen en tijdens het eten naast haar zitten. En ze had oma Shaffer ook nog, hoewel die de laatste keer dat ze bij haar op bezoek waren geweest, heel gemeen tegen Peter had gedaan. Wat moest het verschrikkelijk zijn om net als meneer Mendel helemaal alleen te leven.

'Hebt u nog andere kinderen, behalve uw zoon?'

'Nee, hij is de enige.'

'Hebt u nog andere familieleden? Broers en zussen?'

'Ja. Ik heb twee broers, maar ze zijn niet met me meegekomen naar Amerika. Ze zijn nog steeds in Hongarije, waar Avraham is. Ik probeer erachter te komen wat er met hen is gebeurd, maar er is geen postverkeer tussen beide landen.'

'Is dat de naam van uw zoon, Avraham?' Meneer Mendel knikte. 'Peter en ik hebben weinig familie in de buurt. Daarom moest Penny Goodrich bij ons komen wonen. Oma Shaffer kan niet voor ons zorgen, omdat ze te oud is en geen ruimte in huis heeft. We hebben een tante – Gloria heet ze – die met oom Steve is getrouwd, maar niemand mag haar, omdat ze Italiaans is.'

Het afdruiprek was te vol geworden om er nog meer borden op te zetten en daarom pakte Esther de theedoek van het haakje en begon de afgewassen borden af te drogen. 'Staan die hier? In deze kast?' vroeg ze.

'Ja, inderdaad. En de familie van je moeders kant?'

Esther hield op met afdrogen en keek hem verbaasd aan. 'De familie van mijn moeder?'

144

'Ja. Woont de familie van je moeder hier in Brooklyn?'

Natuurlijk moest haar moeder ook familie hebben. Iedereen had toch familie? Maar ze had nog nooit iemand over de familie van haar moeder horen praten en Esther kon zich niet herinneren dat ze hen ooit ontmoet had. Het vocht van het natte bord doorweekte haar bloes, omdat ze het tegen haar borst hield, en bezorgde haar een kil gevoel. 'Ik weet helemaal niets van mijn moeders familie,' mompelde ze. Maar waarom eigenlijk niet? Waarom was het zo'n groot raadsel?

'Als je genoeg hebt van de afwas, mag je gerust stoppen,' zei meneer Mendel. 'Je hoeft vanavond niet de hele vaat te doen.'

Zijn woorden onderbraken Esthers overpeinzingen en ze ging verder met afdrogen. 'Nee, ik vind het niet erg. Ik help u graag.'

'Ik heb overwogen of ik een huishoudster in dienst zal nemen, maar over een paar weken kan ik mijn arm weer gebruiken en zal ik het huishouden zelf kunnen doen.'

'Tot die tijd mag u mij inhuren. Naast de afwas kan ik allerlei andere karweitjes in huis doen. Ik kan stoffen en vegen en wasbakken schoonmaken. Het geld kan ik gebruiken om zegeltjes voor oorlogsaandelen te sparen en Peter af en toe mee naar de film te nemen. En om voor mijn pianolessen te betalen.' Esther had hier nog niet eerder aan gedacht, maar vond het direct een goed idee. 'Nu betaalt Penny Goodrich voor mijn lessen, maar dat wil ik niet. Ze is mijn moeder niet.' Haar woorden klonken harder dan ze had bedoeld. Meneer Mendel fronste zijn wenkbrauwen.

'Ik begrijp het,' zei hij, terwijl hij langzaam knikte. 'Dan hebben we allebei iets aan deze afspraak.'

14

Met een wee gevoel in haar maag stond Penny voor het fornuis en maakte roerei voor het ontbijt. Toen ze klaar was, verdeelde ze het mengsel over twee borden in plaats van drie. Ze voelde zich veel te misselijk om te eten. Vandaag zou haar rijopleiding beginnen. Ze kon zich niet herinneren ooit zo zenuwachtig te zijn geweest.

'Misschien kom ik vandaag iets later thuis uit mijn werk,' zei ze tegen Esther en Peter toen ze de keuken binnenkwamen. 'Vanochtend begin ik met de training voor een nieuwe baan.' Ze wachtte en vroeg zich af of ze enige interesse zouden tonen en haar zouden vragen wat voor baan het was. Dat deden ze geen van beiden.

'Goed... nou, jullie broodtrommels staan klaar. Tot vanavond.' Penny pakte haar eigen lunchpakket en haastte zich naar de bushalte, omdat ze op haar eerste trainingsdag niet te laat wilde komen. Maar het was nog maar de vraag of ze tussen de middag wel een hap door haar keel zou kunnen krijgen.

Ze wachtte op de hoek van de straat en toen de bus aan kwam rijden, zag ze tot haar opluchting haar vriend Roy Fuller op zijn vaste plek voor in de bus zitten. Hij begroette haar met een grijns. 'Kom hier maar zitten, Penny. Ik heb een plekje voor je vrijgehouden. Maar de komende dagen zul je het zonder mij moeten doen. Morgen ga ik naar huis, omdat ik drie dagen verlof heb.'

'Wat fijn, Roy. Je kijkt er vast naar uit.'

'Ik tel de uren af totdat ik mijn vriendin kan kussen.'

'Wanneer heb je haar voor het laatst gezien?'

'Drieënhalve maand geleden. En jij en je soldatenvriendje?'

'Eddie is al bijna een maand weg, maar hij krijgt binnenkort verlof.' Toen Penny hieraan dacht, voelde haar maag aan als een ton die van een steile helling af rolde. 'Het zal de eerste keer zijn dat ik hem weer zie sinds hij aan de basistraining is begonnen.'

'Ga je iets speciaals doen om het te vieren? Een nieuwe jurk kopen bijvoorbeeld?'

'Een nieuwe jurk? Voor mezelf bedoel je?'

Roy schaterde het uit. 'Nou, ik hoop dat je vriend geen jurken draagt.' Voor de eerste keer die ochtend moest ook Penny glimlachen.

'Ik kan me de laatste keer niet herinneren dat ik een nieuwe jurk heb gekocht,' zei ze. 'Het moet heel lang voor de oorlog zijn geweest.'

'De eerste keer dat ik thuiskwam voor mijn verlof, had Sally zich helemaal opgedoft voor mij. Nieuwe jurk, nieuw kapsel. Jongens, wat zag ze er mooi uit. Ik vroeg haar meteen ten huwelijk.'

Penny's adem stokte. 'Heb je haar echt gevraagd om met je te trouwen?'

'Ja, reken maar! Want dat ze al die moeite voor me had gedaan, was een teken voor me hoeveel ze om me gaf. Vergeet niet dat ik weken achter elkaar alleen maar mannen had gezien. Sally was dus als balsem voor mijn ogen. Ik weet zeker dat je vriend ook heel blij zal zijn om een knap meisje zoals jij te zien na zo lang in een legerbarak te hebben gewoond.'

Even kon Penny geen woord uitbrengen. Nog nooit had iemand tegen haar gezegd dat ze knap was – laat staan een man. Toen ze eindelijk haar stem weer terugvond, vroeg ze: 'Wanneer gaan Sally en jij trouwen?'

'We zijn nog niet verloofd. Ze moest helaas nee zeggen. Volgens haar vader was ze te jong. Het liefst was ik er met haar vandoor gegaan, maar ik had maar drie dagen verlof en Sally verdient een mooie, grote bruiloft.'

'Ze heeft er vast spijt van, nu je weer weg bent.'

'Ik weet niet zeker wat ze ervan vindt. Ik probeer haar het hof te maken, maar ik vind het moeilijk om alles wat ik haar wil zeggen op papier te zetten. Ik ben nooit goed geweest in het schrijven van brieven en ook niet erg handig met meisjes. Op de middelbare school was ik te verlegen. Ik denk dat ik daarom op mijn zesentwintigste nog steeds niet getrouwd ben. Ik heb geen zussen en weet dus niet hoe meisjes denken of wat ze graag van mannen horen.'

'Je moet naar wat romantische films gaan kijken zoals *Gejaagd door de wind* of *Robin Hood*. Errol Flynn en Clark Gable lijken altijd precies de juiste dingen tegen vrouwen te zeggen. Je kunt wat inspiratie bij hen opdoen.'

'Wat schrijft jouw vrijer in zijn brieven?'

Eddies brieven waren kort en helemaal niet romantisch. Kwamen de salarischèques van het leger op tijd aan? Had ze genoeg geld om eten te kopen en de rekeningen te betalen? Ging het goed met de kinderen op school? 'Hij is ook niet goed in het schrijven van brieven,' zei Penny uiteindelijk.

'Hé, ik heb een idee. Misschien zou je een paar dingen voor me op willen schrijven waarvan je zou willen dat je vriend ze tegen jou zou zeggen en daarna kan ik ze aan Sally schrijven.'

'Moet je je brieven niet in je eigen woorden schrijven?'

'Ik denk niet dat het haar wat uitmaakt zolang het romantisch klinkt. Alsjeblieft, Penny? Ik zou haar niet willen verliezen omdat mijn brieven te saai waren. Want dan zou ze de conclusie kunnen trekken dat ik ook saai ben.'

'Je bent helemaal niet saai, Roy. Je kunt mijn aandacht zo goed afleiden van… alles. En je maakt me altijd aan het lachen.' Haar moeder zou op haar achterste benen staan als ze wist dat Penny zo vriendelijk deed tegen een vreemde man. Maar eigenlijk was Roy geen vreemde meer voor haar. Hij was een vriend geworden. En ze wilde hem helpen.

'Oké, ik zal iets romantisch bedenken…' Ze haalde zich Eddie voor de geest en dacht aan de veel te korte momenten die ze in zijn gezelschap had doorgebracht als hij bij zijn moeder op bezoek was. Hoe ze ernaar verlangde door hem omhelsd te worden, haar hoofd op zijn schouder te laten rusten, zijn armen om haar heen en zijn lippen op de hare te voelen. Ze onderdrukte een zucht. 'Je zou iets kunnen zeggen in de trant van: "Ik wilde dat ik de tijd in een fles kon stoppen als we samen zijn en deze midden in de oceaan kon gooien. Dan zou ik voor altijd bij je kunnen zijn. Ik zou geen lucht nodig hebben om te ademen of voedsel om te leven. Jou in mijn armen te houden, zou het enige voedsel zijn dat ik nodig had. Jouw liefde te hebben zou me genoeg lucht geven om te ademen."'

'Wauw!' mompelde Roy toen ze klaar was. 'Dat is fantastisch! Mag ik dat aan Sally schrijven?'

'Natuurlijk.' Ze lachte even. 'Het zijn maar woorden.'

'Mag ik een potlood van je lenen?' Hij haalde een envelop uit zijn borstzak. Die zag eruit als een brief van Sally. Penny haalde een potlood uit haar tas en zag hoe Roy van pure inspanning op zijn lip beet terwijl hij haar woorden op de achterkant van de envelop krabbelde. 'Als je nog iets te binnen schiet, wil je het dan voor me opschrijven?' vroeg hij toen hij klaar was.

'Natuurlijk. En dank je wel voor je advies, Roy. Misschien zal ik een nieuwe jurk kopen om bij Eddies thuiskomst te dragen.'

'En vergeet niet dat mannen hun liefje ook graag met een leuk, nieuw kapsel zien. En parfum – doe veel lekkere parfum op.'

'Oké. Dank je wel.' Misschien zou Eddie oog voor haar krijgen, als ze Roys advies opvolgde. En misschien zou hij niet merken dat de kinderen haar niet uit konden staan. 'Vertel me eens wat Sally en jij nog meer hebben gepland als je thuis bent,' zei ze.

Penny luisterde aandachtig, terwijl Roy haar het restaurant beschreef waar hij Sally mee naartoe wilde nemen en hoe ze tot de ochtend zouden dansen en daarna samen de zon zouden zien opgaan boven Lake Scranton. Penny stelde zich zo'n avond met Eddie voor en zuchtte. 'Zie je wel, Roy? Je bent heel romantisch. En voor het geval ik je niet meer zie voordat je naar huis gaat, wens ik je nu alvast een geweldige tijd toe met Sally.'

'Dank je wel. En jij met Eddie. Ik hoop dat hij zijn ogen niet gelooft als hij thuiskomt.'

'Ik ook. Tot ziens.' De bus reed het station binnen waar Penny werkte en terwijl ze opstond om uit te stappen, schoot haar weer te binnen dat ze vandaag met haar rijopleiding zou beginnen. Roy had haar even afgeleid, maar nu keerde het weeë gevoel in haar maag weer terug. Ze draaide zich naar hem om en zei: 'Hé, Roy, wil je voor me duimen? Ik begin vandaag aan een nieuwe baan.' Hij stak zijn duim omhoog en keek haar met een brede grijns aan. Toen wees hij naar boven.

Met knikkende knieën liep ze het station binnen. Meneer Whitney, haar baas, leidde haar naar een leeg kantoor naast het zijne dat als leslokaal was ingericht. Tot haar opluchting zag ze dat de zeven andere mensen die samen met haar de opleiding zouden volgen, allemaal vrouwen waren. Penny ging naast een donkerharige vrouw van haar leeftijd zitten.

'Hoi. Ben je ook zo zenuwachtig?' fluisterde Penny.

Het meisje knikte. 'Ik weet niet of ik het gebouw uit moet rennen of moet overgeven.'

'Ik ook niet. Misschien doe ik het allebei wel.' Penny slaagde erin te glimlachen en het meisje glimlachte terug. 'Ik ben Penny Goodrich. Ik kan nog geen auto besturen, laat staan een bus.'

'Ik ben blij dat ik niet de enige ben. Ik ben Sheila Napolitano. Aangenaam.'

Toen de instructeur binnenkwam en hun vertelde dat ze de eerste dagen in dit lokaal zouden blijven, voelde Penny zich meteen veel minder zenuwachtig. 'Jullie zullen eerst theorie-examen doen en daarna zullen we een voorlopig rijbewijs voor jullie aanvragen. Pas dan mogen jullie met de rijlessen beginnen. Vervolgens moeten jullie weer een schriftelijk examen afleggen, een oogtest ondergaan en ten slotte praktijkexamen doen, voordat jullie je rijbewijs zullen krijgen.'

Dat leek een groot aantal hindernissen. De hele ochtend luisterde Penny met de grootste aandacht naar de instructeur en maakte aantekeningen in de kantlijn van het lesboek dat ze hadden gekregen. 'Er is zo veel stof om te leren!' zei ze tegen Sheila, terwijl ze hun lunch samen aten. 'Ik zal 's avonds moeten leren, als de kinderen hun huiswerk maken.'

'Ben je getrouwd?' vroeg Sheila.

'Nee, ik pas op de twee kinderen van een vriend die in het leger zit. Nou, eigenlijk hoop ik dat hij op een dag meer dan een vriend zal zijn. Ik hoop dat hij na de oorlog met me zal trouwen. Zijn eerste vrouw is gestorven en hij had iemand nodig om op de kinderen te passen en toen zei ik dat ik het wel wilde doen en dus... O, jongens. Nu doe ik het weer. Als ik zenuwachtig ben, begin ik te ratelen. En geloof me, het idee om een bus te besturen werkt op mijn zenuwen. En jij, Sheila? Ben jij getrouwd?'

'Ja.' Ze stak haar hand uit om Penny een trouwring met een kleine diamant te laten zien. 'Tony en ik zijn een jaar geleden in augustus getrouwd, maar zijn sindsdien maar een paar weken samen geweest. We hadden elkaar in juli op Coney Island leren kennen en twee maanden later werd hij naar Californië overgeplaatst.'

'Nou, je zult je wel eenzaam voelen zonder hem.'

'Ja. Ik hoopte dat ik meteen in verwachting zou raken, zodat Tony's baby me gezelschap kon houden als hij weg was, maar dat is niet gebeurd. Daarom heb ik naar deze baan gesolliciteerd.'

Penny voelde dat ze bloosde. De weinige gesprekken die ze over de 'bloemetjes en de bijtjes' had gehad, hadden haar de stuipen op het lijf gejaagd. Haar ouders hadden niet graag over dit soort dingen gepraat.

Haar ouders.

Penny's maag draaide zich om. Sinds de beambte van het bevolkingsregister Penny het nieuws had verteld, was het nooit uit haar gedachten geweest. *Geadopteerd.* Haar ouders waren dus eigenlijk haar ouders niet. Tenzij natuurlijk iemand op het bevolkingsregister een fout had gemaakt, waar Penny nog steeds op hoopte. Ze kon er met haar verstand niet bij. Waarom hadden ze het haar nooit verteld? Penny was nog niet thuis geweest sinds ze het nieuws een paar dagen geleden had gehoord, maar waarschijnlijk zou ze de moed niet hebben om erover te beginnen als ze aanstaande zondag weer bij haar ouders was. Eigenlijk wilde ze de waarheid niet horen.

'Ik ben dol op baby's,' ging Sheila verder. 'Op een dag wil ik een huis vol kinderen hebben. En jij?'

'Ja... eh, wie zou niet graag een baby willen?' Volgens haar geboorteakte was ze op de dag dat ze werd geboren al geadopteerd. Was het mogelijk dat haar echte moeder haar niet had gewild en haar aan wildvreemde mensen had afgestaan? Penny wilde er niet meer over nadenken.

Toen ze klaar waren met eten, zag ze dat Sheila een poederdoosje uit haar tas haalde en het spiegeltje ervan gebruikte om felrode lippenstift aan te brengen. 'Het heet *overwinningsrood*,' zei Sheila, toen ze zag dat Penny naar haar keek. 'Vraag me niet waarom. Hoe kun je met lippenstift de oorlog winnen?' Ze klapte haar poederdoos weer dicht. Sheila was knap en zag er goed uit met haar golvende zwarte haar, precies de juiste hoeveelheid make-up rond haar donkerbruine ogen en een jurk met bloemen die haar smalle taille accentueerde.

Penny wilde niet meer aan haar ouders denken. Misschien kon ze beter dit weekend helemaal niet naar huis gaan. 'Mag ik je iets vragen, Sheila?'

'Natuurlijk.'

'Ken jij een goede salon waar ik wat aan mijn haar kan laten doen? Ik vind jouw haar zo leuk zitten en wil er een beetje goed uitzien als mijn vriend op verlof is. Kun je er een aanbevelen?'

'Jazeker, de schoonheidssalon waar ik altijd naartoe ga, is niet ver hier vandaan. Ik kan je het adres geven. Op vrijdag en zaterdag zijn ze tot later open, omdat zo veel vrouwen tegenwoordig werken. Je kunt waarschijnlijk een afspraak maken voor aanstaande zaterdag.' Ze stak haar hand uit om aan Penny's paardenstaart te voelen. 'Je hebt dik, mooi haar, niet zo kroezig als dat van mij. Ik weet zeker dat je er heel knap uit zou zien als je het af zou knippen en los zou dragen.'

Penny was bang dat ze zou gaan huilen. Sheila was de tweede persoon die haar vandaag had verteld dat ze knap was. Was het echt waar? Ze huiverde van opwinding bij de gedachte dat Eddie het misschien ook zou vinden. 'En ken je ook een goede kledingwinkel? Ik wil wat nieuws kopen, maar niet te veel geld uitgeven. Ken je een winkel waar ze een meisje als ik goed advies kunnen geven?'

'Ik wil wel met je meegaan. Winkelen vind ik heerlijk.'

'Wil je me echt helpen?'

'Natuurlijk. Ik heb toch niet veel te doen op zaterdag nu Tony is vertrokken. Het wordt vast gezellig. En volgens mij kun je wel wat moderners gebruiken. Ik wil je niet beledigen, maar jouw kleren zijn een beetje ouderwets.'

'Dat mag je gerust zeggen. Tot nu toe heb ik alleen met mijn moeder kleren gekocht. En die is zeventig.'

'Laat me eens zien.' Sheila gebaarde Penny om op te staan en bekeek haar van top tot teen. 'We moeten ook iets aan je schoenen doen.'

'Mijn schoenen? Wat is daar mis mee?'

'Hoe oud ben je?'

'Vierentwintig.'

'Sorry, maar je bent te jong om alleen maar dit soort schoenen te dragen.'

'Volgens mijn moeder zijn het goede, degelijke schoenen. Ze zou op haar achterste benen staan als ze me ooit pumps zag dragen. Dat soort schoenen zijn geldverspilling in haar ogen. Ordinair, vindt ze ze.'

'Voor iemand die zeventig is, zijn dit misschien goede schoenen. Maar je bent echt aan andere toe. Als we deze nieuwe baan krijgen, zijn ze toch niet te duur voor je?'

'Dan zullen we rijk zijn!'

Aan het einde van de dag was Penny's hoofd zwaar van alle informatie die op haar af was gekomen. Vlak voor het einde van de les kwam meneer Whitney binnen en deelde verkreukelde, grijze uniformen aan iedereen uit.

'Sorry, maar voorlopig hebben we alleen maar mannenkleding,' zei hij. 'En het zijn tweedehandsuniformen. Jullie zullen ze een beetje moeten innemen, dames, maar ik weet zeker dat dit geen probleem voor jullie is.'

Mannenkleding? Dit betekende dat Penny een broek zou moeten dragen, iets wat ze nog nooit van haar leven had gedaan. Haar moeder zou uit haar vel springen als ze het zag.

Veel later dan gewoonlijk verliet Penny het busstation om naar huis te gaan. Ze was teleurgesteld toen ze Roy niet in de bus naar huis aantrof. Ze had hem graag over haar dag willen vertellen. Het was avondspits en de bus zat heel vol. Ze bewogen zich als slakken door het steeds drukker wordende verkeer. Herhaaldelijk keek Penny op haar horloge, omdat ze zich zorgen maakte over de kinderen. Ze had ze na school nog nooit zo lang alleen gelaten.

Bijna een uur later dan gewoonlijk stapte ze bij haar halte uit en haastte zich naar het appartement. Het was heel stil binnen. Niemand luisterde naar de radio, oefende op de piano of zat aan de eettafel huiswerk te maken.

'Esther?' riep ze. 'Peter? Waar zijn jullie?' Penny was moe van de lange dag en het gesjouw met de stapel uniformen die ze had meegekregen. Ze gooide ze op een van de stoelen in de eetkamer, zodat ze niet zou vergeten ze na het avondeten in te nemen, en ging naar boven om de kinderen te zoeken. Hun slaapkamer was leeg. Penny voelde iets van paniek. Ze haastte zich van de tweede verdieping naar beneden, keek op de veranda achter het huis, in de achtertuin, in de kelder waar de wasmachine stond en zelfs in de garage en de steeg die achter het huis liep, terwijl ze hen bleef roepen. Er was nergens een spoor van hen te bekennen.

Ze wisten dat ze na schooltijd in het appartement moesten blijven totdat zij thuis was. Waar konden ze zijn? Ze liep naar de voorkant van het gebouw en keek de straat in. Misschien moest ze weer naar binnen gaan en iemand bellen, maar wie? De politie? Oma Shaffer? Nee, de laatste keer dat Penny mevrouw Shaffers hulp had ingeroepen, had ze er een enorme puinhoop van gemaakt. Penny ging via de voordeur naar binnen en juist toen ze de gang door liep, ging de deur van de Joodse huisbaas plotseling open en zag ze hem met zijn lange, zwarte baard en zijn zwarte pet een meter bij haar vandaan in de deuropening staan. Ze deinsde achteruit en greep naar haar hart, zo schrok ze van zijn verschijning.

'Sorry dat ik u zo heb laten schrikken,' zei hij. 'Voor het geval u de kinderen zoekt: die zijn bij mij.'

Opgelucht zonk Penny op de onderste trede neer. 'Dank u wel. Vandaag ben ik heel laat uit mijn werk gekomen en het spijt me als ze u hebben lastiggevallen.'

'Ze hebben me niet lastiggevallen. Ze hebben me juist geholpen, nu ik hiermee zit.' Hij stak zijn arm omhoog en liet haar het witte gips zien. Eddie had haar weken geleden gevraagd om af en toe bij de huisbaas te gaan kijken, omdat hij gewond was geraakt bij de brand aan de overkant, maar dat had ze niet gedaan.

'We hebben ons nog niet aan elkaar voorgesteld,' zei hij. 'Ik ben Jacob Mendel. Meneer Shaffer heeft me verteld dat u een kennis van hem bent en op de kinderen past.'

'Ja. Penny Goodrich. Aangenaam kennis met u te maken.' Ze was opgelucht dat hij haar geen hand gaf. 'Ik wist niet waar ze waren. Sorry dat ik zo laat ben, het zal niet meer gebeuren. Vandaag ben ik met een nieuwe baan begonnen... nou ja, het is niet echt een nieuwe baan – nog niet. Ze leren me hoe ik een bus moet besturen, maar ik ben nog niet met de rijlessen begonnen. Dat mag pas als ik eerst voor een paar andere examens slaag.' Ze zweeg, omdat ze merkte dat ze aan het ratelen was. Als ze bang was, praatte ze altijd te veel, en op dit moment bonkte haar hart als een Afrikaanse trom. Ze wist niet of het kwam vanwege de angst om de kinderen of omdat ze met een Joodse man praatte. Misschien kwam het door beide.

'U ziet er nogal ontdaan uit, juffrouw Goodrich. Wilt u niet even binnenkomen en gaan zitten?' Hij deed de deur een eindje verder open en wenkte haar naar binnen.

Bijna had Penny 'Nee!' geroepen. Haar vader had haar verteld dat Joden niet te vertrouwen waren. Ze lokten kinderen van christenen hun huizen binnen en voerden er vreemde en verdorven rituelen uit. Had meneer Mendel Esther en Peter ook naar binnen gelokt? Was dit een trucje om haar ook binnen te krijgen?

Maar als hij echt gevaarlijk was, zou Eddie haar toch wel gewaarschuwd hebben om uit zijn buurt te blijven? In plaats daarvan had hij Penny gevraagd om af en toe bij hem langs te gaan. Toen herinnerde ze zich nog iets wat Eddie haar had verteld: de vrouw van meneer Mendel en Eddies vrouw waren bevriend geweest. Ze waren bij hetzelfde ongeluk omgekomen.

'Kom maar even binnen,' zei hij opnieuw.

Het zou onbeleefd zijn om zijn uitnodiging af te slaan. Bovendien was Penny verantwoordelijk voor Esther en Peter. Ze moest zien wat ze er deden. Haar hart begon nog harder te bonken toen ze over de drempel heen stapte.

Het eerste wat haar opviel, waren de boeken. Kasten vol. Ze deden haar denken aan encyclopedieën: rijen boeken van hetzelfde formaat met leren omslagen die met gouden letters bedrukt waren. Aan de muur hingen geen schilderijen, slechts een paar ingelijste documenten met joodse letters. Ze zag verscheidene kandelaren van verschillende grootte, het joodse soort dat voor meer dan één kaars was bedoeld. En aan elke deurpost was een klein, rechthoekig doosje in een vreemde hoek bevestigd waar joodse letters op stonden. De sfeer in het appartement was zo uitheems en vreemd dat ze naar haar eigen appartement toe wilde rennen en de deur achter zich wilde dichtslaan, hoewel er niets engs was gebeurd.

'Ik hoop dat u het niet erg vindt, juffrouw Goodrich, maar ik heb de kinderen betaald voor hun hulp. Het gips om mijn arm mag niet nat worden en daarom is het moeilijk voor me om de afwas te doen. De kinderen hebben me uit de brand geholpen.'

Ze liep achter hem aan langs de eettafel, die was bezaaid met krantenknipsels, naar de ruime keuken. Esther stond voor het fornuis en hield twee borrelende pannen in de gaten. Wat ze kookte, rook heerlijk. Ze zag er gelukkig en tevreden uit. Maar toen ze zich omdraaide en Penny in de gaten kreeg, leek het alsof ze naar de deur wilde wijzen en haar weg wilde sturen. Even later kwam Peter via de achterdeur naar binnen met een lege vuilnisemmer in zijn handen. Hij deinsde achteruit toen hij Penny zag, als een hond die slaag verwacht. De enige reden die Penny voor hun reactie kon bedenken was dat hun vader hun had gezegd meneer Mendel met rust te laten en dat zij hen nu in zijn keuken had betrapt.

Meneer Mendel schraapte zijn keel alsof hij de spanning tussen hen drieën opmerkte. 'Jullie mogen hier allemaal blijven eten,' zei hij. 'Ik heb meer dan genoeg. De vrouwen van de sjoel brengen me zo veel eten dat ik het onmogelijk allemaal zelf op krijg.'

Voordat Penny het aanbod beleefd kon afslaan, zei Esther: 'Peter en ik willen graag blijven eten. Ik heb alles opgewarmd en we kunnen zo aan tafel. Mag het?' Ze vroeg Penny om toestemming, maar het was overduidelijk dat ze haar er niet bij wilde hebben. Evenmin was Penny moedig genoeg om bij een Joodse man aan tafel te zitten en mee te eten.

'Dank u wel, meneer Mendel. De kinderen mogen blijven,

maar… maar ik voel me niet zo lekker. Het is een vermoeiende dag voor me geweest.'

'Misschien een andere keer.'

'Ja. Goed, blijf niet te lang,' zei ze tegen de kinderen terwijl ze langzaam de keuken uit liep. 'Morgen moeten jullie weer naar school.'

Meneer Mendel liep met Penny mee naar de voordeur. 'Zodra we klaar zijn met eten, zal ik ze naar boven sturen. Ik hoop dat u zich gauw weer wat beter voelt, juffrouw Goodrich.'

'Dank u wel.' Ze keek naar de beminnelijke man en vroeg zich af of hij echt vals en stiekem was of dat haar vader zich in al die jaren in de Joden had vergist. Er waren maar twee mogelijkheden: haar vader had ongelijk of Eddie was gek om hier te wonen. Ze konden niet allebei gelijk hebben.

Te moe om er verder over na te denken, sjokte ze naar boven. Wat een dag was het geweest: ze was met een nieuwe baan begonnen, had advies gekregen van Roy, kennisgemaakt met Sheila en haar gevraagd om haar met een nieuw kapsel en nieuwe kleren te helpen. Penny plofte op een keukenstoel neer en schopte haar schoenen uit. Degelijke schoenen die ze gedwongen door haar moeder had gekocht.

Haar moeder. Als het adoptiecertificaat klopte, was ze Penny's moeder niet. Evenmin als haar vader echt haar vader was.

Hoe was deze aaneenschakeling van verwarrende gebeurtenissen eigenlijk begonnen? Hoe was Penny zo snel veranderd van de onopvallende, gehoorzame dochter die kaartjes verkocht op het busstation en bij haar bejaarde ouders woonde, in een meisje dat op het punt stond haar haar af te knippen en aan een opleiding tot buschauffeur was begonnen? Een meisje dat met Joden en vreemde mensen praatte. Een meisje dat de verantwoordelijkheid droeg voor twee kinderen en aanstaande zaterdag een paar 'ordinaire' schoenen zou kopen? Een meisje dat niet langer wist wie haar echte ouders waren. Was dit echt de enige manier om Eddies liefde te winnen?

De tranen sprongen Penny in de ogen toen ze aan de woorden van haar moeder dacht. '*Ik heb je nog zo gewaarschuwd dat dit een onzinnig idee was. Waarom kon je niet tevreden zijn met hoe alles was?*'

15

Jacobs instinct had hem gewaarschuwd om die twee kinderen niet in zijn appartement binnen te laten, laat staan in zijn leven, maar hij had die waarschuwing in de wind geslagen. Het meisje maakte een eenzame en verloren indruk en miste haar ouders. De jongen kon niet meer praten. En daarom had Jacob het niet over zijn hart kunnen verkrijgen om ze weg te sturen en had hij hen, net als Miriam Shoshanna indertijd, uitgenodigd om binnen te komen. Hij was er al gauw achter gekomen dat zijn behoefte aan gezelschap even groot was als die van hen.

Hoe vaak kon hij de brieven van Avraham lezen en proberen zijn gezicht en stem voor de geest te halen voordat de herinneringen aan zijn zoon begonnen te vervagen en hun zeggingskracht verloren? Hoeveel maaltijden kon hij in Miriam Shoshanna's nette, koosjere keuken eten voordat de eenzaamheid zijn uitgehongerde ziel tot op het bot verteerde? *'Het is niet goed dat de mens alleen zij,'* had Hasjem na de Schepping gezegd. Was Hij Zijn eigen woorden vergeten? Had Hij daarom Jacobs familie van hem weggenomen? En die van de kinderen?

Daarom had Jacob hen binnengelaten. En nu? Nu betrapte hij zichzelf erop dat hij op de klok keek om te zien of ze al snel uit school kwamen. Nu luisterde hij naar de muziek die van boven kwam als Esther pianospeelde. De klanken hadden herinneringen aan de moeder van de kinderen en Miriam Shoshanna bij hem wakker geroepen. *'Hoor eens,'* had Miriam altijd gezegd, terwijl ze naar het plafond wees. *'Rachel speelt weer piano. Vind je het niet prachtig, Jacob? Voert de muziek je niet naar het paradijs?'* Dat was een van de redenen waarom hij de radio de hele dag aan liet staan sinds de twee vrouwen waren overleden – om de stilte te verjagen.

De bel ging. Het konden de kinderen nog niet zijn. Die zouden op de deur kloppen, niet aanbellen. Zou het inspecteur Dalton weer zijn? Jacob huiverde bij de gedachte. Hij zou net doen alsof hij niet thuis was en niet opendoen. Maar toen hij voorzichtig uit het voorraam gluurde en zag dat het rebbe Grunfeld was, liep hij naar de hal om de deur open te doen.

'Goedemiddag, rebbe. Wat kan ik voor u doen?'

'Goedemiddag, Yaacov. Mijn vrouw heeft honingcake voor je gebakken om Nieuwjaar en Jom Kipoer te vieren.' Hij hield het bord waar bakpapier omheen was gewikkeld als een offergave voor zich uit. Uiteraard moest Jacob hem nu gastvrij ontvangen.

'Wilt u binnenkomen, rebbe?'

Met de traditionele honingcake wenste men elkaar een 'zoet' nieuwjaar, maar Jacob wilde hem vragen hoe het nieuwe jaar ooit zoet kon worden. Hij wilde de rabbijn de foto's laten zien die hij uit de krant had geknipt en die spraken van oorlog, honger en verwoesting. Maar hij hield zijn mond, terwijl hij rebbe Grunfeld uitnodigde om binnen te komen.

'Mijn vrouw stond er ook op dat je dit jaar Soekot bij ons komt vieren. Kom je alsjeblieft, Yaacov?'

'Wilt u uw vrouw hartelijk voor de uitnodiging bedanken, maar nee, helaas kan ik die niet aannemen.'

'Ik zal tegen haar zeggen dat je erover na zult denken. Wie weet, misschien bedenk je je morgen wel. Mag ik even gaan zitten? Ik wil je iets anders vragen.'

Jacob zette het bord met de honingcake op zijn bureau en gebaarde naar de bank. Hij draaide zijn bureaustoel om en ging tegenover de rabbijn zitten.

'Ik moet je om vergeving vragen.'

'Vergeving? Waarvoor?'

'Ik ben bang dat ik je op de een of andere manier gekwetst

heb. Ik ben bang dat we niet genoeg voor je hebben gedaan na Miriam Shoshanna's overlijden en dat je daarom een zekere wrok tegen ons koestert.'

'Ik koester geen enkele wrok. Na Miriams dood wilde ik met rust gelaten worden en heb ik de deur voor iedereen dicht gehouden, niet alleen voor u. Ik ben niet boos op u of wie dan ook.'

'Weet je het zeker, Yaacov? Zelfs niet op de bestuurder van de auto?'

Jacob keek hem vragend aan. Waarom begon hij hier anderhalf jaar later pas over? Toen herinnerde hij zich dat het bijna Grote Verzoendag was en dat de rabbijn daarom langs was gekomen. Op Jom Kipoer moest Jacob zijn ziel aan een zelfonderzoek onderwerpen en zijn naasten en Hasjem om vergeving vragen. Hij werd geacht om al zijn zonden en overtredingen te belijden. En Jacob wist dat hij de geboden van de Thora vele malen had overtreden. Hij had de spijs- en sjabbatswetten overtreden, de gebeden verwaarloosd en was van het rechte pad afgeweken.

'Nee, ik ben niet boos op de bestuurder van de auto,' zei hij met een zucht. 'Het was een ongeluk. Een kwestie van defecte remmen. Er was geen sprake van opzet.'

'Ja, een ongeluk. Dus wie kun je anders de schuld geven dan Hasjem? Heb ik gelijk, Yaacov?'

De rabbijn wist dat Jacob boos was op Hasjem. Dat had Jacob hem zelf verteld toen hij op de avond van de brand uit zijn slof was geschoten. Wilde de rabbijn dat hij het zou toegeven?

'Ik ben al heel lang rebbe,' ging hij verder, 'en vele malen heb ik het meegemaakt dat mensen hun woede op mij, onze synagoge of de leden van onze gemeente richtten, terwijl ze in feite boos waren op Hasjem, niet degenen die Hem dienen.'

'Goed, ik geef toe dat ik kwaad ben. Ik ben kwaad op de immigratieambtenaren dat ze de vrouw en dochter van Avraham geen toestemming hebben gegeven om naar Amerika te komen.

En op de overheid die zulke harteloze quotaverordeningen heeft uitgevaardigd. Ik ben kwaad op de mensen die ons haten omdat we Joden zijn en willen voorkomen dat er meer Joden naar het veilige Amerika komen.'

'Dat is veel woede, Yaacov. En je weet dat we tijdens deze heilige dagen *selichot*, de gebeden om vergeving, reciteren.'

'Maar deze mensen hebben me helemaal niet gevraagd om hen te vergeven, dus hoe kan ik dat doen? Evenmin kan ik genoegdoening zoeken voor hun misdaden, als er iets met mijn zoon en zijn gezin gebeurt. President Roosevelt en de anderen in onze regering hebben ook niet om vergeving gevraagd. Het is nu al bijna een jaar geleden dat we naar hen toe zijn gegaan met de bewijzen van Hitlers misdaden. Twee miljoen van ons zijn al omgekomen in Polen. Heeft onze regering er iets aan gedaan? Nee. We hebben gevast en gebeden – een dag van rouw voor de Joden in Europa. Weet u dat nog, rebbe?'

'Ja, natuurlijk. Rabbijn Stephen Wise en het Amerikaans Joodse Congres doen hun best om…'

'Vergeet het Joodse Congres. Heeft Hasjem onze gebeden verhoord?' Jacob stond op en pakte een handvol krantenknipsels van zijn bureau en liet ze in de schoot van de rabbijn vallen. 'Kijk hier eens naar. Families die tussen de puinhopen leven, levens die verwoest zijn. Er zijn niet eens genoeg graven voor alle doden. En waarom? Vraag dat *Herr* Hitler maar eens. En vertel me hoe iemand Hitler kan vergeven. Hoe kan Hasjem al deze verschrikkelijke dingen zomaar laten gebeuren zonder in te grijpen?'

De rabbijn bestudeerde de foto's die Jacob in zijn schoot had gegooid en antwoordde: 'De profeet Habakuk leefde in een tijd die veel op die van ons lijkt. Ook hij vroeg aan Hasjem: *'Waarom aanschouwt Gij de trouwelozen en zwijgt Gij, als de goddeloze verslindt hem die rechtvaardiger is dan hij?'* En jij kent het antwoord van Hasjem even goed als ik: *'Maar de rechtvaardige zal door zijn geloof leven.'* Misschien zullen we nooit begrijpen wat Hasjems plannen en bedoelingen zijn, of de vervulling zien van alles wat Hij heeft beloofd. Maar Hij vraagt van ons om nederig in geloof te leven en op Hem te vertrouwen, ook als we Zijn werk niet zien.'

Jacob ontweek rebbe Grunfelds verdrietige blik. 'Ik herinner me de tijd dat ik de Schrift kon lezen en er troost uit kon putten. Maar nu niet, rebbe. Nu niet meer.' De last van zijn onverhoorde gebeden was te zwaar en zijn angst was te groot om vertroosting te vinden.

Hij hoorde de voordeur open- en dichtgaan, gevolgd door voetstappen op de trap naar de eerste verdieping. De kinderen waren thuisgekomen uit school. Hij hoopte dat ze vandaag niet bij hem zouden aankloppen. En dat Esther niet piano zou spelen. Hij zou het niet kunnen verdragen.

'Ik lees de krant ook, Yaacov,' zei de rabbijn. 'Ik word ook door twijfel aangevochten. Maar over twee dagen, op de heiligste dag van het jaar, zal ik Hasjem vragen die twijfels te vergeven en mijn vertrouwen in Hem te vernieuwen. We weten dat Hasjem goed, rechtvaardig en heilig is. Al deze afschuwelijke dingen...' hij hield de krantenknipsels omhoog, 'moeten op de een of andere manier deel uitmaken van Zijn plan. Als we maar ogen hadden om het te zien.'

'Ik kan het niet zien, rebbe Grunfeld. Ik kan het helemaal niet zien. En mijn ogen zijn moe geworden van het kijken.'

16

Lieve mama en abba,
Het is al zo lang geleden dat ik een brief van u heb gekregen. Ik weet
dat de stilte voor u in Amerika even moeilijk te verdragen is als voor
mij in Hongarije. Iedere keer dat ik naar mijn dochtertje kijk en me
probeer voor te stellen hoe het is om van haar gescheiden te worden en
niet te weten hoe het met haar gaat, begrijp ik hoe u zich moet voelen.
En na veel gebed heb ik besloten om u deze brief te schrijven en erop
te vertrouwen dat Hasjem ervoor zal zorgen dat u die op een dag in
Amerika zult ontvangen.
Ik ben bevriend geraakt met de dominee van een christelijke kerk hier
in het dorp. Hij is een zeer goed mens en ik ben van plan om hem
deze brief te geven en hem te vragen die na de oorlog naar u te sturen.
De geruchten die we horen over deze oorlog en alles wat de nazi's
ons volk aandoen, zijn angstaanjagend. Als ons iets zal overkomen
– Hasjem verhoede het – dan zult u tenminste ten dele weten hoe
het ons is vergaan.
Op het moment dat Duitsland Polen binnenviel, vluchtten veel Jo-
den naar Hongarije en ons dorp om te ontsnappen aan de nazi's.
We brachten er zo veel mogelijk in de jesjiva en onze huizen onder.
Deze overlevenden vertelden ons dat de nazi's ons hele volk willen
vernietigen – niet duizenden, maar miljoenen. Hitler is de eigentijdse
versie van Haman, de vijand van koningin Esther uit de Schrift. Hij
wil ons tot op de laatste man en vrouw uitroeien. Ik weet niet of de
rest van de wereld dit al weet, maar als dat zo is, dan lijkt het erop
dat niemand een hand uitsteekt om hem tegen te houden.

In juli 1941 begonnen de Duitsers druk uit te oefenen op de Hongaarse regering om al hun vijanden, onder wie ook de Joden, te arresteren. Om hun bondgenoot gerust te stellen, dreef Hongarije alle Poolse Joden bijeen die hier hun toevlucht hadden gezocht en deporteerde hen. Ons dorp is te klein om er onder te duiken en bovendien was er te weinig tijd om te ontsnappen. Ze werden teruggestuurd naar Polen en we vrezen het ergste voor hen.

Ik heb de rebbe gevraagd waarom ons volk zo moet lijden. Hebben we een grote zonde begaan? Wat hebben we gedaan om dit onheil over ons af te roepen? Hij is van mening dat onze vervolging niet het gevolg is van de zonden die we hebben begaan, maar van onze trouw aan de Thora. De Hamans van deze wereld willen ieder spoor uitwissen van ons volk en het verbond dat Hasjem met ons heeft gesloten, alsmede de kennis van Zijn Wet, zodat het kwaad ongebreideld kan voortwoekeren. In de tijd van koningin Esther probeerde Haman ons volk uit te roeien, omdat we alleen voor Hasjem wilden buigen en niet voor hem. In de tijd van Daniël werden de drie getrouwe Joden in de vurige oven geworpen, omdat ze niet voor een gouden beeld wilden buigen. Maar net als Jozef, die als slaaf werd verkocht en naar Egypte gevoerd, moeten we geloven en erop vertrouwen dat Hasjem alles – ook de boze daden van onze vijanden – ten goede zal keren. Zoals de profeet Habakuk schreef: 'Al zou de vijgeboom niet bloeien, en er geen opbrengst aan de wijnstokken zijn, de vrucht van de olijfboom teleurstellen; al zouden de akkers geen spijs opleveren, de schapen uit de kooi verdreven zijn en er geen runderen in de stallingen zijn, nochtans zal ik juichen in de HERE, jubelen in Hasjem, die mijn Redder is.'

Nadat onze Poolse vrienden waren weggevoerd, werden we enige tijd met rust gelaten. Maar twee weken geleden vielen de soldaten plotseling en geheel onverwacht op de sjabbat onze sjoel binnen en namen alle gezonde mannen mee om dwangarbeid te verrichten. De enige reden dat ik u dit nu kan schrijven is dat ik die dag op bed lag met longontsteking en hoge koorts. Bijna had ik het niet gehaald. Ik begreep niet waarom ik door zo'n ernstige ziekte was getroffen, maar nu zie ik in dat Hasjem mijn leven heeft gespaard, terwijl de andere mannen, *onder wie Sarah Rivkahs vader en broer, allemaal zijn weggevoerd.*

Twee jaar geleden, toen de eerste groep dwangarbeiders werd weggevoerd, had ik geen idee wat er verder met hen gebeurde. Nu weten we het wel. Degenen die 'geluk' hebben, worden de hele dag tewerkgesteld in fabrieken — fabrieken die het doelwit zijn van geallieerde bombardementen. Anderen worden gedwongen om de grondstoffen te delven die voor de oorlog nodig zijn of wegen en spoorlijnen te repareren. Met andere woorden: ze zijn slaven. De enige mannen die naar huis terugkeerden, waren doodziek. De regering wil geen mannen te eten geven die te zwak of te ziek zijn om te werken en daarom worden ze naar huis gestuurd om er te sterven.

Nu ik weer beter ben, leef ik constant in angst dat ze zullen terugkomen en me als dwangarbeider zullen wegvoeren. Na veel gebeden te hebben, heb ik besloten dat Sarah Rivkah, Fredeleh en ik het dorp moeten verlaten. Ik kan me hier onmogelijk verbergen en behalve mijn vriend en zijn vrouw die christen zijn, weet ik niet wie ik van mijn Hongaarse buren kan vertrouwen. Ik heb geprobeerd onze families over te halen om met ons mee te gaan — abba's broer Yehuda, mama's familie en Sarahs familie. Ik heb ze allemaal gesmeekt om naar Boedapest te gaan. Het is gemakkelijker om je te verbergen in een grote stad, heb ik hun verteld. Maar ze zeggen allemaal: 'Hoe komen we er aan eten? Hoe zullen we overleven? Het hele land lijdt honger en er is een tekort aan voedsel. Hier op het platteland kunnen we tenminste onze eigen groenten verbouwen en kippen houden.'

Ze geloven allemaal dat ze minder gevaar lopen op het platteland. Niemand wil naar me luisteren, behalve Sarahs moeder. En daarom zal ik morgen met haar, mijn vrouw en dochter naar Boedapest vertrekken om bij oom Baruch, de broer van abba, te gaan wonen, als hij bereid is ons in huis te nemen.

Ik houd van u, mama en abba. En ik hoop dat u deze brief op een dag zult ontvangen, wat er ook met ons zal gebeuren. Ik stel al mijn vertrouwen in Hasjem, die altijd voor ons zal blijven zorgen.

Veel liefs,

Avraham

17

Esther probeerde zich te concentreren op het muziekstuk dat ze als huiswerk voor de volgende les had opgekregen, maar vandaag voelde de pianobank heel hard aan. Ze wilde het stuk goed oefenen, zodat ze het als verrassing voor haar vader kon spelen, maar vanavond voelde ze zich veel te rusteloos om zich te concentreren. Over drie dagen kwam haar vader thuis en ze wilde dat er een manier was om het eindeloos lange weekend sneller voorbij te laten gaan. Als haar vader eenmaal thuis was, zou alles weer worden als vroeger. Nou ja, bijna alles. Haar moeder zou niet terugkeren. Maar haar vader zou beseffen hoe hard ze hem nodig hadden en uit het leger gaan. Daarna zou Peter weer beginnen te praten en zou Penny weer in haar eigen huis gaan wonen. En misschien, heel misschien zou ze zich dan weer gelukkig voelen.

Ze keek over haar schouder naar Penny. Ze zat onder de lamp in de woonkamer en legde een zoom in een lelijk grijs uniform. Penny droeg nooit een uniform naar haar werk en bij dit lelijke pak hoorde bovendien een broek – iets wat Penny nooit droeg, zelfs niet in huis.

Opnieuw probeerde Esther zich op de muziek te concentreren, maar het lukte haar niet. Ze gaf een klap op het klavier en draaide zich met een ruk om naar Penny, die haar verschrikt aankeek. 'Mogen Peter en ik op zaterdag naar de film?'

'Morgen? Nou ja, ik was van plan om met een vriendin van mijn werk te gaan winkelen. Ik had gedacht dat je misschien zin had om mee te gaan, zodat we er een gezellig dagje uit van kunnen maken.'

'Nee, dank je. Ik ga liever naar de film.' Ze hoopte dat Penny niet zou vragen naar welke film, want Esther had geen idee. Toen ze eraan dacht dat ze met Jacky Hoffman – de nieuwe en aardigere Jacky Hoffman – uit zou gaan, begon haar hart sneller te kloppen, alsof ze aan het touwtjespringen was met een dubbel springtouw. Hij liep nu bijna iedere dag met hen mee naar huis en ze praatte graag met hem.

'Hoe laat begint de film?' vroeg Penny. 'Ik weet niet hoeveel tijd ik nodig zal hebben, maar ik kan proberen op tijd thuis te zijn, zodat ik je af kan zetten.'

'Dat hoeft niet. Peter en ik kunnen zelf gaan. Ik ben bijna dertien. En de bioscoop is maar een paar blokken verderop.'

'Ik weet het niet, Esther.'

'Bovendien gaan we met een paar kinderen van school.'

'Welke kinderen? Kent je vader ze?'

'Jazeker, ze wonen in het appartementencomplex hiernaast. Soms lopen we samen uit school naar huis.'

Penny antwoordde niet. Esther wilde weten wat Penny dacht, maar omdat ze niet helemaal de waarheid had gesproken, durfde ze Penny niet recht in de ogen te kijken. Haar moeder had het altijd onmiddellijk doorgehad als ze had gejokt.

'Ik denk dat ik het eerst aan je vader moet vragen,' zei Penny. 'Kun je niet tot een andere zaterdag wachten? Ik zal het hem vragen zodra hij thuiskomt. Dat is al over een paar dagen.'

'Hij vindt het echt niet erg als we gaan. Toen hij nog thuis was, gingen we bijna elke zaterdagmiddag naar de film.' Esther vermeldde er niet bij dat hij altijd met hen meegegaan was. 'En als je het te duur vindt, kunnen Peter en ik zelf voor de kaartjes betalen. We hebben geld gekregen van meneer Mendel voor de klusjes die we voor hem hebben gedaan.'

'Ik weet het niet.'

Esther voelde dat ze haar geduld begon te verliezen, maar bedacht dat het in haar nadeel zou werken als ze tegen Penny uit zou vallen. Oma Shaffer had ooit tegen haar gezegd: *Je kunt meer vliegen vangen met honing dan met azijn.'* Esther had niet begrepen wat ze had bedoeld, totdat oma het haar had uitgelegd. Ze besloot om nu de 'honingaanpak' te proberen. 'Alsjeblieft, Penny. Je hoeft je plannen toch niet alleen voor ons om te gooien? De bioscoop is dichterbij dan de school en daar lopen we iedere dag zonder jou naartoe. Alsjeblieft.'

'Nou ja…'

'Dank je wel, Penny. We zullen extra hard werken en ervoor zorgen dat we klaar zijn met onze taken voordat we gaan.'

'Maar ik…'

'En ik beloof dat we ze zonder te klagen zullen doen.' Ze gaf Penny een kushandje voordat die de tijd had om te protesteren en vloog de trap op om Peter het goede nieuws te vertellen. Hij zat als een oud mannetje met een bleek en zorgelijk gezicht in elkaar gedoken op zijn bed.

'Hé, Peter, raad eens! Van Penny mogen we morgenmiddag naar de film.'

Peter leek nog meer in elkaar te krimpen, alsof hij onder de dekens wilde kruipen en zich verstoppen. Ze voelde een steek van angst en wilde hem door elkaar schudden totdat hij weer normaal deed.

'Ik trakteer, hoor. Het wordt vast leuk.'

Hij pakte de kleine lei die hij soms gebruikte om te communiceren en schreef: *In ons eentje? Zonder papa?*

'Jacky Hoffman heeft gezegd dat hij met ons mee zal gaan.' Ze voelde dat ze bloosde toen ze zijn naam hardop uitsprak en eraan dacht hoe leuk hij eruitzag. 'Op zaterdagochtend bezorgt hij altijd boodschappen, maar voor de middagvoorstelling is hij klaar met zijn werk. Misschien gaat zijn broer Gary ook wel mee.' Toen hij de naam van de broers Hoffman hoorde, begon Peter heftig nee te schudden. 'Wat is er aan de hand? Waarom schud je je hoofd zo hard?'

Peter schreef op de lei: *Niet met die twee.*

'Waarom niet? Jacky heeft het voor je opgenomen op school.

Daarom plagen de andere kinderen je niet meer. Hij is de laatste tijd toch heel aardig tegen ons geweest? Iedere dag loopt hij met ons mee naar huis.'

Peter bleef zijn hoofd schudden, terwijl hij naar de lei wees: *Niet met die twee.*

'Af en toe maak je me zo boos! Ik heb zo veel moeite moeten doen om Penny om te praten en nu wil je niet meegaan? Ze laat je niet alleen thuis achter en ik denk niet dat je zin hebt om met haar te gaan winkelen.'

Peter liet zijn schouders verder hangen en bleef koppig zijn hoofd schudden.

'Houd daarmee op! Je kunt niet je hele leven stomme stripboekjes blijven lezen op je kamer. Ik wil naar de film en jij gaat met me mee, of je het nu wilt of niet.'

Hij draaide zich om en tilde zijn stripboek op om zijn gezicht te verbergen. Opnieuw dacht Esther aan de 'honingaanpak'. 'Alsjeblieft, Peter? Wil je dit voor me doen? Ik word er zo moe van om iedere zaterdag in dit appartement opgesloten te zitten. Jij niet? Wil je ook niet even ontsnappen en naar de film gaan, zoals we altijd met papa deden?' Ze wachtte, maar Peter antwoordde niet. 'Alsjeblieft? Dan zal ik de hele week de afwas voor je doen… en ik zal je ook laten luisteren naar welk radioprogramma je ook wilt.'

Ten slotte liet hij zijn stripboek zakken en schreef: *Oké, maar alleen wij tweeën.*

Esther had hiermee kunnen instemmen, maar dat wilde ze niet. Ze was verbaasd hoe graag ze met Jacky wilde gaan. Het voelde zo volwassen aan. En het was prettig om zich volwassen te voelen. Spannend. Hij had haar 'schoonheid' genoemd.

'Ik heb Penny beloofd dat we er met andere kinderen naartoe zouden gaan. Ze zal ons nooit alleen laten gaan. Bovendien is Jacky veranderd, nu hij een bijbaantje na school heeft. Ik meen het. Alsjeblieft, Peter? Alsje-alsjeblieft?'

Toen hij eindelijk ja knikte, kon ze hem wel omhelzen.

Die zaterdagochtend werkte Esther extra hard om haar werk op tijd af te hebben. Penny had haar gevraagd om een paar extra klusjes te doen, omdat ze ervoor wilde zorgen dat het appartement er extra netjes uitzag als hun vader die maandag thuiskwam. Toen de tijd naderde om naar de bioscoop te gaan, was Esther bang dat Peter zich zou bedenken. Ze zag zijn tegenzin in iedere beweging die hij maakte, toen hij langzaam zijn jas aantrok en achter haar aan naar buiten liep, waar Jacky en Gary op hen stonden te wachten. Esthers hart bonkte zo hard toen ze langs het ene huizenblok naar de bioscoop liepen dat ze nauwelijks genoeg adem had om te praten.

Voor hen stonden twee tieners hand in hand in de rij om een kaartje te kopen. Esther wist dat het stelletje waarschijnlijk boven op het balkon zou gaan zitten. Zou Jacky dit als een afspraakje zien als ze hem voor haar zou laten betalen? Zou hij proberen haar hand vast te houden of een kus van haar te stelen? Het voelde heel volwassen om een vriendje te hebben. Maar Esther wist niet zeker of ze al zo volwassen wilde zijn.

'Peter en ik kunnen voor onszelf betalen,' zei ze, toen ze aan de beurt waren. Snel duwde ze genoeg munten door de gleuf om voor hen beiden te betalen.

'Mij best,' zei Jacky, terwijl hij zijn schouders ophaalde. Maar eenmaal binnen ging hij naast haar zitten en deelde hij zijn doosje snoepjes met haar. Peter zat naast Esther en leek woedend. Dat was dan jammer. Voor deze ene keer was ze blij dat hij niet kon praten. Op die manier kon ze hem gemakkelijker negeren. Zelfs als Peter haar een briefje zou schrijven, zou ze het niet kunnen lezen in de donkere zaal.

Eerst werd het bioscoopjournaal uitgezonden met tanks die door een woestijn reden, vliegtuigen die laag overvlogen en een gigantisch groot schip met honderden soldaten aan boord die allemaal wuifden terwijl ze wegvoeren. De tranen sprongen Esther in de ogen toen ze de beelden zag. Binnenkort zou haar vader misschien een van die mannen zijn en wegvaren naar een gevaarlijk gebied waar oorlog werd gevoerd.

Nadat ze al die soldaten had zien vertrekken, vond Esther de tekenfilmpjes helemaal niet grappig meer. Ze gingen allemaal over de oorlog en zelfs Donald Duck marcheerde weg om te gaan vechten. Toen volgde de wekelijkse serie *Masked Marvel*, waarna de eerste film begon. Jacky gooide zijn lege snoepdoosje op de grond en legde zijn arm om de rugleuning van Esthers stoel. Opnieuw bonkte haar hart alsof ze een poosje met een dubbel springtouw had gesprongen, hoewel hij zijn arm niet om haar schouder sloeg.

Even kon Esther zich laten meevoeren door de twee films – de ene met Judy Garland en de andere met Abbot en Costello – maar de middag was veel te snel voorbij. De lichten gingen aan, de droomwereld loste op en ze was terug in de bioscoop met de kleverige vloeren, de versleten fluwelen bekleding en uitgedroogde popcorn die onder haar schoenen knisperde. Alleen sprookjes liepen goed af.

Ze liepen de bioscoop uit en knipperden met hun ogen tegen het felle daglicht. Op de terugweg kwam Jacky een paar keer heel dicht naast Esther lopen, zodat hun schouders elkaar raakten. Ze vermoedde dat hij het met opzet deed en dit gaf haar een opgewonden gevoel. Toen ze bijna thuis waren, haastte Peter zich voor hen uit en verdween om de hoek. Ze liet hem gaan. Esther begreep niet waarom hij zo raar deed, bijna alsof hij jaloers was dat ze naast hem nog een ander vriendje had. Dat was dan jammer. Hij kon er beter maar alvast aan wennen dat ze ouder werd en niet altijd alles samen met hem wilde doen.

Ze liepen de hoek om en de uitgebrande synagoge doemde voor hen op – een grimmige hoop verbrande stenen en vervormde balken. Esther kon maar niet wennen aan de afschuwelijke aanblik ervan. Hoewel ze waren begonnen het puin te ruimen, deed het gebouw haar denken aan de gebombardeerde ruïnes op de foto's van meneer Mendel.

'Denk je dat de synagoge er ooit weer zoals voor de brand zal uitzien?' vroeg ze.

'Ben je gek! Ik hoop dat ze alles afbreken en een sportveld van het terrein zullen maken.'

'Waar moeten de Joodse mensen dan bidden?'

'Dat zal niemand een zorg zijn. Deze buurt kan wel een mooi park gebruiken – en minder Joden.'

Zijn harde woorden verbijsterden haar. Plotseling leek hij weer op de oude Jacky Hoffman.

Toen grijnsde hij ondeugend en gaf haar een duw tegen haar arm. 'Ik maak maar een geintje, hoor.'

Ze bleven voor de trap van haar appartementencomplex staan. Ze waren alleen. Peter was naar binnen gegaan en Jacky's broer was ook verdwenen. Normaal gesproken had Esther genoeg stof tot praten, maar vandaag kon ze niets bedenken. Enkele ogenblikken lang zeiden ze geen van beiden een woord. Esther hoorde het gezoem van het verkeer achter het volgende huizenblok. Waarom wist ze niet wat ze moest zeggen?

'Eh… wat vond je van de films?' vroeg ze ten slotte.

'Niet slecht. Het bioscoopjournaal vond ik nog het beste. Jongens, wat zou ik het gaaf vinden om piloot te zijn en een paar bommen op die gele Jappen te gooien.' Hij greep naar een denkbeeldige stuurknuppel en imiteerde het geluid van naar beneden duikende vliegtuigen en ontploffende bommen. Daar was hij nog steeds mee bezig toen meneer Mendel de hoek om kwam en hun tegemoet liep. Esther zwaaide naar hem, toen ze hem aan zag komen.

'Hallo, meneer Mendel.'

'Goedemiddag, Esther.'

Er verscheen een harde uitdrukking op Jacky's gezicht toen meneer Mendel langs hem liep. 'Praat je altijd met *smouzen*?' vroeg Jacky nadat meneer Mendel naar binnen was gegaan.

Esther wist niet wat smouzen waren, maar door het lelijke gezicht dat Jacky had getrokken toen hij het woord er had uitgegooid wist ze dat het niet positief was. 'Meneer Mendel is onze huisbaas.'

'Voor mij is hij gewoon een vieze, oude smous.'

De popcorn en de snoepjes die Esther had gegeten, lagen zwaar op haar maag. Opnieuw hinkte ze op twee gedachten. Ze vond meneer Mendel heel aardig en ze wilde hem verdedigen, maar Jacky Hoffman was ook haar vriend. Plotseling leek de dag vaal en verschoten, net als versleten kleding die te vaak was gewassen.

'Nou, ik moet nu gaan,' zei ze. 'Bedankt dat je met me mee naar de film bent gegaan.'

'Dat moeten we vaker doen.'

Esther aarzelde. Zou ze meneer Mendel daarmee verraden? Maar de opwinding om zo'n knappe vriend als Jacky Hoffman te hebben was sterker.

'Ja, dat moeten we doen.'

'Tot ziens.' Jacky stak zijn hand even op en huppelde weg alsof het trottoir op springveren rustte.

Het was heel stil in het appartement toen Esther binnenkwam. Penny was nog niet thuis en Peter had zich waarschijnlijk weer in zijn holletje teruggetrokken. Esther sjokte de trap naar de tweede verdieping op en bleef voor de deur van Penny's slaapkamer staan. Nee, niet Penny's slaapkamer. Het was die van papa en mama. De deur stond open en ze ging naar binnen om het fotoalbum van haar moeder in de kast van haar vader te zoeken. Esther wist dat ze niet mocht snuffelen in andermans spullen, maar dat kon haar niet schelen. Ze vond het album op de plank naast de hoed die haar vader iedere zondag naar de kerk droeg. Esther ging in kleermakerszit op de grond zitten om erdoorheen te bladeren. Door een floers van tranen bestudeerde ze het gezicht van haar moeder. Ze miste haar zo erg. Op de zwart-witfoto's kwamen de diepe, bruine kleur van haar moeders haar en haar groenbruine ogen niet tot hun recht. Ze herinnerde zich dat meneer Mendel een paar dagen geleden naar de familie van haar moeder had geinformeerd en plotseling wilde Esther alles over hen weten.

Het album begon met foto's van haar vader en moeder, toen ze nog jong waren en er heel gelukkig uitzagen. Op bijna iedere foto stonden haar ouders hand in hand of gearmd, waaraan je kon zien dat ze bij elkaar hoorden. Op een paar foto's stonden ze in de achtertuin van oma Shaffer naast een tafel waarop veel eten stond. Haar moeder had verteld dat deze foto's waren genomen op de dag dat Esthers vader en zij waren getrouwd.

Esther zag foto's van haar ouders in zwemkleding op het strand en van haarzelf als baby. De tranen stroomden over haar wangen toen ze zag hoe gelukkig haar moeder keek met Esther in haar armen. Ze draaide de bladzijde om en zag haar moeder met Esther aan haar hand op de stoep voor hun gebouw staan. Een deel van de synagoge was zichtbaar op de foto en dat maakte haar ook verdrietig. Waarom moest alles veranderen?

Ze draaide de volgende bladzijde om en zag foto's van Peter, waaronder eentje waarop Esther hem vasthield. Haar moeder zat met een grote glimlach naast hen. Ze was altijd zo blij. Op een andere foto zat haar moeder glimlachend achter de piano. Esther herinnerde zich de dag dat haar vader deze foto had gemaakt. Hij had de piano als verrassing voor haar moeders verjaardag gekocht. Oom Steve en oom Joe hadden hem geholpen het zware ding naar boven te sjouwen.

'*Er zit niets anders op dan voorgoed in dit appartement te blijven wonen,*' had haar vader gegrapt, '*omdat ik die verdraaide piano niet nog een keer wil verhuizen.*' Ook haar vader glimlachte op bijna iedere foto. Esther was bijna vergeten hoe zijn glimlach eruitzag.

Er waren foto's van een paar uitstapjes die ze samen hadden gemaakt: een dagje naar Coney Island, een boottocht over de rivier, een middag in een attractiepark. Er waren foto's van oma Shaffer en de twee broers van haar vader, oom Jo en oom Steve. Trouwfoto's van oom Steve en tante Gloria. Maar tussen alle foto's kon Esther er geen enkele vinden van haar moeders familie. Iedereen had toch familie? Was haar moeder een weeskind?

De voordeur sloeg dicht. 'Ik ben thuis,' riep Penny. 'Esther? Peter?'

'We zijn boven,' riep ze, waarna ze naar haar eigen kamer rende en op haar bed neerplofte. Peter zat een stripboek te lezen en de laatste snoepjes van de film te eten. Esther hoorde Penny de trap op komen, pakte snel een boek en deed net alsof ze las.

'Hoe was de film?' vroeg Penny in de deuropening.

Haar stem klonk als die van Penny, maar toen Esther naar de persoon keek die daar stond, was het Penny Goodrich helemaal niet! Haar haar, dat ze altijd in een paardenstaart had gedragen, was op schouderlengte afgeknipt en hing in golvende lokken om haar gezicht. Er was ook iets met haar wenkbrauwen gebeurd. Vroeger deden ze Esther altijd aan rupsen denken, maar nu waren ze dun en rond zoals die van Betty Grable. Penny had lippenstift op. En ze droeg echte schoenen in plaats van omaschoenen. Ze zag er als een heel ander mens uit, alsof ze eindelijk haar halloweenkostuum van sjofel geklede oude vrijster had uitgetrokken en er weer als haar jongere ik – vele jaren jonger – uitzag. Als je Penny niet kende, zou je bijna zeggen dat ze knap was.

'Wat heb je met je haar gedaan?' vroeg Esther. Haar vraag klonk onvriendelijker dan dat ze het bedoelde. Penny leek kleiner te worden als smeltende boter. En daar was ze weer, de oude Penny Goodrich, niet de nieuwe.

'Eh, ik had gewoon zin in iets anders. Mijn vriendin Sheila zei dat ik, omdat ik binnenkort een nieuwe baan krijg, iets aan mijn haar moest doen. Om voor de verandering eens iets nieuws te proberen, snap je?' Ze zweeg en glimlachte onzeker, terwijl ze over haar haar streek. 'Vind je... het leuk?'

'Het gaat wel.' Esther haalde haar schouders op en ging verder met lezen. Ze wist niet waarom, maar de verandering in Penny maakte haar ziedend. Misschien omdat het de zoveelste verandering in Esthers leven was en ze daar genoeg van had. Hoe zou ze haar oude leven ooit terugkrijgen als niets bleef zoals het was?

18

Penny besloot om zich niet te laten ontmoedigen door Esthers reactie op haar nieuwe kapsel. Het was leuk geweest om te winkelen met haar vriendin Sheila. En om naar de kapper te gaan. Toen de kapster haar stoel had rondgedraaid en Penny voor het eerst in de spiegel had gekeken, had ze zichzelf niet herkend. Met een duizelig, onwezenlijk gevoel was ze op haar nieuwe schoenen naar huis gewandeld. Toen had ze de fout begaan om Esther naar haar mening te vragen. Penny had het gevoel dat ze een reusachtig grote kauwgombel had geblazen die vervolgens uit elkaar was gespat en een kleverige, vieze laag op haar gezicht had achtergelaten.

Ze bracht haar aankopen naar Eddies slaapkamer – haar slaapkamer – om ze uit te pakken. Haar nieuwe jurk had ze naar huis gedragen. Misschien zou ze die morgen ook naar de kerk aantrekken. Ze had al haar bonnen gebruikt om de schoenen te kopen, maar ze waren het waard geweest. De hakken waren niet zo'hoog als die van Sheila, maar toch waren de schoenen heel elegant. Penny had ook een grijs pakje gekocht en een lichtblauwe bloes, die ze maandag naar het station zou dragen, als ze Eddie ging afhalen.

En Sheila had Penny overgehaald om haar wenkbrauwen te laten epileren in de schoonheidssalon. Haar ogen hadden getraand van de pijn, maar wat een verschil! De lijntjes boven haar ogen leken niet meer op de borstelige, woeste wenkbrauwen van haar vader. Na de schoonheidssalon was Penny met Sheila naar Woolworth gegaan om wat make-up te kopen: rouge van het merk Tangee om haar wangen roder te maken, mascara van

Maybelline voor haar wimpers en koraalrode lippenstift van Max Factor om haar lippen bij te kleuren. Voor de eerste keer in haar leven had Penny zich een vrouw gevoeld.

'Ik ben vrijwilligster bij de USO, de *United Services Organizations*. Je moet eens een keer met me meegaan,' had Sheila tegen haar gezegd toen ze na het winkelen in een restaurantje cola en een stuk kersentaart hadden besteld. 'Het is zo leuk daar. In het weekend organiseren ze dansavonden. Je komt er een hoop aardige mannen tegen. De militairen komen uit heel Amerika.'

'Maar je bent getrouwd. Vindt je man het niet erg als je zonder hem gaat dansen?'

'Hij kan moeilijk van me verwachten dat ik als kluizenaar leef als hij weg is. Bovendien schenk ik alleen maar koffie en praat ik met de jongens. Misschien dans ik met een of twee mannen, maar daar blijft het bij. Die arme jongens zijn ver van huis en ze zijn eenzaam en bang. Ze staan op het punt om ik weet niet waarheen uitgezonden te worden. Dansen met een leuk meisje is goed voor het moreel. Zou jij het niet fijn vinden als je wist dat iemand je vriendje, nu hij ver van huis is, wat afleiding bezorgde?'

'Nee,' antwoordde Penny terwijl ze een slokje cola nam. 'Ik denk dat ik een beetje jaloers zou zijn.'

'O, maar het is heel anders dan je denkt.' Sheila's diamant fonkelde terwijl ze met haar hand wuifde. 'Kom maar eens mee en je zult zien wat ik bedoel. De meeste mannen hebben vrouwen of verloofdes thuis. Het is allemaal heel onschuldig.'

Penny zag hoe haar vriendin in haar taart prikte en voorzichtig een stukje naar haar mond bracht. Ze wenste dat ze even vrouwelijk was als Sheila. Vergeleken met haar voelde Penny zich heel lomp – een zwoegende muilezel naast een ranke hinde. 'Ik kan niet eens dansen,' verzuchtte ze.

'Dat hoeft ook niet. Bij de USO hebben ze altijd vrijwilligers nodig om koffie en donuts te serveren. Of om een praatje te maken met de jongens.'

'Ik kan wel goed praten.'

'Dat is zeker zo,' lachte Sheila. 'Het is echt heel leuk, Penny. Bovendien doe je iets goeds voor je vaderland. En als je zou willen leren dansen, dan kan ik je wel helpen. Kijk eens naar jezelf! Je bent een heel ander mens met je nieuwe jurk, kapsel en schoenen. Waarom zou je ook niet leren dansen?'

Penny glimlachte. Het idee om iets goeds voor haar vaderland in oorlogstijd te doen, beviel haar wel. Maar praten met een groep vreemden? Haar moeder zou razend zijn. 'Ik zal erover nadenken,' zei ze tegen Sheila.

'Goed. We kunnen samen gaan. En als ik je leer dansen, kun je met je vriend gaan dansen als hij thuiskomt. Ik weet zeker dat hij dat leuk zou vinden.'

Penny had geen idee of Eddie van dansen hield.

Ze had een heerlijke dag gehad, maar Esthers onverschillige reactie had haar stemming bedorven. Penny trok haar nieuwe jurk en schoenen uit en borg ze op in haar kast. Ze hing haar nieuwe pakje en bloes op en trok haar oude jurk en degelijke schoenen weer aan. Toen ging ze aan de kaptafel zitten die ooit van Eddies vrouw was geweest en legde haar nieuwe make-up erop. Ze was niet vergeten wat Roy had gezegd en had ook een flesje parfum gekocht.

Penny bekeek zichzelf in de spiegel en vond het bijna griezelig om een andere persoon voor zich te zien. Maar toch glimlachte ze naar haar spiegelbeeld. Wat ze zag, beviel haar wel.

Op zondagochtend werd Penny vroeg wakker. Ze was veel te opgewonden om te slapen. Morgen zou Eddie thuiskomen. Ze wekte de kinderen en zorgde ervoor dat ze op tijd klaar waren voor de zondagsschool. Toen ze op de bus stapten om naar de kerk te gaan, ontdekte Penny tot haar grote vreugde dat haar vriend Roy Fuller voorin zat. Eerst leek hij haar niet te herkennen en vervolgens werden zijn ogen groot van verbazing, alsof ze zo uit zijn hoofd konden vallen. Met een brede grijns op zijn gezicht bekeek hij haar van top tot teen.

'Wauw, je hebt mijn advies opgevolgd. Je haar zit anders en… alles is anders. Je ziet er geweldig uit, Penny. Net als een filmster.' Ze zag de bewondering in zijn ogen en hoopte dat Eddie net zo zou reageren.

'Dank je wel, Roy. Ik heb gedaan wat je me had aangeraden.' Ze ging naast hem zitten, terwijl de kinderen achter in de bus, waar ze altijd graag zaten, een plek vonden. 'Ik heb deze jurk gekocht en ook een nieuw pakje. Van nu af aan zal ik een uniform naar mijn werk dragen – een mannenuniform maar liefst – en daarom wilde ik mezelf trakteren op iets nieuws en vrouwelijks.'

'Betekent dit dat je de baan hebt gekregen die je graag wilde hebben?'

'Nog niet, maar ik ben halverwege. Ik begin binnenkort met rijlessen en als ik voor alle examens ben geslaagd, mag ik een bus zoals deze besturen.'

'Je meent het. Een knap meisje als jij als buschauffeur?'

Ze knikte. Door zijn compliment sprongen de tranen in haar ogen en ze beet op haar lip om ze te bedwingen.

'Goed zo, Penny! Ik heb wel eens met een pick-up gereden, maar nog nooit een bus bestuurd.'

'Ik ben geslaagd voor het theorie-examen en heb een voorlopig rijbewijs gekregen. Nu oefenen we buiten op de parkeerplaats in een oude bus met schakelen en koppelen. Het let allemaal heel nauw, want anders begint de bus bokkensprongen te maken als een halfwild paard.'

Roy lachte. 'Ik heb een paar van dat soort busritten meegemaakt.'

'Ik ook. De instructeur zegt dat je geduldig moet zijn en de koppeling langzaam moet laten opkomen. Hij zegt dat de meeste jonge mensen te veel haast hebben en dat je geduld moet hebben voor het besturen van een bus. Maar geloof me, ik ben heel geduldig. Ik heb mijn hele leven doorgebracht met ouders die mijn grootouders hadden kunnen zijn en nooit haast hebben. Ze doen overal uren over. Bovendien ben ik veel te bang om het gaspedaal helemaal in te drukken om te zien hoe snel de bus kan optrekken.'

'Ik wilde dat ik je eens kon zien rijden,' zei hij lachend. 'Volgens mij zie je er heel leuk uit achter dat grote stuur.' Penny bloosde, maar moest ook lachen. Roy was zo gemakkelijk in de omgang, net als haar vriendin Sheila.

'Over sturen gesproken,' ging ze verder, 'onze instructeur had een rij tonnen op de parkeerplaats neergezet waar we omheen moesten slalommen zoals op een hindernisbaan. Tot nu toe heeft mijn vriendin Sheila er drie omvergereden, maar ik heb er nog niet één geraakt. We hebben geleerd om vooruit te denken en al beginnen te sturen voordat we bij de ton zijn aangekomen, omdat het even duurt voordat een groot en log voertuig als een bus begint te draaien. Maar zoals ik net al zei, heb ik ervaring opgedaan bij mijn ouders. Je moet al lang van tevoren beginnen te plannen om ze de andere kant op te sturen.'

'Je bent een echte comédienne, Penny. En zo te horen heb je al een heleboel geleerd.'

'De instructeur heeft gezegd dat ik het heel goed doe. Ik moet nog wat meer oefenen en mag dan rijexamen doen.'

'Je vriend zal wel trots op je zijn.'

Haar glimlach verdween. 'Ik heb Eddie nog niet over de opleiding verteld.'

'Waarom niet?'

'Ik was bang dat ik voor het examen zou zakken en mijn baan achter het loket weer zou terugkrijgen. Ik wilde niet dat hij het zou weten.'

'Nou, maar als je je rijbewijs haalt, dan moet je het zeker gaan vieren.'

'Ik kan me niet meer dan een hotdog bij een kraam veroorloven,' lachte ze. 'Ik heb al mijn geld aan mijn haar, kleren en schoenen uitgegeven.'

'Het was iedere cent waard. Je ziet er prachtig uit.'

Ze voelde dat haar wangen steeds meer begonnen te gloeien. Als Roy haar complimentjes zou blijven geven, dan had ze haar nieuwe rouge helemaal niet meer nodig. Ze besloot van onderwerp te veranderen. 'Hé, ik heb de hele tijd over mezelf zitten ratelen en je niet eens gevraagd hoe je verlof is geweest. Hoe is het met Sally gegaan?'

Roy keek de andere kant op. 'Nou ja, niet echt zoals ik had gepland. De vader van Sally haalde een streep door mijn plan om de hele nacht te gaan dansen, laat staan om naar het meer van Scranton te gaan om de zon te zien opkomen. Ze woont nog bij haar ouders en moet 's avonds voor een bepaalde tijd thuis zijn.'

'Dat zou mijn vader ook hebben gedaan. Hij is heel streng. Maar dat wil niet zeggen dat Sally niet van je houdt.'

'Ik weet het. We hebben samen een fantastische tijd gehad, maar de avond was veel te snel voorbij. Nu mis ik haar meer dan ooit. Zeg, komt jouw vriend ook niet binnenkort naar huis?'

'Morgen.' Penny huiverde van opwinding bij het idee. 'Ik weet nu al dat de tijd veel te snel voorbij zal gaan voor Eddie en mij.'

'Mag ik je om raad vragen, Penny?'

'Natuurlijk.'

'Sally heeft me verteld dat ze, behalve met mij, ook met drie andere militairen correspondeert. Ze zegt dat ik me er geen zorgen over hoef te maken. Het zijn geen vriendjes. Ze zegt dat ze met hen te doen heeft en dat ze het alleen maar doet omdat post van het thuisfront goed zou zijn voor het moreel. Ik klink niet graag als een jaloerse vriend, maar... dat ben ik wel.'

'Luister, Sheila, een vriendin die ik via mijn werk ken, is getrouwd met een matroos, maar ze gaat ieder weekend naar de dansavonden van de USO om de militairen op te vrolijken en het moreel hoog te houden. Volgens haar is het allemaal heel onschuldig.'

'Echt waar? En ze is getrouwd?'

Penny knikte. 'Hoor eens, jij en ik zijn toch ook vrienden? We praten heel veel met elkaar zonder bijbedoelingen. Misschien is dat precies wat Sally in haar brieven doet: gewoon praten zoals jij en ik met vrienden die toevallig mannen zijn.'

'Je zult wel gelijk hebben.' Hij zweeg even en speelde met de knoop van zijn uniform. 'Wat me vooral dwarszit, is dat deze vrienden met wie ze schrijft, allemaal in overzeese gebieden zijn gestationeerd. Ik ben bang dat Sally hen moediger vindt dan mij, omdat er daar tenminste gevochten wordt, terwijl ik rustig hier in Brooklyn zit.'

'Jouw werk is ook heel belangrijk. Stel je voor dat er saboteurs op de marinewerf zouden binnendringen. Ik voel me een stuk veiliger nu ik weet dat niet al onze soldaten in het buitenland zijn. We hebben toch ook mensen nodig om het thuisfront te beschermen?'

'Ja, daar zit wat in. Bedankt.' Opnieuw zag ze de bewondering in zijn ogen toen hij haar aankeek. 'Je ziet er heel mooi uit, Penny. Ik herkende je helemaal niet. Neemt Eddie je mee uit eten als hij thuiskomt?'

'Ik denk het niet.' Ze wierp een blik over haar schouder om zich ervan te vergewissen dat de kinderen hen niet konden horen. 'We moeten aan de kinderen denken. Hij wil ze niet alleen laten na zo lang van huis geweest te zijn. En ze zullen hem geen minuut met rust laten – al helemaal niet om uit te gaan met mij.'

'Maken ze je het leven nog steeds zuur?'

'Ja. Ik wilde dat ik wist hoe ik hun genegenheid kon winnen. Afgelopen zaterdag heb ik ze met hun vrienden naar de film laten gaan, maar dat heeft ook niet geholpen. Misschien is het niet meer dan normaal dat ze de plaats van hun moeder door niemand anders willen laten innemen.'

'Hé, ik weet wat! Waarom kook je niet iets heel lekkers voor Eddie als hij thuiskomt. Na wekenlang kazernevoedsel te hebben gegeten, weet ik zeker dat hij zal genieten van een lekkere maaltijd. Wat lust hij graag?'

'Eh… dat weet ik eigenlijk niet. Maar vandaag ga ik na de kerk bij zijn moeder langs, dus kan ik het haar vragen.' Ze boog zich naar hem toe en fluisterde: 'Ik durf de kinderen niet te vragen wat hij graag lust, omdat ze me voor de gek zullen houden en me wijsmaken dat hij dol is op kalfslevertjes, terwijl hij ervan moet kokhalzen.'

'Zouden ze dat echt doen?' vroeg Roy lachend.

'Daar zie ik ze wel voor aan. Hé, ik moet gaan. Dit is onze bushalte. Maar luister eens, Roy. Ik zou er niet over inzitten dat Sally met die andere jongens correspondeert. Ze zou gek zijn om zo'n leuke vent als jij te bedriegen.'

'Bedankt. Ik hoop dat Eddie en jij samen een leuke tijd zullen hebben.'

'Dat hoop ik ook.'

Penny bracht Esther en Peter na de kerkdienst naar het huis van hun oma. Terwijl de kinderen met de hond in de tuin rondrenden, vroeg ze mevrouw Shaffer of ze zin had de volgende dag met hen mee te gaan naar het station om Eddie af te halen. 'Ik zou u direct na mijn werk op kunnen halen en u zou met de kinderen en mij naar het station kunnen gaan. Ik weet al welke bussen en metro's we moeten nemen naar het centraal station.'

'Helemaal naar Manhattan?' Mevrouw Shaffer schudde haar hoofd net zoals Peter altijd deed. 'Nee, dat gaat niet. Te veel lopen, te veel bussen. Zo'n reis zou me de das omdoen.'

Dit zou ook Penny's eerste reis naar Manhattan zijn. Ze hoopte dat mevrouw Shaffer het niet aan haar ouders zou vertellen. Haar moeder zou een hartverzakking krijgen.

Plotseling herinnerde Penny zich Roys suggestie. 'Morgenavond wil ik iets lekkers koken voor Eddie om hem te verwelkomen. Wat lust hij graag?'

'Kip en knoedels. En varkenskarbonade met zuurkool. Rosbief met aardappelpuree en jus. Maar ik wens je veel succes met het vinden van een stuk goed vlees, tenzij je een paar extra voedselbonnen kunt bemachtigen.'

'Ik weet het. Nou, dank u wel voor uw advies. Tot later.' Penny zwaaide haar gedag en liep via de kleine tuin naar de woning van haar ouders. Door alle opwinding over Eddies thuiskomst was ze vergeten hoe ze eruitzag, totdat ze haar spiegelbeeld in het raam van de achterdeur ontwaarde. Haar buurvrouw had niets gemerkt, maar dat zouden haar ouders wel doen. Ze bleef even staan om de laatste restjes lippenstift en rouge van haar gezicht te vegen en ging zenuwachtig naar binnen.

'Hoi, ik ben thuis.'

Haar moeder zat aan de keukentafel en plakte spaarzegels voor oorlogsaandelen in een boekje. Ze keek op en als je afging op de uitdrukking op haar gezicht, zou je denken dat Penny een monsterlijk halloweenmasker droeg.

'Wat heb je met je haar gedaan? En die kleren! Je bent een echte sloerie aan het worden.'

'Zo zien meisjes er tegenwoordig uit.'

'Nou, je moet veel voorzichtiger zijn. Je bent anders dan andere meisjes.'

Penny had deze woorden haar hele leven gehoord, maar nu vroeg ze zich af wat de diepere betekenis ervan was. Was ze anders, omdat ze geadopteerd was? Kende haar moeder een verschrikkelijk geheim over haar echte ouders? 'Hoezo ben ik anders dan andere meisjes, mama?'

'En die schoenen! Wat heb je met je eigen schoenen gedaan?'

'Niets. Die draag ik nog naar mijn werk. Maar het is zondag. Ik wilde iets nets aantrekken voor de kerk. Hoezo ben ik anders dan andere meisjes, mama?'

'Heb je die jurk naar de kerk aangehad? Je loopt erbij als een slet.'

'Ik ben geen slet.' Penny had niet meer dan een vaag idee wat het woord betekende. Omdat haar moeder blijkbaar niet van plan was om haar vraag te beantwoorden, besloot Penny op een ander onderwerp over te gaan. 'Eddie komt morgen thuis.'

'Goed. Zeg tegen hem dat jouw werk erop zit. Het is tijd dat zijn moeder de zorg voor die kinderen van je overneemt. We hebben je hier thuis nodig. Je bent bereid om Jan en alleman te helpen – wildvreemde mensen zelfs. Waarom wil je je eigen ouders dan niet eens helpen?'

Penny wenste dat ze de moed had om boos te worden en te antwoorden: '*Waarom zou ik naar huis komen? Zodat je me kunt vertellen dat ik zo dom ben als het achtereind van een varken en me een slet kunt noemen?*' Maar ze wist al hoe haar moeder zou reageren. Ze zou Penny ervan beschuldigen ondankbaar te zijn en haar voor de zoveelste keer vertellen hoeveel offers ze al deze jaren voor haar hadden gebracht.

Ze zag hoe haar moeder opstond van tafel en naar het fornuis slofte om in een pan met soep te roeren. Op dat moment leek ze een vreemde voor Penny. Doordeweeks lukte het haar aardig om niet aan het adoptiecertificaat te denken, omdat ze in beslag werd genomen door haar rijopleiding en de kinderen. Maar nu ze hier weer was, vloog het haar weer aan. Het kon toch niet waar zijn? Haar hele leven had ze het gevoel gehad dat haar ouders niet van haar hielden. Kwam dat omdat ze hun dochter niet was? Misschien had haar moeder nooit naar haar gekeken zoals andere moeders naar hun kind, omdat ze niet echt haar moeder was.

'De soep is klaar,' zei haar moeder, nadat ze die had geproefd. 'Ga je vader maar halen. Vandaag eten we in de keuken.'

Penny deed wat van haar werd gevraagd. Ze trof haar vader slapend in zijn stoel in de huiskamer aan, terwijl de Andrew Sisters een meerstemmig optreden op de radio gaven. Hij zag er nog ouder uit dan anders. Ze zag zijn borst rijzen en dalen, terwijl hij zachtjes snurkte. Hoe hadden haar ouders al deze jaren tegen haar kunnen liegen? Aan de ene kant wilde ze hen met haar ontdekking confronteren en eisen dat ze haar de waarheid vertelden. Aan de andere kant was ze bang om die te horen. Als ze hun dochter niet was, wie was ze dan wel?

Uiteindelijk kreeg Penny's angst de overhand. Ze durfde de confrontatie niet aan te gaan. Eerst zou ze naar het bevolkings-register gaan om erachter te komen of haar adoptiedossier ver-zegeld was. Misschien zouden ze er dan op het bureau achter komen dat er sprake was van een grote vergissing. Haar echte papieren waren op de verkeerde plek opgeborgen of per onge-luk met die van iemand anders verwisseld. Het had geen zin om haar ouders voor niets boos te maken.

'Hé, pa,' zei ze, terwijl ze zachtjes aan zijn schouder trok. 'We gaan eten.'

Hij opende zijn ogen en keek haar verbaasd aan. 'Penny? Wat heb je in vredesnaam met jezelf gedaan?'

19

Jacob zat aan zijn bureau krantenartikelen uit te knippen en luisterde ondertussen naar het nieuws op de radio. Toen hoorde hij voetstappen op de trap en even later werd er op de deur geklopt. Hij stond op om open te doen en verwachtte een van de kinderen te zien, maar in plaats daarvan stond de vrouw voor de deur die op de kinderen paste. Ze keek zo bedrukt dat hij het ergste vreesde.

'Het spijt me enorm dat ik u moet storen,' zei ze, 'maar ik zit met een probleem en weet niet wat ik moet doen. Eddie – de vader van de kinderen – komt vanavond thuis en ik wilde iets lekkers voor hem koken, omdat hij zo lang weg is geweest. Daarom ben ik in mijn lunchpauze de stad in gegaan om een lekker stuk vlees te kopen. Daarna moest ik de hele middag werken en nu is het tijd om naar het station te gaan, maar het vlees is nog niet gaar en…'

Jacob stak zijn hand op om haar te onderbreken. Hij was opgelucht dat er niets met de kinderen was gebeurd, maar ze praatte zo vlug dat hij haar nauwelijks bij kon houden. 'Kunt u alstublieft iets langzamer praten, juffrouw… Sorry, maar ik ben uw naam vergeten.'

'Goodrich. Penny Goodrich. Het spijt me. Als ik zenuwachtig ben, begin ik altijd te ratelen. Sorry.'

'Dat geeft niet. Wat kan ik voor u doen?'

'Ik wilde gewoon weten of u het goedvindt als ik de oven boven aan laat staan wanneer wij naar het station gaan om Eddie af te halen. Vanavond komt hij thuis. Het vlees is nog niet helemaal gaar, maar ik wil niet dat het hele gebouw afbrandt omdat ik de oven aan heb laten staan.'

'Als u wilt, mag u het naar beneden brengen en het in mijn oven zetten.'

'Weet u dat zeker?'

'Ja, heel zeker.'

'Dank u wel. Ik denk dat dit beter is dan het boven in de oven te laten staan terwijl er niemand thuis is. Denkt u ook niet? En om u voor de moeite te bedanken, mag u gerust een hapje mee komen eten. Er is meer dan genoeg.'

'U hoeft me niet te bedanken. Bovendien mag ik alleen vlees eten dat in een koosjere slagerij is gekocht.'

'O.' Ze keek zo gekwetst dat Jacob meteen spijt had van zijn opmerking. Maar zelfs al was het vlees koosjer geweest, dan nog had hij er moeite mee gehad om het familieweerzien op deze manier te verstoren. 'Ga het vlees maar halen. Dan zal ik het voor u in de gaten houden.'

'Dank u wel. Ik ben zo terug.' Voor de eerste keer glimlachte ze. Er was iets aan haar veranderd, maar hij wist niet precies wat het was. Misschien had hij de eerste keer dat hij kennis met haar had gemaakt, niet goed gekeken, maar vandaag zag ze er heel mooi uit. Had ze het voor Ed Shaffer gedaan?

Jacob kende zijn huurder niet zo goed, maar de man kon niet veel ouder zijn dan Avraham. Hoelang zou zijn verlof duren? Een week misschien? De kinderen zouden ieder vrij moment met hun vader willen doorbrengen en tegen de tijd dat hij weer was vertrokken, zou het gips van Jacobs arm gehaald zijn. Dan zou hij de hulp van de kinderen niet meer nodig hebben. Van nu af aan zou hij zijn huurders meer op afstand moeten houden. Hij had nooit zo gesteld op hen moeten raken. En nu dit weer. Hij moest hun vlees in zijn oven in de gaten houden. Wie weet wat ze hem de volgende keer zouden vragen?

Juffrouw Goodrich kwam even later met een hete braadpan waarom ze twee theedoeken had gewikkeld naar beneden. De geur deed Jacob watertanden. Hij ging haar voor naar de keuken en zette de oven voor haar aan.

'Heel hartelijk bedankt, meneer Mendel. Als we om zeven uur nog niet terug zijn, kunt u het vlees beter uit de oven halen.'

'Dat zal ik doen.'

Een paar minuten later hoorde hij de familie vertrekken en hij was blij voor hen. De kinderen hadden hun vader gemist. Hij ging weer aan zijn bureau zitten om naar de rest van het nieuws te luisteren. Iedere avond vergeleek hij de radioverslagen over de oorlog met de landkaarten die hij uit de krant had geknipt. Zelden hoorde hij iets over Hongarije, maar omdat er nu sprake was van een wereldoorlog, hadden gevechten in één land ook gevolgen voor andere landen. Hij spreidde de landkaarten op zijn bureau uit en traceerde de opmars van de geallieerden sinds ze een maand geleden Italië waren binnengevallen. Ze leken maar weinig verder gekomen te zijn. Hoelang zou het duren voordat ze Europa van deze gek hadden bevrijd?

Jacob had geen idee hoe laat het was toen er weer aan de buitendeur werd gebeld en hij in zijn overpeinzingen werd opgeschrikt. Waren zijn huurders weer thuis? Hadden ze hun sleutel vergeten? Hij liep de hal door en deed de deur open. Voor hem stonden twee mannen van middelbare leeftijd. Ze droegen allebei een hoed en een net pak met een stropdas. Hij ving een glimp op van een politieauto die voor het gebouw stond en had het gevoel een stomp in zijn maag te krijgen. De laatste keer dat de politie bij hem was langsgekomen, was toen ze hem hadden verteld dat Miriam Shoshanna was omgekomen bij een ongeval.

'Meneer Jacob Mendel?'

'Ja.' Zijn hart bonkte zo snel dat hij amper kon ademhalen.

'Ik ben rechercheur O'Hara en dit is rechercheur Flynn. We willen u vragen om even met ons mee te komen naar het politiebureau en een paar vragen te beantwoorden. Er staat buiten een auto klaar om u ernaartoe te brengen.'

'Naar het politiebureau? Waarom? Wat is de bedoeling?'

'We moeten u een paar vragen stellen over de brand aan de overkant. Inspecteur Dalton van de brandweer heeft de zaak aan ons overgedragen.'

'Sta ik onder arrest?'

'Moeten we dat doen? Hebt u een misdrijf gepleegd, meneer Mendel?'

'Natuurlijk niet. Ik vraag alleen maar wat de reden is dat ik naar het politiebureau moet meekomen. Als het alleen maar is om te praten, dan kan ik uw vragen hier wel beantwoorden.'

'We geven er de voorkeur aan dat u met ons meekomt. Op het bureau zullen we wel uitleggen waarom.'

Jacob kookte van woede, maar hij wist dat hij zich moest inhouden, omdat ze dit anders als bewijsmateriaal tegen hem zouden gebruiken. Terwijl hij erover nadacht wat hij moest doen, schoot hem ineens te binnen dat het vlees van zijn buren nog in de oven stond.

'Helaas kan ik niet met u naar het bureau meekomen. Ik ben bezig te koken en kan de oven niet aan laten staan. Maar als ik die uitzet, is het vlees bedorven. Komt u een andere dag maar terug.'

De twee mannen keken elkaar aan. 'Mogen we in dat geval,' zei O'Hara, 'binnenkomen en in uw huis verder spreken over de zaak?'

Wat kon Jacob doen? Als hij weigerde, zouden ze op een andere dag terugkomen. Was het niet beter om de zaak meteen af te handelen en erachter te komen wat ze van hem wilden? 'Goed. Komt u verder.' Ze zouden het vlees in zijn appartement ruiken en weten dat hij de waarheid had gesproken.

Rechercheur Flynn gebaarde naar de bank van Jacob. 'Gaat u zitten, meneer Mendel.'

'U wijst me een plaats in mijn eigen appartement?'

'Sorry, macht der gewoonte.' In plaats hiervan ging Flynn zitten, maar O'Hara bleef staan, alsof hij de deur bewaakte. Beide mannen lieten hun blik door de huiskamer glijden, terwijl Jacob de radio uitzette, op zijn bureaustoel ging zitten en zich naar hen toe draaide.

'Dit gaat dus over de brand?'

'Ja, ik zal er geen doekjes om winden,' zei Flynn. 'We denken dat u na uw ruzie met de rabbijn naar huis bent gegaan om een blik kerosine te halen, het in een papieren boodschappentas hebt gestopt en de synagoge in brand hebt gestoken. We denken dat u de rollen hebt gered, zodat uw vrienden zouden denken dat u een held bent – wat inderdaad het geval is.'

'Dat slaat nergens op. Toen ik met rebbe Grunfeld praatte, had ik die papieren boodschappentas ook al bij me. Mijn avondeten zat erin: een blik soep en een pak crackers. Vraag het hem maar.'

'Dat hebben we al gedaan. Hij beweert dat hij u een tas heeft zien dragen, maar weet niet wat erin zat. We weten dat u kerosine in uw appartement bewaart.'

'Maar dat doen honderden andere mensen in Brooklyn ook. Waarom valt u me steeds lastig? Waarom zou ik brandstichten?'

De twee mannen wisselden een blik van verstandhouding, alsof zij een geheim kenden waarvan Jacob niet op de hoogte was. Ze deden hem denken aan twee pestkoppen op het schoolplein die hun prooi omsingelden. 'Inspecteur Dalton van de brandweer heeft een aantal mogelijke motieven genoemd,' zei rechercheur O'Hara. 'We weten dat u vervreemd was van de gemeente. Hij denkt dat u weer bij de gemeente in de gunst wilde komen.'

'Dat is belachelijk. Rebbe Grunfeld heeft me herhaaldelijk uitgenodigd om de gebedsdiensten weer bij te wonen. Ik heb veel vrienden in de gemeente. Ik ben er altijd welkom.'

'Als dat zo is, waarom hebt u dan al langer dan een jaar geen enkele gebedsdienst bezocht?'

Jacob wilde hem vertellen dat dit hem niets aanging. Hij had er een hekel aan als mensen zich met zijn privéleven bemoeiden, helemaal als het twee arrogante rechercheurs waren. Maar hij was bang dat ze hem net zolang lastig zouden vallen totdat hij hun vragen beantwoordde. Hij schraapte zijn keel. 'Meer dan een jaar geleden is mijn vrouw bij een ongeluk om het leven gekomen. Sindsdien ben ik niet meer in de sjoel geweest, omdat ik geen zin meer had om te bidden.'

'U geeft dus toe dat u boos bent op God? Is er een betere manier om het Hem betaald te zetten dan door Zijn synagoge af te laten branden?'

Jacob onderdrukte een kreun. Door de waarheid te vertellen had hij het alleen maar erger gemaakt. Hij had beter zijn mond kunnen houden. Opnieuw schraapte hij zijn keel en probeerde zo kalm mogelijk te antwoorden: 'Zoiets zou ik nooit doen. Het zou een onvergeeflijke zonde zijn om al die heilige boeken te laten verbranden.'

'Luister. Vertel ons de waarheid zodat we de zaak verder kunnen regelen met de verzekering en uw mensen aan de slag kunnen gaan met de herstelwerkzaamheden.'

'Ik heb u de waarheid verteld. Ik heb de brand niet aangestoken.'

'Kunt u aan ons bewijzen dat u dat niet hebt gedaan?'

'Kunt u bewijzen dat ik het wél heb gedaan?'

'Nog niet, meneer Mendel. Maar dat zal niet lang meer duren.'

Jacob was nu heel boos. Hij had gedacht dat hij vrij was in Amerika, dat Joden niet meer zouden worden beschuldigd van ieder ongeluk. Waarom had hij anders zijn familie in de steek gelaten, duizenden kilometers gereisd en met moeite een nieuw bestaan opgebouwd, als de situatie hier hetzelfde zou zijn als in zijn oude vaderland?

Jacob kwam overeind. 'Ik heb verder niets meer te zeggen. U hebt me in mijn gezicht een leugenaar genoemd en me ervan beschuldigd een verschrikkelijke misdaad te hebben gepleegd. U kunt nu beter gaan.'

Rechercheur Flynn stond op en deed een stap in de richting van Jacob. 'We weten dat u de dader bent, meneer Mendel.'

'Hoe durft u!'

'Het is slechts een kwestie van tijd voordat we een doorslag-gevend bewijs vinden of zich een nieuwe getuige aandient. U zult voor uw misdaad boeten.'

'Wilt u alstublieft mijn huis verlaten?'

Met trillende handen van woede deed Jacob beide deuren achter hen dicht. Hij moest onmiddellijk naar rebbe Grunfeld gaan om de zaak recht te zetten. Hij pakte zijn hoed en jas uit de gangkast en liep de hal al in toen hij zich plotseling het vlees in de oven herinnerde. Hij ging zijn appartement weer binnen, gooide zijn jas en hoed op een stoel en ging zitten wachten. Gelukkig duurde het niet lang. Een paar minuten later arriveerde het gezin van boven en klopte juffrouw Goodrich bij hem aan.

'Is alles in orde?' vroeg ze. 'Toen onze taxi voor de deur stopte, zagen we een politieauto voor het gebouw staan. We waren ongerust.'

'Er is niets aan de hand. Ik hoop dat het eten goed zal smaken.' Hij bracht haar naar de keuken, zodat ze het vlees uit de oven kon halen.

'Weet u zeker dat u niet met ons wilt mee-eten?' vroeg ze.

'Dank u wel, maar ik ga vanavond nog bij iemand op bezoek.'

'O, ik hoop dat ik u niet heb opgehouden. Hebt u lang op ons gewacht?'

'Helemaal niet.' Maar ondertussen had Jacob zijn jas al aangetrokken en zijn hoed opgezet. Nog voordat ze boven aan de trap was, haastte hij zich zijn appartement uit. Hij had zijn jas niet hoeven aantrekken. Het was een warme herfstavond en het appartement van rebbe Grunfeld was maar een klein stukje lopen. Jacobs handen trilden nog steeds van woede toen hij bij de rabbijn aanbelde.

Zodra de rabbijn opendeed en Jacob het gelach hoorde en alle gasten zag, schoot het hem te binnen welke dag het was. Natuurlijk. De rabbijn en zijn familie vierden Soekot. Opnieuw werd Jacob getroffen door de huiselijke warmte en de heerlijke etensgeuren en op pijnlijke wijze herinnerd aan alles wat hij had verloren. Langzaam deed hij een stap naar achteren.

'Sorry dat ik u heb gestoord. Ik zal een andere keer terugkomen.'

'O nee, daar komt niets van in.' Rebbe Grunfeld sloeg zijn arm om Jacobs schouder en trok hem naar binnen. 'Kijk eens wie er is, vrouw,' riep hij tegen zijn vrouw. 'Yaacov Mendel is er. Hij heeft zich bedacht en onze uitnodiging toch aangenomen.'

Er zat niets anders op voor Jacob dan naar binnen te gaan. Hij had de hulp van de rabbijn nodig met de politie en kon het risico niet nemen om hem te beledigen door zijn gastvrijheid af te slaan. Hij wilde zijn jas uittrekken, maar de rabbijn hield hem tegen. 'Misschien kun je je jas beter aanhouden. We hebben buiten een hut gebouwd en staan net op het punt om erin te gaan eten.'

Jacob volgde hem naar de achtertuin waar zich een feestelijk gedekte tafel onder een dak van takken bevond. De familieleden van de rabbijn stonden eromheen en gingen op hun plaats zitten. 'Zie je? We hebben het eten net op tafel gezet. Ga zitten, Yaacov.'

De zoon en schoondochter van de rabbijn haastten zich naar binnen om een stoel en een extra couvert te halen. Jacob zag dat ze buiten kerosinelampen hadden aangestoken. Waarom had de inspecteur van de brandweer rebbe Grunfeld er niet van beschuldigd de brand te hebben aangestoken?

Tijdens het eten zakten Jacobs woede en angst. Daarvoor in de plaats slopen smart en verdriet zijn hart weer binnen. Soekot was een vreugdevol feest waarop volop werd gelachen, gezongen en gegeten. De bekende tradities maakten een groot heimwee naar het verleden in hem wakker en een diepe pijn om het verlies van zijn eigen familie. Was het te veel gevraagd van Hasjem om Avraham en zijn gezin weer veilig thuis te brengen? Hij was het alleenzijn zo moe.

Jacob probeerde de beschuldigingen van de politiemannen te

vergeten en in de feestvreugde te delen, maar hij was te ongerust om veel te eten. Het was al laat toen de maaltijd beëindigd werd met de zegenbede en rebbe Grunfeld hem naar zijn studeerkamer leidde om met hem te praten. Jacob vertelde hem over het bezoek van de twee rechercheurs.

'Nee, nee, nee. Dat kan niet waar zijn,' zei de rabbijn. 'De inspecteur van de brandweer heeft er geen woord over gezegd. Weet je zeker dat je hun bezoek niet verkeerd opvat?'

'Denkt u dat ik dit uit mijn duim zuig? De politie kwam bij me langs, rebbe. Twee rechercheurs. Ze wilden me naar het politiebureau meenemen om me te ondervragen, maar ik weigerde om met hen mee te gaan. Ze keken me recht in de ogen en zeiden: "We weten dat u de dader bent. U zult voor uw misdaad boeten." Ze beschuldigden me in mijn eigen huis!'

'Dat kan ik niet geloven.'

'Gaat u maar naar het bureau en vraag het hun zelf.'

'Zeg maar hoe ze heten en dan zal ik dat doen.'

'Rechercheurs Flynn en O'Hara. De inspecteur van de brandweer heeft de zaak aan hen overgedragen.'

'Ik zal morgenochtend direct met hen gaan praten en de zaak rechtzetten. Nee, wacht. Morgen is het *Simchat Thora*. Het zal tot overmorgen moeten wachten. Maar jij moet in ieder geval morgen terugkomen en de dag met ons komen vieren. Dit jaar zullen we, als we dansen en ons verheugen in de Thora, jou bedanken dat je de rollen hebt gered.'

Jacob schudde alleen maar zijn hoofd. Nee. Feestvieren kon hij niet.

'Luister, Yaacov. Het spijt me dat ik de voortgang van het onderzoek niet heb gevolgd, maar ik heb het zo druk gehad met de gesprekken met het Amerikaans Joodse Congres. Ik had nooit kunnen denken dat de politie jou van brandstichting zou beschuldigen. Maar ik zal naar hen toegaan en hun vertellen dat ze zich hebben vergist.'

'Dank u wel. Ik zal u nu verder met rust laten, zodat u terug kunt gaan naar uw gasten. Het spijt me dat ik u heb gestoord en nogmaals bedankt voor het eten.'

'Nee, blijf nog even. Ga alsjeblieft nog even zitten. Ik wil je vertellen wat er achter de schermen in Washington gebeurt. Je houdt deze informatie voor jezelf, goed?'

'Natuurlijk.' Jacob ging op het puntje van zijn stoel zitten, omdat hij het zichzelf niet te comfortabel wilde maken.

'Blijkbaar heeft een aantal zeer gerespecteerde mensen in de regering van Roosevelt een plan opgesteld om de Europese Joden te redden. Het plan is in juni gepresenteerd en nu staat men op het punt om een nieuwe overheidscommissie in het leven te roepen met eigen fondsen om specifiek Joodse vluchtelingen te helpen.'

'Dat is geweldig nieuws.' Maar op hetzelfde moment dat hij dit zei, durfde Jacob de rabbijn amper te geloven. 'Wat kan ik doen?'

'Ze hebben geld nodig van Joodse organisaties en particulieren in Amerika om deze nieuwe commissie van de benodigde fondsen te voorzien. Natuurlijk is onze gemeente ook van plan om te helpen. Kom alsjeblieft na Soekot naar de volgende vergadering om met eigen ogen te zien waar men mee bezig is. Jij was altijd veel beter dan wie dan ook van ons om dingen te organiseren en geld in te zamelen.'

Jacob deed zijn ogen dicht. Durfde hij te geloven dat er eindelijk iets gedaan zou worden voor de Joden die in Europa in de val zaten? Voor de eerste keer in vier jaar kreeg hij een sprankje hoop.

'Ik zal op alle mogelijke manieren helpen. Vertel me waar en wanneer de volgende vergadering plaatsvindt.' Hij stond op om te gaan, maar de rabbijn hield hem tegen.

'Er zijn zo veel dingen die ik tegen je wil zeggen, Yaacov... maar ik weet niet hoe ik ze onder woorden moet brengen. Ik weet hoezeer je gebukt gaat onder het verlies van Miriam Shoshanna, de zorgen om Avraham en nu deze afschuwelijke zaak met de politie. Ik begrijp hoe moeilijk het voor je moet zijn om met zo'n zwaar hart feest te vieren. Maar ik bid erom dat Hasjem tot je heeft gesproken in de viering van Soekot vanavond. De wankele hut waarin we in deze periode wonen en eten, herinnert ons er opnieuw aan dat we tijdelijk op aarde zijn en dat dit niet onze laatste bestemming is. Wat we zelf bouwen, biedt ons geen bescherming en zekerheid, alleen Hasjem kan die ons geven.' Hij zweeg even, maar Jacob antwoordde niet. 'Ik maak me zorgen om je, vriend. Ik vrees dat de muren die je om je hart bouwt om je te beschermen tegen de pijn, je uiteindelijk van het leven zelf afsnijden.'

Jacob keek naar zijn schoenen en vermeed de blik van de rabbijn. Hij wist dat deze de waarheid had gesproken.

'Hasjem is met je op je reis door deze woestijn, net zoals Hij met Mozes en onze voorvaderen was. Als je tot Hem roept, mijn vriend, zal Hij je de bescherming en volharding geven om door te gaan, net zoals Hij lang geleden heeft gedaan. Vanavond hebben we het gezongen: *O, huis van Israël, vertrouw op Hasjem – Hij is hun hulp en schild.* En: *Hasjem is bij mij; ik zal niet vrezen… ik zal neerzien op wie mij aanvallen.* Hij verlangt ernaar om je Zijn genade te tonen, Yaacov. Hij verlangt ernaar je te troosten in Zijn schuilplaats.'

Jacob kon niet spreken. Hij draaide zich om en liep naar de voordeur, vastbesloten om deze keer echt te vertrekken. Eenmaal buiten liep rebbe Grunfeld de traditionele drie stappen met hem mee om afscheid van hem te nemen. 'Goedenacht, mijn vriend.'

'Goedenacht, rebbe. En dank u wel.'

Jacob wilde de woorden van de rabbijn geloven. Hij wilde geloven dat Hasjem hem niet had verlaten. Maar terwijl hij naar zijn appartement liep en dacht aan de bedreigingen van de rechercheurs, had hij het gevoel dat Hasjem heel ver weg was.

20

Op het overvolle centraal station stroomden zo veel soldaten de treinen uit dat Esther zich afvroeg hoe ze haar vader ooit zou kunnen vinden. In hun groene legeruniformen en met hun platte baretten zagen de soldaten er allemaal hetzelfde uit. Het kolossale, weergalmende station was een doolhof van gangen en tunnels en krioelde van de mensen. Met wijd opengesperde ogen klampte Peter zich aan de mouw van Esthers jas vast. Penny was de hele reis heel dicht bij hen in de buurt gebleven, maar Esther wist niet of ze bang was hen uit het oog te verliezen of zelf te verdwalen. Nadat ze een poosje hadden rondgedwaald, vonden ze net op het moment dat de trein het station binnendenderde het juiste perron.

'Ik denk dat dit de trein van je vader is,' riep Penny boven het kabaal van de bellen en het geronk van de locomotief uit. 'Laten we hier blijven wachten, zodat hij ons hier meteen kan zien staan.'

Ze konden zich nauwelijks bewegen op het drukke station. Esther had de neiging om te dansen van opwinding. Soldaten hingen uit de ramen van de trein, zwaaiden met hun baretten en gaven kushandjes. En plotseling zag ze haar vader in de deuropening van een van de wagons staan. Voordat de trein tot stilstand was gekomen, sprong hij op het perron en rende naar hen toe. Terwijl Esther naar hem toe vloog, liet hij zijn plunjezak vallen en tilde haar op om haar innig te omhelzen. Toen hurkte hij neer op één knie en sloeg zijn armen om Peter heen. Vol liefde en met de tranen in zijn ogen keek hij hen aan.

Esther kon niet ophouden met huilen. 'We hebben je zo gemist, papa!'

'Ik heb jou ook gemist, pop.' Hij streelde Esther over haar wang en woelde door Peters haar. 'Zullen we naar huis gaan?' Hij stond op en veegde zijn tranen met zijn mouw af. Pas toen merkte hij Penny op. Ze was op de achtergrond gebleven om hen de ruimte te geven elkaar te begroeten. Esther wilde dat ze helemaal zou verdwijnen nu haar vader er weer was.

'Penny... je ziet er anders uit. Ik had je bijna niet herkend.'

'Je ziet er zelf ook knap uit in dat uniform. Welkom thuis, Eddie.' Penny leek aanstalten te maken om hem te omhelzen, maar Esther klampte zich aan haar vader vast en weigerde hem los te laten.

'Dank je wel dat je me met de kinderen bent komen afhalen.'

'Ik ben blij dat ik het heb gedaan. Ze zijn in weken niet zo uitgelaten geweest.'

Esther vond de manier waarop haar vader en Penny naar elkaar glimlachten niet prettig. Ze gaf haar vader een por in zijn ribben. 'Zullen we naar huis gaan, papa?'

'Natuurlijk. Maar laten we niet op de bus wachten. Laten we onszelf trakteren op een taxi.' Hij hing de plunjezak over zijn schouder en pakte Peters hand. Esther hing aan zijn arm, terwijl Penny voor hen uit liep.

Buiten het station hield hun vader een taxi aan. Esther en Peter gingen met hem achterin zitten, terwijl Penny naast de chauffeur plaatsnam. Esther had wel duizend dingen bedacht die ze haar vader wilde vertellen, maar nu kon ze in alle opwinding niets bedenken. De taxi reed met grote snelheid de stad met de glinsterende lichtjes uit en de Brooklyn Bridge over.

'Hoe was je reis?' vroeg Penny.

'Lang! De tijd lijkt extra langzaam te gaan als je graag naar huis wilt. Maar je had de ontvangst moeten zien die we overal onderweg kregen. In veel stadjes waar we onderweg stopten, werden we ontvangen met koffie, broodjes en zelfgebakken koekjes.'

'Waarom deden de mensen dat?' vroeg Esther.

'Om te tonen hoe vaderlandslievend ze zijn. En om ons, soldaten, te laten zien dat ze ons het allerbeste toewensen.'

'Het komt zeker omdat jullie in de oorlog gaan vechten en misschien nooit meer terugkomen,' zei Esther, terwijl ze zich de foto's uit de kranten van meneer Mendel herinnerde.

'Zo mag je niet praten, pop. Ik denk dat het komt omdat er bijna in iedere familie wel iemand in het leger zit. Daarom behandelen ze alle soldaten zo aardig – omwille van de mensen van wie ze houden.'

In een mum van tijd waren ze thuis en Penny ging het vlees halen dat in meneer Mendels oven zat. 'Ik heb vleesbonnen van mijn ouders moeten lenen,' zei ze, terwijl ze het eten naar de tafel bracht. 'Ik hoop dat het goed smaakt.'

'Het ziet er heerlijk uit, Penny. Dank je wel.'

Esther bracht de aardappelpuree binnen en toen ze zag hoe haar vader naar Penny glimlachte, zette ze de schaal gauw neer en leidde zijn aandacht af met een innige omhelzing. 'Ik heb met het eten geholpen, papa. En de tafel gedekt.'

'Dat is geweldig, pop. Ik weet zeker dat Penny blij is met je hulp.'

Ze gingen allemaal zitten en toen haar vader gebeden had, schepten ze op en begonnen te eten. Ze leken weer op een gelukkig gezin, behalve dat niet haar moeder maar Penny Goodrich tegenover haar vader zat. En Peter had nog geen woord gezegd, zelfs niet om zijn vader te begroeten of te zeggen hoe hij hem had gemist.

'We zijn zo blij dat je er weer bent, papa,' zei ze om Peters stilzwijgen te camoufleren.

'Het is fijn om weer thuis te zijn.'

'Hoelang blijf je hier?' vroeg Penny.

'Mijn verlof duurt een week. Daarna moet ik me melden op een legerbasis in Virginia, waarvandaan ik zal worden uitgezonden.'

'Virginia is niet zo ver weg. Zullen we je in de toekomst vaker zien?'

'Dat denk ik niet, Penny. Ik zal op het volgende schip naar Engeland worden gestuurd. Dus dat is al heel gauw. Normaal gesproken zou het leger willen dat ik meer training volgde voordat ik ergens word gestationeerd, maar omdat ik al een gekwalificeerde monteur ben en ze me aan de andere kant van de oceaan nodig hebben, willen ze me er zo snel mogelijk naartoe sturen. Om de jeeps te repareren en te onderhouden, snap je.'

'Waarom Engeland? Ik dacht dat we in Italië aan het vechten waren?'

'Dat doen we ook. Maar er is een grote troepenconcentratie in Engeland en veel mensen denken dat dit komt omdat de invasie van Europa voor het komende voorjaar is gepland.'

'Ik wil niet dat je naar Engeland gaat,' zei Esther. 'De nazi's gooien bommen op Londen. Ik heb de foto's in de kranten gezien.'

'Wij doen precies hetzelfde, pop. Wij bombarderen nu ook Duitse steden.'

'Moet jij ook vechten als de invasie begint?' vroeg Penny.

'Ik weet het niet. De Amerikaanse regering geeft weinig informatie. Loslippigheid doet schepen zinken, zeggen ze. Ze vertellen je nooit meer dan je moet weten. Maar waarschijnlijk zal ik niet hoeven te vechten – hoewel ze me wel een wapen hebben gegeven en me hebben geleerd hoe ik het moet gebruiken. Maar als de invasietroepen eenmaal geland zijn, zullen de generaals jeeps nodig hebben om in rond te rijden en het is mijn werk om ervoor te zorgen dat die dingen goed blijven rijden. Ook ziekenauto's.'

De tranen sprongen Esther in de ogen toen ze het woord ziekenauto's hoorde. 'Ga alsjeblieft niet weg, papa. We hebben je hier thuis nodig.'

'Kom op, pop. Begin er nu niet weer over. Ik wil genieten van de tijd die we samen hebben en niet ruziemaken. Ik heb je al uitgelegd dat ik ook mijn steentje moet bijdragen aan het winnen van deze oorlog. Weet je nog?'

Ze knikte, hoewel ze het niet met hem eens was. Iedereen at met smaak en Penny gaf de schalen nog een keer door. Maar Esther had geen trek. Terwijl ze haar tranen met haar mouw afveegde, zag ze hoe haar vader zachtjes tegen Peters schouder duwde. 'Hé, vriend. Je hebt de hele avond nog geen woord gezegd.'

Esther balde haar vuisten onder de tafel en durfde niet te ademen. Ze was bang geweest dat Penny haar vader had geschreven over Peters stilzwijgen, maar blijkbaar had ze dat niet gedaan. Esther had het zelf ook niet gedurfd en gehoopt dat Peter weer zou beginnen te praten, zodra haar vader thuis was.

'Hé, jammer van de Dodgers, vind je ook niet, Peter?' zei haar vader. 'Dit jaar worden ze geen kampioen, denk ik. En dan te bedenken dat ze twee jaar geleden aan de wereldkampioenschappen mochten meedoen.'

Esther zag hoe graag Peter wilde antwoorden. Hij werd rood alsof hij zich verslikte in de woorden die hij wilde zeggen. Eindelijk gaf hij op. Hij liet zich met hangende schouders onderuitzakken in zijn stoel en boog zijn hoofd.

'Trek het je niet zo aan, jongen. Het volgende seizoen kunnen ze toch weer met een schone lei beginnen? Kom op, zeg eens iets.'

'Hij praat niet zo veel, papa,' zei Esther.

Hij stak zijn hand uit en woelde door Peters haar. 'Je hoeft niet verlegen te zijn. Zo lang ben ik toch ook niet weg geweest?'

Esther keek Penny aan en vroeg zich af wat ze moest doen. Penny schoof haar stoel naar achteren en stond op. 'Ik heb chocoladetaart gemaakt. Wie heeft er zin in een stukje?' Vlug stapelde ze de borden op, verdween naar de keuken en kwam terug met de chocoladetaart op het elegante taartplateau van Esthers moeder. Niemand zei een woord terwijl Penny nog twee keer naar de keuken liep om de tafel af te ruimen en de dessertborden en vorkjes te halen.

'Ik heb een hele maand aan suikerbonnen gebruikt om de taart op smaak te brengen,' zei Penny. 'In de krant staan tegenwoordig vaak recepten van taart en nagerechten zonder of met heel weinig suiker, maar die smaken lang niet zo lekker. Daarom wilde ik de taart op de normale manier maken, wat de rantsoeneringscommissie er ook van vindt.' Ze sneed de taart aan en gaf iedereen een groot stuk.

'Dank je wel,' zei Esthers vader. 'Dit ziet er heerlijk uit.' Esther dacht dat het gevaar geweken was, maar opnieuw draaide haar vader zich naar Peter om. 'Ik wil weten waarom je niet tegen me praat, Peter.'

Even bleef het stil. Toen schraapte Penny haar keel. 'Hij praat helemaal niet meer, Eddie. Sinds je bent vertrokken, heeft hij geen woord meer gezegd.'

'Wat bedoel je? Wat is er aan de hand, Peter? Vertel het me maar.' Peter boog zijn hoofd en sloeg zijn handen voor zijn gezicht. 'Dit is geen grapje, Peter. Je moet ermee ophouden. Ik vind dit niet leuk.'

Penny raakte de arm van haar vader aan. 'Hij kan er echt niets aan doen, Eddie. Hij doet het niet met opzet.'

'Is dat zo, Peter?' De jongen keek naar zijn vader en knikte. 'Zullen we naar de dokter gaan? Zou dat helpen?' Peter schudde van nee. 'Wat moeten we dan doen?'

Peter haalde een opgevouwen papiertje uit de zak van zijn bloes en schreef er iets op, waarna hij het in de richting van zijn vader schoof.

'*Blijf thuis.* Is dat het? Je misdraagt je om me thuis te houden?'

'Hij heeft zich helemaal niet misdragen,' zei Penny. 'Hij is heel lief geweest en doet wat hem wordt gevraagd. Het enige is dat hij niet praat. Volgens zijn onderwijzeres moeten we hem gewoon wat meer tijd geven. Sorry dat ik je het niet eerder heb verteld, maar ik ging ervan uit dat hij weer zou beginnen te praten zodra je thuis was.'

'Wat denk je dat ik moet doen?' vroeg hij aan Penny.

'Ga met zijn onderwijzeres praten. Ze heeft meer ervaring met kinderen dan ik.'

Esthers vader glimlachte niet langer. Hij keek boos en ongerust. In een paar happen at hij zijn taart op en daarna schoof hij zijn stoel naar achteren om van tafel te gaan. Penny sprong overeind. 'Ga jij maar met de kinderen naar de woonkamer. Ik zal de tafel afruimen en de afwas doen.'

'Goed. Nogmaals bedankt voor de maaltijd. Ik heb in geen tijden zo lekker gegeten.'

Papa plofte op de bank neer en sloeg zijn armen om Esther en Peter heen toen die naast hem kwamen zitten. Esther had Peters lei gehaald en reikte hem die aan. 'Dit gebruikt hij om met ons te praten,' zei ze tegen hun vader. 'Dat is gemakkelijker.'

Haar vader fronste zijn wenkbrauwen. 'Volgens mij is het gemakkelijker om gewoon te praten.'

'Niet voor hem. Vooruit, Peter. Schrijf op wat je tegen papa wilt zeggen.'

Ik heb je gemist, schreef hij.

'Ik jou ook.' Hun vaders stem klonk zacht en heel verdrietig.

Ga alsjeblieft niet meer weg.

'Ik kan niet blijven, Peter. Begrijp je dat niet?'

'Nee, dat begrijpen we niet,' zei Esther om zich in de strijd te mengen. 'Zeg tegen de mensen van het leger dat Peter niet kan praten. Zeg tegen hen dat je thuis moet blijven om voor hem te zorgen.'

'Dat kan het leger niets schelen. Ze zullen Peter naar een dokter of psychiater sturen. Wil je dat soms?'

'Je kunt het aan de dispensatiecommissie uitleggen,' zei Esther. 'Ik heb er alles over gelezen in de krant.'

'Sinds wanneer lees jij de krant, pop?'

Esther haalde haar schouders op. Ze wilde hem niet vertellen dat ze meneer Mendels verzameling van krantenknipsels en foto's had bestudeerd. Papa zou net als vroeger tegen haar zeggen dat ze ermee moest ophouden meneer Mendel lastig te vallen.

'Er zijn heel veel andere mannen die in de oorlog kunnen gaan vechten, maar jij bent de enige die we hebben.'

Hij drukte haar nog steviger tegen zich aan. 'Ik wil niet dat we de tijd die we samen hebben alleen maar ruziemaken, pop. Bovendien ben ik niet de enige die jullie hebben. Jullie hebben Penny en oma Shaffer en de rest van onze familie.'

Esther zag haar kans schoon om naar haar moeders familie te informeren. 'Hoe zit het met onze opa en oma van mama's kant?'

'Wat bedoel je?'

'Mama moet toch ook ouders hebben gehad? Dat heeft iedereen. En broers en zussen? Hoe komt het dat we ze nooit bezocht hebben – of zelfs niet praten over die kant van de familie?'

'Ik weet niet veel over hen. Je moeder en haar familie waren van elkaar vervreemd.'

'Wat betekent dat?'

'Het betekent dat ze geen vrienden meer waren. Ze waren het over bepaalde dingen niet met elkaar eens en daarom verbraken ze op een gegeven moment het contact met elkaar.'

'Dat geloof ik niet. Iedereen vond mama lief. Ze was altijd aardig tegen iedereen.'

'Daar heb je gelijk in. Dat was ze ook. Maar het lag aan jullie grootouders, niet aan haar. Je moeder probeerde het weer goed te maken, maar... dat werkt alleen als beide partijen besluiten om te vergeven en te vergeten.'

'Waar ging het over?'

'Eigenlijk heeft het geen zin om erover door te praten. Het doet er niet meer toe. Je moeder is er niet meer en door te graven in het verleden breng je haar toch niet terug. En geloof me, haar familie wil helemaal niets met ons te maken hebben.'

'Ik denk niet dat ik mensen aardig kan vinden die mama niet aardig vonden.'

'Ik ook niet. Zet het van je af, pop.'

Ze vlijde zich tegen haar vader aan en zuchtte. Het was zo fijn dat haar vader weer thuis was en om zijn sterke, warme armen weer om zich heen te voelen. Ze luisterde naar zijn beschrijving van de treinreis en het landschap dat hij onderweg had gezien. 'Ik heb in mijn leven niet veel gereisd,' zei hij, 'maar ik denk dat we met zijn allen een treinreis naar het westen moeten maken als de oorlog voorbij is. Zouden jullie dat leuk vinden?'

'Ja!' zei Esther. Peter glimlachte ook. In lange tijd had hij er niet zo gelukkig uitgezien. Toen kwam Penny hen storen.

'Eh... neem me niet kwalijk.' Ze bleef in de deuropening van de huiskamer staan. 'Ik heb de afwas gedaan en... en ik denk dat ik maar naar huis ga.'

Goed. Haar vader had zijn slaapkamer weer nodig en dus kon Penny inderdaad beter gaan. Esther wurmde zich los uit de armen van haar vader. 'Ik zal je jas wel pakken.' Ze sprong op om deze van de kapstok te halen, voordat haar vader de kans zou hebben om Penny uit te nodigen iets langer te blijven.

'Nogmaals bedankt voor het heerlijke eten,' hoorde ze haar vader zeggen toen ze met de jas terugkwam.

'Graag gedaan. Eh, wanneer zal ik weer terugkomen?' Esther hoopte vurig dat haar vader Penny niet meer zou uitnodigen zolang hij op verlof was.

'Nou, daar moeten we het nog even over hebben.' Haar vader kwam met moeite overeind en liep met Penny naar de eetkamer, waar Esther hen niet zou kunnen horen. Ze praatten heel even met elkaar, waarna hij terugkwam en Penny naar boven ging om haar spullen te pakken. Met haar jas aan en twee volle boodschappentassen kwam ze even later weer naar beneden.

'Zal ik met je meelopen naar de bushalte?' vroeg haar vader. 'Het is al donker buiten.'

'Nee, dat is niet nodig. Het zal wel gaan. Nou, tot ziens dan maar.'

Esther hield haar adem in, totdat ze de voordeur hoorde dichtslaan, waarna ze opgelucht tegen haar vader leunde.

'Penny ziet er anders uit,' zei haar vader. 'Komt het door haar haar?'

'Ze heeft het afgeknipt.' Esther wilde niet over Penny praten en het beviel haar helemaal niet dat haar vader de veranderingen bij Penny waren opgevallen.

'Heeft ze een nieuwe vriend of zo?'

Esther trok een lelijk gezicht. 'Een vriend? Dat denk ik niet.'

Peter tikte met zijn knokkels op de lei om Esthers aandacht te trekken en hield die toen omhoog om haar te laten lezen wat hij had opgeschreven: *de man in de bus.*

'Wat voor man?' Het duurde even voordat Esther wist over wie Peter het had. 'O ja. Ze praat de hele tijd met een soldaat in de bus. Ze lijken dikke vrienden.'

Opnieuw hield Peter de lei omhoog. *Hij is marinier.*

'Wat fijn voor Penny. Dat is geweldig nieuws, vinden jullie ook niet?' vroeg haar vader. 'Ze verdient het om een leuke vent te ontmoeten. Luister, ik heb oma Shaffer geschreven hoe ongelukkig jullie zijn en ze heeft er eindelijk mee ingestemd om jullie bij haar in huis te nemen, totdat ik weer thuis ben. Het huurcontract van ons appartement loopt binnenkort af en...'

'Nee!' schreeuwde Esther.

'Wat is er, pop?'

'Ik wil niet verhuizen. Dit is ons huis.' Als ze verhuisden, kon Esther niet meer langsgaan bij meneer Mendel en pianolessen volgen bij juffrouw Miller. In het huis van haar oma was geen plaats voor een piano. Als ze niet meer in dit appartement woonden, zouden alle sporen van haar moeder voorgoed verloren gaan. Soms maakten de herinneringen Esther heel verdrietig, maar ze waren het enige wat ze nog had.

Haar vader fronste zijn wenkbrauwen. 'Ik begrijp er niets van. Toen ik je brieven las, kreeg ik de indruk dat je het niet fijn vond om hier met Penny te wonen.'

'Penny valt wel mee. We willen hier blijven wonen, hè, Peter?' Hij knikte ijverig.

'Waarom doe je dan niets anders dan klagen over Penny in je brieven?'

'Dat weet ik niet. Maar ze valt echt wel mee. We willen hier blijven.'

'Luister, je moet het zeker weten, Esther. Eindelijk heb ik oma zover gekregen om ons te helpen. En ze zegt dat Penny's ouders ook hulp nodig hebben, omdat ze al behoorlijk op leeftijd zijn.'

'Waarom kan oma hier niet komen wonen? Dan zouden we niet naar een andere school hoeven.'

'Daar hebben we het al vaker over gehad. Er zijn te veel trappen in het gebouw. En oma kan haar huisdieren niet zomaar achterlaten. Ik wilde dat mijn kinderen me duidelijk zeiden wat ze wilden en het niet zo moeilijk voor me maakten. Ik doe mijn best om het hun naar de zin te maken – en vertel me nu niet dat ik uit het leger moet gaan. Dat gaat echt niet gebeuren.'

'We vinden het niet erg als Penny hier blijft wonen. We willen hier blijven. Ja toch, Peter?'

Hij knikte instemmend.

Haar vader zuchtte en probeerde zijn hand door zijn haar te halen, maar het was heel kort geknipt. 'Wat vinden jullie ervan om voortaan ieder weekend bij oma te logeren? Op die manier hoeven Penny en jullie elkaar niet de hele tijd te zien en zou ze meer tijd hebben om haar ouders te helpen of met haar vriend naar de film te gaan.'

Bij het horen van het woord film dacht Esther aan Jacky Hoffman. Als ze iedere zaterdag bij haar oma zou zijn, zou ze niet meer met hem naar de film kunnen gaan. 'We willen niet ieder weekend bij haar logeren. Af en toe is genoeg. Oké?'

'Weet je het deze keer heel zeker? Als ik eenmaal het een en ander heb geregeld, kan ik het niet meer veranderen. Wanneer ik aan de andere kant van de oceaan zit, kunnen jullie me niet schrijven dat jullie je bedacht hebben.'

'Dat snap ik.'

'En voor zover ik kan beoordelen, heeft Penny het heel goed

gedaan. Het appartement ziet er keurig uit. Jullie zien er allebei goed uit. Ben jij tevreden met hoe het nu is, Peter?'

Hij aarzelde even en knikte toen.

'Nou, als jullie zeker weten dat jullie hier willen blijven, zal ik met meneer Mendel over de verlenging van het huurcontract gaan praten. Maar dan moeten jullie niet langer over Penny klagen en je best doen om het met elkaar te kunnen vinden. Begrijpen jullie dat?'

'Ja, dat zullen we doen.' Esther voelde zich schuldig dat ze over Penny had geklaagd, vooral toen ze bedacht dat Penny pianolessen voor haar had geregeld. Ze vroeg zich af of haar vader het wist.

'Ik heb een verrassing voor je, papa,' zei ze, terwijl ze weer overeind sprong. 'Blijf hier zitten en doe je ogen dicht. Niet stiekem kijken.'

'Een verrassing?' Hij glimlachte toen Peter zijn handen opstak om zijn ogen te bedekken. 'Oké, ik zie niets.'

Op haar tenen sloop Esther naar de piano, ging zitten en deed heel zachtjes de klep omhoog. Ze vond het muziekstuk dat ze met juffrouw Miller had geoefend en begon te spelen. In iedere noot legde ze alles wat ze voelde, zoals haar moeder had gedaan: verdriet in de langzame, treurige delen en blijdschap in de dansende en vrolijke gedeeltes. Ze eindigde met een zacht pianissimo en verwachtte haar vader trots naar haar te zien glimlachen. In plaats hiervan was hij bleek geworden en keek hij verbijsterd.

'Wanneer ben je weer gaan spelen?' vroeg hij.

'Een paar weken geleden. Ik heb weer pianoles.'

'Pianoles?'

'Van juffrouw Miller, de muzieklerares van school. Peter heeft ook les. Heeft Penny er niets over gezegd in haar brieven?'

'Nee, geen woord.'

'Misschien wilde ze je verrassen. Wil je dat ik nog iets anders voor je speel?'

Haar vader stond op en liep de kamer door. Hij sloeg zijn armen om Esther heen en drukte haar heel even tegen zich aan. Toen liet hij haar los en sloot de klep van de piano. 'Sorry, pop.' Zijn stem klonk hees. 'Je hebt prachtig gespeeld... maar ik... het is nog te vroeg om mama's piano te horen.'

21

Penny wankelde de trap van Eddies appartement af en liep zo snel als ze kon op haar hoge hakken naar de bushalte. Haar voeten deden pijn, omdat ze haar nieuwe schoenen de hele middag had aangehad. Ze was ermee naar bushaltes, langs metroperrons en door het centraal station gelopen. Maar de pijn in haar voeten was niet te vergelijken met de pijn en teleurstelling in haar hart. Ze wilde zo ver mogelijk van Eddies appartement vandaan zijn.

Toen de bus stopte, was ze blij dat haar vriend Roy er niet in zat. Als ze maar iets zou zeggen, zou ze haar verdriet en tranen niet langer kunnen verbergen en ze wist niet of ze ooit nog zou kunnen stoppen met huilen.

De hele avond had Eddie nauwelijks aandacht aan haar geschonken. Ze had gehoopt dat hij haar zou uitnodigen om even bij hen in de huiskamer te komen zitten toen ze klaar was met de afwas, maar in plaats daarvan had hij haar mee naar de eetkamer genomen, waar de kinderen hen niet konden horen. Haar hart had gebonkt in zijn nabijheid en door de aanraking van zijn hand op haar rug. Zou hij een afspraakje met haar willen maken?

'Luister,' had hij zachtjes gezegd. 'Als ik weer vertrek, wil ik een grote scène vermijden. Ik ga volgende week zondag met de kinderen bij mijn moeder eten en vertrek daarna in mijn eentje naar het station, als je het niet erg vindt. Zou je de kinderen kunnen oppikken als ik weg ben en weer hiernaartoe kunnen brengen?'

'Natuurlijk, Eddie. Dat is geen probleem.' Ze had gewacht tot hij meer zou zeggen, maar dat had hij niet gedaan. 'Nou, in dat geval,' had ze gezegd, 'zie ik je volgende week zondag.'

'Inderdaad. Bedankt, Penny.'

Esther was Penny's jas gaan halen, zo graag wilde ze van haar af zijn. Penny had zich naar boven gehaast, snel een paar kleren en wat toiletartikelen ingepakt en was naar de bushalte gevlucht. Eddie zou de hele week thuis zijn, maar ze zou hem in die tijd niet één keer zien.

Voordat ze bij het huis van haar ouders aankwam, controleerde Penny in het spiegeltje van haar poederdoos of haar tranen geen zwarte vegen op haar gezicht hadden achtergelaten. Ze veegde de overgebleven rouge en lippenstift van haar gezicht.

'Hallo, ik ben thuis,' riep ze toen ze via de achterdeur naar binnen kwam.

'Nog meer nieuwe kleren?' vroeg haar moeder zodra Penny de woonkamer binnenliep. Ze was in zo'n grote haast uit Eddies appartement vertrokken dat ze nog steeds het nieuwe pakje en de nieuwe bloes aanhad die ze speciaal voor zijn thuiskomst had aangetrokken. Allemaal voor niets. Opnieuw brandden de tranen in haar ogen, maar ze durfde zich niet te laten gaan. Haar moeder zou te veel vragen stellen.

'Mijn oude kleren waren behoorlijk versleten,' mompelde ze.

'Wat doe je hier op een doordeweekse avond?' vroeg haar vader.

'Eddie is op verlof. Hij heeft me een week vrij gegeven.'

'Het werd tijd.' Hij ging verder met de krant lezen.

'Hoe ben je hier gekomen?' vroeg haar moeder.

'Met de bus.'

'Helemaal in je eentje? 's Avonds laat? In het donker? Hoe haal je het in je hoofd?'

'Het is geen lange reis.'

Haar moeder staarde Penny aan, alsof ze van haar dochter verwachtte dat ze terug zou gaan om haar fout te herstellen. Wat zou ze zeggen als ze wist dat Penny deze middag helemaal naar Manhattan was gereisd met de metro? Of dat ze aan het leren was om een bus te besturen?

'Ik ben heel erg moe,' zei Penny. 'Ik denk dat ik meteen naar bed ga.'

Maar slapen deed ze niet. Nog lang nadat haar ouders naar bed waren gegaan lag ze in bed te woelen, totdat ze ten slotte weer opstond en haar bureaulamp aandeed. In een van de laden vond ze een oud schrift van de middelbare school en besloot om het als dagboek te gebruiken en al haar liefdesverdriet aan het papier toe te vertrouwen. Een uur lang schreef ze de ene bladzijde na de andere vol met alles wat ze Eddie wilde vertellen. Ze vertelde hem hoeveel ze van hem hield en welke dromen ze koesterde over hun toekomst. Toen ze ophield met schrijven om te lezen wat ze had geschreven, bedacht ze dat Roy Fuller er waarschijnlijk het een en ander van kon gebruiken om zijn gevoelens voor Sally te beschrijven. Ze had geprobeerd Roy te helpen en hem af en toe wat ideeën gegeven. Eén ding was zeker: ze zou deze woorden nooit tegen Eddie zeggen, dus kon haar vriend ze maar beter gebruiken.

De hele week zou Penny Roy niet zien, omdat ze vanaf het huis van haar ouders naar haar werk kon lopen. Ze zou haar dagelijkse gesprekjes met hem missen, maar misschien was het beter zo. Als Roy haar zou vragen hoe het weerzien met Eddie was geweest, zou ze waarschijnlijk in huilen uitbarsten.

Na een korte, slapeloze nacht, ging Penny de volgende dag naar haar werk met haar uniform in haar tas verstopt. Ze zou zich in het toilet omkleden, omdat haar ouders in alle staten zouden zijn als ze haar in een broek zagen.

Haar ouders. Die waren een andere bron van angst in haar leven, maar ze dwong zichzelf ertoe om niet aan de adoptiepapieren te denken. Ze had al meer dan genoeg aan haar hoofd en kon er niets meer bij hebben, vooral niet zoiets schokkends als de vraag wie ze echt was en wie haar echte ouders waren. Meestal slaagde ze erin zichzelf wijs te maken dat een van de ambtenaren op het bevolkingsregister een fout had gemaakt.

Gelukkig was er één ding in haar leven dat goed ging: haar

rijopleiding. Vanochtend moesten Penny en de andere leerlin-gen om de beurt in echte straten en tussen het echte verkeer rijden. Na de lunchpauze ging de instructeur zelf achter het stuur zitten en reed hen tot hun grote verbazing naar het rij-examenbureau.

'Jullie zijn hier om examen te doen en jullie rijbewijs te halen,' kondigde hij aan. 'Nu. Vandaag.' Penny voelde dat haar knieën begonnen te knikken.

'Nu?' vroeg iemand. 'Waarom hebt u ons dat niet eerder ver-teld?'

'Omdat ik wist dat jullie erover zouden gaan piekeren en zo zenuwachtig zouden worden dat jullie waarschijnlijk allemaal zouden zakken. Maar iedereen kan slagen. Jullie zijn er allemaal klaar voor.'

Penny wierp een blik op haar vriendin Sheila. 'Ik heb hele-maal niet het gevoel er klaar voor te zijn,' fluisterde ze.

'Bovendien,' ging de instructeur verder, 'weten jullie allemaal dat er in dit land een tekort is aan brandstof, meisjes. Hoelang willen jullie nog brandstof blijven verspillen? Ons land is in oor-log!'

Lachend stapten ze de bus uit en liepen naar het gebouw om eerst het theorie-examen af te leggen. Toen ze er alle acht voor waren geslaagd, werden ze in alfabetische volgorde van hun ach-ternaam opgeroepen voor het praktijkexamen. Nadat ze 's nachts urenlang in bed had liggen woelen en zichzelf in slaap had ge-huild, was Penny zo moe dat ze het gevoel had te slaapwandelen toen ze achter het stuur van de bus plaatsnam. Ze deed wat de examinator haar vroeg te doen – rechts afslaan en links afslaan, van rijbaan verwisselen, auto's ontwijken en stoppen voor voet-gangers – terwijl hij achter haar zat en aantekeningen maakte op een klembord.

'U bent geslaagd, juffrouw Goodrich,' zei hij, toen ze naar het centrum terugreden. 'Gefeliciteerd.'

Penny omhelsde haar vriendin Sheila, die ook geslaagd was

voor het praktijkexamen. Ze lachten en huilden tegelijk. Alle leerlingen keerden met een nieuw rijbewijs terug naar het busstation en de instructeur verzamelde hen voor de laatste keer in het geïmproviseerde leslokaal.

'De rest van de week zullen jullie allemaal een busroute toegewezen krijgen en een ervaren buschauffeur zal met jullie meerijden. Vanaf maandag krijgen jullie je eigen route.'

Penny huiverde van angst, maar ook van opwinding. Ze wilde Eddie dolgraag over haar prestatie vertellen, hoewel ze dat waarschijnlijk pas in een van haar brieven zou kunnen doen. En ze zou het haar ouders ook vertellen – maar nu nog niet. Ze wist niet waarom ze bang was het te doen, maar zo was het nu eenmaal.

'Voordat ik jullie laat gaan,' ging de instructeur verder, 'wil ik onze beste leerling, juffrouw Penny Goodrich, in het bijzonder feliciteren.'

Penny's adem stokte van verbijstering.

'Juffrouw Goodrich heeft geen enkele fout gemaakt in de schriftelijke examens. En wat nog belangrijker is, tijdens de oefeningen op de parkeerplaats was ze de enige leerling die geen enkele ton raakte.'

Ze hoorde gelach en een applaus. Sheila klopte haar op haar schouder. Penny opende haar mond, maar net als Peter kon ze geen woord uitbrengen.

'Fantastisch gedaan,' zei de instructeur tegen haar, terwijl hij haar de hand schudde. 'Als beloning mag u als eerste kiezen uit de beschikbare busroutes. Nogmaals, iedereen van harte gefeliciteerd. U mag de rest van de dag vrij nemen, dames. De les is afgelopen.'

Op Penny na sprongen alle leerlingen lachend overeind om elkaar te feliciteren en gedag te zeggen. Als verlamd bleef ze zitten. Ze was geslaagd voor de rijopleiding en was nu buschauffeur. Roy had gezegd dat ze het moest vieren, maar met wie?

'Gefeliciteerd, Penny,' zei Sheila. 'Ik hoop dat we elkaar af en toe nog zien.' Ze had haar jas al aangetrokken en stond op het punt te vertrekken.

'Ja, dat hoop ik ook.'

'Bel me als je besluit vrijwilliger te worden bij de USO.'

'Dat zal ik doen. Bedankt.'

Eindelijk vond Penny de kracht om op te staan en haar jas aan te trekken, maar ze wist niet wat ze de rest van de middag moest doen. Ze wilde niet naar het huis van haar ouders gaan, die zonder twijfel een domper zouden zetten op haar vreugde en trots om wat ze had gepresteerd. Ze zouden helemaal niet blij voor haar zijn. In plaats daarvan zouden ze haar bang en ongerust maken door een hele lijst dingen op te noemen die haar zouden kunnen overkomen.

Penny ging naar het toilet om zich te verkleden en slenterde vervolgens naar de uitgang van het busstation. Toen ze probeerde te bedenken wat ze de komende uren zou doen, schoot haar het adoptiecertificaat te binnen. Ze had het zo druk gehad met haar opleiding en Eddies kinderen dat ze nog geen tijd had gehad om terug te gaan naar het bevolkingsregister om erachter te komen of haar adoptiedossier verzegeld was. Ze had al voor de dienst betaald, dus waarom zou ze er geen werk van maken?

Voordat ze zich kon bedenken, nam ze de bus naar het bevolkingsregister. Aan de ene kant was ze bang om de waarheid te horen. Die zou alles definitief maken. Als er geen sprake was van een vergissing, moest ze accepteren dat ze echt geadopteerd was. Maar hoeveel langer kon ze het probleem blijven verdringen en wel honderd keer op een dag proberen er niet aan te denken? Ze kon beter achter de waarheid komen, nu ze er de moed nog voor had om die onder ogen te zien en een kersvers busrijbewijs op zak had.

Zoals altijd was het druk op het bevolkingsregister. Het gebouw leek een vreugdeloze plek om te werken met zijn kleurloze muren en het vaalbruine, functionele meubilair. Penny keek rond om te zien of de dame er was die haar de vorige keer had geholpen, maar zag haar niet. Ze zou haar gênante situatie helemaal opnieuw moeten uitleggen. Ze wachtte in de rij totdat ze aan de beurt was en legde het verfrommelde bewijsje dat al die tijd in haar tas had gezeten voor zich neer.

'Hallo, mijn naam is Penny Goodrich en ik...'

'Geef me dat maar even.' De beambte griste het bewijs van de balie en bestudeerde het voordat Penny de tijd had om haar verhaal af te maken. 'Een moment.' Ze sprong van haar kruk en zocht in de dossierladen achter in het kantoor. Even later kwam ze terug met Penny's bewijs en een officieel uitziend papier.

'U hebt uw originele geboorteakte opgevraagd, juffrouw Goodrich?'

'Ja.' Penny hield haar adem in en hoopte dat de dame haar zou vertellen dat er sprake was van een vergissing en dat ze niet geadopteerd was.

'Sorry, juffrouw Goodrich, maar op verzoek van uw biologische moeder is het dossier verzegeld.' Ze overhandigde Penny het papier en gebaarde haar om opzij te stappen. 'Wie is er aan de beurt?'

Penny nam niet de moeite om het document te bekijken. Ze vouwde het doormidden en daarna nog een keer. Tegen de tijd dat ze de bushalte had bereikt had ze het in een heel klein vierkantje gevouwen. Ze stopte het in haar tas en ging naar huis.

Haar moeder had gehaktbrood gemaakt, een van Penny's lievelingsrecepten, en ze zaten tijdens het eten aan de keukentafel. 'Je bent nogal stil vanavond,' zei haar moeder. 'Wat is er met je aan de hand?'

Penny wist niet wat ze moest zeggen. Er was zo veel aan de hand. Ze had een nieuwe baan, was voor alle examens geslaagd en als beste van de klas geëindigd – maar dat kon niemand wat schelen. Vandaag was ze erachter gekomen dat ze geadopteerd was en dat er geen sprake was van een vergissing, wat betekende

dat de twee mensen die het dichtst bij haar stonden haar vierentwintig jaar lang bedrogen hadden. En niet alleen hadden haar
echte ouders haar afgestaan, ook hadden ze ervoor gezorgd dat
het dossier werd verzegeld, zodat ze er zeker van konden zijn dat
ze nooit meer iets van haar zouden horen. Maar het ergste was
nog dat Eddie binnenkort naar Engeland zou vertrekken om te
vechten in een oorlog waar maar geen einde aan leek te komen.
Zijn leven zou in gevaar zijn en hij zou zelfs kunnen omkomen,
maar wist amper dat ze bestond.

'Er is niets aan de hand,' antwoordde ze. 'Ik ben gewoon
moe.'

'Je wordt toch niet ziek, hè?' Haar moeder stak haar hand uit
om die op Penny's voorhoofd te leggen en door het moederlijke
gebaar sprongen Penny bijna de tranen in de ogen.

'Nee, mij mankeert niets.' Ze moest een ander onderwerp
aansnijden. 'Thanksgiving komt eraan. Als we nu beginnen om
voedselbonnen te sparen, kunnen we misschien iets lekkers koken. Ik dacht dat ik misschien mevrouw Shaffer kan uitnodigen
– en jullie tweetjes nodig ik natuurlijk ook uit.'

'Waar nodig je ons uit?' vroeg haar vader.

'Nou, ik dacht dat het misschien een goed idee was om in
Eddies appartement te eten. Er is genoeg ruimte daar.'

'Ik wil Thanksgiving niet in een Joodse wijk vieren,' zei haar
vader. Hij wees naar de schaal met aardappelpuree en gebaarde
Penny die aan hem door te geven.

Penny dacht aan meneer Mendel en hoe vriendelijk hij was
geweest. 'Hoe kunt u dat zeggen, pa? Vooral nu we overal horen
hoe slecht de nazi's de Joden in heel Europa behandelen?'

'Je bent naïef, Penny. Je weet niets van de wereld.'

'Maar in de kranten lezen we dat de nazi's misschien wel duizenden Joden in Polen hebben vermoord.'

'De kranten verzinnen al die dingen maar. Niemand kan zo
veel mensen ombrengen. En waarom zouden ze dat doen? Het
slaat nergens op.'

'Ik denk dat je hier moet koken,' zei haar moeder. 'We kunnen allemaal hier eten.'

'Maar we hebben geen eetkamer en deze keuken is zo klein. Het zou heel krap worden met z'n allen.' Penny wist ook dat Esther en Peter zich stierlijk zouden vervelen in dit naargeestige, bedompte huis.

'Mij maakt het niet uit wat je doet,' zei haar vader, 'maar ik blijf met Thanksgiving in ieder geval thuis.'

Een week lang reed Penny onder toezicht van een ervaren chauffeur een busroute en keerde iedere avond naar het huis van haar ouders terug, waar ze in haar oude kamer sliep. Ze had het gevoel dat alle vreugde eruit weggezogen was en dat de muren van beton en drie meter dik waren. Ze moest er niet aan denken om na de oorlog weer terug te keren naar dit huis. Ze verlangde ernaar om haar ouders te vragen wie ze echt was en waarom ze haar hadden geadopteerd, maar iedere keer dat ze erover wilde beginnen, werd haar keel toegeknepen van angst en kreeg ze de woorden niet over haar lippen. Ze begreep nu hoe erg het voor Peter moest zijn om zijn gedachten niet uit te kunnen spreken.

Op zondag – de laatste dag van Eddies verlof – trok Penny haar nieuwe grijze pakje aan en ging naar de kerk van Eddie. De afgelopen maanden was ze hier met de kinderen naartoe gegaan en had er veel mensen leren kennen. Ze voelde zich er thuis. Tijdens de dienst, die een uur duurde, zat ze bij Eddie en de kinderen en negeerde de afkeurende blikken die Esther haar toewierp. Na de dienst liepen ze samen naar het huis van oma Shaffer.

'Gaan jullie maar naar binnen om oma te helpen met koken,' zei Eddie tegen de kinderen. 'Ik kom zo, maar wil eerst even met Penny praten.'

Opnieuw begon haar hart te bonken toen ze naast hem in de tuin stond en wachtte totdat de kinderen waren verdwenen. Ze wist dat het onbeleefd was mensen aan te gapen, maar ze kon haar ogen niet van hem afhouden. Eddie zag er zo knap uit in zijn uniform, ook al hadden ze in het leger zijn mooie blonde lokken afgeknipt.

'Luister, Penny. De kinderen zeggen dat ze het fijn vinden om met jou in huis te wonen en ze willen graag dat je voor hen blijft zorgen – als je dat tenminste nog wilt.' Zijn woorden verbaasden haar. Ze had verwacht dat Esther zo bitter over haar had geklaagd dat Eddie had besloten om iemand anders te zoeken.

'Natuurlijk wil ik dat, Eddie. Geen probleem.'

'Goed. Ik heb ook met mijn moeder over de situatie gepraat. Ze vindt het goed dat de kinderen voortaan het weekend hier logeren, zodat jij ook even kunt bijkomen. Ik heb mijn moeder geholpen een kamer te ontruimen zodat ze hier kunnen blijven slapen.'

'Wat aardig dat je aan me gedacht hebt.'

'Ik ben ook met de onderwijzeres van Peter gaan praten, zoals jij me had aangeraden. Ze vertelde me dat het voor de rest goed met hem lijkt te gaan en dat hij niet lastig is op school. Volgens haar moeten we hem gewoon wat meer tijd geven en zal hij vanzelf weer beginnen te praten. Ik weet het niet. Moet ik me zorgen maken?'

Penny wist niet wat ze moest zeggen. Ze kon zich met moeite concentreren op wat hij zei, nu hij zo dicht bij haar stond. Ze wilde zijn gezicht aanraken en de rimpels op zijn voorhoofd gladstrijken. 'Ik denk dat je haar oordeel mag vertrouwen. Wat voor zin heeft het bovendien om je zorgen te maken?'

'Je hebt gelijk. Maar wil je me beloven dat je me van nu af aan op de hoogte zult houden?'

'Sorry dat ik je niets over Peter had geschreven. Ik wilde je niet ongerust maken.'

'Dat geeft niet. Ik stel je brieven echt op prijs, Penny. Ik hoop dat je me blijft schrijven. Ik heb het gevoel weer thuis te zijn als ik ze lees en kan me helemaal in je kleurrijke beschrijvingen inleven.'

Onwillekeurig glimlachte ze na zijn compliment. 'Ik vind het ook leuk om brieven van jou te krijgen.'

Plotseling ging de achterdeur open en stak Esther haar hoofd naar buiten. 'We gaan eten, papa.'

'Ik kom eraan, pop. Nou, dan kan ik je nu maar beter gedag zeggen. Onmiddellijk na het middageten vertrek ik. Daarna kun je de kinderen ophalen. Nogmaals bedankt voor alles, Penny. Ik weet niet hoe ik je ooit zou kunnen bedanken.'

'Door gezond en wel terug te keren.' Penny wachtte niet totdat Eddie haar zou omhelzen. Ze deed een stap naar voren, sloeg haar armen om hem heen en drukte haar wang tegen zijn wollen uniform. Een tel later voelde ze dat hij haar ook omhelsde.

'Ik zal geen afscheid van je nemen, Eddie, omdat ik daar een hekel aan heb.'

'Ja, ik ook.'

De omhelzing was veel te gauw voorbij. Eddie liet haar los en ging naar binnen. Penny keek hem na totdat de deur achter hem dichtviel. Ze liep naar haar eigen huis, maar kon zich er nog niet toe zetten om naar binnen te gaan. In plaats daarvan leunde ze tegen de muur van het huis, waar niemand haar kon zien huilen.

Toen ze die maandagochtend wakker werd, was Penny's eerste gedachte: *Het is zover. Vandaag krijg ik mijn eigen busroute.* Ze was zenuwachtig, maar ook opgewonden. Een paar minuten vroeger dan gewoonlijk zei ze de kinderen gedag en vertrok ze van huis, zodat ze niet te laat zou komen op de eerste dag van haar nieuwe baan. Toen de bus bij haar halte stopte, zag ze haar vriend Roy tot haar grote vreugde al op zijn vaste plek zitten. Hij schoof een eindje opzij om ruimte voor haar te maken.

'Hoi, Penny. Het lijkt alsof ik je al in geen tijden heb gezien. Hoe is het gegaan met Eddie?' Penny dacht dat ze geen tranen meer had om te huilen, maar bij het horen van zijn vraag sprongen de tranen weer in haar ogen. Ze wilde hem niet de waarheid vertellen.

'Hij wordt naar Engeland overgeplaatst,' zei ze met haperende stem.

'O nee. Wat erg voor jou en de kinderen. Geen wonder dat je van streek bent.'

Ze knikte en haalde een zakdoek uit haar zak om haar ogen droog te deppen. 'Moet je horen,' zei ze toen ze weer kon praten. 'Ik heb een heleboel dingen opgeschreven die je aan Sally kunt vertellen… als je er nog steeds in geïnteresseerd bent.' Zijn ogen werden vochtig. 'Hé, geweldig, zeg. Dank je wel, Penny.'

'Graag gedaan.' Ze haalde diep adem en blies toen langzaam uit. 'Nou, ik heb ook goed nieuws dat ik je heel graag wil vertellen. Ik ben geslaagd voor het rijexamen. Ik heb mijn busrijbewijs gehaald.'

'Dat is fantastisch! Gefeliciteerd!' Hij gaf haar een hand. Die voelde sterk en warm aan.

'Bedankt. De afgelopen week heb ik onder toezicht van een andere chauffeur gereden en vandaag krijg ik mijn eigen route.'

Roy fronste zijn wenkbrauwen. 'Betekent dit dat ik je niet meer zie?'

'Nee, je zult me nog wel zien. Mijn nieuwe route begint bij het busstation. Waarschijnlijk zal ik dus iedere dag deze bus blijven nemen. Hé, hoe gaat het met jou en Sally?'

'Prima. Ik krijg een dag verlof voor Thanksgiving en ik denk dat ik haar dan weer een aanzoek zal doen.'

'Dat is geweldig, Roy. Ik hoop dat ze deze keer ja zal zeggen.'

'Ik ook. Hoe gaat het met de kinderen? Zijn ze een beetje aardiger tegen je nu ze hun vader weer hebben gezien?'

'Een klein beetje. Ze hebben hem verteld dat ik op hen mag blijven passen als hij weg is, dus dat zegt misschien ook wel iets.'

'Ik heb over je situatie nagedacht, Penny. Misschien zou je hun genegenheid winnen als je eens iets leuks met ze deed. Begrijp je wat ik bedoel? Ik heb gehoord dat Coney Island heel leuk is. Zelf ben ik er nog nooit geweest. En jij?'

'Nee, nooit!'

'Waarom zeg je dat zo stellig?' vroeg hij lachend. 'Alsof ik je vroeg of je wel eens op de maan was geweest.'

Nu moest Penny lachen. 'Mijn ouders hebben me heel beschermd opgevoed – en me altijd ingeprent om op te passen voor *vreemde mensen*.' Ik weet zeker dat ze zouden denken dat het veel veiliger is op de maan dan op Coney Island. Op de maan zijn tenminste geen vreemde mensen. Geloof me, ze hebben me allerlei enge verhalen verteld over Coney Island. Volgens hen is het de speelplaats van de duivel en zou ik van geluk mogen spreken als ik het er levend van afbracht. En het attractiepark daar – lunapark heet het geloof ik? – dat is nog veel erger.'

Roy grijnsde. 'Wauw. De speelplaats van de duivel? Nu wil ik er zeker naartoe. Thuis in Moosic hebben we zo'n speelplaats niet.'

'Je bent zo grappig, Roy. Maar als je echt wilt gaan, kun je beter tot de zomer wachten. In deze tijd van het jaar heb je niet zo veel aan het strand.'

'Dus Coney Park is voorlopig geen goed idee. Hmm. Waar zou je die kinderen verder nog mee naartoe kunnen nemen? Ik weet het! Wat dacht je van een van die bijeenkomsten op Times Square om oorlogsaandelen te promoten? Ik heb gehoord dat er beroemde filmsterren optreden en groepen zoals de Andrew Sisters.'

'Daar zou ik heel graag naartoe gaan. Maar het was al een hele expeditie om Eddie op het centraal station af te halen, laat staan om hen niet uit het oog te verliezen op een plek als Times Square met zo veel vreemde mensen om ons heen.'

'Nou, ik wil mezelf niet opdringen, maar ik wil best met je meegaan om je te helpen.'

'O, Roy... echt?'

'Natuurlijk. Dat doe ik graag. Jij zou op het ene kind kunnen passen en ik op het andere. Hé, we zijn al bij je halte aangekomen,' zei hij toen de bus vaart minderde om het station binnen te rijden. 'Ik zal uitzoeken waar de volgende promotiebijeenkomst van de oorlogsaandelen plaatsvindt, oké? En als dat niet lukt, dan kunnen we altijd nog naar de dierentuin in de Bronx gaan. Ben je daar ooit geweest?'

Penny glimlachte en schudde haar hoofd. 'Nooit. Weet je niet dat er duizenden vreemde mensen in de dierentuin zijn? Tot morgen, Roy.' Ze was al bijna de bus uit gestapt, toen ze hem hoorde roepen.

'Hé, Penny! Veel plezier met je nieuwe baan vandaag.'

'Dank je wel.' Het was niet bij haar opgekomen dat haar nieuwe baan ook leuk zou kunnen zijn. Maar hij had gelijk. Tot een maand geleden zat ze achter een stoffig, oud loket kaartjes te verkopen en nu zou ze door heel Brooklyn rijden en nieuwe mensen ontmoeten – aardige mensen zoals Roy. Met een glimlach liep ze het busstation binnen, terwijl ze bedacht dat Sally het had getroffen met zo'n aardige vent als Roy.

22

Boedapest, Hongarije
November 1943

Lieve mama en abba,
Opnieuw schrijf ik u een brief, zodat u als de oorlog eindelijk voorbij
is, zult weten hoe het ons is vergaan. Alles verandert zo snel en ik
bereid me voor op het ergste.
Een paar weken geleden verlieten we ons dorp en na een lange reis
kwamen we veilig aan in het huis van oom Baruch in de stad. Hij
en tante Hannah waren zo vriendelijk om ons onderdak te bieden,
ook al hadden ze al drie familieleden van tante Hannah in huis genomen. Maar zo gaat het hier in de Joodse wijk van Boedapest. Nu
er zo moeilijk aan voedsel en brandstof te komen is, zijn veel families
gedwongen om in één appartement samen te wonen.
Oom Baruch, een aantal andere mannen uit ons gebouw en ik trekken
er iedere dag op uit om voedsel, brandhout en werk te vinden. We nemen ieder klusje aan om geld te verdienen. Dit valt niet mee, omdat ik
me ook moet verbergen voor de autoriteiten, die me misschien naar een
werkkamp zullen sturen. Ik weet dat ik Hongaars met een buitenlands
accent spreek, omdat het niet mijn moedertaal is, en daarom moet ik
proberen om mijn mond niet open te doen, tenzij ik ertoe gedwongen
word. Ondanks alle voorzorgsmaatregelen die ik heb genomen, vrees
ik dat het slechts een kwestie van tijd is voordat we allemaal naar een
werkkamp worden gestuurd. Leeftijd is geen argument meer voor de
Hongaarse regeringsfunctionarissen. Nu zo veel jonge mannen in het
leger zitten, heeft de Hongaarse regering arbeiders nodig om de fabrieken draaiende te houden en wegen en spoorlijnen te repareren.

Het weinige nieuws dat over de oorlog binnendruppelt, is heel slecht.
Heel Europa lijdt onder de nazi's. We hebben gehoord dat Engeland
het heel moeilijk heeft en dat de Russen ook zware verliezen hebben
opgelopen. Ik ben bang dat de Amerikanen zich te laat in de strijd
hebben gemengd en dat ze niet echt bereid waren om te vechten toen
ze Japan en Duitsland uiteindelijk de oorlog verklaarden. Iedereen is
bang dat de Amerikaanse troepen te dun gespreid zijn, omdat ze de
geallieerden hier in Europa proberen te helpen, terwijl ze tegelijkertijd
in de Stille Zuidzee tegen de Japanners vechten.

Toen Sarah en ik in Boedapest aankwamen, voelden we ons in het
begin redelijk veilig, maar nu zijn de nazi's begonnen hun Hongaarse
bondgenoten onder druk te zetten. Iedereen is bang dat de Joden hier
binnenkort even zwaar vervolgd zullen worden als in Duitsland en
Polen. De laatste tijd waren de geruchten zo angstaanjagend dat ik
besloot om Sarah en Fredeleh op een veiligere plek onder te brengen.
Ik had gehoord dat een groep katholieke nonnen hier in Boedapest
Joodse kinderen in hun weeshuis verborg. Verleden week ben ik met
hen gaan praten en ze stemden ermee in om Fredeleh op te nemen.
Ze zouden haar een christelijke naam geven en haar en de andere
Joodse kinderen tussen de oorlogswezen verbergen. Ze vertelden me
dat ik een brief moest opstellen met alle belangrijke informatie voor
mijn familie in Amerika en voor Sarahs familie hier in Hongarije. Op
die manier zouden de nonnen, als er iets met Sarah of mij zou gebeu-
ren – wat Hasjem moge verhoeden – contact kunnen opnemen met
Fredelehs familieleden na afloop van deze lange, vreselijke oorlog.

Ik heb Sarah over deze plannen verteld, maar ze kan de gedachte niet
verdragen om Fredeleh te laten gaan. Verdrietig nieuws is dat Sarah
ons tweede kind verwachtte, maar door het slechte en weinige eten een
miskraam heeft gekregen. Ik had het hart niet om Fredeleh van haar
weg te nemen. En daarom hebben we besloten om voorlopig bij elkaar
te blijven en vertrouwen we erop dat Hasjem ons zal laten weten
wanneer het moment is gekomen om te handelen. Als de Duitsers
naar Hongarije komen en ons dwingen om een gele ster te dragen,
zullen we weten dat het tijd is om de christenen om hulp te vragen.

Ik zal deze brief samen met de identiteitspapieren van Fredeleh in het klooster achterlaten, zodat de nonnen deze na de oorlog naar u toe kunnen sturen.

Ik blijf Hasjem trouw en vraag Hem naar de betekenis van al dit lijden. Hij heeft me eraan herinnerd dat ons volk eens als slaven in Egypte diende en dat heel Egypte werd verwoest als gevolg van onze bevrijding, zoals Europa nu wordt verwoest. Maar uiteindelijk kwam die bevrijding wel en werd het beloofde land van Israël ons thuis. Misschien is het wat vergezocht om te geloven dat al dit lijden ons op een dag naar het beloofde land zal terugbrengen en dat Israël na bijna tweeduizend jaar ballingschap opnieuw het thuisland voor de Joden zal zijn. Maar ik geloof dat Hasjem wonderen kan verrichten en zou mijn leven graag opofferen, zodat Fredeleh op een dag vrij kan zijn. Stel u toch voor, mama en abba, ons eigen land waar we vrij kunnen zijn van pogroms en vervolging, vrij om Hasjem te dienen.

Uw liefhebbende zoon,
Avraham

23

December 1943

Er stond een koude decemberwind die vanaf de East River door Jacobs jas heen blies terwijl hij zich naar zijn appartement haastte. Hij moest zijn hoed stevig op zijn hoofd drukken om hem niet te verliezen. Sneeuwvlokken dwarrelden naar beneden en bedekten de stoepen en het karige gras dat erlangs groeide met een wit laagje. Miriam Shoshanna zou hebben gezegd dat de sneeuw er prachtig uitzag en op poedersuiker leek.

Voordat hij naar binnen ging, stampte Jacob de sneeuw van zijn schoenen en veegde ze op de mat. Ondanks het bitterkoude weer was hij in geen maanden zo hoopvol gestemd geweest, nadat rebbe Grunfeld en hij een ontmoeting hadden gehad met het Amerikaans Joodse Congres. Over een maand zou president Roosevelt de oprichting van een nieuwe overheidscommissie aankondigen die als doel had vluchtelingen te redden. Het Amerikaanse ministerie van Buitenlandse Zaken zou al het geld dat Jacob en andere vrijwilligers zouden inzamelen naar Europa sturen om onschuldige slachtoffers van de naziterreur, onder wie veel Joden, te helpen.

'En Hongarije?' had hij gevraagd. 'Bestaan er plannen om de Joden te helpen die er in de val zitten?'

Het antwoord had hem hoop gegeven. De nieuwe commissie zou samenwerken met neutrale staten, waaronder Zwitserland en Zweden, die nog steeds ambassades hadden in landen zoals Hongarije die door de asmogendheden werden gecontroleerd.

Voedsel en andere hulp zou via deze neutrale staten worden gedistribueerd.

Jacob was net gaan zitten om de krant te lezen toen hij Esther en Peter uit school hoorde komen. Ze hadden inmiddels de gewoonte om na hun jassen en laarzen te hebben uitgetrokken, met hun schoolboeken naar zijn appartement te komen en er te blijven totdat juffrouw Goodrich uit haar werk kwam.

Aan zijn keukentafel maakten ze huiswerk en luisterden ze naar klassieke muziek op de radio. Jacob hielp Peter met zijn rekensommen. In afwachting van hun komst haalde hij de deur van zijn appartement van het slot, maar ze kwamen niet onmiddellijk naar beneden. Toen dat uiteindelijk wel gebeurde, was Esthers gezicht nat van tranen.

'Wat is er aan de hand?' vroeg hij toen ze binnen waren.

'We hebben een brief van papa gekregen.' Ze hield hem omhoog. 'Hij schrijft dat hij tegen de tijd dat we zijn brief krijgen op weg is naar Engeland!' Ze vloog op Jacob af en klampte zich snikkend aan hem vast. Hij wist niet wat hij moest doen of zeggen en drukte haar dus zwijgend tegen zich aan. Hij zag Peters stille tranen en trok hem ook naar zich toe. De jongen gaf geen kik, maar zijn magere lichaam schokte van een woordeloos verdriet.

'Ik wil niet dat papa in de oorlog gaat vechten!' huilde Esther.

'Arme kinderen,' mompelde Jacob. 'Wat erg voor jullie.' Hij begreep de machteloze woede en droefheid van de kinderen, maar had geen idee hoe hij hen kon troosten. Daarom hield hij hen tegen zich aan en zei niets totdat Esther eindelijk was uitgehuild.

'Het is zo oneerlijk!' snifte ze, terwijl ze haar neus en ogen met haar zakdoek afveegde. 'We hebben hem nodig!'

'Toen je vader op verlof was, heeft hij me verteld dat hij legervoertuigen moet onderhouden en repareren. Hij dacht niet dat hij echt zou gaan vechten.'

'Maar hij gaat naar Engeland! Daar vallen al die bommen op

de mensen. U hebt er foto's van.' Esther liep naar de verzameling krantenknipsels op de eettafel en zocht een aantal foto's uit die ze vervolgens een voor een omhooghield. Hij hoefde er niet naar te kijken om te weten wat erop stond: bergen met bakstenen en zwartgeblakerd hout, verwoeste gebouwen, dakloze gezinnen die in groepjes op straat zaten en naar de ruïnes keken die van hun huizen waren overgebleven, hulpverleners, leden van de luchtbescherming die in het puin naar overlevenden zochten. Iedere middag bekeek Esther zijn verzameling, even geobsedeerd als hij. Nu betreurde Jacob dat ze de foto's ooit had gezien. Hij nam de krantenknipsels van haar aan en legde ze op tafel.

'Kom, we gaan theedrinken in de keuken.'

Voor de eerste keer zag hij de foto's door haar ogen. Hij had de wereld in oorlogstijd gedocumenteerd, maar Esther had die wereld als een angstaanjagende en onstabiele plek gezien, waar zomaar bommen uit de lucht kwamen vallen, als het de Almachtige behaagde – bommen die haar vader konden verpletteren zoals de auto haar moeder had overreden. En wat kon Jacob tegen haar zeggen? Geloofde hij, zoals rebbe Grunfeld had benadrukt, dat Hasjem zijn Hulp en Schild was, zijn Beschermer? Kon hij deze kinderen beloven dat Hasjem hun vader veilig zou bewaren? Nee, dat kon hij niet.

Jacob besloot om de krantenknipsels weg te halen zodra Esther naar huis zou zijn gegaan. Ze hadden hem, net als haar, alleen maar banger en bozer gemaakt.

'Hier, ik heb wat koekjes gekocht,' zei hij. 'Vertel me maar of je ze lekker vindt.' Terwijl Esther en Peter gingen zitten, wrikte hij het deksel van de trommel open en zette die op tafel. De koekjes waren lang niet zo lekker als Miriam Shoshanna's zelfgebakken koekjes, maar ze moesten het ermee doen. Hij herinnerde zich hoe hij zijn vrouw vaak had verweten dat ze deze kinderen met lekkernijen verwende – terwijl hij nu precies hetzelfde deed.

'Niemand kan beloven dat je vader veilig thuis zal komen,' zei hij terwijl hij drie theekopjes pakte. 'Maar je schiet ook niets op met piekeren en bang zijn.'

Esther leunde met haar ellebogen op tafel en liet haar kin op haar handen rusten. Peter knabbelde aan een koekje. 'Is het lekker?' vroeg Jacob hem. Hij knikte.

'Het wordt een verschrikkelijke Kerst dit jaar.'

'Ik weet niet veel van de christelijke feestdagen – alleen wat ik in de winkeletalages zie en over de kerstman hoor. Maar waarom zal het dit jaar verschrikkelijk worden?'

'Omdat papa zo ver weg is! We kunnen de dingen niet meer doen die we altijd deden, zoals de kerstboom optuigen en cadeautjes uitpakken. Het zal niet hetzelfde zijn.'

'Tradities zijn goed. Ze zorgen voor orde en stabiliteit. Maar verandering hoort ook bij het leven. Het is de kunst om een evenwicht tussen die twee te vinden.'

'Ik wil niet dat alles verandert.'

'Dat begrijp ik. Toen onze zoon Avraham wegging, vonden zijn moeder en ik het soms heel moeilijk om onze feestdagen te vieren. Ze leken niet hetzelfde zonder hem. Maar Avraham is een volwassen man en het zou verkeerd van ons zijn geweest om hem voor altijd als een klein jongetje te zien. Hij heeft zijn eigen leven, net zoals jullie op een dag volwassen zullen zijn en het huis uit zullen gaan.'

'Maar waren uw feestdagen niet verdrietig zonder hem?'

'Ja, in het begin wel. Maar Miriam zei dat we moesten leren om de echte betekenis van de feestdag met dankbaarheid te vieren. Ze zei dat geluk iets is dat uit ons eigen hart komt, niet van andere mensen.'

Jacob voelde zich een hypocriet toen hij deze dingen zei. Hij had Miriams advies niet opgevolgd. Sinds haar overlijden had Jacob geen enkele feestdag meer gevierd, totdat hij een paar maanden geleden op Soekot aan de feestelijke maaltijd in het huis van de rabbijn had deelgenomen.

'Natuurlijk mis ik mijn zoon,' ging hij verder, 'maar toen ik jong was, liet ik mijn familie ook achter en kwam ik naar dit land toe. Ik weet zeker dat mijn ouders heel verdrietig waren, maar ze gunden me een beter leven in Amerika.'

Het water kookte en hij stond op om thee te zetten. Hij wist hoe de kinderen die graag dronken: niet te sterk, met meer melk dan thee in het kopje.

'Thanksgiving was ook een verschrikkelijke dag,' vertelde Esther hem. 'We aten bij Penny thuis en haar ouders zijn oud en altijd in een slecht humeur. Onze oma was ook uitgenodigd, maar zij is de hele tijd verdrietig omdat al haar zonen in de oorlog vechten. Van Penny moesten we een voor een vertellen waar we dankbaar voor waren, maar ik had geen reden om dankbaar te zijn.'

Peter stak zijn hand in zijn zak en haalde het papiertje tevoorschijn dat hij altijd bij zich had. Hij schreef er iets op en hield het omhoog, zodat Esther en Jacob het konden lezen: *Penny probeerde het gezellig te maken.*

Esther haalde haar schouders op. 'Ja, misschien wel.'

Ik vond het zielig voor Penny, voegde hij eraan toe. Jacob legde zijn hand op Peters schouder. Hij was zo'n lieve, gevoelige jongen. Avraham was ook zo geweest: hij had altijd om een ander gedacht.

'Ja, ik vond het ook een beetje zielig voor Penny,' gaf Esther toe. 'Ze had zo haar best gedaan in dat kleine, hete keukentje en iedereen had wat op het eten aan te merken – behalve jij, Peter.' Ze pakte een koekje uit de trommel en zakte toen weer onderuit in haar stoel. Jacob zag dat ze een stuk rustiger was geworden sinds ze was binnengekomen.

Met de rug van zijn hand veegde Peter de koekkruimels van zijn mond en vervolgens schreef hij weer iets op het papiertje: *Woont uw zoon vlak bij Engeland?*

'Nee, Hongarije ligt er een behoorlijk eind vandaan. Ik zal je het op een landkaart laten zien.' Hij ging naar de eetkamer en pakte een van de landkaarten die hij uit de krant had geknipt waarin de opmars van de troepen en de locaties van de slagvelden aangegeven stonden. Hij keek naar de foto die eronder stond en huiverde. Het onderschrift luidde: *Dodenwagen in het getto van Warschau.* Op de foto zag je de uitgemergelde lichamen van Joden die in Polen van de honger waren omgekomen. Een jaar geleden had hij die foto uit de krant geknipt en hij had hem nooit moeten bewaren. Als de kinderen weg waren, zou hij alles weggooien.

'Zie je, Peter?' zei hij, toen hij met de landkaart naar de keuken terugkeerde. 'Dit is Engeland, waarnaartoe je vader op weg is en dit is Hongarije. Deze pijlen laten zien in welke richting de troepen oprukken... en voorlopig is Engeland dus ver weg van het front.'

'Maar de nazi's gooien bommen op Londen.'

'Ja, Esther, dat is zo. Maar de Engelsen hebben sirenes om de mensen te waarschuwen tegen bombardementen en schuilkelders om ze te beschermen tegen de bommen.'

'Onze dominee bidt iedere zondag voor alle mannen in onze kerk die in de oorlog vechten, maar ik doe mijn ogen niet eens dicht. Het maakt toch niets uit. God luisterde ook niet toen ik voor mama bad.'

Plotseling voelde Jacob zich zo moe dat hij moest gaan zitten. Hij trok zijn mok met thee naar zich toe en nam een slokje, maar antwoordde niet.

'Denkt u dat het zin heeft te bidden, meneer Mendel?'

Een eerlijk antwoord zou zijn dat hij nog steeds te boos was om tot Hasjem te bidden. Maar evenals zijn foto's Esthers angst hadden aangewakkerd, zou zijn gebrek aan geloof ook van invloed op haar zijn. Het zou verkeerd zijn om deze kinderen de donkere, hopeloze wereld binnen te leiden waarin hij leefde. Moest hij tegen hen zeggen dat ze niet meer mochten komen? Nee, Jacob was te verknocht aan hen geraakt. Ze waren het enige lichtpuntje in zijn leven. Hij zocht naar een antwoord.

'Soms, Esther, is het verkeerd om de zin van een gebed te beoordelen aan de hand van het onmiddellijke resultaat. Ken je het verhaal van Jozef in de Bijbel?'

Ze dacht even na. 'U bedoelt de jongen met de veelkleurige mantel?'

'Ja, precies. In het verhaal zag alles er heel somber uit voor Jozef: hij was door zijn eigen broers verkocht als slaaf en naar een vreemd land, ver van huis, weggevoerd. Hij werd zelfs in de gevangenis gegooid, beschuldigd van een misdaad die hij niet had gepleegd. Zijn vader dacht dat hij dood was.' Jacob kon even niet verder spreken, omdat hij door verdriet werd overmand. Hij deed zijn ogen dicht en dacht aan zijn eigen zoon, de kar vol lijken van Joden en de rechercheurs die naar zijn appartement waren gekomen en valse beschuldigingen aan zijn adres hadden geuit. De politie wilde hem ook in de gevangenis gooien voor een misdaad die hij niet had gepleegd.

'Al die tijd,' zei hij toen hij weer verder kon spreken, 'al die tijd moet Jozef de indruk hebben gehad dat Hasjem niet naar hem luisterde als hij tot Hem bad.'

'Is Hasjem de naam van God?'

'Nee, Hasjem betekent "de Naam". In één van de Tien Geboden staat dat het verkeerd is om Zijn naam ijdel te gebruiken. Wij geloven dat Zijn naam zo heilig is dat we die nooit mogen uitspreken. Daarvoor in de plaats zeggen we Hasjem – de Naam.'

'Dus Jozef bad tot Hasjem?' vroeg Esther.

'Ja, ik weet zeker dat hij iets in de trant van het volgende bad: "Verlos me uit deze gevangenis! Laat me terugkeren naar mijn familie!" Misschien beantwoordde Hasjem Jozefs gebeden niet zoals Jozef wilde, maar uiteindelijk bleek dat Hasjem een heel goede reden had om hem in Egypte te houden. Natuurlijk zag Jozef dit pas vele jaren later in. Maar ondertussen was Hasjem wel aan het werk. Hij zorgde ervoor dat Jozef een van de leiders van Egypte werd. En toen er hongersnood uitbrak in het land Kanaän, kwam Jozefs familie naar Egypte en werd zo van de hongerdood gered.'

Peter schreef iets op zijn papiertje en schoof het over de tafel naar Jacob toe. *Mama heeft ons dat verhaal verteld.* Jacob dacht aan Rachel Shaffer en zijn eigen Miriam Shoshanna en slikte de brok in zijn keel weg.

'Misschien beantwoordt Hasjem onze gebeden niet zoals we willen,' zei hij, nadat hij zijn keel had geschraapt. 'Hij bevrijdde Jozef niet meteen uit de gevangenis. Maar Hasjem was wel al die tijd bij Jozef, ook in de stilte.'

'Is dat echt zo, meneer Mendel? Luistert God – Hasjem – altijd naar onze gebeden?'

Esther en Peter verwachtten dat hij hun antwoord zou geven – en hoop. Hij had geen hoop. Waarom had hij de deur ooit voor hen opengedaan? Moest hij liegen?

'De rechtvaardige zal door het geloof leven,' zei Jacob uiteindelijk, toen hij zich de woorden van de rabbijn herinnerde. 'Geloven is overtuigd zijn van de waarheid, zelfs als je die niet kunt zien. Zoals Jozef deed. Hij bleef in Hasjem geloven. En uiteindelijk werden zijn gebeden verhoord op een heel andere manier dan hij had gedacht.'

Jacob vroeg zich af of zijn zoon Avraham nog steeds geloofde, ook al was hij aan alle kanten omringd door het kwaad, al waren zijn gebeden om de benodigde visa voor zijn gezin te bemachtigen niet verhoord en had Hasjem hen niet verlost.

'Ik wist niet dat u dezelfde Bijbelverhalen had als wij,' zei Esther.

'Ja, veel verhalen zijn hetzelfde. Jullie Jezus was toch ook een Jood, net als ik?'

'Koopt u dit jaar een kerstboom, meneer Mendel? O, wacht… ik denk niet dat u in Kerst gelooft, of wel?'

'Nee, we vieren Kerst niet.'

'Wat viert u dan wel?'

'In december vieren joodse mensen Chanoeka. Ze steken speciale kaarsen aan om het wonder te herdenken dat Hasjem lang geleden heeft verricht.'

'Welk wonder?'

Jacob zag dat de kinderen hem aankeken en op uitleg wachtten. Waar was hij aan begonnen? 'Heel lang geleden probeerden onze vijanden ons geloof en onze tradities te vernietigen. Ze ontwijdden onze tempel en lieten onze heilige lampen uitgaan.' Jacob dacht aan de uitgebrande sjoel aan de overkant en kreeg een brok in zijn keel. 'Maar Hasjem gaf ons de overwinning op onze vijanden en we mochten onze tempel weer aan Hem wijden en de lampen opnieuw aansteken. Het probleem was dat de priesters niet meer olie dan voor één nacht hadden. Maar hun geloof was zo groot dat ze de lampen toch aanstaken en door een wonder van Hasjem brandden de lampen acht dagen lang op een heel klein beetje olie. Daarom steken we tijdens het chanoekafeest acht dagen lang iedere avond de kaarsen aan en zetten ze in het raam als een teken van hoop voor de wereld.'

'Waarom doet God dit soort wonderen niet meer?'

'Als we Hem zouden begrijpen, Esther, dan zou Hij daarmee net als wij zijn, nietwaar? Of zouden wij net als Hij zijn. Dan zou Hij niet de Almachtige zijn. Zoals Hij heeft gezegd: *"Mijn gedachten zijn niet uw gedachten en uw wegen zijn niet Mijn wegen."'*

Peter boog zich voorover om iets op te schrijven. *Steekt u ook kaarsen aan?*

Wat kon Jacob zeggen? Dat hij geen hoop meer had? Dat hij niet langer geloofde in wonderen? Hij kon deze kinderen toch niet verder meeslepen in zijn wanhoop dan hij al had gedaan? 'Ik heb niemand met wie ik het feest kan vieren,' antwoordde hij.

Esther sprong overeind. 'Wij willen ze wel met u aansteken.' Peter knikte instemmend.

Wat voor kwaad kon het om de kaarsen aan te steken en de kinderen op een wonder te laten hopen? Hij stond op en liep naar de keukenla waar Miriam de kaarsen bewaarde voor de sjabbat, de menora en de speciale kaars voor *Hawdala*, het einde van de sjabbat. Stiekem hoopte hij dat de lade leeg zou zijn, zodat hij een goed excuus zou hebben om de kaarsen niet aan te steken. Maar er zaten er genoeg in, samen met een aantal lucifers. Miriam zorgde er altijd voor dat ze genoeg kaarsen in voorraad had en na haar overlijden had Jacob geen enkele kaars meer aangestoken.

'Vanavond is de tweede avond van Chanoeka,' zei hij, terwijl hij de la weer dichtdeed. 'Daarom moeten we twee kaarsen aansteken, samen met de *sjamasj*, de kaars die wordt gebruikt om de andere aan te steken.'

Hij ging hun voor naar de woonkamer, tilde de *chanoekia* van de boekenkast en veegde er met zijn hand het stof van af. Miriam zou op hem gemopperd hebben, als ze had gezien hoe vuil die was.

'We zetten de kandelaar altijd voor het raam op deze tafel,' legde hij uit, 'zodat iedereen hem kan zien.' Hij schoof het tafeltje naar het raam toe en trok de gordijnen open. Daarna zette hij de menora erop en plaatste de eerste twee kaarsen in hun houders. 'Acht dagen lang zetten we er iedere avond een extra kaars bij die we aansteken met de sjamasj in het midden van de kandelaar. Morgen zullen we drie kaarsen aansteken, daarna vier, en ga zo maar door, om het wonder van de olie te herdenken.'

'Mag ik ze aansteken?' vroeg Esther.

De jongen kon niet praten, maar hij stond naast Jacob en leek ook graag te willen helpen. Avraham had dit ook altijd graag gedaan. 'Vanavond mag de dame eerst. Morgen ben jij aan de beurt, Peter. Ze mogen pas na zonsondergang aangestoken worden, maar in de wintermaanden gaat de zon heel vroeg onder – even na vieren, geloof ik.'

'Het is tien voor half vijf,' zei Esther na een blik op de klok te hebben geworpen.

'Prima.' Wat maakte het uit of de kaarsen een paar minuten te vroeg of te laat werden aangestoken? Hij reikte Esther de sjamasj en lucifers aan. 'Eerst moeten we een speciale zegenbede uitspreken.' Jacob deed zijn ogen dicht en reciteerde de

Hebreeuwse woorden uit zijn hoofd. Hoelang was het geleden dat hij Hasjem had aanbeden? Hoelang geleden dat hij tot Hem had gesproken? Toen hij zijn ogen weer opendeed, was zijn zicht vertroebeld door de tranen. 'Je mag ze nu aansteken, Esther,' zei hij zachtjes.

'Wat betekenden de woorden die u net zei?' vroeg ze toen de drie kaarsen brandden.

'Het gebed is een lofprijzing van Hasjem, de Koning van het heelal. We zegenen Hem en danken Hem voor Zijn gebeden... en voor het leven... en voor Zijn wonderen.'

'Gelooft u nog steeds in God... zelfs nu...'

Ze maakte haar zin niet af, maar Jacob wist wat ze bedoelde: zelfs nu hij niets meer begreep van deze wereld waarin zinloze auto-ongelukken en oorlogen plaatsvonden. Jacob was heel boos op Hasjem, maar toch knikte hij. 'Ja,' antwoordde hij, 'ik geloof in Hem.'

Maar geloofde hij werkelijk in alles wat hij de kinderen deze middag had verteld? Dat Hasjem altijd bij ons is, zelfs al kunnen we het niet zien? Dat we op Hem mogen vertrouwen, zelfs als we niet begrijpen wat Hij doet? Dat Hasjem goed en liefdevol is en wonderen kan verrichten voor Zijn kinderen?

Hij zag hoe Esther en Peter gefascineerd naar de dansende vlammetjes keken – symbolen van hoop die schitterden in het voorraam, waar iedereen ze kon zien – en Jacob wist wat het antwoord was.

Ja, hij geloofde nog steeds in al deze dingen.

Later, toen de kinderen waren vertrokken en de kaarsen waren opgebrand, fluisterde Jacob voor de eerste keer in vele maanden een stil gebed. Hij vroeg Hasjem om een wonder. Hij vroeg Hem om Avraham, Sarah Rivkah en Fredeleh te beschermen, waar ze vanavond ook waren. En hij bad ook om bescherming voor Ed Shaffer, dat hij veilig naar zijn kinderen mocht terugkeren.

Het was niet veel. Maar het was een begin.

24

Terwijl Esther haar bed klaarmaakte op de bank van oma Shaffer, luisterde ze naar het lied *White Christmas* op de radio. Het deuntje van Bing Crosby was heel populair in deze tijd van het jaar en werd zo vaak gespeeld dat het Esther de keel uithing. Ze liet de deken die ze in haar handen had vallen en baande zich een weg door de rommel om de radio uit te zetten.

'Waarom deed je dat?' vroeg oma.

'Ik heb een hekel aan dat lied en word er verdrietig van. Ik wil het niet meer horen.'

'Nou ja, het maakt eigenlijk ook niet uit, want het is bijna bedtijd.'

Esther haalde de kussens van oma's stoelen om een bed voor Peter op de grond te maken. Voor zijn vertrek had hun vader oma geholpen om wat ruimte in de woonkamer vrij te maken, zodat Esther en Peter ergens konden slapen in het weekend. Hij had geprobeerd om oma over te halen wat van de troep die ze had verzameld weg te gooien, maar dat had ze geweigerd. Uiteindelijk had er niets anders opgezeten dan alle spullen tegen de muur en voor het raam te verschuiven, om wat ruimte op de grond vrij te maken waar Peter kon slapen. Zodra oma het licht uitdeed, had Esther het gevoel in een opslagruimte te liggen.

'Heeft papa u verteld op welke plekken hij allemaal geslapen heeft?' vroeg ze, terwijl oma een kussen voor Peter opschudde.

'Nee, waar dan?'

'Nou, op het schip sliep hij op een bed dat op een soort hangmat leek. Vanaf de vloer tot aan het plafond hingen rijen van dat soort hangmatten en hij had niet eens genoeg ruimte om rechtop te zitten. Daarna, toen hij net was aangekomen op de legerbasis in Engeland, waren er niet genoeg bedden voor alle mannen en moesten de soldaten bedden delen. De helft van de mannen bleef een aantal uur op, terwijl de andere helft sliep en daarna ruilden ze. Hij zei dat de lakens nog warm waren als hij ertussen kroop.'

'Dat zou ik helemaal niet fijn vinden,' zei oma. Ze spreidde een deken over Peter uit, liep naar de vogelkooi en legde er voor de nacht een doek overheen. 'Jullie twee kunnen ook wisselen als het voor Peter te ongemakkelijk wordt op de grond.'

'Dat zullen we doen.'

Esther vond het niet fijn om in oma Shaffers huis te logeren, maar ze had besloten om dit weekend meer te weten te komen over haar moeders kant van de familie. Esther had geprobeerd niet meer aan hen te denken nadat haar vader haar had verteld dat ze boos waren geweest op haar moeder en niets meer met haar te maken wilden hebben. Maar iedereen die Esther kende, had tientallen familieleden – ooms en tantes, nichten en neven, en grootouders – terwijl zij ze op één hand kon tellen. Misschien zou ze zich minder eenzaam voelen als ze de familie van haar moeder zou vinden. En dus had ze vanaf het moment dat Penny hen eerder die avond had afgezet, al haar moed bijeengeschraapt en gewacht op het juiste moment om de vraag te stellen. Terwijl haar oma naar het lichtknopje schuifelde, wist Esther dat het nu of nooit was.

'Oma, waar kwam mama vandaan?'

'Uit Brooklyn denk ik.'

'Heeft ze hier nog familie? Broers en zussen?'

'Dat weet ik niet.'

'Hebt u nooit iemand van hen ontmoet?'

'Nee.'

'Hoe zijn papa en mama elkaar dan tegengekomen?'

Oma leek achteruit te deinzen, alsof Esther de vragen als een spelletje trefbal op haar afvuurde. 'Dat moet je maar aan je vader vragen, niet aan mij.'

'Maar hij is zo ver weg en het duurt zo lang voordat ik antwoord krijg op mijn brieven. Kunt u het me niet vertellen?'

'Ik weet het niet meer.'

Esther had het gevoel dat oma het nog wel wist, maar het niet wilde vertellen. 'Waarom was mama's familie boos op haar?' vroeg Esther.

'Omdat ze…' Oma ging niet verder. 'Wie heeft je verteld dat ze boos op haar waren?'

'Papa. Hij zei dat ze "vervreemd" van elkaar waren. Hij heeft ook uitgelegd wat dat betekent. Hoe kon iemand nu boos zijn op mama? Vooral haar eigen familie?'

'Dat is al zo lang geleden, Esther. Het doet er niet meer toe.' Oma deed het licht uit en schuifelde voetje voor voetje de huiskamer door naar haar eigen slaapkamer. 'Welterusten, jullie twee.'

'Wacht!'

Oma bleef staan en draaide zich naar Esther om. 'Wat nu weer?'

'Ik heb mama's fotoalbum bekeken en geen enkele foto van haar familie gezien. Waren ze dan niet op de bruiloft van papa en mama?'

'Nee.'

'Waarom niet.'

'Wat ik gehoord heb, is dat ze niet wilden dat je moeder met Eddie zou trouwen en de kans zou laten schieten om muziek te studeren.'

'Waar zou ze muziek gaan studeren?'

'Luister, meer zeg ik niet. Het is niet aan mij om over je moeder of haar familie te praten. Dit soort vragen moet je maar aan je vader stellen. Welterusten.'

'Oma? Is mama's familie op de begrafenis geweest?'

'Nee,' zei ze zachtjes. 'Nee, daar zijn ze niet geweest.'

'Waarom niet? Wisten ze dan niets van Peter en mij?'

'Welterusten, Esther.'

'Welterusten,' zei ze met een zucht. Voorlopig zou ze het hierbij laten, maar ze was vastbesloten om morgenochtend weer een poging te wagen.

Ze ging liggen en wachtte totdat haar ogen gewend waren aan het donker. In de verduisterde kamer zagen oma's opgestapelde spullen er spookachtig uit, zoals de puinhopen van de gebombardeerde gebouwen op de foto's van meneer Mendel uit de krant. Esther wenste dat Peter en zij thuis in hun eigen slaapkamer waren. Jacky Hoffman had haar uitgenodigd om morgen met hem naar de film gegaan, maar ze had de uitnodiging moeten afslaan. Hij liep nog steeds met hen mee uit school en beschermde Peter tegen de andere kinderen. Ze wist niet waarom Jacky meneer Mendel die ene keer had uitgescholden, maar ze vond het fijn om met Jacky naar huis te lopen en te praten, en daarna bij meneer Mendel langs te gaan. Beiden waren haar vrienden – de enige vrienden die ze had.

Esther ging op haar zij liggen en keek naar Peter. Het licht van de straatlantaarn schemerde door oma's armoedige gordijnen heen, zodat ze hem net kon ontwaren. De hond lag naast hem en hij had zijn arm om het dier heen geslagen als een teddybeer.

'Peter?' fluisterde ze. 'Ik wil hier niet met Kerst zijn. Jij wel?' Hij keek op en schudde zijn hoofd. 'Weet je nog dat Penny ons vroeg of we zin hadden om met haar vriend Roy naar Times Square te gaan? Ik heb toen tegen Penny gezegd dat ik er geen zin in had – maar ik heb me bedacht. En misschien kunnen we het volgende weekend gewoon thuisblijven. Zou je dat willen?'

Peter knikte. Esther keek naar haar broer, die zich op zijn geïmproviseerde bed vastklampte aan de hond, met stapels kranten en kartonnen dozen om zich heen. Hij zag er zo verloren uit dat de tranen in haar ogen sprongen. Haar moeder zou ook huilen als ze zag wat er van hen terecht was gekomen. De tot op de draad versleten deken van oma zag er veel te dun uit om Peter warm te houden en dus trok Esther de gehaakte sprei van de rugleuning van de bank en spreidde die over hem uit.

'Peter?' fluisterde ze. 'Denk je dat je ooit weer tegen me kunt praten?' Hij stak zijn handen op in een hulpeloos gebaar. Esther ging weer liggen en zuchtte. 'Ik mis dat zo, Peter.'

Nog nooit had Esther zo veel mensen bij elkaar gezien als die dag op Times Square. Duizenden mensen stonden voor het podium te luisteren naar de optredens van musici en zangers. Beroemde filmsterren vertelden grappen en spoorden mensen aan om oorlogsaandelen te kopen, terwijl een gigantische kassa achter het toneel bijhield hoeveel geld er was ingezameld voor de oorlog. Toen ze de overvolle metro in- en uitstapten, had Penny Esther een arm gegeven en deze keer vond Esther het niet erg om zo dicht bij Penny in de buurt te blijven. Haar vriend Roy, de marinier, lette op Peter en droeg hem op zijn rug toen hij moe was van het lopen. Daarna zette hij hem op zijn schouders zodat hij het toneel over alle hoofden heen kon zien.

'Ik heb nog nooit een filmster in het echt gezien, jij wel?' vroeg Penny.

Esther schudde haar hoofd. 'We hadden eerder moeten komen, want dan hadden we dichterbij gestaan.'

'Volgend jaar,' zei Roy met een knipoog. Maar Esther hoopte van ganser harte dat haar vader volgend jaar met Kerst thuis zou zijn en dat niemand meer oorlogsaandelen hoefde te kopen, omdat de oorlog voorbij was.

Ze luisterden naar Judy Garland en zongen een paar kerstliederen met haar mee. Ze lachten en juichten met de rest van de menigte om Abbots en Costello's grappen en grollen. Ondertussen werd het getal op de reusachtige kassa hoger en hoger. Het was een leuke en spannende show en voor Esther was de middag veel te gauw voorbij.

'Zullen we naar Macy's gaan om in de etalages naar de kerstversiering te kijken?' stelde Roy voor. Peter danste van opwinding. Hij was de hele dag zo opgewonden geweest dat Esther ervan overtuigd was dat de woorden nu elk moment uit zijn mond zouden rollen. Hij mocht Roy en moest lachen om zijn melige grapjes. In lange tijd had ze Peter niet zo gelukkig gezien.

'Oké, laten we gaan,' zei Esther. Penny keek blij en verrast, toen Esther haar weer een arm gaf. Maar Esther deed het alleen maar om elkaar niet uit het oog te verliezen in de menigte.

Terwijl ze om het warenhuis heen liepen, bewonderden ze de mooie, glinsterende kerstversieringen in de etalages. De vreugde van het kerstfeest begon in Esther op te borrelen als de prik in een flesje frisdrank. Ze begon te wensen dat de dag nooit zou eindigen.

'Waar gaan we nu naartoe?' vroeg Roy toen ze een rondje gelopen hadden. Peter wees naar een goedkoop warenhuis aan de overkant, trok zijn wanten uit en schreef op een stukje papier: *Ik wil cadeautjes kopen.*

Er werd wat over en weer gefluisterd en geschreven en even later hadden Esther en Peter besloten om een nieuwe lippenstift voor Penny te kopen en een pot met talkpoeder voor oma. 'We spreken hier over een half uur weer af,' besloot Roy. Hij en Peter liepen de ene kant op om de lippenstift te kopen en een cadeau voor Esther. Penny en Esther gingen de andere kant op om talkpoeder en een cadeautje voor Peter te kopen. Esther begon te geloven dat het toch nog een goede Kerst zou worden. Wat had meneer Mendel ook al weer gezegd? '*Geluk is iets dat uit je eigen hart komt, niet van andere mensen.*'

Tegen het einde van de middag namen ze de metro terug naar Brooklyn en daarna de bus naar hun buurt. Toen ze vanaf de bushalte naar huis liepen, bleef Peter staan voor een winkel met joodse letters op de winkelruit. Binnen zag ze allerlei spullen die meneer Mendel in zijn appartement had: in leer gebonden boeken, zilveren bekers en koperen kandelaars. Peter haalde zijn papiertje tevoorschijn en schreef: *Ik wil iets voor meneer Mendel kopen.*

'Maar hij viert toch geen Kerst? Ben je dat vergeten?' zei Esther.

Kaarsen. We hebben die van hem allemaal opgebrand.

'Oké, kom dan maar.' Ze gingen de winkel binnen en zochten een doos kaarsen uit waarvan ze dachten dat die in zijn kandelaar zouden passen. Meneer Mendel had hun verteld dat de kandelaar 'menora' werd genoemd. Van hun eigen zakgeld kochten Peter en zij de kaarsen.

'Het begint echt als Kerst te voelen,' zei Esther toen ze de winkel weer uit kwamen.

'Weet je wat we echt nodig hebben?' vroeg Roy, terwijl hij midden op het trottoir bleef staan. 'Een kerstboom. Zullen we er eentje kopen? Ongeveer drie blokken hiervandaan is een braakliggend terrein waar ze ze verkopen. Weet je nog, Penny? We rijden er iedere dag met de bus langs.'

'Hoe krijgen we die in vredesnaam naar huis?' vroeg Penny. 'Ik denk niet dat je met een kerstboom de bus in mag.'

'Dan moeten we gewoon wat goede, ouderwetse spierkracht gebruiken, denk ik.' Roy stak zijn arm op om zijn spierballen te laten zien. 'Ik weet zeker dat Peter me een handje wil helpen. Ja toch, vriend?' Peter knikte en nam dezelfde pose als Roy aan om zijn spierballen te laten zien. Esther moest er hard om lachen.

'Hebben jullie kerstversieringen in huis?' vroeg Roy.

Esther aarzelde. 'Jawel, maar…' Ze wist dat er twee dozen vol versieringen boven in de gangkast lagen. Verleden jaar had hun vader geen kerstboom gekocht, omdat hun moeder kort ervoor was overleden en iedereen nog verdrietig was, maar nu verkeerde Esther opnieuw in tweestrijd. Peter keek zo blij en was zo opgewonden over het idee – en dat was zij eigenlijk ook. Maar het leek verkeerd om blij te zijn, nu haar moeder dood was en haar vader zo ver weg. Het voelde als verraad om Kerst zonder hen te vieren, Penny haar moeders plaats in te laten nemen en haar alles te laten doen wat hun moeder vroeger voor hen had gedaan.

Peter tikte Esther op haar schouder en vouwde zijn handen alsof hij haar smeekte ermee in te stemmen. 'Oké,' zei ze zuchtend. 'Laten we een boom gaan kopen.'

Ze stapten in een andere bus en reden het korte stukje naar het terrein waar de kerstbomen werden verkocht. Eenmaal daar aangekomen, bekeken ze een stuk of twaalf bomen, voordat Roy en Peter er eentje uitzochten. Iedereen hielp om de boom naar huis te dragen. Esthers wanten waren kleverig van het boomsap, maar de boom rook heerlijk naar dennengroen en gelukkige herinneringen. De hele weg naar huis glimlachte ze om Peter, die zijn spieren probeerde te ballen, en Roy, die Abbot en Costello nadeed.

Laten we de boom bij het voorraam neerzetten waar iedereen hem kan zien, schreef Peter toen ze het ding de trap op hadden gesleept. Daar had hun vader de kerstboom altijd neergezet. Esther herinnerde zich hoe meneer Mendel zijn menora in het voorraam had gezet en hun had verteld dat die het symbool was van het wonder dat Hasjem had verricht. Een symbool van hoop. Ging Kerst ook niet over een wonder? God, die Zijn Zoon naar de aarde had gestuurd?

Terwijl Peter en Roy de boom op zijn plaats zetten, haalde Esther de dozen met kerstversieringen boven uit de kast. Penny hielp ze naar de woonkamer te brengen en toen Esther de eerste doos opende, kwamen de herinneringen bij haar boven. Iedere kerstversiering die ze in de boom hing, deed haar aan haar ouders denken en aan het plezier dat ze met hun vieren hadden gehad als ze de boom versierden. Er waren breekbare versieringen bij die met zorg behandeld moesten worden, en bonte versieringen van gekleurd karton, lijm en gips die Esther en Peter op school hadden gemaakt. Haar moeder had gezegd dat de zelfgemaakte versieringen het kostbaarst voor haar waren. Esther wierp een blik op Peter en vroeg zich af of hij het zich ook nog herinnerde.

Penny ging naar de keuken en pofte maïs om er een popcornslinger van te maken, maar uiteindelijk aten ze de meeste popcorn op in plaats van die aan de slinger te rijgen. Esther at een hele kom met popcorn, terwijl Peter en Roy een wedstrijdje speelden en zo veel mogelijk popcorn in hun open mond probeerden te vangen. Later ging Peter naast Roy op de bank zitten. Hij schreef hem briefjes en het was prachtig om Peter te zien glimlachen en 'praten' in plaats van hem met afhangende schouders altijd dezelfde stripboeken te zien lezen op zijn kamer. Ze was blij dat hij zich zo op zijn gemak voelde bij Roy. Ze ging naast hen zitten om te zien wat Peter schreef.

Is het leuk om soldaat te zijn?

'Ik kan niet zeggen dat het leuk is,' antwoordde Roy, 'maar het is zeker een eer. Ik denk de hele tijd aan alle dappere mannen die in oorlogen voor mij hebben gevochten en ervoor hebben gezorgd dat we nog steeds in een vrij land wonen. En nu is het mijn beurt.'

Onze vader zit in het leger.

'Ik weet het. Hij moet hebben besloten dat het zijn plicht was om in het leger te gaan. Stel je voor hoe hij zich zou voelen als hij thuis was gebleven en het aan anderen zou hebben overgelaten om de vrijheid van ons land te verdedigen? Dat zou heel moeilijk voor hem zijn geweest.'

Dus papa is dapper? Net als Superman?

'Ja. Dapperder dan Superman. En nu is het jouw beurt om dapper te zijn en alles thuis goed te laten doordraaien zolang hij weg is. Hij wil toch niet dat je verdrietig bent? Als hij thuiskomt, wil hij graag een gelukkig gezin aantreffen.'

Penny begon de lege dozen en het vloeipapier bij elkaar te zoeken en toen Esther opstond om haar te helpen, vond ze onder in een van de dozen de kleine houten kerststal en de figuurtjes die erbij hoorden. Ieder jaar las hun vader het kerstverhaal voor, terwijl Peter en Esther de wijzen en herders op hun plaats zetten. Maar deze traditie wilde Esther niet met Roy of Penny delen. Vlug pakte ze de stal uit, zette die boven op de piano en plaatste alle figuurtjes eromheen. Terwijl ze het kindje Jezus in de kribbe legde, dacht ze eraan wat haar moeder hun ieder jaar had verteld: *Jezus is Gods kerstgeschenk voor ons. Wij zijn Zijn kinderen en Hij houdt van ons.*

Plotseling kon Esther het niet langer uithouden in huis. 'Ik ga buiten even een luchtje scheppen,' zei ze. Ze pakte haar jas en wanten en haastte zich de trap af. Het was moeilijk om te geloven dat God van haar hield, nu ze zo veel verschrikkelijke dingen had meegemaakt. Maar haar moeder had dit niet zomaar verzonnen. Als zij had gezegd dat God van haar hield, dan moest dat ook zo zijn.

Ze klopte bij meneer Mendel aan, omdat ze hem wilde vragen wat hij ervan dacht. Hij vierde Kerst niet, maar misschien kon hij haar vertellen of het echt waar was: dat God of Hasjem of hoe Hij ook werd genoemd echt van haar hield, zelfs al merkte ze het niet. Opnieuw klopte ze op de deur, maar er kwam geen antwoord. Meneer Mendel had gezegd dat hij het heel druk zou krijgen met vergaderingen en het inzamelen van geld om mensen zoals zijn zoon, schoondochter en kleindochter te helpen, die midden in de oorlog zaten.

Ten slotte gaf Esther het op en liep naar de veranda. Ze veegde het laagje sneeuw van de schommelbank, zodat ze erop kon gaan zitten. Het metaal voelde nat en hard aan en terwijl ze heen en weer zwaaide, maakte de schommel een metaalachtig en onaangenaam piepend geluid. Het werd koud en donker. Ze kon niet veel langer op meneer Mendel blijven wachten.

Uiteindelijk stond Esther op om naar binnen te gaan. Maar voordat ze dit deed, besloot ze eerst de straat over te steken om te zien hoe hun kerstboom er voor het raam uitzag. Terwijl ze ernaar stond te kijken, kwam Jacky Hoffman aanslenteren met open jas en zonder muts of wanten, alsof het een zachte dag was en niet zo koud dat je je eigen adem kon zien.

'Hé, schoonheid,' riep hij tegen haar. Als een piraat streek hij zijn slordige haar van zijn voorhoofd. 'Wat doe je hier helemaal in je eentje?'

'Ik wilde zien hoe onze kerstboom eruitziet.' Ze wees naar het raam aan de overkant van de straat. Jacky keek omhoog en toen naar haar.

'Ben je hier in de kerstvakantie?' vroeg hij.

Esthers hart begon wild te bonken. 'Ja, behalve op eerste kerstdag. Dan gaan we bij mijn oma eten.'

'Heb je zin om een keer naar de film te gaan?'

'Ja,' zei ze met een glimlach. 'Dat zou ik leuk vinden.'

Ze zou het zelfs heel leuk vinden.

25

31 december 1943

'O nee. Dit had ik me heel anders voorgesteld.' Penny bleef in de deuropening staan en staarde naar een zaal vol soldaten, matrozen en mariniers in uniform. Ze had ermee ingestemd om op oudejaarsavond met Sheila mee te gaan naar een dansavond van de USO, omdat Esther en Peter bij hun oma logeerden. Nu had ze spijt van die beslissing.

Ze hoorde ergens muziek op de achtergrond, maar door het geroezemoes en gelach was die amper te horen. Door een dikke mist van sigarettenrook zag ze een volle dansvloer met talloze dansende paren. Aan de ene kant van de zaal stonden enkele knappe meisjes achter een tafel koffie en punch te schenken. Maar de meeste mensen in de overvolle zaal waren militairen uit alle mogelijke legeronderdelen, zodat er drie keer zo veel mannen als vrouwen waren.

'Kom maar mee,' zei Sheila. Ze pakte Penny bij haar arm en trok haar de mensenmassa in. Er was geen enkel leeg tafeltje te bespeuren en amper genoeg ruimte om te staan, laat staan te lopen. Penny zag dat veel mannen hen van top tot teen opnamen terwijl ze zich een weg door de zaal baanden. Ze hoorde hoe sommige mannen hen nafloten en 'Hé, schatje,' en 'Wauw' riepen.

'Ik vind dit maar niets,' zei ze tegen Sheila. 'Het is eng om zo aangegaapt te worden.'

'Het is maar een dansavond, Penny. Je doet net alsof het een zware beproeving is.'

'Op school ging ik nooit naar dansavonden zoals andere meisjes.'

'Het zal best gaan. Het enige wat je hoeft te doen is een praatje maken met de mannen. Ze willen zich alleen maar amuseren.' Sheila bleef even staan, boog zich naar Penny toe en fluisterde in haar oor: 'Voor sommigen is dit de laatste oudejaarsavond van hun leven.'

Penny huiverde bij die woorden. *Niet voor Eddie,* bad ze. *Alstublieft niet voor Eddie.* Hij was inmiddels in Engeland en gestationeerd op een militaire basis in de buurt van de kust. Waar het precies was, mocht hij niet zeggen en Esther piekerde er constant over of het in de buurt van Londen was, waar hij getroffen zou kunnen worden door Duitse bommen. Penny was ook ongerust. De post die ze van hem kreeg was *V-mail,* wat betekende dat het niet zijn originele brieven waren, maar kopieën ervan, verkleind en afgedrukt op speciaal papier. Soms streepten de censoren woorden of zinnen met vertrouwelijke informatie door. Maar ze koesterde iedere brief die hij haar stuurde, hoe kort of gecensureerd deze ook was.

Penny stond een poosje met Sheila achter het buffet om koffie, donuts en punch te serveren. De mannen die ze bediende, waren zo aardig en velen van hen deden haar aan Roy denken door de vlotte manier waarop ze met vreemden omgingen. Terwijl ze hun koffie inschonk, vroeg Penny waar ze vandaan kwamen. Ze kwam erachter dat de meesten graag over thuis praatten en was verbaasd te horen dat ze uit heel Amerika kwamen.

Een uur later kwamen er nieuwe vrijwilligers om Penny en Sheila af te lossen. 'Ga maar even dansen,' zeiden ze. 'Veel plezier!'

'Ik ga liever even zitten om mijn vermoeide voeten wat rust te geven,' antwoordde Sheila.

Penny volgde haar vriendin de volle zaal weer in en zocht naar een tafeltje waaraan ze konden gaan zitten. Terwijl ze zich langs een tafel vol mannen wurmden, pakte iemand Penny bij haar arm. 'Hé, dames. Hebben jullie zin om even bij ons te komen zitten?'

'We hebben plaats voor jullie vrijgehouden.' Een van de matrozen schoof zijn stoel naar achteren en wees naar zijn schoot. Penny bloosde. Dacht hij echt dat ze zomaar op de schoot van een wildvreemde man zou gaan zitten?

'Prima, we komen bij jullie zitten,' zei Sheila. 'Maar jullie moeten ons wel een paar echte stoelen geven. We gaan bij niemand op schoot zitten.'

'Ach, kom op.' De mannen lachten terwijl ze wat ruimte voor hen vrijmaakten aan tafel. Sheila deed het woord en stelde hen aan de militairen voor. Ze maakte meteen duidelijk dat ze getrouwd was. 'Maar mijn vriendin Penny is nog vrij,' voegde ze eraan toe.

'M-maar ik heb wel een vriend.'

'Ik zou verbaasd zijn als een knap meisje als jij geen vriend had.'

'We kunnen je van hem afpakken. Wat vinden jullie daarvan, mannen?'

'Heeft iemand je ooit verteld dat je een paar benen als die van Betty Grable hebt?'

Penny wist niet wat ze moest antwoorden. Zou ze door te bedanken voor het compliment te veel als een flirt overkomen? 'Eh… mijn benen brengen me overal heen waar ik naartoe wil gaan,' zei ze eindelijk. Iedereen lachte.

De mannen maakten over en weer grappen en plaagden elkaar om indruk op Sheila en haar te maken. Na een poosje had Penny genoeg moed verzameld om zich in het gesprek te mengen. Ze vertelde hun dat ze buschauffeur was en op de twee kinderen van Eddie paste, die in Engeland was gestationeerd. Toen informeerde ze naar hun vriendinnen en naar welk deel van de wereld ze in het nieuwe jaar zouden worden uitgezonden. Net toen ze zich een beetje meer op haar gemak begon te voelen, stond Sheila op om met een van de matrozen te dansen en liet haar alleen achter aan een tafel vol mannen. Een matroos met de naam Hank vroeg haar of ze ook wilde dansen.

'Nee, dank je,' antwoordde ze. 'Ik kan niet dansen.'

'Ik wil het je wel leren.' Hank legde zijn arm om de rugleuning van haar stoel. Hij zat veel te dichtbij en hield zijn gezicht vlak bij het hare. Zijn adem stonk naar drank. Sheila en de soldaten mochten niet drinken tijdens de dansavonden van de USO, maar een van de mannen die aan tafel zat, haalde een klein flesje uit zijn zak en Penny zag dat hij wat drank in alle punchglazen schonk. Hank bood haar een slok van zijn glas aan.

'Kom op, neem een slokje. Je voelt je meteen een stuk meer op je gemak.'

'Je moet Nieuwjaar wel vieren, hoor,' zei de man met het flesje tegen haar.

'Ja, waarom gaan we niet ergens naartoe waar het veel leuker is,' besloot Hank. 'Ik ken een leuke kleine club hier in de buurt waar we het nieuwe jaar in stijl kunnen inluiden.'

'Ja, laten we hier weggaan,' stemden de anderen in.

Voordat Penny de kans had om te protesteren, schoven de mannen hun stoel naar achteren en stonden op. Hank pakte haar bij haar arm en hielp haar overeind. 'Nee, dank je. Ik wil nergens anders naartoe... ik bedoel...'

'Geef me je garderobebonnetje, dan zal ik je jas halen.'

De zaal was zo vol dat Hank en de andere mannen Penny gewoon met zich mee trokken terwijl ze zich een weg naar de uitgang baanden. Ze wilde geen scène maken, maar wist niet hoe ze van hen af kon komen. Bovendien wist ze dat niemand haar boven het lawaai uit zou horen, zelfs al zou ze gaan schreeuwen. Net toen ze in paniek begon te raken, zag ze Sheila naar zich toe komen.

'Hé, waar denken jullie kerels naartoe te gaan?'

'We hebben besloten om een leukere tent op te zoeken. Kom mee, Sheila.'

'Nee, bedankt. Dat zou mijn man niet erg op prijs stellen.

Penny en ik blijven vanavond hier.' Sheila trok haar los en Penny had het gevoel dat ze ternauwernood aan een ramp was ontsnapt.

'Wat jullie maar willen, dames.' Ze verlieten de dansavond zonder hen.

Penny viel bijna flauw van opluchting. Sheila kon met het grootste gemak een einde maken aan ongewenste avances en de mannen zetten haar niet onder druk zoals ze bij Penny hadden gedaan. Ze hadden natuurlijk gezien wat een groentje ze was en dat ze niet wist hoe ze met hun ongewenste aandacht om moest gaan.

'Kom op, Penny. Laten we onze neus gaan poederen.' Penny volgde Sheila, hoewel ze geen idee had wat dit betekende. 'Het betekent dat we naar het toilet gaan,' legde Sheila uit toen Penny het haar vroeg. 'Het is tijd om een andere groep te vinden. Die kerels waren beschonken.'

In vergelijking met de rokerige dansvloer leek het licht in het toilet heel fel. Met toegeknepen ogen keek Penny in de spiegel en herkende zichzelf nauwelijks. Het meisje in de spiegel was Penny niet – niet de echte Penny Goodrich. Mannen konden wel denken dat ze knap was, maar ze had er alleen leuk uit willen zien voor Eddie, voor niemand anders. Ze had het helemaal niet naar haar zin op deze dansavond van de USO. Ze wilde naar huis en zo ver mogelijk bij al deze vreemden vandaan zijn.

Ze wachtte totdat Sheila uit de wc kwam en raapte al haar moed bijeen. 'Bedankt voor de uitnodiging, Sheila, maar ik voel me hier niet op mijn gemak. Ik wil de avond niet voor je bederven, maar omdat ik er helemaal niets aan vind, ga ik liever naar huis.'

'Je bent er nog maar net. Wacht nog even af. Niet alle mannen zijn zoals die laatste groep.' Ze haalde haar make-up uit haar tas en stiftte haar lippen bij.

'Sorry, maar ik wil echt naar huis. Er is hier te veel sigarettenrook en daar word ik misselijk van. Jij mag natuurlijk blijven.'

Sheila zette haar handen in haar zij en keek Penny boos aan. 'Ik dacht dat je wilde helpen om het moreel van de troepen hoog te houden.'

'Ik heb me bedacht. Het spijt me. Ik zie je maandag wel op het werk.' Ze haastte zich zo vlug mogelijk de overvolle zaal uit en haalde haar jas uit de garderobe. Sheila zou haar waarschijnlijk nooit meer uitnodigen om met haar uit te gaan en dat was spijtig. Maar het was een vergissing geweest om naar deze dansavond te gaan. Penny wilde nooit meer een voet in deze ruimte zetten.

Eenmaal buiten bleef ze even staan om de frisse lucht in te ademen. Even overwoog ze of ze naar Eddies appartement zou gaan of naar het huis van haar ouders en mevrouw Shaffer, waar Esther en Peter waren. Uiteindelijk besloot ze naar het appartement te gaan. Haar moeder zou de sigarettenrook in haar kleren ruiken en ontploffen als ze erachter kwam dat Penny naar een dansavond van de USO was gegaan met make-up op en ordinaire schoenen aan.

Terwijl ze op de bus naar de wijk van Eddie stapte, dacht ze aan Roy en vroeg zich af hoe zijn oudejaarsavond met Sally zou zijn. Hij had Sally met Kerst een ring gegeven. Ze waren nu officieel verloofd en sindsdien was Roy in de wolken geweest.

'Ik heb maar vierentwintig uur verlof voor Oud en Nieuw,' had hij Penny verteld, 'en ik weet niet of ik in de vakantietijd nog een buskaartje kan krijgen, maar ik moet en zal Sally zien, ook al moet ik er helemaal voor naar Pennsylvania lopen.'

'Krijgen militairen geen voorrang in bussen en treinen?' had ze gevraagd. 'Je zult toch niet echt hoeven lopen?'

'Ik weet het niet – maar ik ben niet van plan te slapen in de vierentwintig uur dat ik thuis ben. Ik wil iedere minuut van mijn verlof benutten.' Penny had gelachen en hem het beste toegewenst.

Ze stapte bij haar halte uit en liep voorzichtig op haar hoge hakken over de glibberige stoepen. Toen ze bij Eddies appartementencomplex aankwam, zag ze de voordeur openstaan met de sleutel aan een sleutelbos in het sleutelgat. Ze haastte zich het gebouw binnen en trof meneer Mendel aan op de trap in de hal. Hij zat in elkaar gedoken op een van de treden alsof hij niet meer verder kon. Zijn gezicht stak heel bleek af tegen zijn zwarte baard en kleding en hij had blauwe kringen onder zijn ogen.

'Gaat het, meneer Mendel?'

'Ik denk het wel… maar ik moet even bijkomen…' Hij haalde piepend adem alsof hij de hele weg naar huis had gerend. 'Ik voelde me een beetje duizelig toen ik thuiskwam en ben even gaan zitten.'

Penny haalde de sleutels uit de deur en deed die dicht om de kou buiten te houden. 'Zal ik een dokter bellen?'

'Nee, dank u wel. Het zal zo wel gaan.'

'Weet u het zeker? Zal ik u even naar uw appartement brengen?'

'Ja, dat zou fijn zijn.'

Met de sleutels die ze uit de voordeur had gehaald opende ze de deur van zijn appartement en bood hem toen haar arm aan. 'Laat me u helpen. Doe het maar heel rustig aan en probeer niet te snel op te staan. U kunt op mij leunen.'

Leunend op Penny schuifelde hij de hal door. Toen hij de deur bereikte, bleef hij even staan om zijn vingers naar zijn lippen te brengen en vervolgens het metalen doosje op de deurpost aan te raken. Penny hielp hem uit zijn jas en bracht hem naar de dichtstbijzijnde stoel. 'Zal ik wat water voor u halen of misschien een kopje thee zetten?'

'Die moeite hoeft u echt niet te doen. Het zal zo wel gaan.'

'Het is echt geen moeite.'

'Goed, misschien een beetje water.'

Ze liep de keuken in, pakte een glas en vulde het met water. Toen ze een fluitketel op het fornuis zag staan, besloot ze die ook met water te vullen en het gas eronder aan te steken, voordat ze terugliep naar de woonkamer. 'Alstublieft,' zei ze, terwijl ze hem het glas aanreikte. 'Ik kook alvast wat water om thee te zetten voor het geval u zich bedenkt. Misschien helpt het om wat op te warmen.'

Hij nam een slokje water en kuchte een paar keer. Hij had zijn hoed afgenomen, maar droeg een klein keppeltje op zijn hoofd. 'Weet u zeker dat het beter gaat?' vroeg ze. 'Ik wil gerust een dokter voor u bellen.'

'Het gaat echt wel.'

Penny geloofde hem niet. Hij zag nog steeds heel bleek en hoewel hij wat rustiger ademde, hoorde ze nog steeds een piepend geluid bij elke ademhaling. Ze besloot om nog een paar minuten te blijven. 'Zo te zien hebt u kou gevat. Het is ijskoud buiten.'

'Ja, het is koud buiten. Maar sinds ik op de avond van de brand te veel rook heb ingeademd, heb ik last van mijn borst.' Opnieuw moest hij hoesten.

'Met dit soort weer kunt u eigenlijk beter binnen blijven.' Penny klonk meer als haar moeder dan ze wilde toegeven. 'Als u ooit iets van de winkel nodig hebt, willen de kinderen en ik het gerust voor u gaan halen.'

'Helaas ligt het niet alleen aan het weer. Vanavond ben ik zo boos geworden dat ik me heb laten gaan. Mijn hart begon te bonken en ik weet zeker dat mijn bloeddruk ook omhoogschoot, wat ook niet bevorderlijk is.'

Penny ging op de bank zitten en wachtte totdat hij haar zou vertellen wat er was gebeurd. Misschien zou het helpen als hij zijn hart bij iemand kon luchten. En ze wist niet of ze hem nu al alleen kon laten, omdat ze nog steeds dacht dat hij een dokter nodig had.

'Ik heb wat speurwerk verricht,' zei hij. 'De kinderen weten er niets van, omdat ik hen niet ongerust wilde maken, maar de politie verdenkt me ervan de sjoel in brand te hebben gestoken.'

'Wat zegt u nu? Bent u die avond juist niet naar binnen gegaan om iets te redden?'

'Ja, de thorarollen. Maar desondanks geloven ze dat ik de brand heb gesticht. Vaak zie ik de twee rechercheurs die me hebben beschuldigd buiten rondhangen en me zonder enige aanleiding in de gaten houden. Dat doen ze om me te laten weten dat ze er nog steeds van overtuigd zijn dat ik de dader ben. Ik moet mijn naam zuiveren en dus ben ik vandaag naar de Italiaanse winkel gegaan in het volgende blok om met de winkelbediende te praten en haar te vragen of ze zich nog herinnerde dat ik er die avond boodschappen heb gedaan. Ze zei dat het altijd heel druk is in de winkel en dat ze zich niet herinnerde me ooit gezien te hebben. Toen werd ik boos op haar. Hoeveel Joodse mannen die er net zo uitzien als ik komen er op een vrijdagavond – onze sjabbat – boodschappen doen? Natuurlijk weet ze wie ik ben. Toen ik harder begon te praten, kwam de eigenaar erbij.' Meneer Mendel keek naar de vloer en schudde zijn hoofd. 'Nu zullen ze de rechercheurs vertellen dat ik een opvliegend karakter heb.'

Penny had met hem te doen. Ze wist niet wat ze moest zeggen. Hij keek haar aan en zei: 'Ik denk dat het water kookt.'

Ze hoorde het ook en stond op. 'Als u me vertelt waar ik de thee kan vinden, zal ik thee voor ons zetten.'

'Die moeite hoeft u echt niet te doen. U hebt wel wat beters te doen dan te luisteren naar een vermoeide, oude man. U hebt zich netjes aangekleed en ziet er mooi uit. Gaat u vanavond ergens naartoe? Het is toch oudejaarsavond?'

'Ik ben al weg geweest. Toen ik thuiskwam, zag ik u in de hal zitten.'

'Zo vroeg? Het is nog niet eens negen uur.'

'Ik weet het. Het is een lang verhaal, maar de avond is anders verlopen dan ik had verwacht. Ik stond op het punt om naar boven te gaan, een kop thee te drinken en naar bed te gaan. Of ik nu opblijf tot middernacht of niet, het zal toch wel 1944 worden.'

Meneer Mendel legde zijn handen op de armleuning van zijn

stoel en kwam overeind. Hij zag iets minder bleek. 'Kom,' zei hij. 'We drinken samen een kopje thee.'

Hij ging haar voor naar de keuken, schepte wat losse thee in een theepot en goot er kokend water bij. Penny ging op een van de keukenstoelen zitten, trok haar jas uit en hing die om de rugleuning.

'Het valt tegenwoordig niet mee om aan thee te komen, hè?' vroeg hij.

'Het is bijna onmogelijk. Maar het is zo heerlijk om af en toe een kopje echte thee te drinken.'

'Waarschijnlijk komt onze thee uit een gebied in de wereld waar gevochten wordt – en waar wordt tegenwoordig niet gevochten? En dan moet je de thee ook nog naar Amerika vervoeren, terwijl alle schepen voor de oorlog nodig zijn. Zo wordt een simpel kopje thee een luxe.'

Hij ging tegenover haar aan tafel zitten en wachtte totdat de thee was getrokken. Na alles wat haar vader haar over de Joden had verteld, wist Penny dat ze niet in het appartement van deze man mocht zitten en geen thee met hem mocht drinken, maar ze was helemaal niet bang voor meneer Mendel. Hij leek heel vriendelijk en betrouwbaar, helemaal niet de verschrikkelijke boeman die elke Jood volgens haar vader zou zijn. Misschien was haar vader degene die ze niet kon vertrouwen – de man die al deze jaren tegen haar had gelogen en haar nooit had verteld dat ze geadopteerd was.

'Waarschijnlijk zullen ze me niet graag meer zien in de Italiaanse winkel,' zei meneer Mendel met een lachje. 'Niet nu ik zo veel stampij heb gemaakt.'

'Niemand kan het u kwalijk nemen dat u van streek bent, vooral nu de politie u ervan verdenkt een misdrijf te hebben gepleegd. Is er geen andere manier om te bewijzen dat u de brand niet hebt aangestoken?'

'Er was die avond een andere getuige die ik probeer op te sporen. Toen de brand al was uitgebroken, zag een jongeman me

de synagoge aan de voorkant binnengaan om de rollen in veiligheid te brengen. Terwijl ik bezig was de deur open te doen, riep
hij vanaf de overkant van de straat dat ik niet naar binnen moest
gaan, maar moest wachten op de brandweer. Als ik die persoon
kon vinden, zou hij de politie kunnen vertellen dat ik een tas
bij me had toen de synagoge al in brand stond. In die tas kon
geen blik kerosine zitten, zoals ze beweren. Iedere avond maak
ik een wandeling door de buurt om de man te zoeken die op
die avond naar me riep. Ik herinner me dat hij ongeveer even
oud was als u, heel lang en dun was en dik, golvend zwart haar
en een vierkante kin had. Hij zou me kunnen helpen mijn naam
te zuiveren.'

Penny aarzelde en wachtte totdat hij de thee had ingeschon-
ken, voordat ze verder sprak. 'De meeste mannen van mijn leeftijd zitten in dienst, meneer Mendel.'

Hij keek verbaasd op en sloot zijn ogen. 'Ja, natuurlijk. Daar
heb ik helemaal niet aan gedacht. Inmiddels is hij allang weg.'
Meneer Mendel zag er zo ontmoedigd uit dat Penny spijt had
van haar opmerking.

'Ik kan in ieder geval opletten. Iedere dag rijd ik met de bus
door deze buurt om naar mijn werk te gaan. U kunt beter bin-
nenblijven als het zo koud is.'

'Dank u wel. Maar zoals u al zei, de jongeman is waarschijnlijk allang vertrokken. Waar zijn de kinderen eigenlijk? Toen ik
thuiskwam, was het donker in uw appartement.'

'Ze zijn tot zondag bij hun oma. Eddie heeft het zo geregeld
dat ik af en toe een weekend vrij heb. Vanavond was ik van plan
om uit te gaan, omdat oudejaarsdag dit jaar op een vrijdag valt,
maar het liep niet zoals ik had verwacht.'

'Zo te horen is het dus voor ons allebei een vervelende avond
geworden.' Een flauwe glimlach speelde om zijn lippen. 'Wilt u
me vertellen wat er vanavond is gebeurd? U was zo vriendelijk
om naar mijn verhaal te luisteren.'

'Ik ging met een vriendin naar een dansavond van de USO.

Ik heb geen ervaring met dansavonden en dat soort dingen, en nog veel minder met mannen. Mijn ouders zijn heel streng en hebben me nooit toestemming gegeven om in mijn eentje uit te gaan. Maar vanavond ging ik wel uit omdat die vriendin me had overgehaald. De zaal zat vol met militairen uit het hele land. Er waren zo veel mannen daar. Een paar soldaten probeerden met me te dansen en te flirten, maar ik wilde gewoon weg. Bovendien ben ik niet geïnteresseerd in andere mannen, omdat ik verliefd ben op…' Ze zweeg en vroeg zich af of ze het hem kon vertellen. Zou hij haar geheim aan Esther en Peter verraden?

Maar meneer Mendel wachtte niet totdat ze een beslissing had genomen. 'U bent verliefd op de vader van de kinderen, nietwaar?'

'Hoe weet u dat?'

'Omdat je op geen enkele manier zou kunnen verklaren waarom een knappe, jonge vrouw als u al haar vrije tijd zou opofferen om voor twee heel ondankbare kinderen te zorgen, tenzij er liefde in het spel is. Ik heb gezien hoe Esther u behandelt – meer als een dienstbode dan een vriendin – en dus kunt u het niet doen omdat u zo veel van haar houdt. Ik heb ook gemerkt hoe mooi u eruitzag op de avond dat Ed Shaffer thuiskwam en hoe u over het eten inzat dat u aan het klaarmaken was. Die avond heb ik uw vlees in mijn oven gezet. Weet u nog?'

Ondanks zichzelf glimlachte Penny. 'U bent een goede detective, meneer Mendel.'

'Ik bewonder u erom dat u de zorg voor een huishouden en twee kinderen op u hebt genomen die niet van u zijn. Dat is heel onbaatzuchtig van u. Omwille van ons allemaal hoop ik dat hun vader gezond en wel uit de oorlog terugkeert.'

'Ik ook.' Ze had haar thee opgedronken en met meneer Mendel leek het weer veel beter te gaan. Er was geen reden om nog langer te blijven. 'Ik denk dat ik maar ga,' zei ze, terwijl ze opstond.

'Dank u wel voor uw hulp.' Hij stond op en terwijl hij met

haar naar de deur liep, viel haar oog op het kleine koperen doos-je.

'Waar is dat voor?' vroeg ze.

'Het is een herinnering aan Hasjems geboden. In Zijn Thora staat dat we Zijn wet op onze deurposten moeten schrijven, zo-dat we niet zullen vergeten om Zijn geboden te onderhouden als we de wereld in gaan en als we weer thuiskomen. In ieder doosje zit een kleine boekrol waarop woorden uit Zijn wet zijn geschreven.'

Ze dacht aan de soldaten die ze vanavond had ontmoet. Ze hadden te veel gedronken en haar onder druk gezet om met hen mee te gaan. Ze herinnerde zich hoe haar getrouwde vriendin met andere mannen had gedanst en geflirt. 'We kunnen allemaal op zijn tijd een kleine herinnering aan Gods geboden gebrui-ken,' zei ze. 'Gelukkig Nieuwjaar, meneer Mendel.'

'Ja. Laten we hopen dat het inderdaad een gelukkig jaar wordt – omwille van onze wereld.'

26

Boedapest, Hongarije

Lieve vader en moeder Mendel,
Dit is een brief van uw schoondochter Sarah Rivkah. Avraham heeft
gevraagd of ik u wilde blijven schrijven zoals hij altijd deed, zodat u
na de oorlog zult weten hoe het ons is vergaan.
Helaas heb ik heel slecht nieuws voor u: Avraham is weggevoerd. Twee
avonden geleden waren we bezig de sjabbat te vieren. Tante Hannah
had net de zegenbede uitgesproken, toen een aantal Hongaarse poli-
tieagenten ons gebouw binnenviel. Ze gingen elk appartement binnen
en namen iedere man mee die ze konden vinden. Niemand kreeg de
kans om te ontsnappen of zich te verstoppen. Avraham, oom Baruch
en alle andere mannen behalve de allerzwaksten uit onze Joodse
buurt werden weggevoerd om als dwangarbeiders te werken.
Natuurlijk smeekten we hun om onze mannen niet mee te nemen.
Hoe kunnen we nu overleven? Sommige vrouwen boden de politie
zelfs geld aan om hun man te laten blijven. De politie nam het geld
én de mannen mee. Ze verzekerden ons dat de mannen naar hun
familie mogen terugkeren als Hongarije de oorlog wint, maar het ziet
er steeds meer naar uit dat er nooit een einde aan deze oorlog zal
komen.
Avraham en oom Baruch hadden nauwelijks de tijd om hun jas en
een paar spullen te pakken en afscheid van ons te nemen. Avi vroeg
me u een brief te schrijven om u op de hoogte te stellen van wat er is
gebeurd. Zijn laatste woorden waren: 'Tot ziens, Sarah. Ik houd van
je. Moge Hasjem jou en Fredeleh beschermen.'
We horen zulke verschrikkelijke verhalen over de werkkampen en

daarom is het moeilijk om ons geen zorgen te maken. De mannen die buiten aan wegen of in mijnen moeten werken, lijden kou. Velen hebben geen warme jassen en goede schoenen, laat staan genoeg voedsel. Het merendeel van dit soort elementaire zaken wordt naar de soldaten aan het front gestuurd. Sommige mannen worden naar fabrieken in Duitsland gedeporteerd en we hebben gehoord dat de geallieerden zijn begonnen om die fabrieken te bombarderen. Ik geloof niet dat ik Avraham ooit nog levend zal terugzien.

In ons appartement in Boedapest wonen nu alleen nog maar vrouwen: tante Hannah en haar zus, twee van haar nichten, mijn moeder, Fredeleh en ik. Vaak hebben we honger, omdat het zo moeilijk is om aan eten te komen en meestal gaan we met dekens om ons heen dicht bij elkaar bij de openhaard zitten, omdat het de enige warme plek is in huis. Het is hartverscheurend om Fredeleh te horen huilen van de honger of kou, maar we zijn tenminste nog veilig. Als ik eraan denk wat onze arme Avraham waarschijnlijk te verduren heeft in het werkkamp, weet ik dat ik niet mag klagen.

Het is al heel lang geleden dat we een brief hebben gekregen van onze familie die in het dorp is achtergebleven en we hebben dus geen idee hoe het met hen gaat. Voordat de politie ons huis binnenviel, heb ik Avraham gevraagd of we moesten proberen terug te gaan naar het platteland. Misschien zou het er veiliger zijn, misschien zouden we er meer te eten hebben. Maar net voordat ze Avi wegvoerden, vertelde hij me nog dat het beter is voor Fredeleh en mij om in de stad te blijven.

Avi heeft me het christelijke weeshuis laten zien waar we Fredeleh kunnen verbergen en ook de papieren die ik samen met haar achter moet laten. Maar nu mijn man weg is, kan ik het niet verdragen om ook van mijn dochter gescheiden te worden. Ze is de enige die ik nog heb. Avi heeft gezegd dat Hasjem me zal laten weten wanneer het tijd is om haar bij de christenen te verbergen. Hij heeft me gevraagd om op Hasjem te vertrouwen, maar ik moet bekennen dat ik dit soms heel moeilijk vind, vooral na al het lijden dat ik in deze oorlog heb gezien en alle onverhoorde gebeden. Avi's geloof is veel sterker dan het mijne en nu we van elkaar gescheiden zijn, weet ik niet waar ik de kracht vandaan zal halen om sterk te blijven. Hij heeft tegen me gezegd dat ik desnoods mag schreeuwen, smeken en huilen. Volgens Avi mag ik Hasjem alles vertellen waar ik bang voor ben. Hij heeft ook tegen me gezegd dat ik uit het boek van Tehillim mag reciteren als ik bang ben en dat probeer ik dus te doen. Ik denk dat de schrijvers van dat boek evenveel geleden hebben als wij, omdat hun woorden mijn eigen gedachten weerspiegelen:

Mijn stem is tot Hasjem, en ik roep; mijn stem is tot Hasjem, opdat Hij Zijn oor tot mij neige...
Neemt Zijn goedertierenheid voor immer een einde, houdt de belofte op van geslacht tot geslacht?...
Daarom zeg ik... ik zal de daden van Hasjem gedenken, ja, ik wil gedenken Uw wonderen van ouds...

Ik hoop dat u ook voor ons bidt, vader en moeder Mendel. Moge Hasjem ons op een dag allemaal in vreugde samenbrengen.

Liefs van uw schoondochter Sarah Rivkah
en uw kleindochter Fredeleh

27

Februari 1944

De te warme studieruimte waarin Jacob zat, deed hem denken aan de beet midrasj in zijn eigen sjoel in Brooklyn – voordat deze door de brand werd verwoest. In het zwart geklede mannen van verschillende leeftijden en etnische achtergronden, rabbijnen en leken zoals hijzelf, zaten aan houten tafels en op stoelen met rechte rugleuningen waarop normaal gesproken jonge Thorastudenten zaten.

Jacob was met de bus en de metro naar Manhattan gereisd en had de kou en sneeuw op een sombere dag in februari getrotseerd om samen met rebbe Grunfeld deze vergadering bij te wonen. Terwijl hij luisterde naar een mengeling van bemoedigend en ontmoedigend nieuws dacht Jacob aan de kaarsen die de kinderen en hij tijdens Chanoeka hadden aangestoken en de gebeden die hij voor het eerst in meer dan een jaar had durven uitspreken. Hij was bang geweest om op een wonder te hopen voordat hij vanuit Brooklyn hiernaartoe was gereisd, maar het feit dat ambtenaren van het ministerie van Buitenlandse Zaken er eindelijk mee hadden ingestemd om de Joodse leiders te ontmoeten en met hen samen te werken leek al een klein wonder op zich.

Jacob luisterde naar een van de mannen uit Washington die een kopie voorlas van het persoonlijke rapport dat de adviseurs van president Roosevelt begin januari voor hem hadden opgesteld: 'Een van de grootste misdaden in de geschiedenis, de afslachting van het Joodse volk in Europa, gaat onverminderd door,' begon het rapport. Het bevatte gedetailleerde voorbeelden van de passiviteit, de onjuiste voorstelling van zaken en het verbloemen van feiten waaraan een aantal Amerikaanse overheidsfunctionarissen zich schuldig had gemaakt. En het verweet een aantal mensen in het ministerie van Buitenlandse Zaken reddingspogingen bewust te ondermijnen, ingegeven door antisemitisme. In het rapport werd de president opgeroepen om onmiddellijk actie te ondernemen. En dat had de president gedaan.

'Als direct gevolg van dit rapport,' concludeerde de spreker, 'heeft de president op 22 januari 1944 opdracht gegeven om een commissie voor oorlogsvluchtelingen op te zetten, de *War Refugee Board*, zoals u ongetwijfeld al eerder hebt gehoord. Hij heeft beloofd dat onze regering alle mogelijke maatregelen zal nemen om slachtoffers van de vijandelijke terreur die in levensgevaar verkeren te redden en om hun hulp en ondersteuning te verlenen. Om die reden bent u hier. Om de president te helpen de benodigde steun te krijgen voor deze nieuwe commissie.'

Toen hij klaar was, viel er een stilte onder de aanwezigen. Jacob kon het suizen van de verwarming en het geronk en getoeter van het verkeer heel in de verte horen. Hij keek om zich heen en zag dat een groot aantal van de rabbijnen hun ogen had gesloten. Hun lippen bewogen in stilte alsof ze baden.

Jacob voelde een mengeling van voorzichtige hoop en een verschrikkelijke angst – hoop dat er eindelijk iets zou worden gedaan en angst dat de hulp te laat kwam. De rapporten die vanuit de door de nazi's bezette landen binnendruppelden, lieten er geen misverstand over bestaan: de nazi's hadden de Europese Joden – onder wie zijn zoon en zijn gezin – ter dood veroordeeld.

De volgende spreker legde uit hoe de commissie vluchtelingen via de ambassades van neutrale landen zoals Zweden zou helpen. Jacob wilde geloven dat een deel van de hulp naar zijn familie in Hongarije zou gaan. Hij probeerde uit zijn hoofd te berekenen uit hoeveel leden zijn familie bestond. Naast Avraham, Sarah en Fredeleh had Jacob nog twee broers, die getrouwd waren en kinderen en kleinkinderen hadden. Verder had hij nog een aantal neven met hun vrouwen en kinderen, de broer van Miriam Shoshanna en zijn gezin en… hij was de tel kwijtgeraakt. Ongetwijfeld waren er nog meer kinderen en kleinkinderen geboren sinds hij voor het laatst een brief van hen had gekregen.

Toen de vergadering voorbij was, bleven rebbe Grunfeld en hij wachten om met een van de functionarissen uit Washington te spreken. 'We willen graag weten of u rapporten uit Hongarije hebt ontvangen,' zei de rabbijn. 'We hebben er familie en hebben niets meer van hen gehoord sinds Amerika de oorlog heeft verklaard aan de asmogendheden.'

'Ik weet het niet zeker, maar zal het even aan Ben Cohen vragen.'

De man met de naam Cohen, die Joods was, maar niet praktiserend, nam Jacob en rebbe Grunfeld even terzijde. 'Jullie hebben dit officieel niet van mij gehoord,' zei hij zachtjes, 'maar de Hongaarse leiders hebben in het geheim heel voorzichtig de eerste stappen voor vredesbesprekingen gezet. Ze hebben hun vertrouwen in Hitler verloren, zo lijkt het, en proberen nu vrede te sluiten met de geallieerden.'

'Geloofd zij Hasjem,' mompelde de rabbijn.

'Maar bedenk wel dat er nog niets op papier staat. Er is alleen gepolst binnen het diplomatencircuit.'

'Maar dat is nog steeds goed nieuws, nietwaar?' vroeg de rabbijn aan Jacob.

'Ja,' beaamde Jacob. 'Dat is het zeker.'

Na de vergadering was hij hoopvoller gestemd dan in de afgelopen maanden. 'Van nu af aan,' zei de rabbijn, 'moeten we al onze vrije tijd en al onze energie steken in het schrijven van brieven en benaderen van Joodse donateurs in Amerika om geld in te zamelen.'

'Het zal een opluchting zijn om iets nuttigers te doen dan

piekeren,' zei Jacob. Dit werk zou hem de lange, stille dagen van het eindeloze wachten doorhelpen. Maar toen hij aan het einde van de middag in de bitterkoude februariwind vanaf de bushalte naar zijn appartement liep, vroeg hij zich toch af of Avraham en zijn familie kou leden. Hadden ze genoeg te eten? Of zou de hulp van de nieuwe vluchtelingencommissie te laat komen?

Jacob maakte de voordeur open, stapte zijn warme appartement binnen en stampte de sneeuw van zijn schoenen. Omdat het laat was, waren de kinderen al thuisgekomen uit school. Hij hoorde Esther boven op de piano oefenen. Even bleef hij met zijn jas aan in de woonkamer luisteren. Ze speelde prachtig voor haar leeftijd, iedere passage vol expressie. Peter en zij hadden de deur ongetwijfeld horen dichtslaan en zouden nu snel naar beneden komen.

En daar waren ze. Tegen de tijd dat hij zijn hoed en jas in de kast had gehangen en zijn pantoffels had aangedaan, klopten ze al op de deur.

'Kom binnen, kom binnen... Hoe was het op school? En het dictee waar je zo tegenop zag, Peter? Heb je een voldoende gehaald?' Peter knikte en grijnsde verlegen naar Jacob. 'Goed zo. Ik denk dat de trommel met koekjes op de keukentafel staat. Kijk maar of er nog een paar in zitten.'

'Waar zijn al uw foto's, meneer Mendel?' Zoals gewoonlijk was Esther direct naar de eettafel gelopen om de krantenknipsels te bekijken. Maar sinds Jacob zich er rekenschap van had gegeven dat ze Esthers angst – en die van hem – alleen maar aanwakkerden, wist hij dat hij ze weg moest gooien. Gisteravond laat had hij ze, voor de eerste keer sinds Hitler Tsjechoslowakije was binnengevallen, eindelijk allemaal weggehaald.

'Ik heb besloten om ze niet meer te verzamelen,' zei hij tegen haar.

'Wat? Waarom niet?'

'Ze waren te ontmoedigend. Ik moet mijn aandacht op andere zaken richten.' Hij wilde haar niet vertellen dat hij ze omwille van haar had weggehaald, maar nu ze er niet meer waren, merkte hij dat hij zelf ook minder bang was geworden. Het zou genoeg zijn om naar het nieuws op de radio te luisteren en de krant te lezen. Hij hoefde niet constant in zijn eigen woonkamer aan de gruwelen van de oorlog herinnerd te worden.

'Wat hebt u ermee gedaan?' vroeg Esther. 'Mag ik ze hebben?'

'Ik heb alles weggegooid.'

Esther trok een pruillip. Heel even leek ze op een klein meisje. Terwijl Jacob haar aandachtig aankeek, viel het hem op hoe ze de afgelopen maanden was gegroeid en hoe volwassen ze werd. Ze was niet langer het meisje dat met Miriam Shoshanna honingcake had gegeten in de keuken. Voor zijn ogen groeide Esther uit tot een jonge vrouw.

'Ik wilde dat u ze niet had weggegooid, meneer Mendel. Waarom hebt u ze niet aan mij gegeven? Ik had er een plakboek van kunnen maken.'

'Als ik er niet wijzer van word, word jij dat ook niet. Bovendien kunnen we er niet van op aan dat die foto's ons het hele verhaal vertellen. We kennen de feiten niet achter de beelden. Ze laten niet zien hoe Hasjem aan het werk is.'

'Wat bedoelt u? Wat denkt u dat Hasjem dan aan het doen is?'

Jacob zweeg even. Geloofde hij wat hij zojuist had gezegd of waren het gewoon maar woorden? Was het verkeerd om met haar over het geloof te praten als zijn eigen geloof zo wankel was? Jacob was boos op Hasjem, maar hij geloofde nog steeds in Hem. En hij vertrouwde erop dat Hasjem aan het werk was, hoewel hij soms aan de Heerser van het heelal wilde vertellen dat Hij Zijn werk niet erg goed deed.

'Vandaag heb ik een vergadering bijgewoond om te praten over een nieuwe organisatie die de president heeft opgezet om oorlogsvluchtelingen in Europa, zoals mijn zoon, te helpen. Het werk zal achter de schermen worden gedaan zodat het voor de buitenwereld onzichtbaar blijft. Jij en ik zullen er zeker niets van zien. Maar toch ga ik geld inzamelen om naar Europa te sturen, omdat ik geloof in wat ik niet kan zien.'

'Betekent dit dat Hasjem uw gebeden heeft verhoord?'

'Misschien.' Jacob had het nog niet op deze manier bekeken, maar natuurlijk had ze gelijk.

'Maar toch had ik liever gehad dat u de foto's niet wegge-gooid had. Vooral de foto's uit Engeland, waar papa is. Ik heb op de radio gehoord dat tweehonderd Duitse vliegtuigen een paar nachten geleden bommen op Londen hebben gegooid en ik wil zien wat er aan de hand is.'

'Ook al kun je er niets aan veranderen?'

Met haar armen over elkaar geslagen haalde ze haar schouders op en aan haar pruillip zag hij dat ze nog steeds boos op hem was. 'Ken je het verhaal van koningin Esther uit de Bijbel?' vroeg hij.

'Een beetje. Niet erg goed.'

Quasigeschokt zette Jacob zijn handen in zijn zij. 'Hoe kan dat nu? Je bent toch vernoemd naar haar?'

'Wilt u het me vertellen?'

'Hm, laat me eens zien.' Hij liep naar zijn bureau in de huis-kamer en keek op de kalender. 'Het feest van Esther, dat Poerim wordt genoemd, wordt in maart gevierd, dus dat is al binnen-kort. Ik denk dat het beter is om het te vieren dan het jullie te vertellen. Wij hebben de traditie om het verhaal samen voor te lezen als onderdeel van de viering. Iedereen krijgt een rol – en Esther moet natuurlijk koningin Esther spelen.' Hij draaide zich naar Peter om en legde zijn hand op diens hoofd. 'En jij krijgt de rol van Hasjem.'

Esther fronste haar wenkbrauwen. 'Hoe kan dat nu? U weet toch dat hij niet kan praten?'

'Wacht maar af. Het zal de perfecte rol voor hem zijn.'

Peter trok aan Jacobs mouw en liet hem zien wat hij had ge-schreven. *Steken we ook kaarsen aan?*

'Helaas steken we geen kaarsen aan tijdens het poerimfeest, maar er zijn andere leuke dingen. Jullie mogen spullen meenemen die lawaai maken: bellen, fluitjes, blikken en houten lepels – alles wat lawaai maakt.'

'Wie mag er lawaai maken?'

Jacob moest glimlachen om de toenemende opwinding van de kinderen. 'Iedereen. Poerim is de enige tijd dat het een mitswa voor de kinderen is om lawaai te maken. Een andere traditie is dat je je mag verkleden.'

'Zoals op Halloween?'

'Misschien kun je het daarmee vergelijken. Jij moet een kroon dragen zoals koningin Esther. En natuurlijk moeten we Penny ook uitnodigen.'

'Wat nog meer? Wat nog meer?'

Tot zijn verbazing merkte Jacob dat hij ook opgewonden was. 'Even denken… mijn vrouw maakte altijd hamansoren. Dat zijn koekjes. Maar ik kan geen koekjes bakken.'

Peter stond te dansen van opwinding en wees naar Esther en zichzelf. 'Willen jullie me helpen met bakken?' vroeg Jacob. Toen Peter knikte en Jacobs arm tegen zich aandrukte, sprongen de tranen hem in de ogen.

'Vroeger hielpen we mama heel vaak met bakken,' zei Esther. 'Penny kan ons ook helpen. Het enige wat we nodig hebben, is een recept.'

'Prima. Laat me eens kijken of ik het kan vinden.' Samen met Peter, die zijn arm nog steeds niet had losgelaten, liep hij naar de keuken en keek in de doos waar Miriam Shoshanna haar recepten bewaarde. Haar zwierige en elegante handschrift deed Jacob denken aan zwart kant. Even later vond hij het beduimelde en met vlekken bedekte recept.

'Dit is het recept, maar helaas is het in het Hongaars geschreven. Ik zal het voor jullie moeten vertalen.'

'Kunnen we ze vandaag al bakken?'

'Ik heb niet alle ingrediënten in huis. Bovendien hebben we

nog meer dan genoeg tijd om het feest voor te bereiden.'

Koortsachtig bedacht Jacob allerlei plannen. Waar moest hij verder nog aan denken? Hij moest boodschappen doen. De dag voor Poerim konden ze de koekjes bakken. En hij zou zakjes met snoep voor iedereen klaarmaken. Het was een traditie om snoepgoed en andere lekkernijen uit te delen. Terwijl Jacob bedacht wat hij allemaal moest doen, voelde hij zich anders, maar hij wist niet precies waarom. Toen schoot het door hem heen: hij voelde zich gelukkig.

Hij was blij dat hij de krantenknipsels had weggegooid. Dit was beter voor iedereen.

Nadat de kinderen naar huis waren gegaan om te eten, belde Jacob rebbe Grunfeld op. 'Ik heb mensen uitgenodigd voor Poerim, maar ik kan niet goed koken. Is er een vrouw in de gemeente die voor me wil koken? Natuurlijk zal ik voor alle ingrediënten betalen en mag ze in haar eigen keuken koken – het moet iets simpels zijn dat ik in de oven kan opwarmen.'

'Ik ken iemand die hier geknipt voor is, Yaacov. Ik zal haar vragen je te bellen. Wat fijn dat je zo opgewekt klinkt. En Poerim vieren! Dat is prachtig, echt prachtig.'

'Het werk voor de vluchtelingencommissie heeft me goed gedaan. Voortaan kan ik iets doen in plaats van alleen maar thuis zitten piekeren. Wie weet, misschien zullen we echt iets bereiken.'

Miriam Shoshanna zou blij zijn geweest, dacht Jacob, terwijl hij een kleed over de eettafel uitspreidde en deze dekte met haar beste servies en glazen. Vandaag was het de eerste keer sinds haar overlijden dat hij deze spullen uit de kast had gehaald, de eerste keer dat hij gasten had uitgenodigd om te komen eten. De vrouw die hij had ingehuurd om te koken had zich uitgesloofd en koolrolletjes, *aardappellatkes* en rundvlees gemaakt. Ze had aangeboden om hamansoren te bakken en was verbaasd toen Jacob haar vertelde dat hij ze zelf al had gemaakt – met de hulp van juffrouw Goodrich en de kinderen natuurlijk.

Esther arriveerde, verkleed als een prinses, met een kroon van zilverpapier en karton op haar hoofd. Peter had een handdoek om zijn schouders geknoopt en de letter S op zijn hemd geplakt. Jacob wist niet wat het betekende, totdat Esther hem uitlegde dat hij Superman was.

Ze gingen aan tafel zitten en terwijl Jacob het brood brak, sprak hij voor de eerste keer in bijna twee jaar de zegenbede uit voor de maaltijd. Ze gaven het eten door en begonnen met smaak te eten. Iedereen was ontspannen, zelfs juffrouw Goodrich. Het was de eerste keer in heel lange tijd dat er in het appartement werd gelachen.

'Ze smaken als mama's aardappelen,' zei Esther tegen hem, terwijl ze zichzelf nog wat latkes opschepte.

'Echt waar? Ik ben blij dat je ze lekker vindt.'

Ze aten als vorsten. Jacob had zich er zorgen over gemaakt dat de kinderen de uitheemse gerechten niet zouden lusten, maar aan het einde van de maaltijd was er heel weinig eten over.

'Laat de borden maar op tafel staan,' zei hij toen ze klaar waren met eten. 'Ik zal later wel afwassen. Kom, het is tijd om de *Megilla* te lezen – het boek Esther. Hebben jullie de spullen meegebracht? Laat ons maar horen hoe ze klinken.'

Terwijl de kinderen op fluitjes bliezen en met de bellen rinkelden, bedekte hij – zogenaamd vanwege het lawaai – zijn oren. Juffrouw Goodrich sloeg met een lepel op een oude ijzeren pot. 'Heel goed. Als we het verhaal lezen, moeten jullie iedere keer dat jullie de naam van de slechte Haman horen met jullie voeten stampen, boe roepen en zo veel lawaai maken dat je zijn naam niet meer kunt horen. Oké?'

Ze gingen allemaal in de huiskamer zitten, Penny en Esther op de bank en Peter op de grond voor hen. Ze hadden hun eigen bijbels meegebracht zodat ze het verhaal dat Jacob voorlas konden volgen. Hij nam zijn eigen exemplaar van de Megilla uit de kast en ging in zijn bureaustoel voor hen zitten. 'Penny kan de rol van Mordechai spelen,' zei hij. 'Esther is koningin

Esther en Peter is Hasjem. Zijn jullie er klaar voor?'

Samen lazen ze het verhaal. Als de naam van Haman werd genoemd, stampten ze met hun voeten en riepen ze boe, waar ze hartelijk om moesten lachen. Jacob moest aan Avraham denken. Net als Penny en de kinderen had hij veel plezier gehad in het maken van lawaai. De opwinding stond op Peters gezicht te lezen, alsof hij dolgelukkig was dat hij eindelijk de mogelijkheid had om zichzelf hoorbaar te maken na al deze maanden gezwegen te hebben.

'Nu moeten we praten over wat we hebben geleerd,' zei Jacob toen ze het verhaal hadden gelezen. 'Dit is hoe mijn volk het geloof van generatie op generatie heeft overgeleverd tijdens het vieren van de feesten van Hasjem en Zijn wekelijkse sjabbats.' Het leek vreemd om dit feest met christelijke kinderen te vieren, maar ze keken hem vol verwachting aan.

'De tragische achtergrond van koningin Esther wordt maar in een paar woorden verteld. Is jullie dat opgevallen? Ze had geen vader of moeder, staat er. Ze was wees. In haar tijd woedde er ook een oorlog en haar land werd door de vijand verslagen. Zij en haar neef Mordechai werden naar een ver land weggevoerd. Toen haar al deze verschrikkelijke dingen overkwamen, zal ze ongetwijfeld wel eens hebben gedacht dat Hasjem haar in de steek had gelaten, denken jullie ook niet? Maar zelfs al liet Hasjem al deze erge dingen gebeuren, toch zorgde Hij ervoor dat Mordechai Esther kon adopteren en voor haar kon zorgen.'

Jacob zag dat Peter iets opschreef en wachtte totdat hij zijn lei omhooghield. *Penny zorgt voor ons, nu papa weg is.*

'Ja, heel goed.' Jacob wierp een blik op juffrouw Goodrich en zag dat ze op haar lip beet en haar tranen moest bedwingen. Jacob was blij dat Peter haar eindelijk had geaccepteerd en haar behandelde als meer dan een dienstbode. Zelfs Esther leek op haar gemak naast Penny, een prettige verandering vergeleken met een paar maanden geleden.

'En ook toen Esther uit het huis van Mordechai werd weggehaald,' ging Jacob verder, 'en naar de harem van de koning werd overgebracht, paste een bediende met de naam Hegai op haar. Ze was dus niet alleen.'

'En wij hebben u, meneer Mendel,' zei Esther zachtjes.

Jacob kon alleen maar knikken en moest even wachten, voordat hij zijn stem hervond. 'Denk je dat koningin Esther naar het paleis meegenomen wilde worden?' vroeg hij toen hij de brok in zijn keel had weggeslikt. 'Zou ze er zelf voor gekozen hebben om Mordechai achter te laten en in een harem te gaan wonen, een plek waar ze de rest van haar leven zou moeten blijven? Vergeet niet dat ze niet wist of de koning en zij van elkaar zouden houden.'

'Nee, dat denk ik niet,' zei Penny. 'Ik denk dat ze liever zelf een man had uitgezocht in plaats van deel te nemen aan een schoonheidswedstrijd.'

'Dat ben ik met je eens. Nu, stel dat Hasjem koningin Esthers gebeden had verhoord zoals ze had gewild. Stel dat haar land de oorlog niet had verloren, haar ouders niet waren gestorven en ze nooit naar een vreemd land was weggevoerd. Hoe zou ons verhaal dan zijn afgelopen?'

Esther dacht diep na en heel even ving Jacob een glimp op van de aantrekkelijke jonge vrouw tot wie ze zou uitgroeien. 'Dan was ze nooit koningin geworden,' zei ze.

'Ja, inderdaad, Esther. En wat nog meer?'

'Toen Haman...' begon Esther, maar Peter onderbrak haar door lawaai te maken toen hij Hamans naam hoorde. Ze maakte een speels gebaar met haar hand en sprak verder. 'Toen Haman die wet maakte om alle Joden uit te roeien, zou er als Esther geen koningin was geweest, niemand zijn geweest om hem tegen te houden.'

'Ja, precies. Esthers ouders hadden misschien iets langer geleefd, maar uiteindelijk zou Haman Esthers hele volk uitgeroeid hebben. Wat nog meer?'

'Ik denk dat het heel moedig van Esther was om naar de koning te gaan,' zei Penny. 'Ze moet een heel bijzondere vrouw zijn geweest om boven alle anderen verkozen te worden. Ik denk dat ze zowel vanbinnen als vanbuiten mooi was.'

'Het getuigt van grote moed om tegen onrecht te protesteren,' zei Jacob. 'Ik denk dat jullie allemaal weten dat de nazi's het Joodse volk vervolgen, maar niemand zegt er iets van en niemand steekt een vinger uit om ons te helpen.'

'Maar misschien helpen er wel mensen,' wierp Esther tegen, 'maar weten we het gewoon niet.'

Haar woorden zetten Jacob aan het denken. Had dit verhaal juist niet aangetoond dat Hasjem achter de schermen aan het werk was? Jacob wilde zo graag geloven dat dit ook gold voor Avraham en zijn gezin.

'Natuurlijk heb je gelijk. De hulp die de vluchtelingencommissie naar Europa stuurt zal op een voor ons onzichtbare wijze worden gebruikt... Ik heb Peter gevraagd om Hasjem te spelen. Weet je ook waarom?'

Esther glimlachte. 'Hij hoefde niets te zeggen.'

'Inderdaad. Hasjem wordt geen enkele keer genoemd in dit verhaal – maar toch hebben we Hem aan het werk gezien. Tussen de regels door lezen we hoe Hij alles bestuurde.'

Jacob zag dat Peter knikte en blij keek. 'Al die tijd was Hij bij koningin Esther, net als Peter hier bij ons was, hoewel Hasjem noch Peter een woord zei.'

'Ik begrijp het!' zei Esther. Nog nooit had Jacob haar zo stralend zien glimlachen. Hoe boos Jacob ook op Hasjem was, hij moest de waarheid van zijn eigen woorden erkennen. Hasjem zou altijd met Zijn volk zijn, ook al leek het door de stilte en de ontberingen die ze leden alsof Hij hen in de steek had gelaten. Kon Jacob maar boven zijn verdriet en verwarring uitstijgen, op Hasjem wachten en op Zijn goedheid vertrouwen.

Jacob stond op, omdat het hem even te veel werd. 'Ik ga de koekjes halen die we hebben gebakken,' zei hij, 'en wat thee zetten.'

Tegen de tijd dat het water kookte en hij de hamansoren op een schaal had gelegd, had Jacob zijn emoties weer onder controle. Toen hij met de schaal naar binnen kwam, hoorde hij Penny zeggen: 'Het is me nooit eerder opgevallen dat koningin Esther geadopteerd was. Misschien komt het omdat ik er net achter ben gekomen dat ik ook geadopteerd ben.'

'Wat is er met je echte ouders gebeurd?' vroeg Esther.

'Ik weet het niet. Waarschijnlijk hield mijn echte moeder niet genoeg van me en heeft ze me weggegeven.'

'Wacht even,' zei Jacob. 'Hoe weet je dat ze niet genoeg van je hield?'

Penny leek van haar stuk gebracht. 'Op mijn adoptiecertificaat staat dat ze me heeft afgestaan toen ik één dag oud was en daarna heeft ze het dossier laten verzegelen, zodat ik er nooit achter zou kunnen komen wie ze was.'

'Er zijn veel redenen waarom ouders hun kinderen aan de zorg van iemand anders moeten toevertrouwen,' zei Jacob. 'Ed Shaffer heeft zijn kinderen bij jou achtergelaten om in de oorlog te gaan vechten, nietwaar?'

'Maar hun vader houdt van hen.'

'En dat moet het nog moeilijker voor hem hebben gemaakt. Hoe weet je dat het niet heel moeilijk is geweest voor je moeder? Waar is het bewijs dat ze niet van je hield?'

De tranen welden op in Penny's ogen. 'Ze heeft me toch ter adoptie afgestaan?'

'Dat is geen bewijs. Ik raad je aan om eerst achter de reden voor haar beslissing te komen voordat je de conclusie trekt dat ze niet van je hield. Een moeder kan soms heel veel van haar kind houden, maar niet in staat zijn voor haar te zorgen. Of ze gunt haar kind een beter leven en laat haar daarom gaan in een daad van onbaatzuchtige liefde.'

'Hoe weet u al deze dingen?'

'In Hongarije, waar ik geboren ben, was het leven heel moeilijk voor de Joden. Ik was pas zeventien toen ik naar Amerika kwam. Mijn moeder vond het heel erg om me te laten gaan, maar ze gunde me een beter leven.'

'Misschien was Penny's moeder heel ziek,' zei Esther, 'en kon ze niet zorgen voor een baby.'

Misschien is ze gestorven, schreef Peter. Met pijn in zijn hart keek Jacob hem aan.

'Ik zal nooit achter de ware reden komen,' zei Penny, 'omdat het adoptiedossier verzegeld is. Ik weet niet eens hoe mijn echte moeder heet.'

'Heb je geprobeerd haar te vinden?' vroeg Jacob.

'Ik weet niet hoe. Ik ben niet zo'n goede detective als u.'

'Misschien kennen je adoptieouders het ware verhaal wel,' zei Jacob.

Penny schudde haar hoofd. 'Ik durf het hun niet te vragen. Ze hebben me nooit verteld dat ik geadopteerd ben. Ik ben er per ongeluk achter gekomen toen ik mijn geboorteakte nodig had. Ze weten nog niet dat ik achter de waarheid ben gekomen.'

'Zijn er andere familieleden die misschien op de hoogte zijn van het verhaal?' vroeg hij.

'Ik heb een oudere zus.'

'Is ze ook geadopteerd?'

'Ik heb geen idee. Hazel trouwde en ging uit het huis toen ik nog een baby was. Ze woont ergens in New Jersey.'

'Komt ze nooit op bezoek?' vroeg Esther. 'Zelfs niet met Kerst of Thanksgiving?'

'Toen ik jonger was, is ze een of twee keer op bezoek geweest, maar nu ze zelf kinderen heeft, is het lastiger om te reizen. Mijn ouders zijn oud en houden ook niet van reizen. Daarom zijn we nog nooit bij Hazel op bezoek geweest.' Penny had moeite om haar tranen te bedwingen. Jacob zag dat het een heel pijnlijk onderwerp voor haar was.

'Meneer Mendel probeert zijn zoon Avraham en zijn gezin te vinden,' zei Esther tegen Penny. 'Ze zijn in Hongarije en hij heeft al meer dan twee jaar niets van hen gehoord. Maar u blijft naar hen zoeken, hè, meneer Mendel?'

'Ja. En ook naar mijn broers, neven en hun familie. Ik zou de hele wereld afreizen om de mensen op te sporen van wie ik houd. Ik zal nooit opgeven.'

'Ik wilde dat ik de familie van mama kon vinden,' zei Esther, 'maar ik weet niet hoe ze heten en hoe ik ze kan vinden.'

'Heb je wel eens bij andere familieleden naar hen geïnformeerd?' vroeg Jacob om het gesprek op een ander onderwerp te brengen.

'Ik heb het aan papa gevraagd, maar hij heeft bijna niets gezegd. Oma Shaffer zegt dat de ouders van mama niet wilden dat ze met papa trouwde, omdat ze dan geen muziek kon studeren.'

'Als je de geboorteakte van je moeder zou vinden,' zei Penny, 'zou je achter de namen van haar ouders kunnen komen.'

'Echt? Wil je me helpen die te zoeken?' vroeg Esther.

'Natuurlijk. En desnoods kan ik ook met je meegaan naar het bevolkingsregister, omdat ik weet waar het is.'

'In haar trouwboekje staat haar meisjesnaam misschien ook wel vermeld,' voegde Jacob eraan toe.

Penny sprong overeind alsof ze meteen naar het bevolkingsregister wilde rennen. In plaats daarvan zei ze: 'Kom, laten we meneer Mendel met de afwas helpen.'

'Nee, nee. Laat alles maar staan. Ik was wel af. Ik heb verder toch niets te doen.'

'Weet u het zeker? Het zal sneller gaan als we allemaal een handje meehelpen.'

'Jij moet morgen toch werken? En de kinderen moeten ook naar school. Ik vind het helemaal niet erg.'

Het kostte hem veel moeite om Penny ervan te overtuigen om de afwas te laten staan, maar uiteindelijk stemde ze toe. De kinderen bedankten hem voor het eten en omhelsden hem. Het was een rommel in de keuken, maar Jacob was tevreden. Het was een goede avond geweest. Hij zette de radio aan om naar het nieuws te luisteren, terwijl hij de tafel afruimde en de borden en glazen naar de keuken bracht. Hij had het zo druk gehad met de voorbereidingen voor het feest dat hij de hele middag niet naar het nieuws had geluisterd.

Eerst werden er muziek en reclames uitgezonden. Maar toen Jacob het dienblad met de theekopjes en koekjes de woonkamer uit droeg, begon de nieuwsuitzending. Hij bleef midden in de kamer staan om ernaar te luisteren.

'Vandaag zijn Duitse troepen Hongarije binnengevallen en hebben het land bezet. Volgens politieke analisten wilde Hitler een einde maken aan de pogingen van de Hongaarse regering om een vredesverdrag met de geallieerden te sluiten. De nazi's hebben Boedapest bezet...'

'Nee,' mompelde Jacob. 'Nee, dat kan niet...'

De nazi's waren in Hongarije.

Toen de feiten tot Jacob doordrongen, schreeuwde hij: 'NEE!'

Hij voelde zijn lichaam slap worden en het dienblad glipte uit zijn handen. Net als zijn hoop spatten de borden in honderden stukjes uiteen.

Een felle pijn schoot door zijn borst en Jacob kromp ineen. Hij kon geen adem meer halen. Hij probeerde naar de bank te kruipen, maar de kamer begon te draaien voor zijn ogen en zijn benen begaven het. Met een klap viel hij op de grond en haalde in zijn val ook een lamp naar beneden.

Toen werd het donker voor zijn ogen.

28

Esther kon het verhaal over koningin Esther dat ze vanavond hadden gelezen niet van zich afzetten. Penny spoorde Peter en haar aan om op te schieten, omdat het veel later dan hun normale bedtijd was, maar Esther wilde nog niet gaan slapen. Ze wist dat ze toch niet direct in slaap zou vallen. Terwijl Peter zijn tanden in de badkamer poetste, pakte Esther haar schooltas in en zette die bij de voordeur. Ze wilde dat ze morgen niet naar school hoefde te gaan.

Terwijl ze boven aan de trap stond, werd ze opgeschrikt door een doffe dreun en het geluid van brekend glas beneden. Toen hoorde ze meneer Mendel een huiveringwekkende kreet slaken. Het geluid schoot als een stroomstoot door Esther heen en ze bleef als aan de grond genageld staan. Toen volgde er nog een klap.

Esther liet haar tas vallen en rende naar de hal beneden om bij meneer Mendel aan te kloppen. 'Meneer Mendel…? Meneer Mendel, wat is er gebeurd?'

Geen antwoord. Ze hoorde dat de radio binnen aanstond. Ze klopte harder op de deur en kreeg een angstig, benauwd gevoel.

'Meneer Mendel!'

Ze probeerde de deur te openen, maar die zat op slot. Esther liet zich er met al haar kracht tegenaan vallen en bleef zijn naam maar roepen. De deur gaf niet mee. Waarom gaf hij geen antwoord? Terwijl ze in paniek begon te raken, herinnerde ze zich dat mevrouw Mendel haar moeder ooit had laten zien waar ze de reservesleutel bewaarde.

Laat de sleutel er alstublieft nog zijn... laat hem er nog zijn, bad Esther, terwijl ze onder de rand van de trapleuning naar de sleutel zocht.

Hij was er nog! Haar vingers trilden zo erg dat ze de sleutel amper in het sleutelgat kon krijgen, maar eindelijk vloog de deur open.

Meneer Mendel lag met gesloten ogen en een lijkbleek gezicht op de grond. Om hem heen lagen glasscherven, gebroken koekjes en een gevallen lamp. Esther rende naar de hal en riep uit alle macht: 'Penny! Penny, kom gauw!'

Penny vloog de trap af, op de voet gevolgd door Peter in zijn pyjama. Na één blik op meneer Mendel geworpen te hebben, pakte ze de telefoon. 'Ik bel een ziekenauto.'

Esther zonk naast hem neer zonder acht te slaan op de glasscherven die overal lagen en tilde zijn hoofd op haar schoot. Peter knielde neer om zijn hand te pakken. Iedereen huilde, ook Penny.

'Meneer Mendel... word alstublieft weer wakker,' jammerde Esther, terwijl ze over zijn gezicht streek. Het keppeltje dat hij altijd droeg, was van zijn hoofd gevallen en ze probeerde het hem weer op te zetten. *Alstublieft, God!* bad ze in stilte. *Laat hem niet doodgaan.*

Ten slotte hoorde ze meneer Mendel zachtjes kreunen. Hij knipperde met zijn ogen en keek om zich heen. Esther merkte dat hij niet wist waar hij was en wat er gebeurd was. Zijn gezicht was zo wit als een doek.

'Gaat het, meneer Mendel? Ik denk dat u bent gevallen. Hebt u zich pijn gedaan?'

'Mijn borst...' Hij haalde hijgend adem. 'Moeilijk... om te ademen.'

'Er is een ziekenauto onderweg,' zei Penny. 'Probeert u zich niet te bewegen.'

Hij keek hen om de beurt aan en fluisterde. 'Geen tranen... het gaat wel.' Esther wenste dat ze hem kon geloven.

'Kunnen we iemand anders bellen?' vroeg Penny.

'Rebbe Grunfelds... nummer... ligt op mijn bureau.'

Esther hoorde dat Penny hem belde en hem vroeg om onmiddellijk te komen. Tegen de tijd dat ze ophing, hoorde ze in de verte een sirene. Peter hoorde het ook en hij krabbelde overeind alsof hij weg wilde rennen. Hij sloeg zijn handen tegen zijn oren. Peter kon het geluid van ziekenauto's niet verdragen. Esther ook niet. Penny sloeg haar armen stijf om Peter heen en troostte hem.

De sirene klonk steeds luider en leek dichterbij te komen. Door het voorraam scheen een rood zwaailicht naar binnen. Penny rende naar de deur om open te doen voor het ambulancepersoneel en even later hoorde Esther voetstappen en mannenstemmen. Ze haastten zich de kamer binnen en knielden naast meneer Mendel neer om hem te onderzoeken, met hem te praten en naar zijn hart te luisteren. Esther deed haar ogen dicht en bad. Toen ze ze weer opendeed, zag ze dat de man met de stethoscoop bezorgd keek.

'We moeten hem naar het ziekenhuis brengen,' zei hij. De andere ziekenbroeder ging naar buiten om de brancard te halen. Net toen ze meneer Mendel erop legden, kwam de rabbijn binnen. Esther herkende de man met de witte baard van de nacht van de brand.

'Hoe gaat het met hem?' vroeg de rabbijn. 'Wat is er gebeurd?'

'Ik denk dat hij is gevallen,' zei Esther. 'Ik hoorde een klap en toen ik beneden kwam, lag hij hier op de grond.'

'De radio...' mompelde meneer Mendel, terwijl hij naar het apparaat wees. Op de achtergrond speelde nog steeds muziek en Esther dacht dat hij hem uit wilde zetten. Maar toen de ziekenbroeders de brancard optilden, pakte meneer Mendel de rabbijn bij zijn pols en zei: 'Nazi's... in Hongarije.'

Esther begreep niet wat hij wilde zeggen. 'Ik wil met hem mee naar het ziekenhuis,' zei ze.

'Het is al heel laat,' zei de rabbijn tegen haar. 'Ik denk dat je beter hier kunt blijven. Ik zal met hem meerijden naar het ziekenhuis en jullie bellen zodra er nieuws is. Dat beloof ik.' Esther scheurde een stukje papier van het notitieblok dat op het bureau lag en schreef het telefoonnummer voor hem op.

'Belooft u dat u direct zult bellen?'

'Ja, dat beloof ik.'

De voordeur ging open en de koude buitenlucht stroomde naar binnen. Even later waren de mannen verdwenen. Het zwaailicht en de gillende sirene werden steeds zwakker. 'Gaan jullie maar naar boven,' zei Penny. 'Ik zal de rommel wel opruimen en de afwas doen.'

Esther schudde haar hoofd. 'Ik help je wel. Meneer Mendel houdt zijn serviesgoed altijd gescheiden en ik weet precies waar alles staat.' Ze boog zich om de lamp overeind te zetten en wachtte niet op Penny's antwoord. Met zijn drieën ruimden ze de glasscherven op en deden ze de afwas. Net toen ze klaar waren en Esther aanstalten maakte om de radio uit te zetten, volgde er een nieuwsuitzending.

'Duitse bezettingstroepen zijn vandaag Hongarije binnengevallen. Boedapest en het omringende platteland zijn bezet en...'

'Hongarije!' riep Esther. 'Daar woont de zoon van meneer Mendel. Dat was wat hij ons probeerde te vertellen.'

'Daardoor was hij zo van streek,' zei Penny.

'Hitler is net als Haman. Hij haat het Joodse volk. Maar waar is koningin Esther deze keer? Wie houdt hem tegen?'

Ze zag dat Peter iets opschreef. Hij hield het omhoog, zodat ze het kon lezen. *Papa.*

Esther sloeg haar handen voor haar gezicht. Ze kon haar tranen niet langer bedwingen. Voor de eerste keer begreep ze waarom haar vader in de oorlog moest vechten en wat er allemaal op het spel stond. Ze voelde Penny's armen om zich heen en handen die over haar rug streelden en ze kon rustig uithuilen.

'Kom,' zei Penny toen Esther was uitgehuild. 'We gaan naar boven, want daar kunnen we de telefoon horen.'

Ze trokken hun pyjama aan en gingen op de bank zitten met een van oma Shaffers gehaakte spreien om hen heen. Esther moest er niet aan denken meneer Mendel te verliezen. Hij was als een opa voor haar geworden. Ze begreep hoe bang hij was dat zijn familie in de handen van de nazi's zou vallen.

Na een poosje viel Peter in slaap, maar Esther bleef klaarwakker. Toen de telefoon eindelijk ging, vloog ze overeind om die op te nemen. 'Het gaat een stuk beter met meneer Mendel,' vertelde de rabbijn haar. 'De artsen denken dat hij geen hartaanval heeft gehad, maar een hartritmestoornis. Hij heeft een verschrikkelijke schok gehad en…'

'We hebben het nieuws op de radio gehoord. De nazi's zijn Hongarije binnengevallen.'

'Ja, dat heeft hij me verteld. De dokter wil dat hij vannacht in het ziekenhuis blijft en als alles goed gaat, mag hij morgen of overmorgen weer naar huis.'

Esther voelde zich de volgende ochtend heel moe. Ze wilde niet naar school, maar Penny zei dat het niet anders kon. 'Ik moet naar mijn werk en ik denk niet dat ik je hier de hele dag in je eentje kan achterlaten.'

'Mogen we bij meneer Mendel in het ziekenhuis op bezoek gaan, als hij vandaag niet thuiskomt?'

'Ja, dan gaan we met zijn allen. Dat beloof ik.'

Zodra ze uit school kwam, klopte Esther bij meneer Mendel aan en tot haar grote opluchting deed hij zelf de deur open. Ze wilde hem omhelzen, maar hij zag er zo broos uit dat ze bang was dat hij zou omvallen als ze het deed. 'Ik moet rusten, dat is alles,' zei hij. 'Sorry dat ik je gisteravond zo heb laten schrikken.' Hij had de deur op een kier geopend en nodigde Peter en haar niet uit om binnen te komen.

'Wilt u dat ik iets te eten voor u maak?'

'Dank je wel, maar de vrouwen van de gemeente hebben me weer heel veel eten gebracht. Ik zal als een vorst kunnen eten.'

'We hebben het nieuws over de nazi's in Hongarije gehoord,' zei ze zacht. 'Het is steeds op de radio en de kranten staan er vol van.'

Meneer Mendel pakte Esthers handen. Ze zag de tranen in zijn ogen staan. 'Ik kan er nu niet over praten. Het spijt me.'

'Kunnen we iets voor u doen?'

Hij dacht even na. Ze vroeg zich af of hij haar zou vragen te bidden, maar in plaats hiervan vroeg hij: 'Kun je boven piano voor me spelen? Dat zou ik fijn vinden. Daarna ga ik weer rusten. Morgen zullen we verder praten.'

'Ik ben blij dat het beter met u gaat, meneer Mendel.'

'Dank je wel.'

Esther rende de trap met twee treden tegelijk op en liep direct naar de pianobank om haar boeken tevoorschijn te halen. Ze zou ieder stuk dat ze kende voor hem spelen. Ze ging op het bankje zitten, zette de bladmuziek op de houder en speelde haar hele repertoire, terwijl ze vurig hoopte dat meneer Mendel het mooi zou vinden en zich er beter door zou voelen.

Toen Esther aan haar moeder dacht, voelde ze zich gelukkig en verdrietig tegelijk. Ze wenste dat ze haar beter had gekend en wist waarom ze had besloten om te trouwen in plaats van muziek te studeren. En waarom de ouders van haar moeder er zo boos om waren geweest.

'Ik zou de hele wereld afreizen om de mensen op te sporen van wie ik houd,' had meneer Mendel gisteravond gezegd. *'Ik zal nooit opgeven.'* Maar nu de nazi's in Hongarije waren, vroeg ze zich af of hij hen ooit zou terugzien.

Meer dan ooit verlangde Esther ernaar om haar moeders familie te leren kennen.

29

Boedapest, Hongarije
Maart 1944

Lieve vader en moeder Mendel,
Ik ben bijna wanhopig. De nazi's zijn Boedapest binnengevallen. Al onze hoop is in rook opgegaan en mijn hart is even leeg als onze voorraadkast. De Hongaarse regering is ontbonden. Onze leiders zijn afgezet. De nazi's hebben de touwtjes nu in handen – iets waar we zo bang voor waren. Hun troepen hebben alle spoorlijnen en regeringsgebouwen bezet. We weten niet meer wat er in de rest van de wereld gebeurt, omdat de nazi's onze radiostations, de postverzending en telegraafdiensten controleren.

Voor de Duitse inval leek het erop dat Hongarije de strijd zou staken en vrede zou sluiten met de geallieerden. We hoorden dat de Amerikanen in Italië waren geland en dat het Duitse leger in Stalingrad had gecapituleerd voor de Russen. We dachten dat Hitler op te veel fronten aan het vechten was om Hongarije binnen te vallen en de Joden te deporteren.

Maar dat is precies waarmee hij nu begonnen is. Zodra de nazi's Hongarije binnenvielen, begonnen ze ons net zoals de Joden in Duitsland en Polen te vervolgen. Ene Adolf Eichmann houdt zich nu met ons bezig. Hij heeft bevolen om Joodse winkels te sluiten en alle Joden moeten zich laten registreren en een gele ster dragen. Hier in Boedapest zijn we bij elkaar gedreven en moeten we in een getto wonen. Er is een Joodse Raad opgezet om iedereen woonruimte toe te wijzen en water- en voedselrantsoenen te verdelen. De leden van de Raad zijn Joden, maar ze krijgen orders van de nazi's. Wie hun *niet gehoorzaamt, wordt gearresteerd.*

We wonen nog steeds in het appartement van oom Baruch in het getto, maar er zijn meer dan twintig mensen bij gekomen. Tante Hannah, haar twee nichten en andere familieleden zijn van ons gescheiden en gedwongen om naar een ander appartement te verhuizen, maar mijn moeder, Fredeleh en ik zijn nog steeds samen. Tante Hannah hoest heel erg en heeft hoge koorts, maar er zijn geen medicijnen of dokters en we worden uit ziekenhuizen geweerd.

We weten allemaal wat de volgende stap zal zijn. De Joden die vanuit Polen naar Hongarije zijn gevlucht, hebben ons verteld wat de nazi's daar met hen hebben gedaan. Ze hebben ons ter dood veroordeeld, net als onze vijand Haman destijds deed. We begrijpen niet dat ze ons zo haten. En waarom de wereld lijdelijk toeziet en niet ingrijpt. En de grootste vraag is nog: waarom laat Hasjem dit allemaal toe?

Een paar mensen die vanaf het platteland naar Boedapest zijn gevlucht hebben ons verteld dat de nazi's alle Joden in steden en dorpen zoals dat van ons bij elkaar hebben gedreven. Iedere dag arriveren er treinen met goederenwagons in Hongarije, maar ze brengen ons niet de voedselvoorraden waar we om zitten te springen. De treinen zijn leeg en komen om ons naar werkkampen in Polen te deporteren.

Als deze verhalen waar zijn, is onze familie in het dorp misschien allang weggevoerd. Mijn zus en drie broers en hun gezinnen, mijn ooms en tantes, Avi's en uw familie – allemaal. Ik blijf maar huilen om hen. Hadden ze maar naar Avi's smeekbeden geluisterd en waren ze maar met ons meegegaan naar Boedapest. We hebben verschrikkelijke verhalen gehoord van degenen die zijn ontsnapt: de werkkampen zouden in werkelijkheid vernietigingskampen zijn. Ik wil niet geloven dat dit zo is. Ik maak me zo veel zorgen over mijn familie en Avraham en vraag me constant af wat er met hen is gebeurd en of ik ze ooit zal weerzien. Als er nu niet snel hulp komt, zijn we bang dat alle Joden op het platteland weldra zullen zijn weggevoerd en dat de nazi's naar de stad zullen komen. De angst en ontzetting zijn te veel voor mij om te dragen – en voor iedereen om me heen. Niemand weet wat er morgen gaat gebeuren.

Had ik onze kleine Fredeleh maanden geleden maar naar het christe-lijke weeshuis gebracht. Dat had ik moeten doen, zodra Avraham was weggevoerd. Met zo veel Duitse soldaten om ons heen is het nu te gevaarlijk om ons op straat te wagen. We mogen het getto niet verla-ten. De nazi's kunnen ons aanhouden om te vragen waar we naartoe gaan en van ons eisen dat we onze identiteitspapieren laten zien. En daarom smeek ik Hasjem om me te vergeven dat ik haar niet eerder heb verborgen en of Hij me een manier laat vinden om haar alsnog het weeshuis binnen te smokkelen. Ik moet er niet aan denken dat de nazi's haar vinden.

Ik weet dat u in Amerika voor ons bidt en dat Avraham – waar hij ook is – ook voor ons bidt. Ik vind het steeds moeilijker om te bidden, nu mijn gebeden niet verhoord lijken te worden. Ook nu is het boek van Tehillim mijn enige troost: Hoor mijn gebed, Hasjem, en neem mijn hulpgeroep ter ore, zwijg niet bij mijn geween, want ik ben een vreemdeling bij U...

Moge Hij ons van onze vijanden verlossen en ons weldra samen-brengen.

Liefs van Sarah Rivkah en Fredeleh

30

Het weekend in het huis van haar oma was bijna niet door te komen geweest. Esther had geprobeerd om meer over haar moeder te weten te komen, maar oma Shaffer had niets losgelaten en volgehouden dat ze niet meer wist. Esther wilde dat haar vader nooit had geregeld dat Peter en zij de weekenden bij hun oma zouden logeren. Dat had ze hem ook geschreven, maar haar vader had geantwoord dat Penny het ook verdiende om af en toe een paar dagen vrij te zijn. Nu ze op de bus naar huis stapten, besloot Esther om naast Penny te gaan zitten in plaats van helemaal achterin, waar Peter en zij normaal zaten.

'Penny, herinner je je mijn moeder nog?'

'Ik herinner me de bruiloft van je ouders,' zei Penny. 'Je oma gaf een kleine receptie in de achtertuin. Mijn ouders en ik waren ook uitgenodigd.'

'Je kende mama dus?'

'Niet echt. Alleen maar als buurmeisje van een afstand.' Esther vond het een vreemd antwoord. En Penny's stem klonk verdrietig. 'Ik herinner me hoe knap je moeder eruitzag op haar trouwdag,' zei Penny. 'En hoe gelukkig ze was. Je moeder bleef maar glimlachen – en je vader ook.' Esther vroeg zich af waarom Penny zo verdrietig om mama was als ze haar niet echt had gekend.

Esther keek uit het raam van de bus en zag de gevels van winkels, kantoren en huizen langzaam aan zich voorbij glijden. In deze weken waarin gewacht werd op de lente zag de stad er somber uit. De sneeuw was gesmolten, maar de bomen waren nog kaal en het gras was bruin. Alles deed haar denken aan de dood, terwijl ze er juist helemaal niet aan herinnerd wilde worden. Haar moeder was verongelukt en haar vader bevond zich in een gevaarlijk deel van de wereld. Meneer Mendel was onwel geworden en bijna gestorven. Als oma Shaffer ziek werd en overleed, zou er niemand meer zijn om voor haar en Peter te zorgen, zo vreesde Esther. Dit had haar de laatste tijd bezig-gehouden en daarom was ze vastbesloten om de familie van haar moeder te vinden. Het opsporen van haar grootouders zou ook een manier zijn om een klein deel van de herinnering aan haar moeder levend te houden.

Ze keek Penny weer aan. 'Mama was knap, hè?'

Penny knikte. 'Ik herinner me haar slanke taille. Je vader kon er zijn handen helemaal omheen leggen.'

'Weet je nog dat je me zou helpen om meer over mijn familie te weten te komen? Kunnen we vandaag al beginnen? Als we thuiskomen?'

'We kunnen het proberen.'

Esther had zich afgevraagd of ze verraad pleegde als ze Penny om hulp vroeg. Eerst had ze het haar kwalijk genomen dat ze in haar leven was binnengedrongen en had ze zich verzet tegen Penny's poging om toenadering te zoeken. Maar rond Kerst, toen ze samen naar Times Square waren gegaan en de boom hadden versierd, was Esthers houding veranderd. En op de avond dat meneer Mendel naar het ziekenhuis was gebracht en Penny Esther had getroost en met haar had gehuild, was Esther nog verder ontdooid. Of misschien was het al eerder op de avond gebeurd, toen ze samen Poerim hadden gevierd. Na haar vaders vertrek was Esther boos geweest dat God hen helemaal alleen had achtergelaten – maar ze was niet alleen. God had Penny gestuurd.

'Meneer Mendel zei dat we konden beginnen met je moeders geboorteakte en het trouwboekje van je ouders,' zei Penny. 'Op die manier kunnen we erachter komen wat je moeders meis-jesnaam was en misschien ook de namen van haar ouders achterhalen. Weet je waar je vader dit soort belangrijke papieren bewaart?'

'Ik weet het niet. Misschien boven in de kast, waar de kerstversieringen liggen?'

Eenmaal in het appartement aangekomen, gingen Esther en Penny direct aan de slag. Meer dan een uur waren ze bezig om dozen met babykleertjes, oud speelgoed en te kleine kleding uit de kast te halen. Maar ze vonden geen papieren. Teleurgesteld keek Esther naar de rommel die ze hadden gemaakt. 'De enige andere plek die ik kan bedenken is papa's kast,' zei Esther.

Penny's gezicht betrok. 'Ik vind het geen fijn idee om in zijn spullen te snuffelen.'

'Alsjeblieft? Ik zal het wel doen, als jij het niet wilt. Ik moet de familie van mama vinden. Het is heel belangrijk. Weet je nog wat meneer Mendel zei? Desnoods moeten we de hele wereld afreizen om ze op te sporen.'

'Ik weet het niet, Esther. Je vertelde me dat de familie van je moeder niets meer met haar te maken wilde hebben. Misschien is het niet zo'n goed idee om naar hen op zoek te gaan. Wie weet willen ze niets met jullie te maken hebben en ik zou het heel erg vinden als jij en Peter daardoor gekwetst zouden worden.'

Daar had Esther nog niet aan gedacht. Ze had zich voorgesteld dat ze hen met open armen zouden ontvangen en heel blij zouden zijn om eindelijk met hun kleinkinderen herenigd te worden. Maar door ieder contact met haar moeder te verbreken, hadden ze Peter en haar ook verworpen. Desondanks wilde Esther weten waarom.

'Zou jij als je de kans kreeg ook niet met je echte vader en moeder willen praten?' vroeg ze aan Penny. 'Ook al hebben ze je afgestaan? Zou je niet willen weten waarom?'

Penny staarde peinzend voor zich uit. 'Ja, dat denk ik wel,' zei ze uiteindelijk. 'Maar laten we eerst deze spullen opruimen en in de kast terugzetten, voordat we in andere kasten gaan zoeken.'

Esther deed een van de dozen dicht en zette die terug in de kast. Toen ze alle dozen hadden opgeruimd, gingen Esther en Penny naar de slaapkamer van haar vader. Penny's kleren namen maar een heel klein deel van de kast in beslag, alsof ze wist dat deze kamer niet echt van haar was en dat ze hier niet voor altijd zou blijven. Of misschien had Penny gewoon niet zo veel spullen. Esther vroeg zich af waar mama's kleren waren gebleven. Ze kon zich niet herinneren dat haar vader ze had weggedaan, maar dat moest inmiddels wel gebeurd zijn.

'Voordat we beginnen,' zei Penny, 'moeten we eerst in ons hoofd prenten waar alles staat, zodat we de kast kunnen achterlaten zoals we die hebben aangetroffen, oké? Ik wil geen rommeltje maken van de spullen van je vader.'

'Goed. Maar ik denk niet dat hij het zal merken. Hij is niet erg netjes.'

Ze duwden zijn schoenen en sloffen opzij en vonden achter in de kast een doos met een dikke laag stof erop. Esther trok hem uit de kast en duwde de flappen opzij in de hoop de spullen erin aan te treffen waarnaar ze op zoek was. Wat ze vond, was zelfs nog beter.

'Dit zijn mama's spullen!' Esther herinnerde zich dat ze die vroeger op de kaptafel van haar moeder had zien staan. Ze haalde ze een voor een tevoorschijn en bekeek ze aandachtig: een zilveren kapset met spiegel, kam en borstel, een parfumflesje en talkpoeder.

'Toen ze was gestorven, haalde papa alle spullen van haar kaptafel af,' zei Esther. 'Hij kon het niet verdragen om er iedere dag naar te kijken en aan haar herinnerd te worden. Maar ik ben blij dat hij ze niet weggegooid heeft.' Ze hield een parfumflesje onder haar neus en rook eraan. De geur van haar moeder bracht de tranen in haar ogen.

'Eigenlijk zou jij deze spulletjes moeten hebben, Esther. Je vindt het toch niet te pijnlijk om er nu naar te kijken? Denk je niet dat je moeder ze graag aan jou had gegeven?'

'Ik weet het niet. Ik wil papa niet verdrietig maken.' Ze dacht terug aan zijn reactie toen ze tijdens zijn verlof voor hem op de piano van mama had gespeeld.

Penny legde haar hand op Esthers schouder. Haar ogen stonden zacht in het gedempte licht van het kleine lampje in de kast. 'Je wordt al een echte jonge vrouw. Het wordt tijd om een paar dingen te veranderen.'

'Wat bedoel je?'

'Nou, om te beginnen zouden jij en ik deze slaapkamer kunnen delen. Twee meisjes samen, begrijp je? Je zou meer privacy hebben dan in een kamer die je met je broertje deelt.'

'Zou hij niet eenzaam zijn in z'n eentje?'

'We kunnen het hem vragen. Laat Peter beslissen. Maar je blijft niet altijd een klein meisje. Jij en je vriendinnen zullen behoefte hebben aan privacy om over meisjesdingen te praten.'

Maar Esther had geen vriendinnen. Haar enige vrienden waren Jacky Hoffman en meneer Mendel. Jacky nodigde haar steeds uit om met hem naar de film te gaan, maar Peter en zij waren elke zaterdag bij hun oma.

Ze bekeek de rest van de inhoud van de doos en vond een verzameling sjaaltjes, handschoenen en tassen. Onder een van haar moeders zondagse hoeden vond Esther de bijouteriedoos die haar vader haar moeder ooit met Kerst had gegeven.

Voordat ze de bijouteriedoos opendeed, keek Esther even naar Penny. Zonder iets te zeggen had deze haar de tijd gegeven om de spullen van haar moeder rustig te bekijken. 'Ga je gang,' zei Penny, 'Kijk maar wat erin zit.'

In de doos lagen kettingen en armbanden van Esthers moeder. Esther herinnerde zich dat haar moeder nooit veel sieraden had gedragen – alleen maar een trouwring en een parelketting en een paar andere simpele sieraden. De rest was voor speciale gelegenheden.

Onder in de bijouteriedoos lagen drie oude zwart-witfoto's 'Dit is mama!' zei ze toen ze de eerste foto bekeek. 'Ze ziet er veel jonger uit. Ik weet niet wie deze mensen zijn.' Ze wees naar een oudere vrouw met sneeuwwit haar en twee jongemannen. Esther bekeek ze aandachtig. Het was moeilijk om de gezichten te onderscheiden. Waren het vrienden van haar moeder? Of leken ze een beetje op haar en waren het misschien haar broers?

Op de tweede foto stond een van de jongemannen van de eerste foto afgebeeld. De derde foto was een portret van een streng uitziend echtpaar met drie kleine kinderen, twee jongens en een meisje. Was het kleine meisje met de donkere krullen haar moeder?

'Dit is zo frustrerend,' zei Esther met een zucht. 'Ik wil weten wie deze mensen zijn en waarom mama de foto's heeft bewaard.'

'Je moet ze aan je vader laten zien als hij thuiskomt. Misschien weet hij het wel.'

Er zat nog één ding in de bijouteriedoos: een klein, zwartfluwelen zakje met een trekkoord. Esther maakt het koordje los en liet het voorwerp dat in het zakje zat in haar handpalm vallen. Het was een klein koperen doosje met vreemde letters erop.

'Laat eens zien,' zei Penny, terwijl ze het voorwerp van Esther aanpakte. 'Dit lijkt op het doosje dat meneer Mendel aan zijn deur heeft hangen, alleen kleiner.'

'Ik vraag me af wat mama ermee deed.'

'Meneer Mendel is toch de eigenaar van dit appartement? Misschien hing het aan de deur toen je ouders hiernaartoe verhuisden en heeft je moeder het weggehaald.'

'Ja, dat zou kunnen,' zei Esther, terwijl ze haar schouders ophaalde. Ze was teleurgesteld dat ze de geboorteakte van haar moeder niet had gevonden en begon haar moeders spullen in de doos terug te leggen.

Plotseling sloeg Penny op haar voorhoofd. 'Wat een warhoofd ben ik toch! Er schiet me nu te binnen dat er papieren in de eetkamer zijn opgeborgen. Toen ik laatst op zoek was naar servetten en een tafelkleed, trof ik een stapel papieren aan in de onderste la van de buffetkast. Ik vond het een vreemde plek om documenten te bewaren.'

Ze lieten de inhoud van de doos op de vloer liggen en haastten zich naar beneden. Penny haalde de la helemaal uit de buffetkast en zette die op de eettafel. 'Zie je?' zei ze. 'Dit ziet eruit als de huurovereenkomst van dit appartement... en dit zijn je oude rapporten... en kijk, Esther. Je geboorteakte!'

Ze nam het document van Penny aan en plofte op een van de stoelen neer om het te bekijken. *Naam van de vader: Edward James Shaffer. Naam van de moeder: Rachel Rose Shaffer, meisjesnaam: Fischer.*

Esther staarde naar het papier, terwijl Penny verder zocht. 'Dit is hun trouwboekje,' zei ze. Samen lazen ze wat er in het document stond. Rachel Rose Fischer was op 10 juni 1930 met Edward James Shaffer getrouwd. De namen van haar moeders ouders waren David Fischer en Esther Fischer.

Esthers mond viel open van verbazing. 'Mama heeft me naar haar moeder vernoemd! Als ze echt boos op haar ouders was gebleven, had ze me toch nooit dezelfde naam als haar moeder gegeven?' Toen Esther de namen netjes op een officieel document getypt zag staan, leek de familie van haar moeder ineens tot leven te komen. Ze stelde zich hen voor als het echtpaar op de foto van haar moeder, alleen wat ouder. David en Esther Fischer. Haar grootouders.

'We weten in ieder geval hoe ze heten,' zei Penny. 'Maar wat nu? Fischer is een veelvoorkomende achternaam.'

'We kunnen meneer Mendel vragen wat we verder moeten doen.' Esther stond op en maakte aanstalten om naar beneden te rennen.

'Je kunt beter tot morgen wachten. Val meneer Mendel nu niet lastig. Misschien rust hij.'

Met een zucht ging Esther weer op haar stoel zitten. Nu ze een stap verder was gekomen in de zoektocht naar haar familie, wilde ze niet wachten.

'Hé, over een maand ben je jarig,' zei Penny, terwijl ze Esthers geboorteakte bestudeerde. 'Hoe oud word je? Dertien? Wat wil je voor je verjaardag doen?'

'Ik weet het niet.'

'Hoe vieren jullie normaal gesproken verjaardagen? Met een etentje bij oma? Of een feestje met vriendinnen?'

Haar moeder had altijd een feestelijke dag van hun verjaardagen gemaakt, maar na haar overlijden vierden ze die niet meer. Esther had geen hartsvriendinnen op school. Vroeger had ze gehinkeld en touwtjegesprongen met een groep meisjes uit de buurt, maar na haar moeders dood was alles veranderd. Esther was zo lang verdrietig geweest dat niemand meer met haar wilde spelen – en ze wilde zelf ook met rust gelaten worden. Bovendien leken de meisjes bang te zijn dat hun moeder ook dood zou gaan als ze te veel contact met Esther hadden.

'Mama bakte altijd een verjaardagstaart voor ons,' zei Esther ten slotte. 'Maar ik heb geen zin om in oma's huis te gaan eten. Het is daar zo'n rommel dat ik amper kan ademhalen. Als ik mag kiezen, zou ik graag taart eten met meneer Mendel.'

'Ik denk niet dat hij ons voedsel mag eten. Hij zei toch dat het in een speciale winkel moet worden gekocht?'

'Er is een joodse bakkerij tegenover de groentekraam waar…' Esther sprak niet verder. De winkel was tegenover de plek waar haar moeder en mevrouw Mendel waren verongelukt. Esther had de straat sindsdien vermeden omdat ze niet aan die dag herinnerd wilde worden. Maar voor meneer Mendel wilde ze graag een uitzondering maken. 'Ik weet zeker dat hij taart bij ons kan komen eten als die in een joodse bakkerij is gekocht.'

'Weet je zeker dat je niet meer wilt doen? Wil je alleen maar thuis taart eten?'

'Hm…' Ze dacht aan Jacky Hoffman. 'Mag ik in plaats van bij oma te logeren op zaterdagmiddag naar de film gaan met mijn vrienden? Ik weet dat je daardoor het weekend niet vrij hebt, maar…'

'Dat geeft niet. Ik had toch geen speciale plannen voor die dag. Jouw verjaardag is veel belangrijker. Je mag die zaterdag met je vrienden naar de film en daarna kunnen we hier taart eten met meneer Mendel. Wat vind je daarvan?'

'Mag ik zonder Peter naar de bioscoop?' fluisterde ze. 'Alleen met mijn vrienden. Ik wil hem niet kwetsen, maar...'

'Ik begrijp het. Ik zal hem vragen me hier in het appartement ergens mee te helpen.'

'Bedankt, Penny.'

Naarmate haar verjaardag dichterbij kwam, werd Esther steeds opgewondener over haar uitstapje naar de film met Jacky. Het zou haast een echt afspraakje zijn. Per slot van rekening was ze bijna dertien en ze had kinderen van school hand in hand in de rij voor het kaartjesloket zien staan. Misschien zouden ze deze keer zelfs op het balkon gaan zitten. Alleen kleine kinderen zoals Peter zaten beneden.

Toen het eindelijk zover was, huppelde Esther bijna van blijdschap, terwijl ze samen met Jacky naar de bioscoop liep. 'Mag ik deze keer wel voor je kaartje betalen?' vroeg Jacky met zijn ondeugende grijns.

'Als je dat wilt... Vandaag ben ik jarig. Ik ben nu dertien.'

Ze was een beetje teleurgesteld dat Jacky haar in de rij voor het loket geen hand gaf. Maar hij leidde haar wel naar het balkon en toen de lichten gedoofd werden, sloeg hij zijn arm om haar heen. Zijn arm lag echt om haar schouder en niet op de rugleuning van de stoel. Tijdens het bioscoopjournaal zag ze het stelletje voor hen elkaar zoenen, maar ze was opgelucht dat Jacky haar niet probeerde te kussen. Hun handen raakten elkaar af en toe aan, terwijl ze popcorn en snoep deelden. Esther vond het zo spannend om naast Jacky te zitten en zich heel volwassen te voelen dat ze amper wist waar de film over ging.

Toen ze na de film weer buiten stonden, gaf Jacky haar eindelijk een hand en liet die de hele terugweg niet meer los. Hij nam zelfs een omweg, zodat ze langer samen konden zijn. 'Mag ik je een kus voor je verjaardag geven?' vroeg hij, toen ze in het steegje achter Esthers appartementencomplex bleven staan. Ze aarzelde en schudde haar hoofd. Het was te vroeg voor haar eerste kus, vooral nu ze in het volle daglicht stonden en de buren hen konden zien. Nu al klopte haar hart sneller dan het ooit in haar leven had gedaan.

'Kom op, een klein kusje maar?' zei hij met vleiende stem.

'Goed dan, maar dan wel hier…' Ze wees naar haar wang. Jacky legde zijn handen op haar schouders en kwam heel dicht bij haar staan. Toen hij zijn hoofd boog en zijn lippen op haar wang drukte, dacht Esther dat haar hart zou ontploffen. Dichtbij rook hij lekker – zoals papa als hij zich netjes had aangekleed.

'Gefeliciteerd met je verjaardag, Esther,' mompelde Jacky, voordat hij zich terugtrok. Ze had het gevoel dat de plek die hij met zijn lippen had aangeraakt in brand stond. Dit was een van de beste verjaardagen van haar leven. Het was fantastisch om dertien te zijn.

'Heb je zin om taart bij ons te komen eten voor mijn verjaardag?' vroeg ze.

'Geef je een feestje of zoiets?'

'Nee, alleen mijn broer, Penny en ik zijn er. En onze huisbaas, meneer Mendel.'

Hij draaide zich om. 'Nee, bedankt. Misschien een andere keer. Ik moet nu gaan.'

Op een bepaalde manier was Esther opgelucht. Ze wilde haar gevoelens voor Jacky geheim houden. En Penny wist niet dat de 'iemand' met wie Esther naar de film was gegaan, een jongen was. Bovendien mocht Peter Jacky niet en zou hij de middag misschien voor hen bederven.

'Hallo, ik ben thuis,' riep ze toen ze via de keukendeur binnenkwam. 'Peter? Waar is iedereen?'

'Wil je even boven komen?' riep Penny naar beneden. 'Peter en ik willen je iets laten zien.'

Esther had nog steeds het gevoel te zweven toen ze de trap

naar de tweede verdieping op liep. Toen ze bij haar slaapkamer aankwam, zag ze dat Peter en Penny in haar afwezigheid de meubels hadden verschoven. Esther sliep nog steeds in dezelfde kamer als Peter, maar de bedden stonden niet meer naast elkaar. De doos met speelgoed was weggehaald en vervangen door de kaptafel met de spiegel van haar moeder. Ze zag er een cadeau voor haar op liggen. Glimlachend keek Esther de kamer rond. Was de elegante kaptafel nu echt van haar?

Peter hield zijn lei omhoog. *Van harte gefeliciteerd met je verjaardag, Esther* stond er in gekleurd krijt op geschreven. 'Dank je wel, Peter,' zei ze. 'En bedankt dat jullie de kamer veranderd hebben. Het ziet er… het ziet er prachtig uit.'

Peter trok het krukje onder de kaptafel vandaan en wenkte Esther om te gaan zitten en haar cadeau uit te pakken. Er zat geen kaartje bij. 'Van wie is het?' vroeg ze, terwijl ze het papier van de doos afscheurde. 'Is het van jou, Peter?' Hij schudde zijn hoofd.

'Je ziet het wel als je het uitpakt,' zei Penny.

Esther haalde het laatste restje papier van de doos af en tilde het deksel op. Erin lagen de zilveren kam en spiegel van haar moeder en haar bijouteriedoos.

'Ik heb je vader gevraagd of ik je deze spullen voor je verjaardag mocht geven,' zei Penny. 'Op de dag dat we ze vonden, heb ik hem meteen een brief geschreven. Ik was zo bang dat ik geen antwoord zou krijgen voor je verjaardag. Maar gelukkig is dat wel gebeurd. Gisteren kreeg ik een brief van je vader.'

Esther kon haar ogen niet geloven. Ze had het gevoel alsof haar moeder naar haar glimlachte en haar vertelde dat ze niet langer een kind, maar een jonge vrouw was.

Esther stond op en sloeg haar armen stijf om Penny heen.

31

Mei 1944

Op een prachtige lenteochtend stapte Penny in de bus om naar haar werk te gaan. Ze zag dat haar vriend Roy een plek voor haar had vrijgehouden. Plotseling viel het haar op hoe aantrekkelijk hij er eigenlijk uitzag met zijn nette en gezonde voorkomen. Hij was de ideale schoonzoon van alle Amerikaanse moeders.

'Hé, dat is lang geleden,' zei ze, terwijl ze naast hem ging zitten. 'Ik heb je al meer dan een week niet gezien. Ik vroeg me af wat er met je gebeurd was.'

'Ik weet het. Ik heb onze gesprekjes ook gemist. Nu we bezig zijn om onze vervangers op de marinewerf in te werken, heb ik onregelmatige en lange diensten gedraaid. Eindelijk word ik uitgezonden.'

'O, Roy. Dat wilde je toch zo graag?' Penny zag dat hij enthousiast was, maar ze vond het helemaal niet leuk om haar vriend te verliezen. 'Ik zal je missen.'

'Ik jou ook, Penny. En Sally zal alle romantische dingen missen die ik haar heb geschreven – of die jij haar hebt geschreven, moet ik eigenlijk zeggen.'

Penny lachte. Nog steeds bedacht ze af en toe een paar zinnen voor Roy om hem te helpen zijn liefde voor Sally onder woorden te brengen en hij was haar er altijd dankbaar voor. 'Nee hoor, je hebt me niet meer nodig, Roy. Ik denk dat je de smaak nu zelf te pakken hebt gekregen. Wanneer vertrek je uit Brooklyn?'

'Over tien dagen.'

'Tien dagen!' Het nieuws schokte haar.

'Ik ga eerst naar huis om afscheid te nemen van Sally en mijn familie en daarna is het eindelijk tijd om te gaan vechten.'

'O, Roy.' De tranen schoten Penny in de ogen. 'Ik wil graag blij voor je zijn, omdat je dit al zo lang wilt, maar... maar ik zal je zo missen.' Ze pakte zijn hand en kneep erin.

'Ja, ik zal jou ook missen. Je bent een goede vriendin van me geworden.' Hij schraapte zijn keel. Misschien was hij een geharde marinier, maar ze merkte dat hij een brok in zijn keel had. Ze dacht terug aan de eerste keer dat ze in de bus met hem had gesproken, hoe opgewekt en galant hij was geweest toen hij zijn plaats aan haar had afgestaan. Al deze maanden was Roy zo'n goede vriend voor haar geweest. Hij had haar moed ingesproken, voor haar geduimd, haar adviezen gegeven als het om Eddie ging en haar de afgelopen Kerst met de kinderen geholpen. Ze vond het verschrikkelijk dat hij naar het buitenland zou vertrekken, maar ze wist dat hij juist daarom in dienst was gegaan.

'Ze willen ons niet zeggen waar we naartoe worden gestuurd,' ging hij verder, 'maar we nemen de trein naar San Diego en zullen daarvandaan uitvaren.'

'Ga je daarna meteen vechten? Zonder enige training?'

'Nee, niet meteen. Eerst brengen ze ons naar een gebied waar we getraind worden om amfibische landingsoperaties uit te voeren. We moeten al die kleine eilandjes in de Stille Zuidzee op de Japanners heroveren. Iedere dag komen we een beetje dichter bij Japan.'

'Maar de Jappen geven toch niet zomaar op? Op het nieuws hoor ik vaak dat de meeste Japanse soldaten zich liever dood vechten dan zich over te geven.'

'Dat is zo. Ze bieden heel veel weerstand. Maar zodra we eenmaal op het eiland Okinawa landen, zetten we voor het eerst voet op Japans grondgebied. We kunnen er een vliegbasis opzetten om bombardementen op Tokio uit te voeren.'

Hij praatte er nuchter over, maar Penny zat erg over hem in.

Zijn werk zou veel gevaarlijker zijn dan dat van Eddie en ze maakte zich al zo veel zorgen over Eddie. 'De mariniers vechten altijd het hardst,' zei ze.

'Daar lijkt het wel op. Maar we krijgen veel ondersteuning. Eerst worden er vanaf vliegdekschepen luchtaanvallen in de regio uitgevoerd. Daarna voert de marine een aantal beschietingen uit. Pas als het terrein enigszins gezuiverd is, gaan de mariniers aan land om te vechten. Op die manier zullen we de Solomon-eilanden, Tawara en al die andere eilanden op de vijand heroveren.'

Penny huiverde toen ze dacht aan alle slachtoffers die bij die gevechten zouden vallen. 'Ik zou zo bang zijn als ik Sally was. Je bent haar verloofde!'

'Ze weet nog niet dat ik uitgezonden word. Ik wil het haar persoonlijk vertellen. Misschien zal ze dan eindelijk trots op me zijn.'

'Het is niet eerlijk om zo te praten, Roy. Iedere militair speelt een onmisbare rol in deze oorlog, of het nu is door jeeps en ziekenauto's te onderhouden en te repareren zoals Eddie, te vechten in de Stille Zuidzee of een belangrijke marinewerf te bewaken zodat de marine de beschikking heeft over nieuwe schepen. Je moet trots zijn op wat je doet.'

'Dank je wel,' antwoordde hij, maar Penny zag dat hij niet overtuigd was.

Ze nam afscheid van hem en stapte uit bij het busstation om aan de nieuwe werkdag te beginnen. Ze had een prettige routine ontwikkeld: inklokken, achter het stuur gaan zitten en haar dagelijkse route rijden. Ze kon zich amper herinneren hoe haar leven was geweest voordat ze buschauffeur was geworden. Ze deed haar werk met veel plezier en genoot van de contacten met een aantal van de vaste passagiers op haar route. Maar vandaag moest ze onophoudelijk aan Roy denken en aan zijn aanstaande vertrek. Hij was een goede vent. En hij was ook een dierbare vriend van haar geworden, nadat ze haar angst had overwonnen en met een vreemde had gepraat. Onwillekeurig vroeg ze zich af of ze hem ooit zou terugzien. Deze oorlog had de levens van veel mensen radicaal veranderd, soms op een goede manier, soms op een verdrietige manier. Zou er ooit een einde aan komen?

Aan het einde van haar dienst reed Penny de parkeerplaats achter het busstation op. 'Eindpunt van deze lijn, mensen,' kondigde ze aan. 'Een goede avond allemaal.' Eindelijk vrijdag. Ze hoefde het weekend niet te werken.

In het station zag ze Sheila lopen en met een verdrietig gevoel constateerde ze dat haar vriendin haar sinds de dansavond van de USO nogal koeltjes had behandeld en nauwelijks meer dan 'hallo' en 'tot morgen' zei als ze elkaar bij de prikklok tegenkwamen. Het was leuk geweest een vriendin te hebben, zelfs al hadden ze verschillende interesses. En nu zou haar vriend Roy ook weggaan.

Toen Penny had uitgeklokt en naar de uitgang liep, zag ze plotseling haar vader. Hij zat in de hal tussen het publieke gedeelte en de ruimte voor het personeel op een stoel die er normaal gesproken niet stond. Zijn stok lag dwars op zijn schoot en hij hield zijn blik op de loketten gericht waar ze vroeger had gewerkt. Zowel hij als de stoel leken zo volkomen misplaatst in deze omgeving dat ze een stukje dichterbij moest komen om zich ervan te vergewissen dat hij het echt was. In alle jaren die ze nu voor de busmaatschappij werkte, was hij nog nooit eerder naar het station gekomen. Wat deed hij hier?

Plotseling schoot het door haar heen: *Eddie!* Er moest iets verschrikkelijks met hem zijn gebeurd. Verlamd van schrik bleef ze staan.

'Pa!' riep ze. Hij draaide zich om en zag haar. Trillend op haar benen als een pasgeboren kalf strompelde ze naar hem toe. 'Pa, wat is er gebeurd? Wat doet u hier?'

'Penny?' Hij probeerde op te staan, maar zonk weer in zijn stoel neer, terwijl hij haar van top tot teen bekeek. Penny zag de verbijstering op zijn gezicht toen het tot hem doordrong dat ze een uniform droeg. Hij opende zijn mond, maar er kwam geen geluid uit. Penny pakte hem bij zijn schouders en schudde hem door elkaar.

'Pa, wat is er aan de hand? Is er iets ergs gebeurd?'

'Wat er aan de hand is?' Zodra zijn woede de overhand kreeg, hervond hij zijn stem. 'Ik kom op het busstation waar mijn dochter kaartjes verkoopt om haar iets te vertellen, maar krijg te horen dat ze er niet langer werkt. Al sinds het afgelopen najaar niet meer. Ze is nu buschauffeur. Buschauffeur! Ik sprak de man tegen die het me vertelde. Hij moest het over iemand anders hebben. Mijn dochter kan geen bus besturen… maar dan zie ik jou ineens aan komen lopen. En hoe? Met mannenkleding aan.'

Penny voelde zich zo angstig en schuldig dat ze er misselijk van werd. 'Het spijt me. Ik had het u eerder moeten vertellen, maar…'

'Hoe heb je al deze tijd tegen ons kunnen liegen?'

'Het spijt me, maar…' Ze sprak niet verder. Waarom moest ze zich er schuldig over voelen dat ze niets over haar nieuwe baan had verteld, terwijl haar vader haar hele leven lang tegen haar had gelogen? Ze wilde de bal terugkaatsen en schreeuwen: *Hoe hebt ú al deze tijd tegen mij kunnen liegen!* De ware reden dat ze haar ouders niet over haar baan had verteld, zo besefte ze nu, was dat ze boos op hen was geweest. Ze was woedend geweest, omdat ze voor haar hadden verzwegen dat ze geadopteerd was.

'Ik wist niet hoe ik het jullie moest vertellen,' zei ze in plaats daarvan. 'Ik wist dat jullie over me in zouden zitten.'

'En dus moet ik van iemand die ik helemaal niet ken, horen wat voor werk mijn dochter doet?'

Hij begon te razen en tieren en beklaagde zich zo luid dat iedereen in het busstation kon meeluisteren. Opnieuw had Penny de neiging om hem door elkaar te schudden. Ze moest weten waarom hij hier was.

'Is er iets gebeurd, pa? Vertel me waarom u hier bent.'

'De buurvrouw, mevrouw Shaffer, heeft je nodig.'

Penny beet op haar gebalde vuist om het niet uit te schreeuwen. Even dacht ze dat ze moest overgeven. Eddie had haar verteld dat als hem iets zou overkomen, het leger contact zou opnemen met zijn moeder. En mevrouw Shaffer zou in dat geval natuurlijk naar de buren gaan om het hun te vertellen.

'Waarom heeft ze me nodig?'

Haar vader antwoordde niet, waarschijnlijk om haar te straffen. Hij was woedend op haar. Ze pakte hem bij zijn arm en hielp hem overeind. Ze moesten onmiddellijk naar huis gaan. Penny wilde geen seconde langer wachten. Maar haar vader liep zo langzaam met zijn wandelstok dat Penny de neiging had om hem achter te laten en naar huis te rennen. Ze hield zijn arm stevig vast en wenste dat ze hem op haar rug naar huis kon dragen, zoals Roy met Peter had gedaan.

Ze wilde weten wat er was gebeurd, maar zag er tegelijkertijd tegenop. Voor haar gevoel was Eddie niet dood totdat iemand de verschrikkelijke woorden zou uitspreken. Met iedere tergend langzame stap bad Penny tot God. *O, God, nee. Alstublieft niet. Niet Eddie*, totdat ze het niet langer kon uithouden.

'Waarom heeft mevrouw Shaffer me nodig?' vroeg ze zo beheerst mogelijk. 'Vertel me wat er gebeurd is, pa.'

'Ik keek uit het voorraam en zag de postbode met een telegram aankomen. Natuurlijk weet ik wat dit betekent. Dat weet iedereen. Toen ben ik je moeder in de keuken gaan halen en samen zijn we naar de buurvrouw gegaan.'

Penny's adem stokte. 'Wie was het, pa? Wie is er dood?'

'De jongste zoon, Joe.'

Van opluchting zakte Penny bijna in elkaar op de stoep. Ze wist dat ze zich niet opgelucht mocht voelen, nu Joey Shaffer ergens dood op een slagveld lag, maar ze kon het niet helpen. Zo opgelucht was ze dat Eddie nog leefde.

Joe, de jongste van de drie jongens, was dood. Hij was altijd zo'n levendige jongen geweest. Op zijn fiets had hij de straat op en neer gecrost. Hij had een bal door het voorraam van de Pattersons geschopt en met een katapult steentjes tegen verkeersborden geschoten.

'Die arme mevrouw Shaffer,' zei Penny eindelijk. 'Ze heeft al die tijd zo ingezeten over haar drie jongens en nu gebeurt dit.'

'Je moeder is een poosje bij haar gebleven. Ze heeft haar geholpen iedereen op te bellen en het nieuws te vertellen. Haar zus in Queens komt bij haar logeren... maar ze wil dat jij het nieuws aan de kinderen vertelt.'

'Ik?'

Hij knikte, omdat hij te kortademig was om te spreken. Om de paar meter moest hij stoppen om op adem te komen. Het leek uren te duren voordat het verkeerslicht eindelijk op groen sprong en vervolgens leek het weer uren te duren voordat ze de straat overgestoken waren.

Hoe kon ze het aan de kinderen vertellen? Ze piekerden constant over hun vader. Het overlijden van hun oom zou hun angst alleen maar aanwakkeren.

Toen Penny en haar vader eindelijk bij de twee-onder-een-kapwoning aankwamen, ging ze het huis van mevrouw Shaffer binnen. Penny's moeder was naar huis gegaan om aan het eten te beginnen, zodat Penny alleen met mevrouw Shaffer was. De arme vrouw was intens verdrietig en zat in de overvolle woonkamer verslagen voor zich uit te staren. Penny knielde voor haar neer en pakte haar handen vast. Haar ogen waren droog, maar Penny zag dat ze gehuild had.

'Ik vind het zo erg voor u, mevrouw Shaffer... heel erg.'

'Ik blijf maar denken dat ze een fout hebben gemaakt,' zei ze. 'Misschien komen ze terug met een ander telegram waarin staat dat de zoon van iemand anders is omgekomen, niet die van mij.'

'Ik kan me gewoon niet voorstellen hoe u zich moet voelen.' Penny wist zich geen raad. Het was de eerste keer in haar leven dat ze zoiets meemaakte. 'Wat kan ik voor u doen? Hoe kan ik u helpen?'

'Ik moet een andere vlag voor het raam hangen. Eentje met een gouden ster…' Ze sloeg haar handen voor haar gezicht en begon te huilen. Wilde ze echt dat Penny een gouden ster voor haar zou kopen? In haar grote verdriet bedacht ze de vreemdste dingen.

'Kan ik iemand bellen die misschien bij u kan blijven totdat uw familie er is, mevrouw Shaffer?'

'Ik moet het de mensen van mijn kerk vertellen.'

'Uw kerk? Welke is dat dan?' Ze had mevrouw Shaffer nog nooit naar de kerk zien gaan, zelfs niet met Kerst.

'De kerk van Eddie en de kinderen. Vroeger ging ik er iedere zondag naartoe, totdat mijn reuma zo erg werd dat het niet langer ging. Maar ik heb er nog vrienden van vele jaren geleden.'

Penny zocht het telefoonnummer van de dominee op en belde hem. Ongetwijfeld zou hij weten wat hij moest doen en de juiste woorden vinden om haar te troosten. Want helaas was er een andere jongeman uit de gemeente vóór Joey Shaffer gestorven. 'Ik kom eraan,' zei hij, toen Penny hem het nieuws vertelde.

'Hij komt er zo aan, mevrouw Shaffer.'

Mevrouw Shaffer staarde met een wezenloze blik voor zich uit en kneep in de armleuningen van haar stoel, alsof de kamer als een reuzenrad ronddraaide. 'Ik wil dat je het de kinderen vertelt,' zei ze. 'Esther en Peter moeten het weten.'

'Natuurlijk.' Maar Penny had geen idee hoe ze het zou moeten aanpakken.

Nadat de dominee en een van de ouderlingen er waren, nam Penny afscheid en liep naar de bushalte. Onderweg piekerde ze erover hoe de kinderen zouden reageren. Toen de bus er eindelijk was, zag ze tot haar grote opluchting dat Roy erin zat. Het leek een wonder dat ze hem zomaar twee keer op dezelfde dag tegenkwam.

'Wat is er aan de hand?' vroeg hij, toen ze naast hem neerplofte. 'Heb je gehuild?'

'Er is iets verschrikkelijks gebeurd. We hebben net gehoord dat Eddies jongste broer Joe in Italië is gesneuveld.'

'Wat erg.' Hij sloeg zijn arm om haar heen om haar te troosten en kneep zachtjes in haar schouder.

'Ik ben op weg naar huis om de kinderen te vertellen dat hun oom is overleden en ik heb geen idee wat ik moet zeggen. Twee maanden geleden zijn ze zich wild geschrokken toen meneer Mendel met spoed naar het ziekenhuis werd gebracht – en nu dit, naast al het andere verdriet dat ze al hebben gehad. Peter sluit zich af van de buitenwereld, en Esther piekert onophoudelijk over haar vader en windt zich op over elk nieuwsbericht dat ze hoort. Ik ben bang dat ze na dit nieuws nog harder zal gaan piekeren. Eigenlijk zou ik liever niets zeggen, maar ze moeten het weten. Hoe vertel je zoiets aan kinderen?'

'Dat is nooit gemakkelijk. Wat je ook zegt, de klap zal hard aankomen.' Hij haalde een zakdoek uit zijn zak en gaf die aan haar. 'Van wie heb je gehoord dat hij is omgekomen?'

'Mijn ouders wonen naast Eddies moeder – en alsof dit nieuws nog niet erg genoeg is, heb ik me de woede van mijn vader op de hals gehaald. Ik heb hem nooit verteld dat ik buschauffeur ben geworden. Hij dacht dat ik nog kaartjes verkocht. Toen hij vandaag naar het busstation kwam om me het nieuws te vertellen, kwam hij achter de waarheid en nu is hij woedend op me. Als mijn moeder het hoort, zal het huis te klein zijn.'

'Waarom zijn ze zo boos? Ze zouden juist trots op je moeten zijn.'

'Je weet niet hoe ze zijn, Roy. Ze zitten in over elk dingetje dat ik doe. Ze willen me beschermen tegen de grote, boze wereld waar ik allemaal *vreemde mensen* tegenkom. En om het nog erger te maken, zag mijn vader me vandaag in een broek lopen. Nu praat hij amper meer met me.'

'Over een slechte dag gesproken...'

'Het ergste moet nog komen. Ik moet Peter en Esther vertellen wat er met hun oom is gebeurd.'

'Wil je dat ik met je meekom om het nieuws aan de kinderen te vertellen?'

'Dat is te veel gevraagd. Je hebt de hele dag hard gewerkt.'

'Ik vind het niet erg. Ik ben op Esther en Peter gesteld. En jij bent een vriendin van me en dus wil ik je graag helpen. Het is heel moeilijk om dit in je eentje te doen.'

'Nou, als je het niet erg vindt, kan ik je hulp goed gebruiken.'

Hij stapte bij dezelfde halte uit als zij en samen liepen ze in de richting van het appartement. 'Ik ken Eddies familie al mijn hele leven,' vertelde ze hem onderweg. 'We waren buren en ik ben met de jongens opgegroeid. Joey Shaffer is maar een paar jaar ouder dan ik. Wat een tragische gebeurtenis. Hoe kom je ooit over zo'n groot verlies heen?'

'Door bij de dag te leven. En maak je maar geen illusies: in het begin zal het heel moeilijk zijn. Op iedere feestdag of verjaardag is er een lege plek aan tafel. Het eerste jaar denk je dat je nooit meer gelukkig kunt en mag zijn. Maar heel langzaam wordt het verdriet iets minder scherp en kun je ook terugdenken aan de gelukkige momenten die je samen hebt beleefd zonder je heel verdrietig te voelen. Je moet niet te veel vooruit kijken. Dat is het enige wat je kunt doen.'

'Het klinkt alsof je er zelf ervaring mee hebt.'

'Mijn moeder overleed toen ik vijftien was.'

'O, Roy. Geen wonder dat je zo goed met Esther en Peter omgaat. Weten ze het?'

'Ik heb Peter over mijn moeder verteld en tegen hem gezegd dat ik begrijp hoe hij zich voelt. Want dat doe ik ook.'

'We zijn nu al zo lang bevriend en ik heb nooit naar je familie geïnformeerd of wat voor werk je voor de oorlog deed. Waar werkte je?'

'Ik was geschiedenisleraar op een middelbare school in Moosic. Het eerste jaar dat ik er lesgaf, zat Sally in haar laatste jaar. Ik merkte dat ze een beetje verliefd op me was, maar heb haar dat

313

nooit laten blijken. Ik heb haar nooit anders behandeld. Zelfs toen ze eindexamen had gedaan, had ik waarschijnlijk nooit de moed gehad om haar uit te vragen als we elkaar niet op een picknick van wederzijdse vrienden waren tegengekomen.'

'Wauw. En denk je dat je weer les gaat geven na de oorlog?'

'Dat zou ik graag willen, want ik houd van mijn werk. Mijn ouders komen allebei uit het onderwijs. Mijn vader is directeur van een lagere school.'

Ze kwamen aan bij de ingang van het appartementencomplex. Penny haalde diep adem. 'Als ik ergens tegenop zie, weet jij me altijd zo goed af te leiden, Roy. Dank je wel daarvoor.'

'Geen probleem. Ik denk dat je het nieuws beter direct kunt vertellen. Stel het niet uit. Ze zullen aan je gezicht zien dat er iets is gebeurd.'

'Zodra ik mijn vader op het busstation zag, wist ik dat er iets aan de hand was. Maar het duurde heel lang voordat hij het me wilde vertellen. Ik was doodsbang dat Eddie was omgekomen.' Opnieuw haalde ze diep adem. 'Ze zijn waarschijnlijk bij meneer Mendel.'

'Waarom vertel je het hun niet waar hij bij is, zodat ook hij hen op kan vangen? Ik weet dat ze zeer op hem zijn gesteld.'

'Je hebt gelijk. Misschien kan hij helpen hun vragen te beantwoorden. Hij is een heel wijze man.' Ze klopte op zijn voordeur en wachtte totdat hij opendeed.

'Goedenavond, Penny.'

'Hallo, meneer Mendel. Dit is een vriend van me, Roy Fuller. Zijn de kinderen hier?'

'Ja. Ze maken huiswerk in de keuken. Willen jullie even binnenkomen?'

'Dank u wel.' Hij ging hen voor naar de keuken en Penny zag Esther verbaasd opkijken naar Roy.

'Hé, Roy is er. Wat doe je hier?'

'We moeten jullie iets vertellen,' zei hij, 'en het gaat niet over jullie vader, dus schrik niet. Er is niets met hem aan de hand.'

Penny's hart brak bijna toen ze de angstige blik van de kinderen zag.

'Vandaag heeft jullie oma een telegram gekregen,' zei ze. 'Jullie oom Joey is in Italië gesneuveld.'

Peter sloeg zijn armen over elkaar op tafel en liet zijn hoofd erop rusten. Roy liep naar hem toe om hem te troosten.

Esther sprong overeind. 'Zie je nu wel?' schreeuwde ze. 'Ik zei toch dat bidden helemaal niets helpt! Ik zei het toch! We hebben gebeden en gebeden en God gevraagd om iedereen te bewaren, maar Hij heeft niet geluisterd! Hij heeft het niet gedaan!' Ze balde haar vuisten en even leek het alsof ze iemand een stomp wilde geven. Ze duwde Penny opzij om de keuken uit te rennen, maar meneer Mendel hield haar tegen.

'Wacht even, Esther. Rustig aan en luister naar me. Hoe kan Hasjem zo'n gebed midden in de oorlog verhoren? Wij zijn degenen die deze oorlog zijn begonnen, niet Hij. Mensen zijn geen poppen aan een touwtje die doen wat Hij wil. Mensen hebben ervoor gekozen om oorlog te voeren en dat betekent dat wij – en niet Hasjem – de levens op het spel zetten van degenen die ons lief en dierbaar zijn. Maar Hasjem kan deze oorlog ook voor iets goeds gebruiken, zelfs al kunnen we het niet zien.'

'Hoe dan? Hoe kan hier iets goeds uit voortkomen? Oom Joe is toch dood?'

'Je oom was in Italië, nietwaar?' vroeg Roy. 'Denk aan alle mensen in dat land die in gevangenschap leefden en onder het juk van Mussolini, die tiran, gebukt gingen. Dankzij jouw oom zijn ze weer vrij.'

Penny luisterde naar Roy en meneer Mendel, die de kinderen troostten, en was dankbaar voor hun hulp. Beide mannen waren een paar maanden geleden nog vreemden voor haar geweest en bovendien was meneer Mendel Joods – iemand van het volk waar Penny's ouders haar al haar hele leven tegen hadden gewaarschuwd. Maar nu besefte ze hoe hun vriendschap haar leven had verrijkt. Ze bedacht hoeveel ze zou hebben gemist als ze onder de vleugels van haar ouders was gebleven en nog steeds hun angst en vooroordelen deelde. Penny wist dat ze na de oorlog niet meer terug kon verhuizen en onder één dak met hen kon leven.

Een uur later waren ze uitgepraat. Roy zuchtte. 'Ik moet gaan, Penny.' Ze liep met hem naar de voordeur. 'Ik had gehoopt om voor mijn vertrek nog afscheid te kunnen nemen van Esther en Peter,' zei hij, 'maar in deze omstandigheden is het geen goed idee om hun te vertellen dat ik wegga. Ten minste niet vandaag.'

'Je hebt gelijk. Ze zouden even verdrietig zijn als ik.'

Ze keek naar de synagoge aan de overkant en dacht eraan terug hoe die er de ochtend na de brand uit had gezien. Nu was het bruine bakstenen gebouw bijna volledig hersteld. Op deze milde lenteavond zag ze overal om zich heen tekenen van leven: jonge blaadjes aan de bomen, groene grassprietjes en paardenbloemen die even geel waren als de bussen in Brooklyn. Maar Penny kon alleen maar aan dood en verandering denken. Ze vroeg zich af of de politie nog steeds dacht dat meneer Mendel de synagoge in brand had gestoken. Er waren vijf maanden verstreken sinds hij het haar had verteld en in die tijd had hij er erg mee gezeten. Wat zouden de kinderen doen – wat zou zij doen – als ze hun vriend meneer Mendel ook zouden verliezen?

'Het probleem van vriendschap,' zei ze tegen Roy, 'is dat die het zo veel moeilijker maakt om afscheid te nemen.'

'Mag ik je iets vragen, Penny? Je mag gerust nee zeggen, maar zou je me af en toe willen schrijven als ik weg ben? Ik weet dat ik in alle staten was toen ik erachter kwam dat Sally met andere soldaten correspondeerde, maar nu begrijp ik het. Dus als je het wilt doen… en als je vriend het niet erg vindt… zou ik graag op de hoogte blijven van hoe het met jou en de kinderen gaat. Ik zou het heel jammer vinden om je na al deze tijd uit het oog te verliezen.'

'Ja, graag. Ik zal toch de hele tijd aan je denken. Van mijn kant hoop ik dat je me, als je het niet te druk hebt met tegen de Japanners te vechten, af en toe zult terugschrijven om me te vertellen hoe het met je gaat.'

'Dat zal ik zeker doen.'

'En ik hoop ook dat je me zult uitnodigen voor de bruiloft, als je na de oorlog met Sally trouwt.'

'Beloofd. En ik wil er ook bij zijn als je met Eddie trouwt.'

'Zover zijn we nog lang niet, Roy. Sally en jij zijn tenminste verloofd.' Penny schreef haar adres op een stukje papier dat ze in haar tas vond en gaf het aan hem. 'Dit is mijn adres. Stuur me jouw adres, zodra je het hebt, zodat ik je terug kan schrijven.'

'Dat zal ik doen. Bedankt, Penny.' Hij vouwde het papiertje op en stak het in zijn borstzak. 'Je bent een heel goede vriendin van me geworden. Ik hoop dat ik je nog zie voor mijn vertrek, maar weet het niet zeker.'

De tranen sprongen Penny in de ogen. Tegelijkertijd liepen ze naar elkaar toe en omhelsden elkaar innig. Weer moest ze afscheid nemen van iemand om wie ze gaf. Zou er ooit een einde aan deze oorlog komen?

'Pas goed op jezelf, soldaat.'

'Jij ook.'

Hij liet haar los en ze keek hem na totdat hij uit het zicht was verdwenen. Penny had gedacht dat ze al genoeg verdriet had gehad, maar er stond haar nog veel meer te wachten. Na het overlijden van Joey Shaffer kwam het afscheid van haar vriend Roy extra hard aan. Ze zou zich grote zorgen over hem maken.

Toen ze de volgende dag met de kinderen naar het huis van hun oma ging, leek het even alsof ze Roy achter de chauffeur zag zitten. Maar de plek waar hij altijd zat, was leeg.

Toen ze bij het huis aankwamen, zagen ze dat er voor de ingang een hele rij auto's stond geparkeerd. Door het voorraam zag Penny dat het huis vol mensen was. Hoe pasten ze allemaal in het overvolle huis? 'Gaan jullie maar naar binnen,' zei ze tegen de kinderen. 'Ik kom over een uur wel langs.'

Esther hield Penny in paniek bij haar mouw tegen. 'Wacht! Ga je niet met ons mee naar binnen?'

'Ik denk niet dat er binnen ruimte is voor een extra persoon. Bovendien wil ik me niet opdringen. Ik ben gewoon een buurmeisje en geen familie van jullie.' Ze schaamde zich toen ze eraan terugdacht hoe ze vroeger vaak onaangekondigd bij mevrouw Shaffer op bezoek kwam – opdringen noemde haar moeder het – om bij Eddie te zijn.

'Maar Peter en ik weten niet wat we moeten doen of zeggen.'

'Geef je oma een knuffel. Ga naast haar zitten. Dat zal genoeg zijn. Jullie hoeven helemaal niets te zeggen. En misschien krijg je de kans om wat familieleden te leren kennen. Dat wilde je toch?'

'Iedereen zal heel verdrietig zijn. Net als toen mama was overleden.'

'Ik weet het. Het is moeilijk. Maar het zal echt wel gaan. Zorg ervoor dat jullie vader trots op jullie kan zijn.' Penny kneep in Esthers schouder en aaide Peter over zijn hoofd. Toen liet ze hen gaan en liep door naar het huis van haar ouders.

'Hallo, ik ben thuis,' riep ze, nadat ze via de achterdeur naar binnen was gegaan.

Sinds ze gisteren met haar vader naar huis was gelopen, had ze tegen dit moment op gezien. Ze wist dat haar ouders nog woedend op haar waren. Ze koesterden hun grieven alsof het goudklompjes waren. Zodra ze de woonkamer binnenkwam, voelde ze hoe boos ze nog op haar waren. Geen van beiden keken ze op of begroetten haar. Haar vader hield zijn gezicht verborgen achter zijn krant. Haar moeder hield haar blik strak gericht op de muts die ze aan het breien was voor de soldaten in Europa. Woedend werden de naalden in het breiwerk gestoken. Penny liep naar de radio die keihard aanstond en zette die wat zachter, zodat ze konden praten.

'Jij hebt wel lef om hier zomaar binnen te lopen alsof je van de prins geen kwaad weet,' zei haar vader vanachter zijn krant.

Penny wist niet wat ze moest antwoorden. Begreep hij niet in wat voor moeilijke tijd ze leefden? Begreep hij niet dat families uiteen werden gereten door veel grotere drama's? Hoe konden ze hun pijn en woede vergelijken met het verschrikkelijke verdriet van de buren?

'De kinderen zijn nu bij hun oma,' zei Penny zachtjes. 'Zijn jullie van plan om met me te praten of willen jullie liever dat ik ga?'

'Ik wil weten waarom je stiekem achter onze rug om allerlei dingen hebt gedaan,' zei haar moeder, terwijl de breinaalden nijdig verder tikten. 'Waarom probeer je alles wat je doet voor ons te verbergen?'

'Omdat jullie altijd over me inzitten. Ik wilde jullie niet nog ongeruster maken.'

'Hebben we geen reden om ongerust te zijn?' Haar vader liet de krant zakken en vouwde die op. 'Met een bus door de straten van Brooklyn rijden? Hoe haal je het in je hoofd?'

'Nou, toevallig ben ik een heel goede chauffeur. Volgens de instructeur was ik de beste leerling van de klas.'

'Sla niet zo'n toon tegen me aan! Ik weet hoe gevaarlijk die straten zijn!'

Haar moeder hield nu ook op met breien en stopte haar breiwerk in haar tas. 'Waarom wil je jezelf aan zo veel vreemde mensen blootstellen?'

'Ik leer veel mensen op mijn route kennen. Het is leuk om een praatje met ze te maken en ze een prettige dag te wensen. Het is veel beter werk dan de hele dag in een benauwd hokje zitten.' Of in dit naargeestige huis, afgesneden van de buitenwereld en van het leven, wilde ze eraan toevoegen. 'Bovendien verdien ik nu veel beter dan in mijn oude baan.'

Haar vader schudde zijn hoofd. Ze wist dat hij niet naar haar had geluisterd. 'Wat ben je toch naïef. Je hebt geen greintje gezond verstand. Je hebt geen idee hoe gevaarlijk het op straat is en wat er met een meisje als jij kan gebeuren.'

'Er gebeurt helemaal niets.' Maar zodra Penny dit had gezegd, wist ze dat het niet waar was. Er gebeurde wel van alles, of je nu voorzichtig was of niet. Rachel Shaffer en Miriam Mendel waren door een auto overreden. Joey Shaffer lag ergens dood op een slagveld in Italië. Maar als je je constant door angst en zorg liet leiden, had je ook geen leven.

'Ik had kunnen weten dat je iets in je schild voerde, toen je je als een slet begon te kleden,' zei haar moeder. 'Ik had je meteen naar huis moeten halen.'

'Luister, ma…'

'We hebben altijd heel goed op je gepast en ons best gedaan om te voorkomen dat je iets overkwam – en als dank doe je dit achter onze rug om. Je hebt tegen ons gelogen!'

'Dat is niet waar. Vertel me eens op welke manier ik heb gelogen?'

'Maandagochtend ga je meteen naar je baas,' zei haar vader, 'om je ontslag in te dienen. Daarna ga je je spullen halen en verhuis je uit het appartement van die Jood terug naar huis. Het wordt tijd dat je hier weer komt wonen, waar je thuishoort.'

'Ik kan de kinderen nu niet in de steek laten. Hoe kan mevrouw Shaffer in deze omstandigheden voor hen zorgen? U hebt toch gezien hoe aangeslagen ze is?'

'Ik heb ook gezien dat ze andere familieleden heeft: broers, zussen, neven en nichten,' zei haar moeder. 'Ik heb er een aantal voor haar gebeld. Ben je dat vergeten? We staan erop dat je je baan opzegt en uit dat appartement vertrekt.'

Penny voelde dat ze haar kalmte begon te verliezen. Haar ouders behandelden haar als een onwetend kind dat beschermd moest worden, iemand met minder verstand dan een sperzieboon. Totdat Eddie in het leger was gegaan en een beroep op haar had gedaan, had ze hen geloofd. Maar nu had ze hun bewezen dat ze het bij het verkeerde eind hadden. Ze had geleerd om een bus te besturen. Ze was de beste leerling van de klas geweest. Ze kon in haar eentje een huishouden runnen en voor twee kinderen zorgen. Ze had een eigen leven opgebouwd en vriendschap gesloten met Roy en meneer Mendel.

'Ik zeg mijn baan niet op en ik kom niet thuis wonen,' zei ze. Met trillende stem kwam ze voor het eerst in opstand tegen hen. Haar vader schudde met zijn vinger. 'Iemand heeft een heel slechte invloed op je gehad en ik wil weten wie het is. We hebben je niet als leugenaarster en bedriegster opgevoed.'

Zijn beschuldiging was de druppel die de emmer deed overlopen. 'O nee?' schreeuwde Penny. 'Waarom hebt u dan uw hele leven tegen me gelogen?'

'Waar heb je het over?' zei haar vader. 'Hoe durf je zo tegen ons te praten?'

'Ik weet dat ik geadopteerd ben.'

Er leek een bom ingeslagen te zijn in het appartement. Haar ouders verstijfden en keken haar verbijsterd aan.

'Ik had mijn geboorteakte toch nodig om naar die nieuwe baan te solliciteren? Toen u mij die niet wilde geven, heb ik zelf een kopie aangevraagd.' Haar vader werd zo rood dat Penny bang was dat hij een beroerte zou krijgen, maar ze was te boos om zich in te houden. 'Ik ben erachter gekomen dat jullie mijn ouders helemaal niet zijn. Jullie hebben me geadopteerd. Al die jaren hebben jullie tegen me gelogen. Waarom hebben jullie me niet de waarheid verteld?'

'We hebben het voor je eigen bestwil gedaan,' zei haar moeder.

'Mijn eigen bestwil? Ik begrijp niet waarom jullie me geadopteerd hebben. Mijn hele leven lang hebben jullie me behandeld alsof ik jullie tot last was, alsof ik geen greintje verstand in mijn hoofd had. Jullie hebben me altijd verteld dat ik dommer ben dan de rest van de wereld. Waarom hebben jullie me geadopteerd, als jullie me toch niet wilden?'

'Wil je weten waarom?' vroeg haar vader. Zijn gezicht leek op gloeiende kolen die elk moment vlam konden vatten. 'Ik zal je vertellen waarom.'

'Albert, nee! Houd je mond.'

'Ze moet het weten, Gwendolyn. Ze moet de waarheid horen voordat het te laat is. Want zo begon het ook met Penny's moeder. Weet je nog?'

'Albert! Houd je mond!'

'Hazel begon tegen ons te liegen en vertelde ons dat ze ergens naartoe ging, terwijl ze eigenlijk heel andere plannen had. En dat is precies wat Penny nu doet: ze heeft ons verteld dat ze op het busstation werkt, terwijl dat helemaal niet waar is. Ze rijdt heel Brooklyn rond zonder te beseffen hoe gevaarlijk het is. Wil je dat Penny hetzelfde overkomt als Hazel? Wil je dit nog een keer meemaken?'

'Stop, Albert!'

'Zo moeder, zo dochter! Die kant gaat het nu op!'

Toen het tot haar doordrong wat haar vader zojuist had gezegd, liet Penny zich op een stoel neerploffen. Al die tijd was ze blijven staan, maar nu moest ze gaan zitten, zo verbijsterd was ze. 'Hazel is dus mijn moeder?' mompelde ze. *Haar zus was dus in feite haar moeder.* Alle puzzelstukjes vielen eindelijk in elkaar. Waarom had ze het niet eerder gezien?

Haar moeder begon te huilen. 'Zie je nu wat je hebt gedaan, Albert?'

'Hoe kon ik haar anders zover krijgen om weer thuis te komen wonen? Wil je dat ze net als haar eigen moeder verkracht wordt?'

Penny's adem stokte. Verkracht. Haar zus was *verkracht*? Geen wonder dat Hazel haar niet had gewild. Penny herinnerde haar aan iets waar ze niet aan wilde denken. Geen wonder dat haar ouders haar zo beschermd hadden opgevoed en zo bang waren voor vreemde mensen.

Penny kon het niet bevatten – ze wilde het niet bevatten. Haar echte vader was een *verkrachter*? Haar moeder had altijd gezegd dat ze anders was dan andere meisjes en Penny had nooit begrepen waarom. Haar vader was een misdadiger. Een verkrachter.

'Tot nu toe heb je een goed leven bij ons gehad,' zei haar vader. 'Waarom kon je alles niet bij het oude laten?'

Penny wenste dat ze dat inderdaad had gedaan. Alles wat ze over zichzelf had geloofd was verkeerd. Ze was verwekt in een daad van geweld. Zelfs als Eddie verliefd op haar zou worden, zou ze een goede man als hij niet waard zijn. Ze zou geen goede moeder kunnen zijn voor zijn kinderen. Niet met het bloed van een misdadiger in haar aderen. Niet met een verkrachter als vader.

Zonder verder een woord te zeggen, stond Penny op en liep het huis uit.

32

Het ochtendgebed in de herstelde sjoel was ten einde gekomen. Jacob haalde de tefillien van zijn voorhoofd en arm en wachtte totdat rebbe Grunfeld klaar was met zijn werk. Hij stond bij het raam van de studieruimte en keek naar de gestage lenteregen die plassen op de stoep maakte en de grijze stad in een groene stad veranderde. Zijn vriend Meir Wolfe kwam naast hem staan. 'Zorg je goed voor jezelf, Yaacov, mijn vriend? Gaat het beter met je hart?'

Nee, Jacobs hart was gebroken. De nazi's waren in Hongarije.

Er ging geen dag voorbij dat Jacob niet herinnerd werd aan dit verschrikkelijke feit. Tevergeefs probeerde hij er niet aan te denken wat er met zijn familie en vaderland kon gebeuren, maar door zijn werk voor de vluchtelingencommissie wist hij maar al te goed wat de nazi's van plan waren met de Hongaarse Joden.

'Ja, het gaat wel. Volgens de artsen heb ik geen hartaanval gehad. Ze noemden het een hartritmestoornis.' Wat hij Meir er niet bij vertelde, was dat deze waarschijnlijk veroorzaakt was door de schok die hij had gekregen. Hij moest rust houden, hadden de artsen gezegd. De jongere mannen moesten maar geld inzamelen voor de vluchtelingencommissie. Hij mocht zichzelf niet aan zo veel stress blootstellen. Maar hoe kon Jacob in deze situatie duimen blijven draaien?

'Daar ben ik blij om,' zei Meir, terwijl hij Jacob op zijn schouder klopte. 'En ik ben ook heel blij dat je weer met ons bidt. We hebben je gemist.'

'Dank je wel.' Hij vertelde niet aan Meir dat hij er nog steeds aan twijfelde of het een juiste beslissing was geweest naar de sjoel terug te keren. Meir en rebbe Grunfeld hadden hem uit het ziekenhuis opgehaald en hem sindsdien iedere dag thuis bezocht. Opnieuw hadden de gemeenteleden hem veel eten gebracht.

'We hebben onze dagelijkse gebedsdiensten in de sjoel hervat,' had de rabbijn hem verteld. 'Het gebouw is nog niet helemaal klaar, maar er is in ieder geval een ruimte waar we kunnen bidden. Kom alsjeblieft terug en neem weer deel aan de gebeden, Yaacov. Is het, nu de nazi's Hongarije zijn binnengevallen, niet belangrijker dan ooit om te bidden?'

Met tegenzin had Yaacov toegestemd. Bidden was het minste wat hij kon doen.

'En er is nog iets,' had de rabbijn gezegd. 'Ik geloof dat ik de politie er eindelijk van overtuigd heb dat jij de brand onmogelijk hebt kunnen aansteken. Maar ik geloof dat het goed zou zijn dat je weer met ons meebad, zodat we hun kunnen laten zien dat we één front vormen.'

Af en toe zag Jacob de rechercheurs nog in de wijk ronddwalen. Hij wist dat ze de zoektocht naar de dader niet hadden opgegeven. En ze hadden er zo zeker van geleken dat hij het was. Maar als de rabbijn hun er inderdaad van overtuigd had dat hij onschuldig was, had Jacob één zorg minder.

En daarom had hij voor de eerste keer na Miriams overlijden de tefillien omgedaan en stak hij sindsdien iedere dag de straat over om met de anderen te bidden. Af en toe raasde en tierde hij in stilte tegen Hasjem dat Hij een man als Adolf Hitler in leven liet en deed hij zijn beklag tegen Hem. Op sommige dagen, als Jacobs geloof een dieptepunt bereikte, wist hij dat hij eigenlijk alleen voor de vorm meedeed. Vandaag was een van die dagen.

Rebbe Grunfeld borg de thorarol in de ark op. 'Ben je klaar voor onze vergadering in Manhattan, Yaacov?'

'Ja, rebbe.' Jacob deed zijn paraplu open en stapte de regen in. Na een lange rit in een overvolle metro kwamen ze nat en verkreukeld bij de synagoge aan waar de vergadering werd gehouden.

Zoals altijd kreeg Jacob zodra hij de drempel over stapte een benauwd gevoel in zijn borst en een wee gevoel in zijn maag. De wekelijkse mengeling van goed en slecht nieuws en het feit om constant tussen hoop en vrees heen en weer geslingerd te worden, hadden hun tol geëist. Tijdens een vorige vergadering had het ministerie van Buitenlandse Zaken bevestigd dat Hongarije op het punt stond een vredesverdrag met de geallieerden te sluiten. Dit was de aanleiding geweest voor de Duitsers om het land binnen te vallen.

Op 10 mei had er een artikel in de *New York Times* gestaan dat de nazi's 'bezig waren de uitroeiing van de Hongaarse Joden voor te bereiden.' Toen Jacob die woorden had gelezen, was zijn adem gestokt. Dit zou de wereld met afschuw moeten vervullen en voorpaginanieuws moeten zijn, niet een klein nieuwsbericht dat amper opviel tussen alle andere. Waarom had het de krantenkoppen niet gehaald? Niemand leek er enige aandacht aan te schenken. De Amerikanen waren op het winnen van de oorlog gericht en niet op het lot van de Joden. Vooral als ze zelf familie in het leger hadden.

'Maar in dit geval weet de hele wereld tenminste welk lot de Hongaarse Joden te wachten staat,' had de woordvoerder van het ministerie van Buitenlandse Zaken gezegd. 'Wat de nazi's ook doen, het zal niet in het geheim gebeuren.' President Roosevelt had een verklaring de wereld in gestuurd waarin hij beloofde dat degenen die verantwoordelijk waren voor deze volkerenmoord gestraft zouden worden. Leiders van de protestantse en katholieke kerken in Amerika hadden de Hongaarse christenen opgeroepen om hun Joodse buren te beschermen. Maar zouden al deze inspanningen Jacobs familie kunnen redden?

Tijdens de vergadering de week ervoor had hij gehoord dat de Verenigde Staten ermee hadden ingestemd om Joodse immigranten uit Duitsland en Hongarije via de neutrale landen te accepteren, als de nazi's bereid waren hen te laten gaan. Duizenden visa zouden voor Joodse kinderen en Hongaarse familieleden van Amerikaanse staatsburgers worden afgegeven. Het nieuws leek een wonder, een verhoring van Jacobs gebeden. De visa die Jacob voor zijn familie had geprobeerd aan te vragen, zouden eindelijk goedgekeurd worden.

Vandaag had Jacob een lijst van drie pagina's meegebracht met de namen en adressen van familieleden die nog steeds in Hongarije woonden. Hij was hoopvol gestemd en stond te popelen om de visumaanvragen in te vullen. Maar toen hij de sombere gezichten van de regeringsfunctionarissen zag, zonk de moed hem in de schoenen.

'Helaas heb ik slecht nieuws,' begon een van hen. 'De nazi's hebben ons aanbod om de Joden te laten emigreren afgewezen.' Jacob had het gevoel een stomp in zijn maag te krijgen. 'Desondanks zullen we uw visumaanvragen accepteren in de hoop dat de nazi's in de nabije toekomst van gedachten zullen veranderen.'

Terwijl de rabbijnen en Joodse leiders over de andere punten op de agenda spraken, bleef Jacob verslagen zitten. Hij wilde dat hij naar huis kon gaan. De intense emotie en woede die hij voelde, putten hem uit. Maar hij zou de vergadering uitzitten en iedere visumaanvraag invullen, voor het geval Hasjem zijn gebeden zou verhoren.

De tafels, stoelen en overvolle boekenplanken in de ruimte vervaagden voor Jacobs ogen toen een van de leiders suggereerde om de geallieerden bombardementen in Hongarije te laten uitvoeren. 'Waarom kunnen we geen Amerikaanse bommenwerpers naar Hongarije sturen om de spoorlijnen te vernietigen die worden gebruikt om Hongaarse Joden naar Polen te deporteren?' vroeg de man.

'Amerikaanse bommenwerpers hebben missies uitgevoerd vanaf een Russische vliegbasis in Poltava,' antwoordde de woordvoerder. 'Maar ze concentreren zich op militaire doelwitten. Bovendien kunnen spoorlijnen gemakkelijk gerepareerd worden, zodat de deportaties maar tijdelijk vertraagd worden.' Aan zijn emotieloze uitdrukking te beoordelen, had hij het net zo goed over het vervoer van vee in plaats van mensen kunnen hebben.

'Ja,' antwoordde de rabbijn, 'maar iedere dag dat de treinen niet kunnen rijden, worden er levens gered.'

Jacob steunde met zijn ellebogen op tafel en liet zijn hoofd op zijn handen rusten, terwijl hij met een groeiend gevoel van wanhoop luisterde naar een voorstel om het Duitse kamp in Auschwitz te bombarderen.

'Maar er zitten duizenden Joden in dat kamp,' protesteerde een van de rabbijnen. 'Die zouden allemaal omkomen!'

'Het idee is om het kamp zelf te vernietigen. Inderdaad zouden er Joodse slachtoffers bij de bombardementen kunnen vallen – maar als ze toch ten dode zijn opgeschreven...'

'Maar dan kunnen de Duitsers ons beschuldigen van oorlogsmisdaden. In dat geval zijn wij degenen die Joden ombrengen.'

Jacob luisterde, totdat hij zijn mond niet langer kon houden. Hij stond op en vroeg of hij iets mocht zeggen. 'Ik spreek uit naam van degenen die misschien familie in die kampen hebben en smeek u om geen onschuldige mensen te doden. Laat de nazi's verantwoording afleggen van hun daden aan Hasjem, niet wij.'

Aan het einde van de discussie stemden de Joodse leiders en rabbijnen unaniem tegen het plan om Auschwitz te bombarderen.

Het laatste agendapunt was een zogenaamde 'bloed-voor-goederen'-deal die de geallieerden aan de nazi's hadden voorgesteld. 'De levens van een miljoen Joden zouden worden geruild voor tienduizenden legervoertuigen en andere benodigdheden,' zei de woordvoerder van het ministerie van Buitenlandse Zaken. 'De Britten hebben geweigerd om dit voorstel te bespreken, maar president Roosevelt heeft de onderhandelaars de opdracht gegeven om met de Duitsers te blijven praten.'

'Waarom zouden we voedsel en militaire voorraden aan de nazi's geven?' vroeg iemand.

'Omdat zolang we de gesprekken hierover gaande houden, die één miljoen Joden misschien in leven blijven.'

Opnieuw vroeg Jacob het woord. 'Voedsel... voertuigen... zou je niet bereid zijn om ieder losgeld te betalen als dit je kind kan redden?'

Toen de vergadering voorbij was, vulde Jacob visumaanvragen voor zijn hele familie in en begon vermoeid aan de terugreis naar huis. 'Je vergt te veel van jezelf, Yaacov,' zei de rabbijn, toen ze op het metroperron stonden. 'Dit is slecht voor je gezondheid.' Het metrostation rook naar heet staal en te veel mensen. De avondspits was begonnen, maar toch slaagden Jacob en de rabbijn erin een plekje te vinden in de overvolle metro. In het gangpad naast hen stonden de forenzen dicht tegen elkaar. Ze hielden zich vast aan de leren riemen en bewogen met de metro mee alsof ze baden.

'Nee, het is veel erger om thuis duimen te zitten draaien,' antwoordde Jacob, 'en je af te vragen wat er gebeurt. Hoe moeilijk het ook is om van alle ontwikkelingen op de hoogte te zijn, toch is het nog veel moeilijker om niet te weten wat er gebeurt. De stilte vind ik ondraaglijk.'

Eindelijk bereikten ze de laatste halte. Samen beklommen ze de betonnen trap naar de uitgang en liepen het laatste stukje naar huis. 'Hoe zit het met de namen die ik u heb gegeven?' vroeg Jacob aan de rabbijn. 'Hebt u enige vooruitgang geboekt in het vinden van die mensen?'

'David en Esther Fischer bedoel je? Ik heb navraag gedaan bij rebbes van andere sjoels in Brooklyn. Van sommigen heb ik antwoord gekregen, van anderen nog niet.'

Er waren weken voorbijgegaan sinds Esther en Peter hun geboorteaktes en het trouwboekje van de Shaffers aan Jacob hadden laten zien. 'We zijn erachter gekomen dat mama's meisjesnaam Fischer was,' had Esther hem verteld. 'Wat moeten we nu doen? Hoe vinden we onze grootouders?'

Zodra hij de namen had gehoord, was de waarheid tot Jacob

doorgedrongen. Hun moeder, Rachel Fischer, was Joods geweest. Hoe had hij dit kunnen vergeten? Miriam Shoshanna had het hem kort voor haar overlijden verteld. Jacob was diep verontwaardigd geweest dat Rachel haar geloof had opgegeven om met een niet-Jood te trouwen. Hij had gewild dat Miriam het contact met haar en haar kinderen zou verbreken. Wat was hij star geweest in die tijd – ongetwijfeld net zo star als Rachels ouders. Ze hadden haar verstoten en dood verklaard en Jacob zou precies hetzelfde hebben gedaan. Nu zag hij dat alles in een ander licht. Het was geen goede reden om de familiebanden door te snijden. Zijn zoon, schoondochter en kleinkind waren misschien dood, maar de kleinkinderen van de Fischers leefden nog.

'Fischer is een veelvoorkomende naam,' had hij Esther en Peter verteld om tijd te rekken. 'Ik moet er even over nadenken en zal het jullie laten weten als ik heb bedacht hoe we het kunnen aanpakken.'

Hij had rebbe Grunfeld gevraagd hem te helpen. Als de Fischers lid waren van een Joodse gemeente in Brooklyn, zou Jacob hen kunnen opsporen via het netwerk van synagogen dat bij de vluchtelingencommissie betrokken was.

De twee mannen bleven op de stoep voor Jacobs gebouw staan. Eindelijk was het opgehouden met regenen en de rabbijn schudde het water van zijn paraplu, voordat hij die dicht vouwde. 'De kinderen die boven je wonen,' zei hij, 'betekenen veel voor je, nietwaar?'

Jacob knikte. 'Ze weten niet dat hun moeder Joods was en dat ze daarom zelf ook Joods zijn. Hun moeder is met mijn Miriam omgekomen. Hun vader vecht in Europa. Ze verdienen het om de familie van hun moeder te leren kennen. Ik heb nooit beseft hoe belangrijk familie is, totdat Hasjem besloot om me te scheiden van mijn eigen familie.'

'Geef Hasjem alsjeblieft niet de schuld,' zei de rabbijn zacht. 'Wat je voor je zoon voelt, je verlangen om hem te vinden, iets van hem te horen, met hem herenigd te worden – stel je eens voor hoeveel meer Hasjem naar ons, Zijn kinderen, verlangt.'

De woorden van de rabbijn bleven Jacob achtervolgen nadat hij afscheid van hem had genomen en de trap op liep naar de voordeur. Hij had net de lichten aangedaan en de radio aangezet, toen er werd aangeklopt. Hij opende de deur in de verwachting de kinderen te zien, maar trof Penny Goodrich in haar werkkleding voor de deur aan en met haar broodtrommel en paraplu in haar handen.

'Ik zag u net voor me thuiskomen,' zei ze, 'en daarom wist ik dat de kinderen niet bij u waren. Ik zou u willen vragen... of ik heel even onder vier ogen met u kan praten.'

'Natuurlijk. Kom binnen.'

Ze stapte net ver genoeg de gang in om hem de ruimte te geven de deur dicht te doen, maar bleef daar staan. 'De laatste tijd heb ik veel nagedacht, meneer Mendel. Ik weet dat u Esther en Peter hebt beloofd om hen te helpen hun grootouders te zoeken, maar ik houd mijn hart vast voor de kinderen. Ik bedoel... stel je voor dat ze iets verschrikkelijks over hen te weten zullen komen en...?'

'Kom alsjeblieft even binnen, Penny. Ga zitten.' Hij leidde haar naar de bank en ze ging er met gebogen rug op zitten, alsof ze verwachtte slaag te krijgen.

'Sorry... het spijt me,' mompelde ze, terwijl ze haar kalmte probeerde te hervinden.

'Je hoeft je niet te verontschuldigen. Je mag me gerust vertellen wat er aan de hand is, maar als je dat niet wilt, zal ik je met rust laten.'

Ze trok een zakdoek uit haar mouw en snoot haar neus. Daarna haalde ze een paar keer diep adem alsof ze op het punt stond in ijskoud water te springen. 'Ik weet nu wie mijn echte ouders zijn en nu wilde ik dat ik er nooit achter was gekomen. De waarheid is veel erger dan niet te weten wie mijn echte ouders zijn. Ik ben bang dat de kinderen ook op iets verschrikkelijks zullen stuiten, iets wat ze veel pijn zal doen.'

Hij wachtte, terwijl Penny haar neus weer snoot en haar ogen droog depte. 'Wat voor verschrikkelijks zouden ze kunnen ontdekken?' vroeg hij ten slotte. Maar terwijl hij deze woorden uitsprak, vroeg hij zich af hoe ze zouden reageren als ze hoorden dat hun moeder Joods was.

'Mijn moeder heeft me afgestaan, omdat ze niet van me hield,' zei Penny. 'Ze kon niet van me houden, omdat ze verkracht was.'

Haar woorden troffen Jacob als een vuistslag. Wat moest hij zeggen? Hij ging naast Penny zitten en legde zijn hand op haar schouder. 'Arm, arm kind.'

'Behalve aan u heb ik het aan niemand verteld. Dat kan ik niet. Ik schaam me zo.'

'Waarom zou je je in vredesnaam schamen? Jij hebt helemaal niets verkeerds gedaan. Jij bent niet verantwoordelijk voor de misdaad van je vader.' Maar hij merkte dat zijn woorden van haar afgleden.

'Mijn zus Hazel blijkt mijn echte moeder te zijn. Mijn ouders – de mensen van wie ik altijd heb gedacht dat het mijn ouders waren – zijn eigenlijk mijn grootouders.'

'Aha.' Jacob had dit vermoeden al gehad vanaf de avond dat ze Poerim hadden gevierd en Penny het over een veel oudere zus en bejaarde ouders had gehad. Hij had zijn vermoedens toen voor zich gehouden. Maar dat er sprake was van verkrachting had hij nooit vermoed.

'Eddie zou nooit willen trouwen met een vrouw die een crimineel als vader heeft en haar de moeder van zijn kinderen laten zijn. Dat zou geen enkele man doen.'

'Zeg, luister eens. Jij bent veel te goed voor een man die jou iets kwalijk zou nemen waar je helemaal niets aan kunt doen. Bovendien zie ik geen reden waarom je meneer Shaffer of wie dan ook zou moeten vertellen wie je vader is.'

'Eddie heeft er recht op te weten dat ik het kind van een crimineel ben. Ik heb de eigenschappen van mijn vader geërfd.'

'Onzin. Ieder mens is zondig, niet alleen je vader. In deze oorlog hebben we de mensheid van haar slechtste kant gezien, nietwaar? Zelfs in de Schrift vinden we voorbeelden van zeer gerespecteerde mannen die zondigden. Mozes en koning David begingen een moord, maar toch gebruikte Hasjem hen in Zijn plan. Draag niet de last van een zonde die je niet hebt begaan. Ga met geheven hoofd door het leven, Penny. In de Schrift staat dat we de kinderen niet mogen beschuldigen van de misdaden die hun ouders hebben begaan.'

Penny knikte, maar Jacob merkte dat ze meer tijd nodig had om na te denken over wat hij had gezegd. De wond die het nieuws had geslagen was nog te diep.

'Heb je met je biologische moeder gesproken, nadat je hierachter bent gekomen?' vroeg hij.

'Die wil me toch niet zien en hoe zou je haar dat kwalijk kunnen nemen? Ik herinner haar aan een afschuwelijke gebeurtenis. Geen wonder dat ze ons nooit komt opzoeken.'

'Misschien heb je gelijk. Maar ik raad je toch aan om haar een keer op te zoeken. Wat is het ergste wat ze kan doen? Je vertellen dat je haar met rust moet laten? Ze kan het verleden niet veranderen door te weigeren je te zien. Wat gebeurd is, is gebeurd. En je verdient het om je echte moeder te ontmoeten. Denk je dat ze weet dat je achter de waarheid bent gekomen?'

'Dat denk ik niet. Ik heb niet met haar gesproken en ik geloof niet dat mijn ouders het haar zullen vertellen.'

'Waarom ga je haar dan niet als je zus opzoeken? Alsof je nog van niets weet? Je kunt aan haar reactie zien hoe ze over je denkt. Volgens mij ben je intelligent genoeg om te begrijpen wat ze tegen je zou hebben.'

'Dank u wel, meneer Mendel. Misschien doe ik dat wel.' Ze slaakte een diepe zucht en zei: 'Ik wilde u dit vertellen, omdat ik niet weet hoe de kinderen zullen reageren als ze iets verschrikkelijks over hun moeder te weten komen.'

'Dat is heel attent van je.' Jacob dacht even na en besloot

Penny te vertellen wat hij had gedaan. 'De kinderen weten het niet, maar ik heb geprobeerd hun familie op te sporen. Ik heb besloten om pas iets tegen Esther en Peter te zeggen als ik meer te weten ben gekomen over hun grootouders en de reden dat ze Rachel hebben verstoten. Ik ben het met je eens: op geen enkele manier wil ik die kinderen pijn doen. Ik verzeker je dat ik mijn best zal doen om hen te beschermen.'

'Dank u wel.' Ze keek zo opgelucht dat het leek alsof ze hem wilde omhelzen. 'Ik moet gaan,' zei ze, terwijl ze opstond.

'Mag ik, voordat je gaat, nog even met je praten over iets waar ik over in zit?'

'Natuurlijk. Sorry dat...'

'Ik maak me zorgen over Esther en de jongen met wie ze de laatste tijd veel omgaat.'

Penny keek geschokt. 'Een *jongen*? Wat voor jongen?'

'Hij woont in het appartementencomplex hiernaast en iedereen in deze straat heeft de familie door de jaren heen ruzie horen maken. De jongen is, denk ik, iets ouder dan Esther, en ik ben bang dat hij minder onschuldig dan zij is. Ik heb die twee hand in hand uit school zien lopen.'

'Wat?'

'Sorry dat ik je zo laat schrikken. Maar ze staan vaak in het steegje achter het gebouw en dan rookt hij een paar sigaretten.'

'Wat erg! Ik heb er nooit iets van gemerkt. Ik had veel voorzichtiger moeten zijn en meer vragen moeten stellen...'

'Jij kunt er helemaal niets aan doen.' Hij legde zijn hand op haar arm om haar te kalmeren. 'Je hebt geen ervaring met het opvoeden van kinderen. Bovendien doen kinderen als Esther vaak alsof ze heel volwassen zijn. Ze vertellen hun ouders niet alles wat ze van plan zijn.'

'Mijn zus Hazel – ik bedoel mijn moeder. Ik bedoel...' Ze haalde diep adem. 'Mijn ouders hebben me verteld dat Hazel stiekem allerlei dingen achter hun rug om deed en dat ze op die manier in de problemen is geraakt.'

'Ik denk niet dat de situatie al zo ernstig is. Esther is een verstandig meisje. Wat ik alleen maar wilde zeggen, is dat het binnenkort zomervakantie is en dat iemand op de kinderen moet passen tijdens de uren die jij werkt. Nu ik zo vaak op pad ben voor mijn werk, ben ik helaas niet iedere dag thuis om een oogje in het zeil te houden.'

'U hebt gelijk, meneer Mendel. Dank u wel dat u me dit hebt verteld. Ik zal ervoor zorgen dat de kinderen bij hun oma zijn als ik aan het werk ben.'

'Dat is, denk ik, een goed idee. En denk ook na over wat ik over een bezoek aan je moeder heb gezegd.'

'Dat zal ik doen.' Langzaam liep ze naar de deur. 'Ik kan beter naar boven gaan, voordat ze zich afvragen waar ik blijf. Dank u wel voor uw hulp, meneer Mendel.'

'Heel graag gedaan.'

33

Esther vulde haar kom met cornflakes en goot er melk overheen. Ze hoorde dat Penny boven bezig was met het opmaken
van de bedden, het verzamelen van de vuile was en wie weet wat
voor andere klusjes nog meer. Esther wilde dat ze een beetje op-
schoot en eindelijk naar haar werk zou gaan. Van Penny mochten ze 's ochtends nooit naar de radio luisteren omdat ze er te
veel door afgeleid zouden worden en te laat op school zouden
komen. Maar Esther kon niet de hele dag wachten om het laatste nieuws over de oorlog te horen.

Eindelijk kwam Penny haastig de keuken in en pakte haar
broodtrommel van het aanrecht. 'Dag, jongens. Ik ga naar mijn
werk. Tot vanmiddag.'

Peter keek op van zijn cornflakes en zwaaide naar haar.

'Dag,' zei Esther. Ze wachtte totdat ze de voordeur hoorde
dichtslaan en liep toen haastig met haar cornflakes naar de huiskamer om de radio aan te zetten. Toen de radio was opgewarmd,
hoorde ze beneden de buitendeur dichtslaan.

'De langverwachte geallieerde invasie van het door Duitsland
bezette deel van Frankrijk is vandaag, dinsdag 6 juni, vroeg in
de ochtend begonnen. Volgens de laatste berichten begon de
aanval met bombardementen op de kustverdediging door meer
dan duizend zware bommenwerpers van de RAF, gevolgd door
luchtlandingen net voor zonsopgang van de 82ste en 101ste Amerikaanse luchtdivisie, samen met de 6de Britse luchtdivisie…'

'Peter!' schreeuwde Esther. 'Peter, kom eens luisteren!' Op zijn blote voeten rende hij de huiskamer binnen en veegde zijn mond af met de mouw van zijn pyjama. 'Het is begonnen, Peter. Het is begonnen! De grote invasie waar iedereen het over heeft, weet je nog? Die is vanochtend in Frankrijk begonnen. Het is eindelijk D-day!' Hij ging op de armleuning van de bank zitten en zijn mond viel open van verbazing, terwijl ze verder luisterden.

'Tegen zonsopgang begon de landing van vijf divisies geallieerde troepen in vijftig konvooien op de stranden van Noord-Frankrijk. Ondertussen patrouilleerden escortevliegdekschepen van de marine en torpedojagersquadrons in het Engelse Kanaal op zoek naar de aanwezigheid van Duitse U-boten. Volgens de eerste berichten stuitte het geallieerde expeditieleger op zware tegenstand op ten minste een van de landingslocaties en leed het zware verliezen…'

Voordat Esther hem kon tegenhouden, sprong Peter overeind en zette de radio uit. 'Wat doe je nou? Zet de radio weer aan. Ik wil het nieuws horen.' Toen ze haar hand uitstrekte naar de knop van de radio, hield hij haar tegen en duwde haar met zijn schouders en ellebogen terug, terwijl hij heftig zijn hoofd schudde. Maar ze was groter dan hij, en sterker. Ze ontweek zijn maaiende armen en duwde hem opzij. 'Uit de weg, Peter!'

Hij verloor zijn evenwicht en viel op handen en knieën op de grond. Even was Esther bang dat ze hem pijn had gedaan. Maar juist toen ze de nieuwslezer hoorde zeggen: 'Later op de dag begonnen Duitse pantserdivisies een tegenaanval op de geallieerde troepen,' rukte Peter de stekker uit het stopcontact. Het geluid stierf weg.

'Waar is dit goed voor? Steek de stekker weer in het stopcontact! Ik moet het nieuws horen.' Hij bleef zijn hoofd maar schudden en zijn kaken trilden van woede. Hij kroop de hoek in met de stekker in zijn vuist geklemd, klaar om zich met hand en tand te verdedigen als ze het waagde om hem aan te raken. 'Wat is er met je aan de hand? Misschien vecht papa wel mee in die invasie. Wil je het niet horen?'

Peter sloeg zijn handen over zijn oren en schudde zijn hoofd. Ze was zo gefrustreerd dat ze hem wel een schop kon geven. 'Nou, maar ik wil het wel horen! Doe de stekker er weer in!' Hij weigerde. Esther begreep zijn gebarentaal goed genoeg om te weten wat hij wilde zeggen. Ze moesten zich aankleden en naar school gaan, want anders zouden ze te laat komen. En hij had gelijk.

'Soms maak je me zo boos!' Ze stampte met haar voet op de grond. 'Dit is een van de belangrijkste nieuwsberichten van de hele oorlog en dankzij jou missen we het nu.'

Ze rende de huiskamer uit en haastte zich naar boven, zodat ze eerder dan Peter klaar zou zijn en naar de radio zou kunnen luisteren, als hij nog bezig was zich aan te kleden. Ze hadden Esthers ladekast in de kamer van Penny gezet en Esther kleedde zich daar nu aan om meer privacy te hebben. Penny en zij hadden nieuw ondergoed voor haar gekocht, omdat Esther haar eerste beha nodig had gehad. In het begin had ze zich ervoor gegeneerd, maar verschillende andere meisjes in haar klas droegen er ook een.

Esther kleedde zich zo snel mogelijk aan, maar toen ze de kamer uit kwam, stond Peter bij de deur op haar te wachten. Hij gaf haar zijn kleine lei waarop hij iets voor haar had geschreven. *Ik durf niet te luisteren als papa er misschien bij is.*

Haar boosheid zakte onmiddellijk. Peter had het ongeluk gezien waarbij haar moeder was omgekomen en nu wilde hij niets horen over een oorlog waarin zijn vader kon sneuvelen. Esther zuchtte: 'Oké, ik zal de radio niet meer aanzetten.' Ze maakten zich klaar voor school, pakten hun broodtrommels en schooltassen en vertrokken zonder een woord tegen elkaar te zeggen.

De krantenverkoper, die op de hoek van de straat stond, riep: 'Extra! Extra! D-day-invasie! Lees er alles over!' Esther wilde graag een krant kopen, maar ze had geen tijd.

Op school spraken haar leraren en klasgenoten de hele ochtend over de geallieerde landingen. Haar aardrijkskundeleraar trok de landkaart van Europa naar beneden en liet hun de smalle blauwe strook zien die het Kanaal heette en de kust van Normandië waar de invasie plaatsvond. Esther kon de oorlog niet uit haar hoofd zetten en vroeg zich onophoudelijk af waar haar vader was en wat hij deed. Ze nam zich voor om zodra ze thuis was de radio aan te zetten, wat Peter er ook van vond.

Toen ze uit school kwam, rende ze de trap op naar de voordeur en vond twee V-mailbrieven van haar vader in de brievenbus – één voor haar en Peter en één voor Penny. Roy Fuller had Penny ook een V-mailbrief geschreven. Esther las de brief van haar vader, die vóór de invasie was gepost toen hij nog in Engeland was. Haar vader schreef dat de geallieerden nu elke dag het Kanaal konden oversteken, maar dat ze moesten wachten totdat het weer was opgeklaard en het was opgehouden met regenen.

Ze gaf de brief aan Peter, die hem op de bank ging zitten lezen. Hij zag er zo angstig uit dat ze de radio niet aanzette, omdat ze een ruzie zoals die ochtend wilde vermijden. Ze liet hem alleen achter en ging naar beneden om te kijken of meneer Mendel er was. Hij zou ongetwijfeld ook naar het nieuws willen luisteren en er met haar over praten. Maar hij was niet thuis. Ze sjokte de trap weer op en ging met Peter aan de eettafel zitten om huiswerk te maken. Daarna oefende ze op de piano. Eindelijk kwam Penny thuis. Esther rende de gang in om haar te begroeten.

'Heb je vandaag de krant gekocht? Heb je het nieuws gehoord?' Ze had Penny overgehaald om iedere middag uit haar werk op het busstation een krant te kopen en Esther was begonnen om er nieuwsberichten en foto's uit te knippen, zoals meneer Mendel had gedaan. Van haar zakgeld had ze in het goedkope warenhuis een groot plakboek en een pot lijm gekocht en ze had er al meer dan de helft van gevuld met krantenknipsels.

'Ik heb twee kranten gekocht,' zei Penny. 'Want dit is een heel belangrijke dag.'

'Iedereen op school zegt dat dit sinds Pearl Harbor de belangrijkste dag in de oorlog is.'

'Hier, neem de kranten maar. Ik moet eten gaan koken.'

Esther vroeg Penny niet of ze hulp nodig had. In plaats daarvan liep ze met de kranten naar de eetkamer en las ondertussen
de voorpagina. Zodra ze aan tafel ging zitten, sloeg Peter zijn
rekenschrift dicht en verdween naar boven. Het kon Esther niets
schelen. Ze spreidde de eerste krant op tafel uit en begon opgewonden te lezen. Vervolgens knipte ze er een aantal nieuwsberichten over D-day uit en een grote landkaart waarop was aangegeven waar de geallieerden waren geland. Toen Penny Peter
en haar aan tafel riep, was ze nog niet klaar met het uitknippen
van alle artikelen. Penny had de overgebleven stoofpot van de
vorige dag en een blik erwten opgewarmd en als nagerecht was
er peer uit blik. Vanavond aten ze aan de keukentafel.

'Hoe gaat het met Roy?' vroeg Esther, toen ze zich de brief
herinnerde.

Penny glimlachte en haar gezicht lichtte op. 'Het gaat goed
met hem – hij is nog altijd dezelfde Roy met zijn melige grappen. Natuurlijk mag hij niet zeggen waar hij gestationeerd is,
maar hij zegt dat het er heter is dan een aangebrand koekje. Hij
heeft het gevoel dat zijn huid ieder moment van zijn lichaam
kan smelten en schrijft dat hij iedere dag zo veel rijst eet dat het
hem de neusgaten uitkomt. O, en hij zei dat ik de groetjes aan
jullie moest doen.'

Esther schepte haar lepel vol erwten. Ze at zo gulzig dat het
leek alsof ze dagenlang niet had gegeten, omdat ze zo snel mogelijk verder wilde gaan met de krant. 'Ik vind Roy aardig,' zei
ze. 'Ik wilde dat ze hem niet naar een overzees gebied hadden
gestuurd. Hij zou deze zomer met ons naar Coney Island zijn
gegaan om alle attracties in het lunapark uit te proberen.'

'Ik weet het. Misschien kunnen we iemand anders vinden om
met ons mee te gaan.'

'Wie dan?' zei Esther snuivend. 'We kennen niemand anders.'

'Roy had nog een vraag aan jou, Peter,' zei Penny. 'Hij wil dat je hem schrijft hoe de Dodgers het dit seizoen doen. En hij vindt het jammer dat hij niet de kans heeft gehad om met je naar een wedstrijd te gaan, zoals hij had gehoopt.'

Peter knikte zonder op te kijken.

Nadat Penny en zij de afwas hadden gedaan, begon Esther aan de tweede krant. 'Mogen we naar het nieuws luisteren?' vroeg ze, toen Penny de radio aanzette. Peter trok Penny aan haar mouw en schudde zijn hoofd om te protesteren. Penny keek van de een naar de ander.

'Ik denk dat we beter naar een ander programma kunnen luisteren, Esther. Wordt de *Lone Ranger* vanavond niet uitgezonden? Jij houdt toch van dat programma?'

'Maar ik wil naar het nieuws luisteren!'

'Er staat meer dan genoeg nieuws in de kranten.'

'Maar ik wil meer horen.'

Penny sloeg haar arm om Peters schouder heen en trok hem naar zich toe. 'Niet vanavond,' zei ze zachtjes.

Esther stampte met haar voet op de grond. 'Waarom niet?'

'Je raakt steeds meer geobsedeerd door het nieuws, Esther, en dat is niet goed voor je. Ik denk dat je de kranten nu beter kunt wegleggen en met ons naar een ander programma op de radio kunt luisteren. Maak het jezelf toch niet zo moeilijk.'

'Ik moet weten wat er gebeurt!'

'Waarom? Je hebt geen controle over de gebeurtenissen en kunt er toch niets aan veranderen.'

Esther wist dat ze gelijk had. Ze had even weinig controle over de gevechten die nu in Frankrijk plaatsvonden als over de auto die op haar moeder was ingereden. Net zo min kon ze ook maar iets doen om haar vader te beschermen. 'Ik wil het weten, omdat ik bang ben,' zei ze ten slotte.

'Peter, wil jij een programma op de radio zoeken waar we naar kunnen luisteren?' vroeg Penny. Terwijl hij neerknielde om de juiste zender te vinden, liep ze naar Esther toe.

Esther sloeg snel haar armen over elkaar en keek de andere kant op. Ze was bang dat Penny haar zou omhelzen. 'Luister,' zei Penny zachtjes. 'Weet je nog dat we het verhaal van de koningin met meneer Mendel hebben gelezen? Herinner je je nog wat hij toen zei? God was al die tijd bij Esther. Hij sprak niet tot haar, maar was er wel en bestuurde elk detail.'

'Maar het is zo moeilijk om af te wachten en niet te weten wat er aan de hand is.'

'Ik weet het. Dat is moeilijk voor iedereen met geliefden die in de oorlog vechten. Maar wat de gevechten van vandaag betreft, je vader is waarschijnlijk niet met al die andere soldaten aan land gegaan. Het leger heeft niet meteen vrachtauto's en jeeps nodig. De geallieerden zullen eerst een paar dagen wachten voordat ze verder landinwaarts trekken, zoals vandaag ook in de krant stond. Hij loopt momenteel dus geen gevaar.'

'Maar het is toch niet eerlijk dat ik moet wachten omdat Peter niet naar het nieuws wil luisteren? Waarom krijgt hij altijd zijn zin?'

'Omdat hij deze keer gelijk heeft. Door naar het nieuws te luisteren worden we alleen maar banger. We moeten rustig afwachten, totdat we weer een brief van je vader krijgen. Dan weten we pas waar hij is en waar hij mee bezig is. Ondertussen moeten we sterk blijven. Denk eens aan die arme meneer Mendel. Al meer dan twee jaar heeft hij geen woord van zijn zoon gehoord.'

'Ik heb een hekel aan wachten.'

'Ik ook. Maar ondertussen mogen we ons niet van alles in het hoofd halen. We schieten helemaal niets op met ons te veel zorgen te maken over je vader.'

'Waarom maak jij je zorgen over papa?'

Even leek Penny van haar stuk gebracht. Haar wangen werden vuurrood alsof het heel warm was in het appartement. 'Omdat ik bevriend met hem ben,' zei ze uiteindelijk. 'Luister, nu we het toch over je vader hebben: ik wil je een gedeelte uit de brief voorlezen die ik vandaag van hem heb gekregen.' Ze haalde de V-mail uit de zak van haar schort en vouwde die open. 'Luister jij ook even mee, Peter. Je vader schrijft hier: "Ik weet dat de kinderen binnenkort zomervakantie hebben en ik wil niet dat ze de hele dag alleen thuis zijn als jij aan het werk bent, Penny."'

'Wat? Dat is niet eerlijk! Ik ben oud genoeg om alleen thuis te zijn. Ik heb geen oppas nodig.'

Penny stak haar hand op om Esther te onderbreken. 'Stamp niet zo met je voeten, Esther. Die arme meneer Mendel denkt straks nog dat het plafond naar beneden komt. Verder schrijft je vader: "Afgelopen zomer waren de kinderen overdag bij hun oma en ik denk dat het een goed idee is om dit deze zomer ook zo te regelen. Vooral na wat je me verteld hebt over..."' Penny hield op met lezen en vouwde de brief snel weer dicht. 'Laat de rest maar zitten. Ik heb jullie het belangrijkste deel voorgelezen.'

'Vooral na wat?' vroeg Esther. 'Ik wil weten wat papa nog meer schrijft.'

'Dat is privé.' Penny liet de brief weer in haar zak glijden. 'Ik weet dat je geen klein meisje meer bent, Esther, maar nu meneer Mendel overdag zo vaak weg is, zijn we het er allemaal over eens dat het geen goed idee is om jullie hier de hele dag alleen te laten. Jullie kunnen 's ochtends samen met mij de bus nemen naar het huis van jullie oma en dan kan ik jullie...'

'Nee! Dat wil ik niet. Het is niet eerlijk! Op die manier heb ik helemaal geen tijd om mijn vrienden te zien!'

Jacky had Esther beloofd dat hij deze zomer met haar zou optrekken wanneer hij niet bij de supermarkt hoefde te werken. Ze had ernaar uitgekeken.

'In ruil hiervoor,' ging Penny verder, 'mogen Peter en jij het weekend thuisblijven in plaats van bij je oma te logeren. Je hebt dus de hele zaterdag om je vrienden te zien.'

Het was een schrale troost. 'Mag ik met hen naar de film gaan?'

'Natuurlijk. En misschien kunnen we met zijn drietjes ook andere dingen doen, zoals naar het strand of de dierentuin gaan.'

'Maar toch zal ik papa schrijven dat ik oud genoeg ben om alleen thuis te blijven.'

'Je kunt het proberen, maar ik denk niet dat hij van gedachten verandert,' zei Penny. 'Je vader schreef ook dat het niet goed is om je oma de hele dag alleen te laten. Ze heeft te veel tijd om op te gaan in haar verdriet om oom Joe. Zonder haar familie voelt ze zich eenzaam, Esther – net als meneer Mendel. Jullie tweetjes hebben hem het afgelopen jaar veel afleiding bezorgd en ervoor gezorgd dat hij zijn familie niet zo erg mist. Nu moeten jullie oma ook wat vaker gezelschap houden en haar een beetje afleiden.'

Esther wilde het uitschreeuwen van frustratie. Toen dacht ze aan iets anders. 'Hoe kan ik op de piano oefenen in oma's huis? Ze heeft er geen.'

'Nou, ik denk dat je daarmee moet wachten totdat we thuis zijn.'

'Dat is waardeloos! Ik had zo'n zin in de zomer en nu is die helemaal verpest!' Esther stormde de eetkamer uit, sloeg de deur achter zich dicht en vloog de trap af. Even overwoog ze of ze haar hart zou uitstorten bij meneer Mendel, maar ze wist dat hij het waarschijnlijk met Penny eens zou zijn dat ze de zomer bij hun oma moesten doorbrengen.

Esther opende de voordeur en rende naar buiten. Net op dat moment liep Jacky Hoffman langs het appartementencomplex. 'Hé, hé, schoonheid. Wat is er aan de hand? Waar ga je zo snel naartoe?'

Esther wilde hem niet vertellen dat ze boos was omdat ze haar als een baby behandelden – vooral niet nu ze pruilde als een baby. Ze haalde diep adem om haar kalmte te hervinden en haalde haar schouders op. 'Nergens naartoe. Heb je het nieuws van de invasie gehoord?'

'Natuurlijk, wie niet?'

'Eigenlijk maak ik me zorgen over mijn vader.'

Hij hield zijn hoofd een beetje schuin en keek haar vol mede-lijden aan. 'Arm meisje. Kom maar hier.' Hij stak zijn hand uit-nodigend naar haar uit en ze liep naar hem toe. 'Kom maar mee, Esther.' Jacky gaf haar een hand en nam haar mee de hoek van het gebouw om naar het nauwe steegje dat tussen haar apparte-mentencomplex en dat van hem lag. Toen ze bij de binnenplaats aankwamen van het gebouw waar hij woonde, dook Jacky een hok onder de trap in en trok Esther achter zich aan naar binnen. 'Dit is mijn geheime kamer,' zei hij.

Het rook muf in het kleine, donkere hol. De grond onder haar rok voelde koud en vochtig aan. Esther had het gevoel dat haar hart uit haar borstkas sprong, toen Jacky zijn arm om haar heen sloeg en haar naar zich toe trok. 'Ziezo,' mompelde hij. 'Voel je je nu beter?'

'Ja, bedankt.' De laatste keer dat ze zich zo bang, opgewonden en buiten adem had gevoeld, was toen ze met haar vader in een achtbaan had gezeten. Ze wist niet of het een goed idee was om hier in haar eentje met Jacky te zitten, maar het voelde zo prettig aan om vastgehouden en getroost te worden dat ze besloot om te blijven. Ze miste de omhelzingen van haar vader.

'Waar is je vader gelegerd?' vroeg hij.

'In Engeland. Ik ben bang dat hij ook meedoet aan de invasie van D-day.' Jacky luisterde geduldig, terwijl ze haar hart luchtte en de krantenartikelen die ze had gelezen tot in detail beschreef. Ze praatte tot lang na zonsondergang toen de eerste ster al aan de hemel was verschenen. Al die tijd bleven ze dicht bij elkaar zitten in de piepkleine ruimte. Jacky had zijn arm stevig om haar heen geslagen en liet zijn wang op haar hoofd rusten, terwijl haar wang op zijn borst lag gedrukt.

Ze hield op met praten toen ze in het steegje tussen de twee gebouwen voetstappen hoorde. Jacky legde zijn vinger op haar lippen. Er dook iemand uit het donker op en in het flauwe licht herkende Esther het silhouet van haar broertje.

'Dat is Peter,' fluisterde ze. 'Hij zoekt me.'

'Hij kan ons toch niet zien en zal zo wel weer weggaan.'

'Ik moet naar huis. Ze zijn vast ongerust.'

'Blijf nog wat langer.' Jacky begon haar schouder te strelen.

Esther dacht dat haar hart niet sneller kon kloppen, maar toch gebeurde het. Deze keer was het echter niet van opwinding, maar van angst. Het voelde niet langer prettig aan om hier in haar eentje zo dicht bij Jacky te zitten. Ze was bang dat hij haar zou proberen te kussen en dat wilde ze niet. Kussen was iets voor volwassenen en Esther was er nog niet aan toe om zo volwassen te zijn.

'Ik moet nu echt gaan.' Ze wurmde zich los, kroop het hok uit en sloeg het stof van haar rok.

'Hé, blijf nog even.'

'Nee, dat gaat echt niet. Bedankt dat je naar me hebt geluisterd, Jacky.' Alsof ze door iemand op de hielen werd gezeten, rende ze terug naar haar appartement, terwijl haar voetstappen weergalmden in het nauwe steegje tussen de gebouwen.

34

Op een middag was Jacob aan zijn bureau bezig met een brief voor de vluchtelingencommissie, toen er werd aangeklopt. Hij deed de deur open en trof Peter met zijn kleine lei aan. *Mag ik uw radio gebruiken?*, stond erop geschreven.

'Mijn radio? Doet die van jullie het niet meer?'

Hij schudde zijn hoofd en nadat hij de woorden had uitgeveegd, schreef hij: *Esther wil naar het nieuws luisteren en ik niet.*

'Aha, ik begrijp het. Ja, natuurlijk. Kom binnen. Naar welk programma wil je luisteren?' Peter hield een denkbeeldige knuppel in zijn hand en deed alsof hij er een bal mee wegsloeg. 'De honkbalwedstrijd. Natuurlijk, ik had het kunnen weten. Daar is mijn radio. Ga je gang.'

Jacob ging weer aan het werk, terwijl Peter aan de knop draaide, totdat hij zijn honkbalwedstrijd had gevonden. Hij ging op zijn buik op Jacobs vloerkleed liggen en liet zijn kin op zijn vuisten rusten. De afgelopen weken had Peter er zich een aantal keren tegen hem over beklaagd hoe vaak Esther naar het nieuws luisterde. Jacob wist dat ze erg over haar vader inzat. De kinderen hadden na D-day nog steeds geen brief van hem gekregen en tot overmaat van ramp waren de nazi's nu ook begonnen om hun nieuwe, dodelijke V1's op legerbases en burgerdoelwitten in Engeland af te vuren, waar Ed Shaffer was gelegerd.

'Of papa nu in Engeland is achtergebleven of in Frankrijk is geland,' had Esther gezegd, 'in beide landen loopt hij gevaar.'

'Als je vader nog in Engeland is,' had Jacob geantwoord, 'dan weet ik zeker dat hij een schuilkelder opzoekt, zodra er een luchtaanval met een V1 wordt gelanceerd.' Hij had haar niet gerust kunnen stellen. Ze was nog steeds geobsedeerd door het nieuws en daarom kwam Peter nu elke dag bij hem langs.

Jacob kon zich niet meer concentreren op zijn brief. Hij legde zijn pen neer en keek Peter aan. 'Heb je je team ooit in het echt zien spelen?'

Peter knikte, ging rechtop zitten en schreef: *Met papa*.

'Aha. En is het anders om een wedstrijd in het echt te zien?'

Opnieuw knikte hij en schreef: *Veel beter. Dan kun je een hoge bal vangen*. Hij wees naar Jacob en vroeg zonder woorden of Jacob ooit een wedstrijd had bijgewoond.

'Nee, nog nooit. Dat is niet echt iets voor mij.'

De telefoon ging en Jacob nam op. Hij herkende de stem van rebbe Grunfeld aan de andere kant van de lijn. 'Ik heb goed nieuws voor je, Yaacov. Ik denk dat we David en Esther Fischer hebben gevonden.' Jacobs adem stokte. 'Ze zijn lid van een gemeente in Crown Heights – een liberale, geen orthodoxe gemeente. Het zijn geen meelevende gemeenteleden. Volgens hun rabbijn hebben ze twee zonen en een dochter met de naam Rachel, die overleden is. Klinkt dit als de mensen naar wie je op zoek bent?'

'Ja! Jazeker!' Jacob kon niet op zijn stoel blijven zitten. Hij begon rondjes te lopen, zo ver als het snoer van de telefoon reikte.

'David Fischer is arts,' ging de rabbijn verder. 'Zijn vrouw doet veel vrijwilligerswerk, voornamelijk voor organisaties op het gebied van kunst.'

'Is er een manier om met hen in contact te komen?' Toen hij de hoorn naar zijn andere oor bracht om een pen en een papiertje op zijn bureau te zoeken, liet Jacob de telefoon bijna vallen. 'Hebt u een adres voor me of een telefoonnummer?'

Rebbe Grunfeld gaf hem beide. Tegen de tijd dat Jacob hem had bedankt en het gesprek had beëindigd, was hij zo blij dat hij een vreugdedansje had kunnen maken. Toen merkte hij dat Peter hem in kleermakerszit aan zat te kijken. Het drong tot hem door dat zijn stem opgewonden had geklonken.

'Sorry, Peter. Sorry. Ik wilde je niet storen.' Jacob verlangde ernaar hem het goede nieuws te vertellen, maar wist dat hij er beter mee kon wachten tot na zijn bezoek aan de grootouders. Penny Goodrich had gelijk gehad: hij moest voorzichtig te werk gaan om de kinderen geen pijn te doen.

Jacob kon zich niet meer concentreren op zijn werk. In plaats daarvan luisterde hij naar de monotone stem van de verslaggever, die het had over binnengeslagen punten, slaggemiddelden en iets wat een 'volle bak' werd genoemd. Deze honkbalwedstrijd was een compleet nieuwe wereld voor hem. Avraham had ook interesse in honkbal gehad en na school vaak wedstrijdjes met zijn vriendjes gespeeld. Maar toen Avi net zo oud was als Peter, had Jacob het veel te druk gehad met zijn werk en allerlei vergaderingen in de sjoel om met Avi naar sportwedstrijden te gaan.

'Peter?' vroeg hij plotseling. 'Zou je graag een keer naar een wedstrijd van je team gaan?'

Met een brede grijns krabbelde Peter overeind en begon zo hard ja te knikken dat het even leek alsof zijn hoofd van zijn lichaam zou rollen. Jacob legde zijn hand op zijn haar. 'In de zomervakantie zal ik kaartjes voor ons kopen. Misschien wil Esther ook wel mee. En Penny.' Peter sloeg zijn armen om Jacob heen en omhelsde hem innig.

Jacob omhelsde hem ook. Hij had de familie van de kinderen gevonden. Een opa en oma. Wat een wonder. David en Esther Fischer hadden twee zonen – twee nieuwe ooms voor de kinderen. Hij voelde zich zo opgewonden dat het bijna leek alsof de Fischers ook familie van hem waren. Maar wat moest hij nu doen? Hoe zou hij hen benaderen? Zou hij hen eerst bellen?

Jacob dacht er de rest van de dag over na en besloot ten slotte om hun een onaangekondigd bezoek te brengen. Hij zou informatie over de vluchtelingencommissie meenemen en hun vertellen hoe hard de commissie geld nodig had. Hij was zo nerveus en opgewonden over zijn plan dat hij onmogelijk stil kon zitten.

Op een warme middag in juni nam Jacob de bus naar Crown Heights en stapte uit op loopafstand van het appartement van de Fischers dat in een voornaam, kalkstenen gebouw in een rustige straat met bomen stond. Hij was van plan geweest om direct bij hen aan te bellen, maar werd in de ruime hal tegengehouden door een portier in uniform. 'Kan ik u helpen, meneer?'

Jacob had niet gerekend op een portier. Hij schraapte zijn keel. 'Ik ben hier voor David en Esther Fischer in appartement 612.'

'Verwachten ze u, meneer?' Jacob schudde zijn hoofd. De portier nam de hoorn van de haak. 'Wat is uw naam, meneer?'

'Jacob Mendel. Ik werk voor de vluchtelingencommissie.' Hij hield zijn adem in toen de portier even aan de telefoon sprak. Toen de man ophing, knikte hij en leidde Jacob naar de lift.

'Het is op de zesde verdieping aan de linkerkant.'

In de deuropening van het appartement stond Esther Fischer op Jacob te wachten. 'Meneer Mendel? Goedemiddag, ik ben Esther Fischer.' Ze was een aantrekkelijke vrouw van eind vijftig met donker glanzend haar en gelakte nagels. Jacob herinnerde zich hoe aantrekkelijk Rachel was geweest. 'Komt u verder alstublieft.'

'Dank u wel.' Voordat hij naar binnen stapte, raakte hij de mezoeza aan de deurpost aan.

'Mijn zus en ik waren net koffie aan het drinken in de woonkamer. Lust u ook een kopje?'

'Graag. Dank u wel.'

Mevrouw Fischer riep het dienstmeisje. 'Wil je alsjeblieft een extra kopje halen voor mijn gast?' zei ze, waarna ze Jacob meenam naar de ruime woonkamer. Hij zag een grote openhaard en verschillende zitgedeeltes. In een van de hoeken van de kamer stond een grote piano en aan de muren hingen prachtige kunstwerken. Door de hoge ramen ving hij in de verte een glimp op van de East River.

'Meneer Mendel, dit is mijn zus Dinah Goldman.' Ze wees

naar een elegant geklede vrouw die op de bank zat. 'We hebben veel goeds gehoord over het werk van de vluchtelingencommissie van president Roosevelt. Mijn man heeft de commissie een royale gift geschonken.'

'Fijn, heel fijn.' Hij wist niet goed wat hij moest zeggen en voelde zich er een beetje schuldig over dat hij de commissie als voorwendsel had gebruikt om binnen te komen. Hij ging in een stoel zitten en toen het dienstmeisje hem zijn koffie bracht, nam hij uitgebreid de tijd om melk en suiker van een zilveren dienblaadje te pakken. 'Ik zie dat u zonen in het leger hebt?' zei hij, terwijl hij knikte in de richting van de vlag met de twee sterren die in het raam hing.

'Ja, de één is legerarts in Engeland, de ander zit bij het Amerikaanse korps der genie in de Stille Zuidzee. Hij herstelt wegen en bruggen die in de oorlog verwoest zijn. Wat een verspilling, vindt u ook niet? Dingen opblazen en ze dan weer opbouwen.'

'Ja, deze oorlog is een grote tragedie voor iedereen.' Hij praatte een paar minuten over zijn werk en het geld dat nodig was om oorlogsvluchtelingen te helpen. Toen vroeg hij: 'Hebt u gehoord over het plan van de president om een vluchtelingencentrum hier in Amerika op te zetten? Het is zojuist goedgekeurd en ik geloof dat het eerste centrum in de staat New York zal worden gebouwd, in een plaats met de naam Oswego. De eerste Joodse vluchtelingen komen uit de door geallieerden bevrijde gebieden, zoals Zuid-Italië.'

Mevrouw Fischer zette haar kopje neer en schudde haar hoofd. 'Elk plan van de president om meer Joden toe te laten, zal op grote weerstand stuiten.'

'Naar ik heb gehoord, moest hij beloven dat hij ze na de oorlog allemaal weer zal wegsturen. Maar voorlopig zijn ze hier veilig.'

'Ik begrijp niet waarom er zulke grote vooroordelen en zo'n haat tegen de Joden bestaat,' zei mevrouw Goldman. 'U wel, meneer Mendel?'

'Nee, maar ik heb het aan den lijve ondervonden. Als jonge man ben ik uit Hongarije vertrokken in de veronderstelling dat het anders zou zijn in Amerika. Maar overal is haat, denk ik.' Hij zweeg toen het dienstmeisje hem een tweede keer inschonk en schraapte toen nerveus zijn keel. 'Mevrouw Fischer, ik hoop dat u me wilt vergeven. Ik zamel inderdaad geld in voor de vluchtelingencommissie, maar dit is niet de enige reden dat ik hier ben. Ik... ik kende uw dochter Rachel.'

Ze verstijfde en keek de andere kant op. 'Ik wil niet over haar praten,' zei ze gespannen. 'Mijn dochter is dood.'

'Ik weet het. Ik weet dat ze dood is. Rachel woonde in het appartement boven dat van mij. Ze stond naast mijn vrouw, Miriam Shoshanna, toen de auto op haar inreed. De vrouwen kwamen allebei om het leven.'

Mevrouw Fischer perste haar lippen stijf op elkaar en had moeite om haar zelfbeheersing niet te verliezen. Ze keek strak voor zich uit in plaats van naar hem. Mevrouw Goldman schoof een eindje naar haar zus toe en pakte haar hand.

'Ik vind het heel erg voor u,' zei mevrouw Goldman, 'maar u begrijpt uiteraard waarom mijn zus er niet over wil praten.'

Jacob zette zijn kopje neer en sprak verder. 'Lange tijd was ik ervan overtuigd dat het ongeluk mijn schuld was. Ik had de gewoonte om voor de sjabbat voor mijn vrouw Miriam inkopen te doen bij die kraam. Maar die dag had ik het te druk. En daarom ging uw Rachel met haar mee.'

'Ze is mijn Rachel niet meer,' zei mevrouw Fischer zachtjes. 'Mijn man zegt dat ze onze dochter niet langer is. Voor ons is ze al een aantal jaren voor het ongeluk gestorven.'

'Dat begrijp ik. Vroeger zou ik net zoals uw man hebben gereageerd, als ik zou horen dat mijn dochter met een niet-Jood wilde trouwen. Maar nu niet meer. Niet sinds deze oorlog.' Mevrouw Fischer keek hem eindelijk aan en wachtte totdat hij uitlegde wat hij bedoelde. 'Ik heb maar één kind, mevrouw Fischer – een zoon met de naam Avraham. Voor de oorlog vertrok hij naar Hongarije om de Thora te bestuderen. Hij trouwde er en kreeg een dochtertje, Fredeleh. Al tweeënhalf jaar heb ik geen woord van hem gehoord.'

De uitdrukking op mevrouw Fischers gezicht werd zachter. 'Wat erg voor u – eerst het verlies van uw vrouw en nu de vermissing van uw zoon.'

'Ik zou er alles voor overhebben – zelfs mijn eigen leven – om Miriam of Avi en zijn gezin terug te brengen. Ik heb kleine Fredeleh, mijn kleindochter, nog nooit ontmoet. Maar uw kleinkinderen, mevrouw Fischer, heb ik wel ontmoet. Ze wonen boven mij. En ik ben heel veel van ze gaan houden.'

Een traan rolde over het gezicht van mevrouw Fischer. Hij wist niet waarom. Ze trok haar vest dichter om zich heen en sloeg haar armen over elkaar, alsof ze het koud had. Maar ze zei geen woord.

'U weet toch dat Rachel twee kinderen had? En dat ze haar dochter naar u heeft vernoemd?'

Ze deed haar ogen dicht. 'Stop alstublieft,' fluisterde ze.

Maar dat deed Jacob niet. 'Esther is net dertien geworden. Ze speelt prachtig piano…'

Mevrouw Fischer sprong overeind en stootte tegen de koffietafel aan, zodat Jacobs koffie op het schoteltje gutste. 'U moet gaan. Het spijt me.'

Hij legde zijn handen op de armleuningen en kwam langzaam overeind. 'De kinderen hebben me gevraagd of ik hen wilde helpen hun grootouders te zoeken. Ik heb hun niet verteld dat ik u heb gevonden – en dat u Joods bent. Ze vragen zich af waarom u niets met hen te maken wilt hebben.'

'Mijn dochter bekeerde zich tot het christendom. Het *christendom*, meneer Mendel! Mijn man heeft werkelijk van alles geprobeerd om haar op andere gedachten te brengen. Ze mocht naar het allerbeste conservatorium of een reis naar het buitenland maken – alles wat ze maar wilde. We zijn nooit erg religieus geweest, maar dit… dit was onacceptabel voor ons. David dacht dat als we haar zouden verstoten en dood verklaren, ze zich vanzelf zou bedenken en weer naar huis zou komen. In plaats daarvan werd ze verliefd. Ze ontmoette een christelijke man en trouwde met hem.'

'Ja, Edward Shaffer. En uw dochter heeft twee prachtige kinderen. Heb ik u al iets over Peter verteld?'

'Ik wil het niet horen…'

'Zijn haar heeft dezelfde kleur als dat van zijn moeder – en van u. Hij is kort geleden tien geworden en een heel intelligent jongetje. Hij is gek op honkbal en een fan van de Brooklyn Dodgers. Ik heb hem beloofd om deze zomer met hem naar een wedstrijd te gaan, omdat hij niemand anders heeft. Zijn vader is in Europa gestationeerd, in Engeland. Hij is al tien maanden weg.'

Mevrouw Fischer sloeg haar handen voor haar gezicht. Ze begon zo hard te huilen dat haar schouders ervan schokten. Haar zus stond op om haar te troosten. Jacob begon nog harder en sneller te praten, omdat hij wist dat hij misschien nooit meer de kans zou krijgen om met haar te spreken.

'Op de dag dat zijn vader vertrok, hield Peter op met praten. Dat was geen bewuste beslissing van hem, maar een gevolg van het trauma dat hij opliep na het verlies van zowel zijn moeder als zijn vader. Hij heeft de liefde van zijn familie nodig om te kunnen genezen. Hij heeft u nodig, mevrouw Fischer.'

'Waarom doet u me dit aan?'

'Leest u de kranten? Weet u wat Hitler met de Joodse bevolking in Europa aan het doen is? Zo veel mensen hebben hun familie al verloren, ook ik. Mensen van wie we hielden zijn op gewelddadige wijze van ons weggerukt zonder dat we er iets aan konden doen. Maar u kunt wel iets doen, mevrouw Fischer. U hebt nog familieleden. Ze wonen in het appartement boven me. En ze hebben u nodig.'

'Mijn man zal het nooit goedvinden.'

'U geeft hem de schuld om u minder schuldig te voelen. Maar

volgens mij is dit net zo goed uw keuze. Welk geloof deze kinderen ook aanhangen en wie hun vader ook is, ze zijn nog altijd Joods, omdat hun moeder – uw dochter – Joods was. U bent uw prachtige kleinkinderen niet kwijtgeraakt. Ze zijn er nog.'

'Ik weet niet wat ik tegen hen moet zeggen.'

'Als u wilt, kunt u naar mijn huis komen en ze daar ontmoeten. Ik zal hun niet vertellen wie u bent, tenzij u me er toestemming voor geeft.'

'Mijn man zal het nooit goedvinden,' herhaalde ze.

'Wilt u dat ik met hem praat?'

'Ik… ik weet het niet. Ik heb tijd nodig…'

'Ik denk dat er al te veel tijd verloren is. Ik zou er alles voor overhebben om meer tijd met mijn vrouw en mijn zoon te hebben.' Jacob haalde een briefje uit zijn zak en gaf het aan haar. 'Dit zijn mijn adres en telefoonnummer. Bel me als u een beslissing hebt genomen.'

Een week later, toen Jacob de hoop had opgegeven nog iets van haar te horen, belde mevrouw Fischer hem op. Ze spraken diezelfde middag af in het appartement van Jacob, net voordat de kinderen uit school zouden komen. 'Zodra ze thuis zijn, bellen ze bij me aan,' stelde hij haar gerust.

Mevrouw Fischer bracht haar zus mee en naarmate de tijd verstreek, leek het alsof de twee vrouwen op een bank zaten die met keien was gevuld. Hij was bang dat mevrouw Fischer zich ieder moment kon bedenken en het appartement uit zou vluchten.

Eindelijk hoorden ze de voetstappen van de kinderen op de trap. Het deksel van de brievenbus knarste toen ze keken of er brieven in zaten. De sleutel van Esther rammelde in het slot van de voordeur. Even later klopten de kinderen bij hem aan. Jacob was net zo zenuwachtig als mevrouw Fischer en haastte zich naar de deur.

'Hallo, meneer Mendel. Weet u wat er vandaag op school is

gebeurd...' Esther sprak niet verder, toen ze de twee vrouwen zag zitten. Peter botste bijna tegen haar op, toen hij het appartement binnen wilde gaan. 'O, u hebt bezoek. Sorry.'

'Nee, nee. Kom verder. Kom een plakje cake met ons eten.' Het was een beetje vreemd om de vrouwen niet aan de kinderen voor te stellen, maar Jacob had geen keuze. 'Dames, dit zijn mijn vrienden, Esther en Peter Shaffer. Ze wonen in het appartement hierboven.'

De kinderen gingen op de grond voor de salontafel zitten om het plakje cake te eten dat hij voor hen gesneden had, terwijl Jacob zenuwachtig het gesprek gaande probeerde te houden. 'Jullie hoeven dus nog maar drie dagen naar school. En dan begint de zomervakantie?'

'Ja. Eindelijk! Ik heb er zo'n zin in.' In de volgende minuten vulde Esther de ongemakkelijke stilte met haar gebabbel. Ze vertelde wat ze de laatste dagen van het schooljaar op school zouden gaan doen. Toen mevrouw Fischer zich eindelijk in het gesprek mengde, klonk haar stem hees.

'In welke klas zit je, Esther?'

'In de eerste van de middelbare school. Peter zit in groep zes van de basisschool.'

'Wat is je lievelingsvak?'

'Muziek. Ik speel piano. Peter houdt van exacte vakken, hè?' Hij knikte verlegen. Esther zweeg even om een hapje van haar cake te nemen en zei toen: 'Onze vader is in Engeland gelegerd. Gisteren hebben we eindelijk weer een brief van hem gekregen, de eerste sinds D-day. Ik zat zo over hem in, maar gelukkig gaat het goed met hem.'

'Ik heb ook een zoon in het leger in Engeland. Hij is arts. Ik heb niets meer van hem gehoord sinds D-day. Waarschijnlijk heeft hij het heel druk met het verzorgen van alle gewonde soldaten.'

'Hé, misschien kent hij onze vader wel. Papa repareert ziekenauto's als ze stuk zijn.'

Ze babbelden verder, totdat de cake op was en ze uitgepraat raakten. Esther stond op en trok Peter ook overeind. 'Kom, Peter. We moeten gaan. Ik weet zeker dat meneer Mendel nu even alleen wil zijn met zijn gasten. Bovendien moet ik oefenen, want morgen heb ik pianoles – de laatste voor de zomervakantie. Ik wilde dat de lessen niet stopten, maar mijn lerares gaat op vakantie. Dank u wel voor de cake, meneer Mendel. En leuk u ontmoet te hebben.'

'Fijn om ook jullie ontmoet te hebben.'

Jacob liep met de kinderen naar de deur en zei ze gedag. Toen hij terugkeerde naar hun oma en oudtante, maakten die al aanstalten om te vertrekken. Mevrouw Fischer had haar hand over haar mond gelegd. Haar vingers trilden en haar ogen stonden vol tranen.

'U hebt gelijk,' zei ze. 'Het zijn prachtige kinderen... We moeten nu gaan.'

'Nee, wacht nog even,' zei Jacob. 'Ik wil u iets laten horen.' Er viel even een ongemakkelijke stilte, totdat Esther boven op de piano begon te spelen. Ze begon met de oefeningen om haar vingers losser te maken.

Hun oma sloeg haar handen voor haar gezicht en huilde.

Jacob wachtte en gaf haar de tijd om uit te huilen. Hij had mensen te veel jaren niet laten uithuilen, omdat hij bang was voor emoties. Toen de muziek eindelijk stopte, zei hij heel zachtjes: 'Als u nog een keer wilt langskomen, bent u hier van harte welkom.'

35

Penny zette twee tassen met boodschappen op de keukentafel van haar ouders. 'Hoelang bent u nog van plan om boos op me te blijven?' vroeg ze. De vraag had al op Penny's lippen gebrand toen ze met haar zwijgende moeder langs de schappen van de supermarkt was gelopen en in de hitte van de vreugdeloze juni-dag naar huis was gesjokt.

'Hoelang ben jij nog van plan om tegen onze wensen in te gaan?' De ogen van haar moeder stonden zo koud en hard als steen.

Penny pakte een zakdoek en veegde het zweet van haar voorhoofd. 'En mijn eigen wensen dan?' vroeg ze. Haar moeder gromde en perste haar lippen op elkaar. Penny kon de muur van ijs die tussen hen in stond niet verdragen, maar wist niet hoe ze die moest laten smelten.

'Niets weerhoudt je ervan dit rare leven op te geven en weer thuis te komen wonen,' zei haar moeder. 'Die kinderen zijn in de vakantie de hele dag bij hun oma. Ze kunnen er net zo goed blijven logeren. Het is tijd om te stoppen met dit heen-en-weer-gejakker. Tijd om die afschuwelijke, onelegante broek weg te gooien en je weer als onze dochter te gedragen.'

Penny keek naar haar uniform en zuchtte. Na haar dienst had ze zich niet op het busstation omgekleed, omdat ze zo gauw mogelijk boodschappen wilde gaan doen met haar moeder. Bovendien lagen al haar kleren in het appartement van Eddie. Ze stond op het punt om zich te verdedigen, maar hield haar mond. Het had geen zin om in discussie te gaan met haar ouders en nog minder om het hun aan te rekenen dat ze haar niet over de adoptie hadden verteld. Daar schoot niemand iets mee op. Het verleden kon toch niet veranderd worden.

Niemand was teruggekomen op de ruzie die ze een maand geleden hadden gehad en het feit dat Penny's ouders eigenlijk haar grootouders waren. Ze noemde hen nog steeds pa en ma, hoewel ze wist dat ze niet meer dezelfde persoon was, niet meer dezelfde dochter die het afgelopen najaar uit het huis was gegaan om voor Eddies kinderen te zorgen.

'Kan ik nog iets anders voor u doen, voordat de kinderen en ik weer naar huis gaan?'

'O, dat appartement is nu dus je huis? Je huis is niet meer hier bij ons?'

'Het is het huis van de kinderen. U begrijpt toch ook wel dat het huis van hun oma niet echt een thuis voor hen is?'

Haar moeder keek de andere kant op en zweeg. Penny wenste dat ze wist hoe ze alles weer goed kon maken, zodat ze gewoon met elkaar konden praten zonder ruzie te maken. Ze wilde dat haar moeder haar één keer kon aankijken met een liefdevolle in plaats van een harde, afkeurende blik. Die wens droeg ze al haar hele leven als een steeds zwaardere last met zich mee. Maar wensen kwamen bijna nooit uit.

Penny haalde de laatste boodschappen uit de tas. Ze ruimde de blikken op en legde de eieren in de koelkast. Hoe waren ze in deze verschrikkelijke impasse geraakt? Ze keek uit het keukenraam en terwijl ze Peter met Woofer in de tuin zag rondrennen, dacht Penny eraan terug hoe het was begonnen. Ze was verliefd geworden op Eddie Shaffer en had de kans aangegrepen om deel te worden van zijn leven in de hoop dat hij ook van haar zou houden en misschien op een dag met haar zou trouwen. Maar dit kleine zaadje van hoop was uitgegroeid tot een brede, alles overwoekerende klimplant die geheimen aan het licht had gebracht die haar leven volledig op zijn kop hadden gezet. En uiteindelijk zou Eddie waarschijnlijk helemaal niet met haar trouwen. Meneer Mendel had gezegd dat ze niets kon doen aan de misdaad die haar vader had begaan, maar zelfs al zou Eddie na de oorlog verliefd op haar worden, dan zou het niet meer dan eerlijk zijn om hem de waarheid te vertellen.

Toen Penny klaar was met het opruimen van de boodschappen, wilde ze naar huis gaan. Ja, het appartement was haar huis geworden. Misschien zou er vandaag een brief van Eddie of Roy zijn. Ze moest altijd glimlachen om de brieven van Roy als hij haar zijn onhandige pogingen beschreef om zijn liefde aan Sally te verklaren. Hij rekende nog steeds op Penny's adviezen, hoewel zijn liefdesleven er rooskleuriger voorstond dan het hare. Ze schreef beide mannen bijna iedere dag en probeerde het moreel hoog te houden door het leven te beschrijven waarnaar ze op een dag zouden terugkeren. Ondertussen had Penny na tien maanden een prettige routine opgebouwd – maar dit zou weer veranderen als de oorlog voorbij was. En dat zou niet lang meer duren. Het nieuws uit Europa was hoopgevend. De geallieerden boekten vooruitgang.

'Als ik niets anders meer voor u kan doen,' zei Penny tegen haar moeder, 'dan breng ik de kinderen naar huis.'

'Misschien heeft je vader iets nodig. Hij is niet meer zo goed ter been. Er zijn veel dingen die hij zelf niet meer kan doen.'

'Ik zal het hem vragen.' Penny zag hoe oud haar ouders in een jaar waren geworden en iedere keer dat ze haar dit feit onder de neus wreven, voelde ze zich heel schuldig. Maar hadden ze echt gedacht dat ze haar hele leven bij hen zou blijven wonen?

Ze trof haar vader slapend in zijn stoel in de huiskamer aan. De sigaar in zijn hand was uitgedoofd. Ze aarzelde of ze hem wakker zou maken en terwijl ze de woonkamer rondkeek om te zien of er nog een klusje te doen was, zag ze het adresboek van haar ouders opengeslagen op het bureau liggen. Het adres van haar zus Hazel zou erin staan.

Penny liep op haar tenen naar het bureau en pakte het boekje. Ze kon zich de achternaam van Hazels man niet meer herinneren en daarom bladerde ze de pagina's een voor een door en zocht naar de naam *Hazel*. Ondertussen hield ze de deur naar de keuken in de gaten, waar haar moeder nog bezig was, en wierp ze af en toe een blik op haar slapende vader om te zien of hij nog niet wakker was geworden.

Halverwege het adresboek vond ze het: *Hazel en Barry Jeffries.* Ze woonden in Trenton in de staat New Jersey, nog geen tweehonderd kilometer bij haar ouders vandaan. Maar wat hen betrof had het net zo goed duizend kilometer kunnen zijn. Penny scheurde een stukje papier af, schreef snel het adres over en legde het boek weer terug op de plek waar ze het had gevonden. Het enige wat ze nu hoefde te doen, was genoeg moed bijeenrapen om naar haar zus – haar moeder – in New Jersey te gaan.

Penny's vader bewoog in zijn slaap en knipperde met zijn ogen. 'Pa? Ik vertrek zo. Wilt u dat ik nog iets voor u doe voordat ik ga?'

Hij bewoog in zijn stoel en ging rechtop zitten. 'Ik denk het niet.'

Penny maakte aanstalten om te vertrekken, maar toen schoot haar nog iets te binnen. 'Zeg, pa. Peter wil een moestuintje hiernaast planten.'

'Wie?'

'Peter Shaffer, het jongetje op wie ik pas. Ik weet met hoeveel plezier u iedere zomer tomaten en rabarber kweekt. Denkt u dat u hem een beetje kunt helpen?'

Haar vader bestudeerde zijn gedoofde sigaar en fronste zijn wenkbrauwen voordat hij het ding in de asbak legde. 'Ik kan amper mijn eigen tuin bijhouden en wist niet eens of ik er dit jaar mee door zou gaan.'

'Dat weet ik. Maar u hoeft geen werk te doen. Misschien kunt u af en toe over Peters schouder meekijken en hem aanmoedigen. Of hem een paar adviezen geven.'

'Wat wil hij gaan kweken?'

'Tomaten, bonen en dat soort dingen. Op school heeft hij wat plantjes gekregen en een boekje met informatie over het aanleggen van een moestuin. De planten staan nu in zijn slaapkamer, maar is het niet tijd om ze in de grond te zetten?'

'Natuurlijk. Het is al juni.'

'Kunt u hem helpen om een goed plekje uit te zoeken aan mevrouw Shaffers kant van de tuin? De kinderen en ik zullen al het graafwerk doen. De tuin die achter ons appartement ligt, is zo donker dat er volgens mij niets groeit, zelfs geen gras. De grond is zo hard als beton.'

'Ik kan wel even gaan kijken. Maar hij moet me wel precies vertellen wat hij wil kweken.'

'Bedankt, pa. Morgen beginnen we de planten over te brengen. Op die manier heeft Peter deze zomer tenminste iets te doen.' En haar vader zou ook iets te doen hebben. Als hij de kinderen iets beter leerde kennen, zou hij misschien begrijpen waarom ze had aangeboden om voor hen te zorgen en waarom ze haar zo hard nodig hadden.

'Tot morgen.'

Penny liep naar de keuken om haar boek te halen en stond op het punt om haar moeder gedag te zeggen, toen er op de deur werd gebonsd en er werd aangebeld alsof er brand was. Ze rende de woonkamer door om open te doen en trof Esther huilend en handenwringend voor de deur aan.

'Penny! Penny, kom gauw! Je moet ons helpen!'

'Wat is er aan de hand? Is er een ongeluk gebeurd?' Zoals altijd wanneer ze eraan herinnerd werd wat voor grote verantwoordelijkheid het was om voor deze kinderen te zorgen, begon Penny's hart te bonken.

'Woofer is ontsnapt en weggerend! Snel, we moeten haar vinden!' Esther rende de straat al op. Penny liet haar tas op de grond vallen en volgde haar.

'Wat is er precies gebeurd? Hoe is ze uit de achtertuin ontsnapt?'

'Peter hield de voordeur te lang open en toen rende ze tussen onze benen door naar buiten. Je weet dat oma altijd roept dat we de deur moeten dichtdoen, omdat de hond anders ontsnapt en nu... nu is ze woedend op Peter!'

Op straat was geen spoor van Woofer te bekennen. Oma Shaffer stond op de stoep voor haar huis en riep de hond met trillende stem. Peter stond naast haar en moest hulpeloos toekijken, omdat hij de hond waar hij zo dol op was niet kon roepen. Penny rende naar hem toe en sloeg haar armen om hem heen.

'Rustig maar, Peter. Alles zal goed komen. We zullen Woofer heus wel weer vinden. Weet je welke kant ze op is gerend?' Hij wees naar de bushalte en de drukke boulevard. De moed zonk Penny in de schoenen. 'Kom,' zei ze, terwijl ze de straat in rende met Esther en Peter achter zich aan. Ze riep de naam van de hond en floot.

'Woofer is nog nooit verder dan de achtertuin geweest, behalve als ze aangelijnd was,' zei Esther hijgend. 'Stel je voor dat ze door een auto wordt aangereden?'

'Zo mag je niet praten, Esther. We zullen haar heus wel vinden. Zo ver kan ze toch niet zijn?' Ze renden verder totdat ze allemaal buiten adem waren. Daarna liepen ze de ene straat na de andere door en doorkruisten de buurt vele malen. Ondertussen riepen ze Woofers naam en vroegen ze buren en voorbijgangers of ze haar hadden gezien. Helaas kon niemand hen helpen.

Er ging een uur voorbij en de zon begon naar de horizon te zakken. Het was al na etenstijd. Ze waren alle drie hongerig en uitgeput. 'We kunnen beter naar huis gaan,' zei Penny.

'Geef je nu al op? Dat mogen we niet doen!'

'Ik geef niet op, Esther, maar over een poosje zal het te donker zijn om nog iets te kunnen zien. Dan hebben we zaklampen nodig. Bovendien moeten we nu eerst iets eten. Woofer zal inmiddels ook honger hebben. Misschien komt ze uit zichzelf naar huis om te eten.'

Penny liep de hoek om en zag dat oma Shaffer nog op de stoep voor haar huis stond en Woofer riep. Toen ze hen zonder hond aan zag komen sjokken, ging ze naar binnen en sloot zich intens verdrietig op in haar slaapkamer. Penny warmde een blik soep op en smeerde een paar boterhammen, maar niemand had trek. Peter haalde de zaklamp van zijn oma uit de keukenla en liep naar de voordeur om de zoektocht te hervatten. Een uur lang kamden ze de buurt uit zonder enig resultaat.

'We kunnen beter naar huis gaan,' zei Penny ten slotte.

'Nee, ik wil vannacht in oma's huis blijven slapen,' zei Esther, 'zodat we morgenochtend meteen kunnen gaan zoeken.' Peter knikte instemmend.

'Ja, dat is een idee.' Penny zou in haar oude slaapkamer in het huis van haar ouders moeten slapen. Ze vroeg zich af of ze er welkom zou zijn. Morgen kon ze hetzelfde uniform dragen en misschien zou ze, voordat ze naar haar werk ging, nog even kunnen meezoeken. 'We zullen het licht op de veranda de hele nacht aan laten en het hek in de achtertuin openzetten, voor het geval Woofer vannacht thuiskomt.'

'Ze is nog nooit de hele nacht buiten geweest,' zei Esther. 'Ze zal zo bang zijn. Stel dat ze wordt aangereden of ontvoerd?'

Penny antwoordde niet. Wat kon ze zeggen? Ze kon hun niet beloven dat alles goed zou komen. Peter zag er zo mistroostig en schuldig uit dat Penny hem alleen maar in haar armen kon sluiten en laten uithuilen. 'Het is niet jouw schuld, Peter. Woofer heeft er zelf voor gekozen om stout te zijn en weg te lopen. Ze had net zo goed kunnen ontsnappen als een van ons de deur had geopend, zelfs bij je oma.'

'Mogen we om de bewaring van Woofer bidden?' vroeg Esther. 'Mag je eigenlijk wel bidden voor een hond?'

Opnieuw wist Penny het antwoord niet. Ze wenste iedereen welterusten en keerde naar het huis van haar ouders terug. Terwijl ze in haar oude bed lag en naar het plafond staarde, wenste ze dat ze iets kon bedenken om de hond te vinden – maar wat? Ze had daar totaal geen verstand van.

36

Boedapest, Hongarije

Lieve moeder en vader Mendel,
Waar we al heel lang bang voor waren, is nu gebeurd. De nazi's zijn
gekomen om ons weg te voeren.
Net voor zonsopgang omsingelden honderden soldaten met wapens
en honden ons getto. We werden gewekt door ratelende mitrailleurs en
luidsprekers waaruit klonk: 'Naar buiten! Iedereen naar buiten! Wie
niet naar buiten komt, wordt doodgeschoten.' Ze gaven ons amper de
tijd om een paar spullen te pakken en dreven ons op straat bij elkaar.
Mama, Fredeleh en ik deden zo snel mogelijk wat ze bevalen. Enkele
ogenblikken ervoor hadden we nog vast geslapen en we konden niet
echt helder denken, laat staan beslissen wat we nodig hadden en mee
moesten nemen.
Toen we buiten kwamen, hoorden we geschreeuw, geweerschoten en
gehuil. De nazi's deden huiszoeking en vermoordden iedereen die
zich probeerde te verbergen. Oude mensen en zieken die te zwak
waren om uit bed te komen, werden ter plekke doodgeschoten.
Ondertussen stonden we dicht bij elkaar op de binnenplaats en rilden
van angst. Hoewel het langzaam licht werd, had ik de moed niet om
mijn buren aan te kijken. We wisten allemaal wat ons te wachten
stond. Inmiddels hadden we genoeg verhalen gehoord om te weten dat
ze niet verzonnen waren.
Toen iedereen in het getto uit zijn huis gedreven of doodgeschoten
was, joegen de nazi's ons door de straten voor zich uit en schreeuwden
dat we door moesten lopen. Ze brachten ons niet naar het station van
Boedapest, maar naar het spoorwegemplacement voor goederentreinen

aan de rand van de stad. Daar zagen we een lange rij goederenwagons met open deuren staan. De soldaten richtten hun wapens op ons en dreven ons als vee de wagons in.

Het enige waaraan ik kon denken, was dat ik naar Avi had moeten luisteren. Ik had Fredeleh lang geleden in veiligheid moeten brengen, toen ik nog de mogelijkheid had dit te doen. Ik huilde van angst en spijt en smeekte Hasjem om ons te helpen.

Honderden van ons werden in een wagon gedreven – de weinige mannen die waren overgebleven en alle vrouwen bij elkaar zonder enige privacy. Er was niet eens genoeg ruimte voor iedereen om op de grond te zitten. We kregen een emmer met drinkwater en een emmer om onze behoeften te doen. Toen er zo veel mensen in de wagon zaten dat ik amper kon ademhalen, sloten ze de deuren en vergrendelden die. Om me heen hoorde ik mensen huilen, vloeken en bidden. Sommigen werden gek van angst. Ik ging dicht bij mama staan en drukte Fredeleh tegen me aan, terwijl ik om een wonder bad – en om vergeving. Hoe zou Avraham me ooit kunnen vergeven dat ik Fredeleh niet naar het christelijke weeshuis had gebracht?

Mama deed haar best om me te troosten en te kalmeren omwille van Fredeleh. 'Ik houd van je, Sarah Rivkah,' zei ze, terwijl ze me tegen zich aan drukte. 'Je bent een geweldige dochter voor me geweest. Ik wil dat je weet hoeveel ik om jou en Fredeleh geef, wat er ook gebeurt.'

'Zeg dat alstublieft niet, mama. We zullen het echt wel redden. Ze brengen ons alleen maar naar een werkkamp.'

'Ik weet het. Ik weet het.'

Maar we wisten allebei wel beter.

Heel lang bleef de trein met vergrendelde deuren op een zijspoor staan. De temperatuur binnen liep op in de hete zomerzon. De trein was nog steeds niet gaan rijden, toen we merkten dat er buiten een grote commotie was ontstaan. De mensen die dicht bij de deur stonden en door de houten latten naar buiten konden kijken, vertelden ons dat er een grote zwarte auto voor de trein was gestopt. Het was typisch een auto waarin belangrijke overheidsfunctionarissen rijden, met blauw-

gele vlaggetjes op de motorkap. Zweedse vlaggetjes zei iemand.

Terwijl de Duitsers met de man in de auto spraken, liepen er mannen langs de wagons en schoven papieren tussen de kieren door naar binnen. Mijn moeder slaagde erin een document te bemachtigen. We keken ernaar, maar wisten niet goed wat het was. Het leek op een soort identiteitsbewijs. Het was gedrukt in de blauwe en gele kleur van de Zweedse vlag en versierd met drie kronen, samen met een groot aantal officieel uitziende stempels en zegels.

'De Duitse soldaten komen nu naar de wagons toe,' vertelden degenen die het dichtst bij de deur stonden. We hoorden hoe de deuren van andere treinwagons opengetrokken werden. Een paar minuten later ging onze deur ook open. Frisse lucht en verblindend zonlicht stroomden naar binnen.

Een van de soldaten riep: 'Als er hier mensen met de Zweedse nationaliteit zijn, moeten die nu naar buiten komen en ons hun papieren laten zien.' Mensen baanden zich een weg naar de uitgang en sprongen zwaaiend met het papier dat hun zojuist was overhandigd naar buiten. Maar wij drieën hadden maar één document. Mama drukte het me in de hand.

'Neem jij het maar, Sarah Rivkah! Ga maar met Fredeleh! Gauw!'

'Nee, we laten je niet alleen, mama.'

Je moet jezelf en Fredeleh in veiligheid brengen. Ga!' Ik klampte me aan mijn moeder vast en wilde haar niet achterlaten, maar mama duwde me uit alle macht naar de deur. Fredeleh klampte zich aan me vast en begon te huilen door alle commotie.

Ik wilde het leven van mijn dochter redden. Voor haar had ik alles over. En ik wist dat mama hetzelfde voor mij wilde. Maar hoe kon ik mijn moeder achterlaten in een veewagon die haar ik weet niet waarheen zou brengen?

Ik voelde handen die me naar voren duwden. Maar toen ik over mijn schouder keek, zag ik mijn moeder niet meer. Ze was verdwenen in de overvolle wagon en had zich achter de anderen verscholen, zodat ik haar niet meer kon zien. Ik wist dat ze het gemakkelijker voor me wilde maken en dat ze Fredeleh en mij niet wilde zien vertrek-

ken. De andere mensen in de wagon bleven me naar voren duwen en zeiden: 'Schiet op, meisje! Jij hebt toch een papier?'

Net toen ik met Fredeleh de trein uit wilde stappen, baande een jonge moeder zich een weg naar de uitgang en drukte haar baby in mijn armen. In haar ogen stond een grote angst geschreven. 'Neem hem alsjeblieft mee,' smeekte ze. 'Heb medelijden en neem mijn kind mee, zodat hij zal overleven!' Ik zag haar wanhoop en liefde. 'Hij heet Yankel Weisner. Hij is vier maanden oud. Ik ben Dina Weisner, zijn moeder.'

De moeder en baby huilden allebei en dat deed ik ook. Ik tilde Fredeleh op mijn heup en liet de baby tegen mijn schouder leunen. Zijn moeder gaf hem een laatste kus.

Toen ik de trein uit was gestapt, voelde ik me zo zwak dat ik amper op de been kon blijven. Ik strompelde met de twee kinderen tegen me aan gedrukt bij de trein vandaan en liet de Duitse soldaat mijn document zien. Mijn hart bonkte van angst. Zou hij me geloven?

Lange tijd staarde hij naar het document en vervolgens naar mij en de twee kinderen. Uiteindelijk gaf hij mij het document terug. 'Je mag gaan.'

We waren vrij. Fredeleh, ik en de kleine Yankel waren vrij.

Ik zette Fredeleh op de grond en met ons drieën haastten we ons naar de zwarte auto met de Zweedse vlaggetjes erop. Een groep mensen uit de trein had zich eromheen verzameld en ze wenkten de anderen en ons. Toen iedereen met de Zweedse papieren de trein uit was, liepen de soldaten terug naar de wagons en vergrendelden de deur voor de tweede keer. Er liep een rilling over mijn rug, toen ik het geluid hoorde van de deuren die werden gesloten en vergrendeld. Ik kon niet achterom kijken.

Ik draaide me om en volgde de zwarte auto, die zachtjes van het spoorwegemplacement wegreed. Ik hield Fredelehs handje stevig vast en drukte de baby tegen me aan. Een aantal van de Zweedse mannen liep met ons mee in de richting van Boedapest. Niemand sprak een woord. Ik had het gevoel te slaapwandelen.

Toen we ongeveer een halve kilometer gelopen hadden, hoorden we de trein achter ons fluiten. Toen begonnen de ijzeren wielen over het spoor te bewegen en reed de eindeloze rij wagons uit Boedapest weg. Opnieuw klonk het fluitsignaal. Het snerpende geluid zal ik de rest van mijn leven niet meer vergeten.

37

Er was een week voorbijgegaan sinds mevrouw Fischer naar Jacobs appartement was gekomen om haar kleinkinderen te ontmoeten en hij had niets meer van haar gehoord. Hij liep rondjes in zijn huiskamer en wierp af en toe een blik op de telefoon, terwijl hij overwoog of hij meneer en mevrouw Fischer zou bellen om hun te vertellen dat hij niet begreep hoe ze zo hardvochtig konden zijn. Maar eigenlijk begreep hij het wel. Vroeger was hij even star geweest als zij.

Hij hield op met ijsberen en keerde de telefoon de rug toe. Hij moest zich niet langer met de Fischers bezighouden en een andere bezigheid vinden. Toen hij naar de keuken liep om iets te eten klaar te maken, hoorde hij voetstappen op de veranda en vervolgens een sleutel in het sleutelgat. Penny en de kinderen moesten thuis zijn gekomen. Gisteren – een doordeweekse dag – waren ze weggebleven en hij had zich zorgen over hen gemaakt. Hij liep naar de voordeur en werd door drie bedrukte gezichten begroet.

'Er is iets heel ergs gebeurd!' zei Esther. 'De hond van oma Shaffer is gisteren weggelopen. We hebben overal gezocht, maar kunnen haar niet vinden!'

'Ach, wat naar voor jullie.' Deze kinderen hadden al te veel geliefden verloren – en nu dit. Waarom moest dit gebeuren? Esther had Jacob verteld hoeveel Peter van de hond hield en hoe hij wenste dat de hond van hem was.

'Mag je voor een hond bidden, meneer Mendel? Oma mist Woofer heel erg en ze was al zo verdrietig, omdat oom Joe is gestorven.'

Jacob bleef staan en dacht na over het juiste antwoord. 'Ik denk dat je inmiddels weet dat een gebed geen toverspreuk is om onze wensen in vervulling te laten gaan. Maar je mag er wel om bidden dat Hasjem je grootmoeder troost in haar verdriet. En we kunnen…' Jacob sprak niet verder. Hij voelde zich schijnheilig. Had Hasjem hem getroost in al deze maanden dat hij om Miriam en Avraham had getreurd? Toen zag hij Esther en Peter voor zich staan en hem verwachtingsvol aankijken, en ineens besefte hij dat Hasjem deze kinderen in zijn leven had gebracht. Hun liefde had hem werkelijk getroost. Hij kon hetzelfde voor hen doen.

Jacob opende zijn armen en trok ze naar zich toe. 'We moeten op Hasjem vertrouwen,' mompelde hij, 'zelfs al kunnen we niet zien wat Hij doet.' De woorden waren even goed voor hem als de kinderen bedoeld. Hij dacht aan de woorden die hij ieder jaar op *Tisja be'Aaw* reciteerde, de dag waarop zijn volk de verwoesting van de tempel herdacht, en gebruikte deze nu om de kinderen te troosten: *'Want als Hij bedroefd heeft, ontfermt Hij Zich naar de grootheid van Zijn gunstbewijzen. Immers niet van harte verdrukt en bedroeft Hij de mensenkinderen.'* En terwijl hij de kinderen in zijn armen hield, voelde Jacob ook zelf de troost van Hasjem. Kort nadat de kinderen naar boven waren gegaan om te eten, ging de telefoon. Hij herkende de stem van mevrouw Fischer en zijn hart begon sneller te kloppen.

'Ik heb een voorstel voor u, meneer Mendel. Eigenlijk is het een voorstel voor de kinderen. Ik zou deze zomer pianolessen voor Esther aan het conservatorium van Brooklyn willen regelen. Kunt u me daarbij helpen? Denkt u dat ze het fijn zou vinden om er te studeren?'

Even kon hij geen woord uitbrengen. 'Ja! Ja, ik weet zeker dat ze het fijn zou vinden. Wel moet ik het eerst even met de jonge vrouw bespreken die voor de kinderen zorgt en natuurlijk moet ik het ook aan Esther zelf vragen.'

'Dit moet allemaal anoniem gebeuren, meneer Mendel. Ze

mag niet weten dat ik voor de lessen betaal of dat ik haar oma ben.'

Hij opende zijn mond om mevrouw Fischer te verwijten dat ze de moed niet had om haar identiteit prijs te geven en deel te worden van het leven van de kinderen, maar bedacht zich. 'Kunt u me iets meer vertellen over deze muziekschool?'

'Het conservatorium is rond 1890 opgericht en is gehuisvest in een prachtige oude villa in Park Slope. Er zijn muzieklessen voor leerlingen van alle leeftijden. In het bestuur zitten een paar vrienden van mij. Esther kan privélessen nemen, muziekgeschiedenis studeren en theoretisch onderwijs volgen – wat ze maar wil. En als ze er zin in heeft, mag ze in de herfst met haar lessen doorgaan. U hoeft alleen maar met haar naar het kantoor van de school te gaan. Daar kan ze zich inschrijven voor alle lessen die ze wil volgen. Ik zal voor alles betalen.'

'Dat is heel vriendelijk van u, mevrouw Fischer. Ik weet zeker dat ze dolblij zal zijn.' Wat een opluchting dat Esther haar aandacht op iets anders zou kunnen richten dan die ongure buurjongen van haar en het nieuws over de oorlog.

'Ik zou ook iets voor Peter willen doen,' ging mevrouw Fischer verder. 'Muzieklessen, als u denkt dat hij dit leuk zou vinden, of iets anders.'

'Peter heeft ook pianoles gehad, maar hij heeft minder interesse en minder aanleg dan zijn zusje. Hij houdt van honkbal. Ik heb me al afgevraagd of er een club is waar hij lid van zou kunnen worden, maar gezien zijn omstandigheden – het feit dat hij niet praat – heb ik geen oplossing kunnen bedenken. Hij speelt nooit buiten met andere jongens, omdat die hem uitlachen.'

Het bleef zo lang stil aan de andere kant van de lijn dat Jacob zich afvroeg of de verbinding was verbroken. Eindelijk antwoordde ze: 'Ik heb een idee, maar ik weet niet zeker of... nou ja, laat me eerst uitleggen wat het is en dan kunt u zelf beslissen. Onze synagoge sponsort in de zomermaanden een honkbalteam voor jongeren om hen in de vakantie bezig te houden. Ze oefenen een paar keer per week en spelen soms wedstrijden tegen teams van andere jesjiva's. Ik ken de man die de jongens coacht. Misschien zou ik hem Peters situatie kunnen uitleggen... op voorwaarde dat Peters familie ermee instemt. Misschien willen ze niet dat hij bij een Joodse club gaat, omdat ze christenen zijn.'

'Ik denk dat Peter het heel leuk zal vinden, maar ik moet het eerst met zijn familie overleggen.'

'Prima. Onze sjoel is niet ver van het conservatorium en hij zou iets te doen hebben terwijl Esther pianoles heeft. Als ze dat tenminste wil.'

Jacob hoorde de opwinding in de stem van mevrouw Fischer. Hij wilde haar aanmoedigen om het nieuws zelf aan de kinderen te vertellen, zodat ze haar persoonlijk konden bedanken, maar hield zijn mond. Hun oma had zich voor het eerst met hen bemoeid – en dit was een belangrijke eerste stap.

Jacob wachtte die avond totdat de kinderen naar bed waren gegaan en ging toen naar boven om met Penny over mevrouw Fischers aanbod te praten. Ze keek heel verbaasd toen ze hem voor de deur zag staan. 'Kom binnen, meneer Mendel. Er is toch niets aan de hand?'

'Nee, alles is in orde. Ik heb zelfs goed nieuws. Kun je even naar beneden komen, zodat we rustig verder kunnen praten? Ik wil niet dat de kinderen meeluisteren.'

Penny trok de deur achter zich dicht en volgde Jacob naar zijn appartement. 'Ik heb de grootouders van de kinderen gevonden,' zei hij, zodra ze binnen waren.

Haar ogen werden groot van verbazing. 'Echt waar? Wat geweldig!'

'Aan de ene kant wel, aan de andere kant niet. Ik ben ook achter de reden van de breuk gekomen – en vrees dat er niets aan veranderd kan worden.'

'Maar waarom? Wat voor verschrikkelijks kan er gebeurd zijn om een familie zo te verdelen?'

'Ga zitten, Penny.' Ze ging op de bank zitten terwijl hij zijn bureaustoel naar voren schoof en tegenover haar plaatsnam. 'Misschien is dit een schok voor je, maar de moeder van de kinderen was Joods. Hun grootouders zijn dus ook Joods. De verwijdering is ontstaan toen Rachel het joodse geloof opgaf en christen werd. Toen ze met Ed Shaffer, een niet-Jood, trouwde, was dit de druppel die de emmer deed overlopen.'

'Lieve help. Dat had ik nooit verwacht.'

'Dat Rachel Joods was, moet een van de redenen zijn geweest dat mijn vrouw en zij zo goed bevriend raakten. Miriam Shoshanna was op vele manieren als een moeder voor haar. Maar je moet begrijpen dat het Joodse volk erin geslaagd is om vele duizenden jaren ballingschap te overleven omdat we gemengde huwelijken ontmoedigen. Dit gaat zelfs zo ver dat een kind wordt verstoten als het met iemand van een ander geloof trouwt. Ik weet dat dit nogal hardvochtig klinkt, maar...' Zijn stem stierf weg en hij wist niet hoe hij zijn zin moest eindigen. Hij zag de verwarring en verbazing op het gezicht van Penny, terwijl ze probeerde het nieuws tot zich door te laten dringen.

'Hoewel mevrouw Fischer nog niet zover is om Esther en Peter publiekelijk als haar kleinkinderen te accepteren,' ging Jacob verder, 'is ze wel bereid...'

'Hebt u hun oma ontmoet? Hebt u met haar gesproken?'

'Ja. Ik heb haar opgezocht en daarna uitgenodigd om bij mij op bezoek te komen, terwijl de kinderen er waren. Ze wisten niet wie ze was, alleen maar dat zij en haar zus mijn gasten waren. Mevrouw Fischer heeft Esther ook piano horen spelen. Nu heeft ze aangeboden om deze zomer pianolessen voor Esther te regelen – maar ze wil het anoniem doen. Ze zegt dat er hier in Brooklyn een uitstekende school is waar Esther lessen kan volgen. Een conservatorium.'

'Dat zou Esther fantastisch vinden. Ze is zo gefrustreerd, nu ze weet dat haar muzieklerares het grootste deel van de zomer op vakantie is.'

'Het enige wat je hoeft te doen, is met Esther naar de school te gaan en haar in te schrijven voor de lessen. Mevrouw Fischer heeft me het adres gegeven en zal voor de lessen betalen.'

'Aanstaande zaterdag, mijn vrije dag, kan ik er met haar naartoe gaan. Wilt u met ons meekomen, meneer Mendel?'

'Dat zou ik graag willen, maar het gaat helaas niet. Zaterdag is sjabbat – onze rustdag.' Toen hij dit zei, stond Jacob verbaasd over zichzelf. Heel langzaam en zonder zich ervan bewust te zijn, was Jacob teruggekeerd naar de Thora en leefde hij de gebeden, heilige dagen en de regels van de *kasjroet*, de spijswetten, weer na. Meestal hoefde hij er niet eens bij na te denken.

Hij had nog steeds een groot aantal onbeantwoorde vragen, maar hij wist dat Hasjem Zijn wil in Zijn Woord openbaarde. Door dat Woord te gehoorzamen, kon hij antwoorden vinden op die vragen.

'Ik weet zeker dat je het zonder mij ook wel redt,' zei hij tegen Penny. 'Hun oma heeft alles al geregeld.'

'Ik wil het Esther zo graag vertellen. Wat zal ze blij zijn.'

'Mevrouw Fischer heeft me ook gevraagd of Peter pianoles zou willen hebben, maar we hebben besloten dat hij deze zomer veel liever in een honkbalteam zou spelen.'

'Dat denk ik ook, maar de kinderen in de buurt lachen hem uit.'

'Ja, dat heeft hij me ook verteld. Het team dat mevrouw Fischer in gedachten heeft, is de club van haar synagoge. Maar ik weet niet wat Peters vader ervan zou vinden.'

'Ik weet het ook niet. En als we het hem per brief vragen, is de helft van de zomer al voorbij voordat we antwoord krijgen. Denkt u dat Peter in dat team zal passen? En dat ze aardig tegen hem zullen zijn?'

'De sjoel van mevrouw Fischer is anders dan die van mij. De jongens zullen er hetzelfde uitzien en dezelfde kleding dragen als Peter. Hij zal als Jood geaccepteerd worden, omdat zijn moeder Joods is. En mevrouw Fischer zal aan de coach uitleggen dat

Peter niet kan praten. Het is beter dat hij met aardige jongens van de jesjiva speelt dan met de ruwe kinderen uit deze buurt.'

'Ja, dat ben ik met u eens. Laten we Peter gewoon vragen wat hij ervan vindt. Wauw, dit is echt heel goed nieuws. De kinderen waren zo teleurgesteld dat ze de hele zomer in het huis van hun oma moesten doorbrengen. En nu is de hond ook nog weggelopen. Ik kan bijna niet wachten om het ze te vertellen!'

'Ik denk dat het ook goed voor Esther is als ze niet zo veel tijd meer heeft voor de jongeman die een oogje op haar heeft.'

'Ik heb geen idee hoe ik met Esther over jongens moet praten, meneer Mendel. Van mijn ouders mocht ik nergens in mijn eentje naartoe en ook geen vriendjes hebben.'

'Helaas kan ik je op dit gebied ook weinig van dienst zijn,' zei hij glimlachend. 'Nog een laatste punt: ik heb Peter beloofd om met hem naar een honkbalwedstrijd te gaan. Eigenlijk was ik van plan om jou ook uit te nodigen, maar bij nader inzien denk ik dat je die dag misschien beter kunt gebruiken door je zus op te zoeken – of je moeder, moet ik eigenlijk zeggen.'

Penny richtte haar blik even op haar knieën en keek hem toen aan. 'Ik ben te bang om haar op te zoeken, meneer Mendel.'

'Wil je liever dat de kinderen en ik met je meegaan?'

'Dat zou ik inderdaad graag willen en ik ben dankbaar voor uw aanbod. Maar ik wil voor geen prijs dat Esther en Peter erachter komen wie mijn echte vader is.'

'Ik weet zeker dat ze niet minder over je zouden denken.'

Penny keek naar haar schoenen en schudde haar hoofd. 'Ik heb geen idee hoe mijn zus zal reageren als ze me ziet. Ik wil niet dat de kinderen zien dat ze de deur in mijn gezicht dichtsmijt. Nee, als ik haar ooit ga opzoeken, denk ik dat ik beter alleen kan gaan. Maar dank u wel voor het aanbod.'

'Ik wil me niet met je leven bemoeien, Penny – maar weet je nog wat je een paar minuten geleden zei, toen we het over de grootouders van de kinderen hadden? Je zei: "Wat voor verschrikkelijks kan er gebeurd zijn om een familie zo te verdelen?"

Volgens mij is het antwoord op die vraag: "niets". Niets mag een wig drijven tussen leden van dezelfde familie. Ik raad je met klem aan om je moeder op te zoeken. Ik denk dat je verbaasd zult zijn over haar reactie. Als je niet gaat, zul je je de rest van je leven afvragen hoe het geweest zou zijn.'

Penny knikte en kwam overeind. Ze streek de kreukels van haar rok glad. 'Ik beloof u dat ik erover na zal denken. En ik zal Esther en Peter het goede nieuws van de muzieklessen en het honkbalteam morgenochtend vertellen.'

Nadat Penny was vertrokken, wist Jacob niet wat hij moest doen. Hij was te opgewonden en rusteloos om een boek te lezen, maar het was te vroeg om naar bed te gaan. Hij zou de slaap onmogelijk kunnen vatten. Daarom zette hij de radio aan om naar het nieuws te luisteren.

'In het oosten hebben de Duitsers in Wit-Rusland over een lengte van ruim vijftienhonderd kilometer enorme verliezen geleden tegen de Russen. De nazi's zijn bijna zevenhonderd kilometer teruggedreven...'

Jacob deed zijn ogen dicht. Het nieuws verraste hem, maar hij durfde niet te veel hoop te hebben. Als de Russen op deze manier doorgingen en de Duitsers nog verder westwaarts zouden drijven, zou Hongarije ook gauw bevrijd worden. Snel zette hij de radio weer uit. Hij wilde geen nieuws horen dat zijn hoop zou uitdoven.

Was Hasjem echt achter de schermen aan het werk om zijn familie te bevrijden?

38

Op de dag dat meneer Mendel met de kinderen naar een honkbalwedstrijd ging, stapte Penny op de bus naar Trenton in New Jersey. Op het allerlaatste moment had ze besloten om onaangekondigd bij Hazel op bezoek te gaan. Penny wist dat ze een risico nam. Misschien was Hazel niet eens thuis. Maar hoe graag ze haar echte moeder ook wilde zien en erachter wilde komen hoe die over haar dacht, toch zou het ook een opluchting zijn Hazel niet thuis aan te treffen. In dat geval zou ze gewoon de bus terug naar Brooklyn nemen.

Terwijl ze in zuidwestelijke richting door de staat New Jersey reisde, via de steden Elizabeth en Rahweh, en met een tussenstop in New Brunswick, Monmouth en Princeton, probeerde Penny te berekenen hoe oud Hazel was. Penny was nu vierentwintig. Als Hazel haar op haar zeventiende had gekregen, dan was ze nu tweeënveertig. Het leek onmogelijk. Dankzij de kerstkaarten die Hazel elk jaar stuurde, wist Penny dat zij en haar man Barry twee zonen hadden. Hoe oud waren die? Uiteraard jonger dan Penny, maar het zouden niet langer de kleine jongetjes zijn die Penny in gedachten had.

Ze keek naar de mensen die bij elke halte in- en uitstapten en zag hen afscheid nemen van hun geliefden of hen begroeten. Meer dan de helft van de passagiers was militair. Ze dacht aan Eddie en Roy en stelde zich voor hoe het zou zijn als ze eindelijk thuiskwamen.

Trillend van de zenuwen kwam ze eindelijk in Trenton aan

en nam een taxi vanaf het station naar het huis van Hazel. Lang voordat ze er klaar voor was om haar moeder te zien, stopte de taxi voor een goed onderhouden, bakstenen bungalow, een in een rij identieke huizen. Met onhandige bewegingen betaalde ze de chauffeur. Toen stapte ze de taxi uit en liep langzaam het pad naar het huis van haar moeder op. Het huis van haar echte moeder.

Het was een warme dag in juli en Penny's jurk was nat van het zweet van de reis in de volle bus. Haar haar kroesde en haar kleren plakten aan haar lichaam. Ze had op het toilet van het busstation haar haar moeten kammen en haar lippen bij moeten stiften. Na al deze jaren zou ze geen goede eerste indruk maken.

Terwijl Penny de trap naar de voordeur op liep, zag ze een vlag met twee sterren in het voorraam hangen. Waren Hazels zonen – Penny's halfbroers – oud genoeg om militair te zijn? Ze kon het zich niet voorstellen.

Ze wist dat er iemand thuis was, omdat de buitendeur openstond en de radio binnen aanstond. Penny voelde zich verlamd van angst. Ze wilde rechtsomkeert maken, maar de taxi was al weggereden. Het was te laat om zich te bedenken.

Ze haalde diep adem en belde aan. Even later stond Hazel in de deuropening. Ze zag er nog bijna hetzelfde uit als op de foto die was genomen toen Hazel twintig was. Over haar werkjurk droeg ze een schort en onder haar hoofddoek kwamen bruine lokken vandaan. Zelfs in haar werkkleren zag Hazel er knap uit.

'Hoi, Hazel. Ik ben het – je zus Penny.'

Hazels ogen werden groot van verbazing. 'Penny! Lieve help! Nee maar... Ben je het echt?' Ze trok de hordeur open en sloeg haar armen om Penny heen. Lange tijd bleven ze zo staan.

Toen Hazel Penny eindelijk losliet, hield ze haar een eindje van zich vandaan en bekeek haar van top tot teen. 'Wat ben ik blij je te zien. Nee maar! Hoe ben je... waarom ben je hiernaartoe gekomen?'

'Vandaag hoefde ik niet te werken en daarom besloot ik je op te zoeken.'

'Kom binnen, kom binnen. Ik was net met de afwas bezig en naar de radio aan het luisteren.' Ze pakte Penny's hand en leidde haar via de piepkleine huiskamer en eetkamer naar de keuken, waar een liedje van Frank Sinatra uit de radio klonk. 'Je had me moeten laten weten dat je zou komen. Mijn huis is een grote bende en ik zie er ook niet uit. Waarom heb je me niet verteld dat je zou komen?'

'Ik weet het niet... ik heb pas op het laatste moment besloten te komen.'

In de ene hoek van de keuken stond een strijkplank met een mand vol wasgoed ernaast. Rondom de gootsteen stond de afwas, die half gedaan was, gestapeld. Er stond een elektrische ventilator aan, maar deze bracht weinig verkoeling in de kamer. Hazel trok de doek van haar hoofd en maakte haar schort los.

'Sorry voor de rommel.'

'Het maakt me niet uit hoe het huis eruitziet,' zei Penny. 'Ik kom voor jou.' Ze bleef maar glimlachen. Hazel had haar zo warm begroet. Penny had haar geen afkeer ingeboezemd of aan de verkrachting herinnerd. Meneer Mendel had gelijk gehad: ze stond inderdaad versteld van de reactie van haar moeder.

'Laten we achter gaan zitten,' zei Hazel. 'Ik denk dat het op de veranda iets koeler is. Wil je iets kouds drinken? Ik heb ijsthee.'

'Ja, graag.'

Maar Hazel maakte geen aanstalten om de thee te gaan halen. In plaats daarvan streek ze Penny teder over haar hoofd. 'Je bent zo knap. Ik kan mijn ogen niet van je afhouden! Ik weet niet wat ik moet zeggen. Ik ben zo benieuwd hoe het met je gaat.'

'Ja.' Penny kon nauwelijks antwoorden van ontroering. Eindelijk wendde Hazel haar blik van Penny af om twee glazen te pakken en een kan ijsthee uit de koelkast te halen. Ze haalde een aluminium bakje met ijsblokjes uit de vriezer en liet er in ieder glas een paar vallen. Penny zag dat Hazels handen trilden.

'Ma heeft verteld dat je kaartjes op het busstation verkoopt.'

Penny schraapte haar keel. 'Dat heb ik vroeger gedaan. Afgelopen herfst vroeg mijn baas me of ik wilde leren om een stadsbus te besturen en dat heb ik gedaan. Nu heb ik mijn eigen busroute. Het wordt heel goed betaald en ik leer allerlei interessante mensen kennen.'

'Mijn kindje… mijn zusje,' mompelde Hazel, terwijl ze even aarzelde tussen de twee woorden. 'Ik ben blij voor je, Penny!'

Ze leidde Penny door de achterdeur naar een kleine, overdekte veranda met twee rieten schommelstoelen. Penny voelde dat haar nek nat van het zweet was, maar ze wist niet of het door de zenuwen of het warme zomerweer kwam. Misschien wel door allebei.

'Ik heb er bewondering voor dat je dit werk aandurft,' zei Hazel, terwijl ze naast Penny ging zitten. 'Ik heb altijd veel traditionelere banen als secretaresse gehad, maar volgens mij ben jij een van die Klinknagel Kaatjes over wie je zo vaak in tijdschriften leest. Vrouwen die mannenwerk doen, zodat de mannen in de oorlog kunnen gaan vechten.'

'Ja, misschien zit daar wat in. Maar vertel me wat meer over jouw leven, Hazel. Ik weet niet eens meer wanneer ik je voor het laatst heb gezien. Het moet zijn geweest toen ik nog te jong was om naar school te gaan.'

'Er valt niet veel te vertellen. Ik ben gewoon huisvrouw. Barry is verkoper. Zijn bedrijf werkt voor de overheid en daarom is hij veel onderweg. Hij komt pas volgende week thuis…' Hazel sprak niet verder en Penny zag dat ze haar tranen met moeite kon bedwingen. 'Sorry… het spijt me… Jou weer te zien, maakt zo veel bij me los. Ik heb er altijd van gedroomd dat we op een dag weer samen zouden zijn, en nu ben je er zomaar. Je bent zo knap.' Ze glimlachte door haar tranen heen.

Penny wilde niet langer doen alsof Hazel haar zus was. 'Ik ken de waarheid,' zei ze, 'over jou en mij.' Zodra ze de woorden had uitgesproken, wilde Penny ze terugnemen. Stel je voor dat Hazel boos zou worden of overstuur zou raken?

Maar Hazel sprong overeind en boog zich over Penny heen en omhelsde haar innig. 'Mijn kindje… mijn lieve meisje. Eindelijk! O, Penny, kun je me ooit vergeven?'

'Wat vergeven? Er valt niets te vergeven. Wat er is gebeurd, is jouw schuld toch niet?'

Hazel hield haar een eindje van zich af en keek haar aan. 'Ik heb je niet in de steek gelaten, Penny. Echt waar. Ik wilde je helemaal niet afstaan! Er is geen dag voorbijgegaan dat ik niet aan je heb gedacht.'

'Ik wilde dat ik eerder achter de waarheid over ons was gekomen,' fluisterde Penny. 'Ik weet het pas sinds kort.' Eindelijk lieten ze elkaar los en Hazel ging weer zitten. Ze veegde haar tranen af en snoot in haar zakdoek.

'Je moet begrijpen dat ik pas zeventien was toen je werd geboren. Natuurlijk waren pa en ma woedend. Ze stuurden me naar een tehuis voor ongehuwde moeders en daar moest ik blijven totdat je geboren was. Daarna verhuisden ze naar het huis waar ze nu nog wonen, zodat de oude buren er nooit achter zouden komen dat ik een baby had gekregen. Ik bleef bij hen wonen en zorgde voor je totdat je tweeënhalf was.'

'Echt waar?'

Hazel knikte. 'Ik verschoonde je, deed je in bad, las je verhaaltjes voor en wiegde je 's avonds in slaap. Ik was erbij toen je je eerste stapjes zette. Toen besloten pa en ma dat ik een secretaresse-opleiding moest gaan volgen. Ze zagen dat we een heel hechte band kregen en dat je mij als je moeder begon te zien. Blijkbaar waren ze bang dat ik je niet meer zou laten gaan. En geloof me, ik wilde je niet laten gaan.'

Ze zweeg even om diep adem te halen en haar tranen te drogen. 'Ik overwoog om met je weg te lopen, maar ik had alle adoptiepapieren al getekend. Officieel was je hun dochter en daar kon ik niets aan veranderen. Ze dwongen me je af te staan, Penny. Volgens hen was het een schande om als alleenstaande vrouw een baby te hebben. Ze zeiden tegen me dat als ik je zou houden, we met de nek zouden worden aangekeken.' Ze pakte Penny's hand alsof ze haar wilde smeken het te begrijpen. 'Ik hield van je en gunde je het allerbeste. Ze overtuigden me ervan dat ik je beter kon laten gaan. Op die manier kon je met twee ouders opgroeien en een normaal leven leiden. Niemand zou ooit achter de waarheid komen. Ze wilden ook dat ik een normaal leven zou leiden zonder de schande van een baby te hoeven dragen. Mij kon dat niet schelen, maar ze zeiden dat de waarheid jou veel pijn zou doen – en ik ging liever dood dan het zover te laten komen.'

'Waarom kwam je me niet opzoeken? Je kwam nooit bij ons langs.'

'Dat wilden ze niet. Ze wisten hoeveel we van elkaar hielden en hoezeer je aan me gehecht was. Ik denk dat ze bang waren dat ik je de waarheid zou vertellen. In de maanden na mijn vertrek miste ik je verschrikkelijk. Ik wilde je weer vasthouden, je glimlach zien en je lach horen. Af en toe stuurden ze me na lang aandringen een paar foto's. Maar ze hielden vol dat dit de beste oplossing voor iedereen was. Ze zeiden dat je gelukkig was en dat ik je rust niet mocht verstoren. Je was toch gelukkig?'

Penny knikte. Over de hele linie gezien had ze een gelukkige jeugd gehad. 'Ze waren niet als andere ouders, maar ik had op zich een goed leven. Ze zeiden altijd dat ik anders was dan andere meisjes, maar ik wist niet waarom. Ik moest veel voorzichtiger zijn dan andere kinderen en werd heel beschermd opgevoed. Ze waren bang om me iets in mijn eentje te laten doen. Maar iedereen dacht dat ik hun dochter was – ook ik, totdat ik mijn geboorteakte nodig had. Toen ben ik erachter gekomen dat ik geadopteerd was.'

'Als ik het over kon doen, zou ik je nooit meer afstaan.'

'Waarom schreef je me niet?'

'Dat deed ik wel! Ik stuurde je brieven en ieder jaar een kaart en cadeautje voor je verjaardag. En een cadeautje met Kerst. Iedere keer dat je een jaar ouder werd, huilde ik, omdat ik je niet zag opgroeien. Heb je mijn cadeautjes dan nooit gekregen?'

'Misschien hebben ze die aan me gegeven, maar ze hebben er nooit bij verteld dat ze van jou waren.' Penny slikte haar boosheid weg over zo veel onrecht. 'Waarom hebben ze ons dit aangedaan?'

'Ze dachten dat het voor onze eigen bestwil was.'

'Nou, dat hebben ze dan verkeerd gedacht! Ik wilde dat ik hier bij jou kon blijven wonen.'

'Dat zou ik ook willen. Maar ik heb een man en twee zonen. Die weten van niets.'

'O, ik neem het je niet kwalijk dat je je voor me schaamt.'

Hazel pakte Penny's hand steviger vast en kneep erin. 'Nooit! Nooit heb ik me voor je geschaamd. Maar ik heb mijn man niet verteld dat ik een dochter heb en ik weet niet hoe hij zal reageren. Ik moet er eerst met hem over praten. Ik kan hem niet zomaar voor het blok zetten. Maar het is zo goed dat je nu weer deel bent van mijn leven, Penny!'

'Ik dacht dat je me misschien zou haten, omdat ik je zou herinneren aan… aan wat mijn echte vader je heeft aangedaan.'

Voor het eerst wendde Hazel haar blik af en Penny had er onmiddellijk spijt van het onderwerp aangesneden te hebben. Ze wenste dat ze haar woorden kon terugnemen. Toen Hazel haar eindelijk weer aankeek, leek ze zich te schamen. 'Het spijt me, Penny. Wat ik hun over je vader heb verteld, is niet waar. Ik loog, omdat ik me zo schuldig voelde. Ik hield van je vader. Of dat dacht ik tenminste.'

'Je bent dus niet verkracht?'

Hazel schudde haar hoofd. 'Als je eenmaal begint te liegen, is het hek van de dam en maakt dit alles alleen maar erger. Ik verzon dat verhaal, omdat ik me schaamde voor de waarheid. Ze wisten niet dat ik een vriendje had – en ze waren zo streng! Ik schaamde me ervoor dat ik Mark zijn gang had laten gaan en toen ik erachter kwam dat ik zwanger was, vertelde ik hun dus dat ik verkracht was. Het spijt me verschrikkelijk.'

Penny leunde verbijsterd achterover in haar stoel. Deze leugen had grote gevolgen voor haar gehad. Hij had ertoe geleid dat haar ouders haar op deze manier hadden behandeld en haar zo beschermd hadden opgevoed, en dat ze nooit echt van haar hadden gehouden. Maar nu was ze tenminste bevrijd van de leugen. 'Het geeft niet,' zei ze. 'Nu ken ik de waarheid tenminste.'

'Neem het pa en ma niet kwalijk. Het was niet hun schuld. Ik was een dwarse tiener en haalde me veel problemen op de hals. Zij probeerden zo goed en zo kwaad het ging mijn fouten op te lossen'

'Wie is mijn echte vader? Je zei dat hij Mark heet?'

Hazel glimlachte verdrietig. 'Ik kende hem van de middelbare school. Ik dacht dat ik van hem hield en hij van mij. Het is vreemd hoe je ideeën over liefde veranderen als je eindelijk oud genoeg bent om te begrijpen wat liefde echt is. Toen hij erachter kwam dat ik zwanger was, liet hij me zitten, maar ik kan het hem niet echt kwalijk nemen. Hij kwam uit een goede familie en hoopte naar de militaire academie van West Point te gaan. Waarschijnlijk is hij inmiddels generaal. Hij was altijd heel intelligent. Maar we waren allebei jong en lieten ons gaan.'

'Hij wist dus van mijn bestaan?'

'Hij wist dat ik zwanger was, maar niet hoe het ons verder is vergaan. Na mijn secretaresseopleiding kreeg ik een goede baan op kantoor en ontmoette ik mijn man Barry. Ik heb spijt van de fouten die ik heb gemaakt, maar ik heb nooit spijt van jou gehad. Je hebt dezelfde lach als Mark – dat kuiltje in je ene wang als je glimlacht.'

'Kunnen we mijn vader opsporen? Ik wil weten wat er met hem is gebeurd.'

'Laat het verleden rusten, Penny. Waarom zou je na zo'n lange tijd iemands leven nog op zijn kop zetten? Hij is waarschijnlijk ook getrouwd.'

'Toch zou ik graag meer over hem te weten komen. Ik beloof je dat ik niet plotseling bij hem op de stoep zal staan of hem zal schrijven.'

'Ik moet erover nadenken.' Hazel pakte haar glas met ijsthee en nam een slok, waarna ze het beslagen glas weer neerzette. 'Je bent zo knap, Penny. Ik kan mijn ogen niet van je afhouden.'

De tranen sprongen Penny in de ogen. Voor de eerste keer in haar leven keek iemand haar vol liefde aan, zoals ze altijd had gewenst dat haar moeder haar zou aankijken.

En voorlopig was dit genoeg. Meer dan genoeg.

39

Op deze benauwde zomermiddag voelde Esther zich zo plakkerig en vochtig als een gesmolten ijsje. Terwijl Peter en zij naar de bushalte liepen, wist ze dat het nog warmer in oma Shaffers benauwde en overvolle huis zou zijn. Ze deed de ramen nooit open en had maar één kleine ventilator om de warme lucht te circuleren.

'Oma, we zijn er,' riep Esther, terwijl ze de hordeur aan de achterkant van het huis opendeed.

'Ik ben hier.' Oma zat in haar stoel in de woonkamer en wuifde zichzelf koelte toe met een Chinese papieren waaier. Ze had haar schoenen uitgetrokken en liet haar voeten op een krukje rusten. Haar bleke enkels leken wel meloenen. 'Daar zijn jullie eindelijk,' zei ze toen ze Esther en Peter zag. 'Ik begon me al zorgen te maken. Op de radio was de honkbalwedstrijd al een uur geleden afgelopen.'

'Het stadion zat bomvol, oma, en het duurde heel lang voordat het leeg was gestroomd. Maar toen we eenmaal buiten waren, konden we meteen op de bus hiernaartoe stappen, zoals Penny al had gezegd. Alles is goed gegaan.'

Eigenlijk was het beter dan goed gegaan. Esther had Peter in lange tijd niet zo gelukkig gezien, terwijl hij met meneer Mendel op de tribune naar de wedstrijd van zijn geliefde Dodgers had gekeken. Hij zag er nog steeds gelukkig uit. Zijn wangen en neus hadden sproeten van de zon gekregen. Esther wilde dat ze met meneer Mendel naar hun eigen appartement waren teruggegaan, zodat Peter er niet aan herinnerd zou worden dat de hond van oma nog steeds werd vermist. Misschien zou hij dan iets langer gelukkig blijven. Maar Penny was vandaag in New Jersey en zou pas vanavond laat thuiskomen. Daarom moesten ze hier vannacht blijven logeren.

'Och heden, kijk jullie toch eens!' zei oma. 'Jullie hebben te lang in de zon gezeten. Smeer gauw wat hamameliszalf op jullie gezicht om de huid af te koelen.'

Esthers armen en gezicht voelden heel warm aan, maar dat kon haar niet schelen. 'De Dodgers hebben met zes-nul gewonnen, oma. Ze hebben zelfs een homerun gescoord met twee lopers op een honk.'

'Hebben jullie al iets gegeten? Hebben jullie trek?'

'Meneer Mendel heeft geroosterde pinda's voor ons gekocht. En hotdogs.'

'Die Joodse meneer? Had Penny jullie geen geld gegeven om iets te kopen?'

'Hij wilde ons trakteren, ook al kon hij zelf niets eten.'

'Als jullie trek hebben, kan ik iets voor jullie klaarmaken. Ik kan haast geen stap verzetten in deze hitte.'

Peter tikte oma op haar schouder, wees naar de achtertuin en maakte een gietend gebaar. 'Hij wil weten of u zijn tuin in de gaten hebt gehouden, oma. Denkt u dat de planten water nodig hebben?'

'Ik heb de vader van Penny met een gieter in de tuin gezien. Hij is er zo mee in de weer dat je bijna zou denken dat het zijn eigen planten zijn. Als jullie er niet zijn, komt hij drie of vier keer per dag langs om te zien hoe het met de planten gaat.' Maar toch verdween Peter door de achterdeur om bij zijn moestuin te gaan kijken.

Oma hield op zichzelf koelte toe te wuiven en zuchtte. Haar gezicht was zo roze als een pioenroos. 'Zal Penny op tijd terug zijn om maandag weer aan het werk te gaan?'

'Ze zei van wel.' Esther vond een stuk karton boven op een van de stapels en gebruikte het om zichzelf koelte toe te wuiven. Ze zorgde ervoor dat het flauwe zuchtje wind haar oma ook bereikte. 'Gaat u volgende week ook weer met ons mee naar de kerk, oma?' Die ochtend was ze in plaats van Penny met de kinderen meegegaan en Esther dacht dat het haar goed had gedaan. Sinds ze het verhaal van koningin Esther met meneer Mendel had gelezen, ging Esther weer graag naar de kerk. Als de juffrouw van de zondagsschool en de dominee nu baden voor alle mannen die in de oorlog vochten, kon ze zich beter voorstellen hoe God achter de schermen werkte.

'We zullen zien. Het hangt ervan af of mijn enkels zo gezwollen blijven.'

Esther sprong van de armleuning af waarop ze had gezeten. Ze was te opgewonden om te blijven zitten. 'Ik heb maandag pianoles en kijk er zo naar uit! Penny heeft me al uitgelegd welke bus ik naar de muziekschool moet nemen. Ik ga er na het ontbijt direct naar toe, maar ben weer terug voor het middageten.'

De eerste keer dat ze de trap van het conservatorium op was gelopen, was ze zo bang geweest. De prachtige, oude villa leek op iets uit een Hollywoodfilm. Maar toen ze eenmaal binnen was en uit alle kamers prachtige klanken hoorde komen die het hele gebouw vulden, had Esther zich onmiddellijk thuis gevoeld.

'Weet je zeker dat je vader het goedvindt dat je in je eentje door Brooklyn reist?'

'Ik ben dertien, oma. Bovendien kent Penny alle buschauffeurs. Ze hebben beloofd op Peter en mij te letten. En meneer Mendel kent een honkbalteam waar Peter lid van kan worden. Penny gaat een keer met hem mee en dan kan hij zien of hij het leuk vindt. Zo heeft hij iets te doen als ik pianoles heb.'

'En wie betaalt dit allemaal? Dat zou ik wel eens willen weten.'

'Ik weet het niet,' zei Esther, terwijl ze haar schouders ophaalde, hoewel ze bijna zeker wist dat het meneer Mendel was, maar hij had het ontkend. Het deed er niet toe. Ze had haar eerste pianoles gehad en ervan genoten.

Peter was nog steeds niet enthousiast om bij een honkbalteam te gaan en had in eerste instantie geweigerd, maar meneer Mendel had hem over weten te halen. '*Doe gewoon een keer mee, Peter. Als je het niet leuk vindt, stop je ermee. Maar wie weet? Misschien valt het mee.*' Peter zou die woensdag voor de eerste keer meespelen.

Esther herinnerde zich hoe erg ze tegen deze zomer had opgezien, maar misschien zou het uiteindelijk toch wel meevallen, zelfs al had ze weinig tijd voor Jacky. Het enige vervelende was dat Woofer was weggelopen. Iedere keer dat Peter in de keuken langs het lege voerbakje liep, leek hij wel honderd jaar oud. Esther wilde dat oma het bakje weg zou halen, zodat ze er niet continu aan herinnerd zouden worden dat Woofer verdwenen was. Penny was de enige die de hoop niet wilde opgeven. Iedere middag als ze hen uit haar werk kwam ophalen, liep ze een rondje door de buurt en riep Woofer. Ze hadden posters gemaakt en ze aan alle buurtbewoners gegeven. Tot nu toe had niemand Woofer gezien. Goede en slechte dingen leken altijd tegelijkertijd te gebeuren.

Opnieuw dacht Esther aan haar pianolessen en ze raapte haar moed bijeen om iets heel belangrijks te vragen. Ze wuifde haar oma nog iets meer koelte toe met het stuk karton om de witte slierten haar te drogen die tegen haar voorhoofd zaten geplakt.

'Eh… oma? Deze zomer moet ik overdag op de piano oefenen en omdat ik hier ben en niet thuis… heeft Penny haar ouders gevraagd of we hun piano mogen lenen. Ze zegt dat die toch alleen maar stof staat te verzamelen in hun woonkamer. Jaren geleden hebben ze die voor Penny's zus Hazel gekocht.'

Oma fronste haar wenkbrauwen even, alsof ze niet begreep wat Esther wilde zeggen. 'Ik mag op hun piano oefenen, maar ze willen niet dat ik bij hen thuis speel en hun rust verstoor. Mogen we de piano alstublieft naar dit huis brengen? Peter en ik zullen u helpen er ruimte voor te maken. Mag het alstublieft?'

'Een piano? In mijn huis? Waar moeten we dat ding in vredesnaam neerzetten?'

'Ik zal samen met u kijken wat er in de dozen zit en dan kunnen we beslissen of u die spullen echt nodig hebt.'

'Natuurlijk heb ik alles nodig.'

Esther zag de angst in de ogen van haar oma en besefte dat het opruimen van de dozen zelf het probleem niet zou zijn. Het zou veel meer tijd kosten om haar oma over te halen om na al die jaren afstand te doen van haar spullen, ook al bestonden die voor meer dan de helft uit oude kranten. Toen Esther aan haar eigen obsessie met kranten dacht, vertrok haar gezicht. Voordat de pianolessen aan het conservatorium haar aandacht begonnen op te eisen, had ze drie grote plakboeken met knipsels over de oorlog gevuld.

'We hoeven maar een paar spullen weg te gooien, oma, om een piano neer te kunnen zetten. Het is een kleine, rechtopstaande piano.' Ze hield op met zichzelf en haar oma koelte toe te wuiven en liep naar de stapel die het dichtst bij de stoel van haar oma stond. 'We kunnen met deze oude kranten beginnen. Die hebt u toch al uit? Ze zijn geel van ouderdom en minstens vijf jaar oud, als ik naar de datum kijk.'

'Die heb ik nodig. Ik leg ze altijd op de bodem van de vogelkooi.'

Esther keek naar de hoge stapel kranten en toen naar de vogelkooi. Oma had genoeg kranten bewaard om de arme vogel onder een twee meter hoge stapel te bedelven. Maar Esther lachte niet. Ze had medelijden met haar oma en wilde haar helpen, of ze nu wel of geen ruimte voor haar piano nodig zou hebben gehad. Ze sloeg haar arm om haar oma's klamme schouder heen.

'U krijgt toch iedere week een krant? Als ik nu eens genoeg bladzijden bewaar om het papier op de bodem van de kooi een week lang te verversen? Dan kan ik de rest doneren. Ze hebben kranten heel hard nodig, wist u dat?'

'Is dat zo?'

'Ja, alle spullen die ze nodig hebben worden zelfs speciaal opgehaald: oud ijzer, blikken, rubber. Als u wat van uw spullen zou doneren, zou u ons helpen om de oorlog te winnen.'

'Ik zou niet weten hoe ik dat moest doen.'

'Het is heel simpel. Op het busstation waar Penny werkt, is een plek waar je die spullen naartoe kunt brengen. Zij kan ons misschien helpen de kranten ernaartoe te brengen.'

Er verscheen een dikke rimpel op het voorhoofd van haar oma, alsof ze heel hard moest nadenken. 'Nou ja, als ze die spullen echt nodig hebben…'

Esther boog zich voorover om haar te omhelzen. Misschien was ze niet zoals andere oma's, maar Esther hield van haar, met of zonder troep. 'Bedankt oma. Ik kan meteen beginnen u te helpen, omdat ik toch niets anders te doen heb.'

Een paar minuten later kwam Peter binnen. Hij hielp Esther om een touwtje om de kranten en tijdschriften te binden, zodat ze die naar het inzamelpunt konden brengen. Toen ze een doos met oude schoolschriften, huiswerkopgaven en rapporten van hun vader en ooms vonden, haalde Esther haar oma over om verhalen over haar vader te vertellen toen hij nog een jongen was. Terwijl oma over oom Joe vertelde, schoten de tranen in haar ogen, maar Esther wist dat het goed was om over hem te praten. Lange tijd was ze bang geweest dat haar moeder zou worden vergeten als niemand meer over haar zou durven praten.

Later vonden ze twee dozen met allerlei losse stukken karton. Ze leken jaren oud. 'Hebt u deze nog nodig, oma?' Ze zorgde ervoor dat ze de vraag voorzichtig stelde.

'Eh, misschien. Ik moet erover nadenken.' Het zou een langzaam proces zijn en Esther zou veel geduld moeten hebben. Ze kon niet verwachten dat haar oma van de ene op de andere dag veranderde.

Toen het bedtijd was, hadden ze een heel kleine ruimte vrijgemaakt. Het zou amper genoeg zijn voor een pianokruk, maar het was een begin. Uiteindelijk zou er genoeg ruimte zijn voor een piano. Oma zette de radio uit en legde een doek over de kooi, zodat de vogel op zou houden met tjilpen. Ze wenste de kinderen een goede nacht en trok zich met de ventilator in haar slaapkamer terug. Esther en Peter lagen in hun geïmproviseerde bedden. Het was stil in huis.

Esther sliep bijna, toen ze een geluid bij de voordeur meende te horen. Ze ging rechtop zitten. 'Peter? Hoorde je dat? Luister…' Daar was het weer, een schurend geluid bij de voordeur. Toen hoorde ze iets wat ze duidelijk herkende: het geblaf van een hond.

Peter hoorde het ook. Hij klauterde uit bed, rende naar de voordeur en trok die met een ruk open. Woofer vloog naar binnen en kwispelde zo hard met haar staart dat ze nauwelijks op haar poten kon blijven staan. Esther kon haar ogen niet geloven.

'Waar heb je al die tijd gezeten, stoute hond? Oma! Oma, kom gauw!' riep ze. 'Woofer is thuis! Ze is weer terug!'

Oma schuifelde in haar nachtpon de woonkamer binnen. Haar haar stak alle kanten uit en ze zag er verward en onzeker uit zonder bril. 'Wat is er gebeurd?' Toen kreeg ze de hond in de gaten en verscheen er een glimlach op haar gezicht – een echte glimlach. Het was de eerste keer dat Esther haar zag glimlachen na oom Joe's overlijden. 'Nee maar, ik kan mijn ogen niet geloven.'

Peter was buiten zichzelf van blijdschap. Esther zag hoe hij over de grond rolde en zich door Woofer liet aflikken. De terugkeer van de hond was een klein, maar hoopvol teken voor Esther, zoals de chanoekakaarsen of de kerstboom voor het raam. Woofer was veilig en wel thuisgekomen. En misschien zouden haar vader, oom Steve, Penny's vriend Roy en de familie van meneer Mendel ook snel weer thuiskomen.

40

Boedapest, Hongarije

Lieve vader en moeder Mendel,
Vanaf het spoorwegemplacement volgden we de auto van de Zweedse diplomaat naar een 'veilig huis' in Boedapest. Er zijn in Boedapest meer dan dertig van dit soort huizen met de blauw-gele Zweedse vlag aan de voorkant. Ze zijn verklaard tot een zone waar de nazi's geen toegang toe hebben en worden door het internationale recht beschermd. Er woonden al duizenden Joden in dit beschermde district, maar toen ik er samen met de andere vluchtelingen uit de deportatietrein aankwam, maakten ze snel plaats voor ons. Ze deelden hun eten met ons en gaven melk aan Fredeleh en de kleine Yankel. Hij blijft maar om zijn moeder huilen – en als ik alleen ben, huil ik ook om mijn moeder.
Ik ben erachter gekomen dat de man die ons gered heeft een jonge Zweedse diplomaat met de naam Raoul Wallenberg is. De enige reden dat hij naar Hongarije is gekomen is om zo veel mogelijk Joden te redden. Eerst ving hij Joden op in een speciaal gedeelte van de Zweedse ambassade, maar nadat er meer dan zevenhonderd Joden hun toevlucht hadden gezocht, begon hij veilige huizen te huren en verklaarde ze tot Zweeds grondgebied. Ook koopt hij voedsel en medicijnen voor ons met fondsen uit Amerika. Hij zei dat de Joden in Amerika geld voor ons inzamelen en dat de Verenigde Staten het, via neutrale staten zoals Zweden, naar ons toesturen.
Meneer Wallenberg weet dat de nazi's respect hebben voor officiële papieren en identiteitsbewijzen en daarom ontwierp hij de Zweedse identiteitspapieren die zijn mensen ons in de treinen gaven. Hij bluft

met allerlei zegels, stempels en handtekeningen en beweert dat degenen van ons die deze papieren hebben Zweedse staatsburgers zijn. Op deze manier heeft hij talloze levens gered. Zijn personeel werkt dag en nacht om deze documenten te drukken en te verspreiden. Ik heb gehoord dat meneer Wallenberg zelf nooit slaapt. Overal in Boedapest duikt hij op – zoals op het spoorwegemplacement – en hij stelt alles in het werk om Joden te redden. In een stad die geplaagd wordt door tekorten, slaagt hij er op de een of andere manier in om eten en medicijnen te vinden. Samen met de Zwitserse ambassade en het Zweedse Rode Kruis heeft hij gaarkeukens en klinieken opgezet, omdat Joden de toegang is ontzegd tot ziekenhuizen. Toen de vrouw van een van Wallenbergs Joodse medewerkers op het punt stond te bevallen, bracht hij haar naar zijn eigen appartement en liet een arts komen om haar tijdens de bevalling bij te staan.

Niemand weet hoelang onze Zweedse vrienden de nazi's nog op deze manier voor de gek kunnen houden en daarom wist ik dat het tijd was om Fredeleh naar het christelijke weeshuis te brengen. Mijn moeder had me laten gaan, zodat ik kon overleven en Dina Weisner had haar kleine Yankel ook om die reden achtergelaten. Nu was het mijn beurt om afscheid te nemen van mijn dochter, zodat zij kon overleven.

Voordat ik tijd had om van gedachten te veranderen, vroeg ik een van de mannen van de Zweedse ambassade om met mij, Fredeleh en baby Yankel naar het klooster te gaan. De Zweed stemde toe en deed net alsof hij mijn man was. Telkens als we door soldaten werden aangehouden, liet hij zijn identiteitskaart zien. Het was de langste reis van mijn leven.

De deur werd geopend door een oudere christelijke vrouw die de overste van het katholieke klooster bleek te zijn. Ik vertelde haar over de deportatietrein. 'Mijn man zei dat u bereid was mijn dochter hier te verbergen. Kunt u Fredeleh hier alstublieft onderbrengen? En deze baby ook? De nazi's hebben zijn moeder gedeporteerd.'

Ik gaf Fredelehs papieren en uw adres in Amerika aan de christenen. Ook vertelde ik hun Yankels naam en die van zijn moeder. Toen *omhelsde ik Fredeleh en kuste haar. Ze klampte zich aan me vast en huilde: 'Mama! Mama!' Ze wilde me niet laten gaan, maar ik duwde haar van me af, hoewel het indruiste tegen mijn gevoel. Ik wist hoe ze zich voelde en dat ze me niet wilde laten gaan. Ik wist ook wat mijn eigen moeder had gevoeld en hoe ze het leven van haar eigen dochter had willen redden. En daarom duwde ik Fredeleh van me af en keerde haar de rug toe, net zoals mijn eigen moeder had gedaan.*

Ik weet niet waarom ik nog leef, terwijl zo veel anderen het niet hebben gered. Hier in het Zweedse veilige huis stellen we ons iedere dag die vraag. Hoe kan het dat wij er nog zijn, terwijl alle anderen met de trein zijn weggevoerd?

Vandaag hebben we gehoord dat de deportaties voorlopig zijn stilgelegd. De nazi's hebben de treinen nodig om soldaten naar het front te vervoeren, nu het Russische leger steeds dichterbij komt.

Ik leef bij de dag en probeer niet aan het verleden of de toekomst te denken. Ik heb geen idee wat er met Avraham is gebeurd en of ik hem ooit zal weerzien.

Maar zo Hasjem wil, zal Fredeleh overleven. En daar ben ik dankbaar voor.

Liefs van uw schoondochter Sarah Rivkah

41

Augustus 1944

Op een hete middag in augustus juichte Penny op de onover-
dekte tribune toen Peters honkbalteam een speler van het andere team uittikte. Peter had het punt niet gescoord – tot nu
toe had hij de bal heel weinig in handen gehad. Maar zijn team
stond voor met 7-3.

Zachtjes stootte ze Esther aan, die naast haar zat. 'Hij staat er
een beetje verloren bij, hè?'

'Hij bewaakt de linkerkant van het veld. Daar moet hij blijven
staan voor het geval het andere team een hoge bal slaat.' Esther
had het met een glimlach gezegd en Penny besefte hoeveel er
was veranderd sinds ze bijna een jaar geleden op Esther en Peter
was gaan passen. In de eerste maanden na Eddies vertrek had
Esther amper een woord tegen haar gezegd. Nu zaten ze naast
elkaar en voelden zich op hun gemak in elkaars gezelschap.

'Ik hoop dat Peter ermee ophoudt naar de wolken te staren,'
zei Penny, terwijl ze hem observeerde, 'want anders zal hij de
hoge ballen zeker missen.'

'Maar hij is in ieder geval gelukkig,' zei Esther. 'Ik ben zo blij
dat meneer Mendel hem heeft overgehaald om mee te doen.'

'Ik ook.' En ze was blij dat hij zich niet langer op zijn kamer
in de fantasiewereld van zijn stripboeken opsloot.

'Meneer Mendel betaalt er toch voor?' vroeg Esther. 'En hij
betaalt ook voor mijn pianolessen aan het conservatorium. Hij
wil het niet toegeven, maar ik weet dat hij het doet.'

Penny haalde haar schouders op. Ze had een hekel aan geheimen en wilde Esther het liefst vertellen dat haar oma alles had geregeld. Geheimen hadden zo veel schade in Penny's eigen familie toegebracht. 'Meneer Mendel houdt veel van jullie,' zei ze alleen maar.

'Dat weet ik. Wij houden ook van hem.'

Penny keek naar de andere families in de menigte. Sommige mannen droegen baarden en keppeltjes zoals meneer Mendel. Onwillekeurig moest ze glimlachen om zichzelf. Ze zat met Joodse mensen bij een Joodse school naar een honkbalwedstrijd te kijken. Haar ouders zouden in alle staten zijn als ze het wisten. Maar Peter was deze zomer helemaal opgebloeid. Hij was geen mager, spichtig jongetje meer, maar was sterker geworden en had een gezonde kleur gekregen van de zon, de frisse lucht en de lichaamsbeweging. Maar het belangrijkste was dat hij gelukkig was. Misschien zou hij een dezer dagen zelfs weer gaan praten.

'Denk je dat meneer Mendel zijn zoon Avraham en zijn gezin ooit zal terugzien?' vroeg Esther plotseling. Penny wist niet wat ze moest antwoorden. 'Vertel me de waarheid,' voegde Esther eraan toe.

Penny zuchtte. 'Ik wilde dat ik het antwoord wist op die vraag. We mogen de hoop niet verliezen, denk ik… en we moeten blijven bidden. Zoals meneer Mendel altijd zegt: we moeten op God vertrouwen, zelfs als dingen anders gaan dan we willen.'

'Je denkt dus dat ze dood zijn? Zoals mama, mevrouw Mendel en oom Joe?'

Penny had de berichten over de kampen in de kranten gelezen. Ze had maar heel weinig hoop voor de familie van meneer Mendel. En na zo veel vergaderingen bijgewoond te hebben met regeringsfunctionarissen, was meneer Mendel ongetwijfeld nog beter op de hoogte van hun overlevingskansen. Ze wist niet wat ze Esther moest antwoorden. 'Weet je nog hoe we de hoop hadden opgegeven dat we Woofer ooit weer zouden zien? Maar toch is ze weer veilig en wel thuisgekomen.'

Esther keek haar aan en knikte glimlachend.

Het team van Peter won de wedstrijd met twee runs. Met een verhit, bezweet en opgewonden gezicht sloeg hij zijn teamgenoten op de rug. 'Goed gespeeld, Peter,' zei de coach. Peter moest zich wassen en andere kleren aantrekken, maar Penny wilde niet direct naar het appartement gaan. 'Eerst gaan we naar het huis van jullie oma,' zei Penny tegen hen. 'En ik moet even bij mijn ouders gaan kijken. En ook bij je oma. Ze hebben het zwaar te verduren in deze hitte.'

'Kunnen we onderweg een krant kopen?' vroeg Esther.

Penny aarzelde. Nu Esther in beslag genomen werd door haar pianolessen, leek ze minder dwangmatig met het nieuws bezig te zijn. Maar over de hele wereld werd nog steeds hard gevochten en Penny was altijd bang voor een nieuwe ramp. 'Ja, dat is goed,' zei ze ten slotte.

Ze kochten een krant in een buurtwinkel en verdeelden die in drieën, zodat ze op de terugweg in de bus ieder een deel konden lezen. Peter wilde natuurlijk de sportbijlage. Penny las de voorpagina en miste bijna de halte waar ze moesten uitstappen, omdat ze zo in beslag werd genomen door het nieuws dat de geallieerden Parijs hadden ingenomen. Ze las ieder artikel en bestudeerde elke foto, terwijl ze zich Eddie als acteur in het drama voorstelde. Ze deed hetzelfde toen ze een artikel over de mariniers in de Stille Zuidzee las en zag Roy en zijn kameraden in gedachten dapper vechten. In de slag om Saipan waren 25.000 Japanse soldaten gesneuveld. Een onvoorstelbaar aantal voor Penny. Ze vouwde de krant op en stapte de bus uit. Terwijl ze naar het huis van oma Shaffer liepen, dacht ze na over meneer Mendels familie en Esthers vraag.

Zodra Peter de achterdeur opende, stormde Woofer op hem af om hem te begroeten. Penny glimlachte. 'Ik denk dat je Woofer te veel te eten geeft,' zei ze. 'Kijk eens hoe dik ze wordt. Ze waggelt als een pinguïn.'

Penny stapte naar binnen om te zien of mevrouw Shaffer iets

nodig had en ging toen bij haar ouders langs. Zodra ze binnenkwam, begon haar moeder op haar te foeteren.

'Moet je je gezicht eens zien! Je bent vandaag veel te lang in de zon geweest. Waarom draag je geen hoed? Dat zou je vader ook moeten doen. Iedere dag is hij in de hete zon met die belachelijke tuin bezig – ook weer zo'n prachtidee van jou!'

Penny liep naar het keukenraam en zag haar vader buiten aan het werk. 'Hij ziet er tevreden uit, ma.' De tuin bleek een groot succes te zijn. Peters planten waren net zo opgebloeid als Esther en hij deze zomer.

'En al die tomaten,' mopperde haar moeder. 'Ik weet niet wat we ermee moeten doen.'

'Ik zal er een aantal naar mijn werk meenemen. De andere chauffeurs hebben genoten van de vorige lading die ik naar het station heb meegenomen. Wilt u vanavond salade eten? Ik kan alles voor u snijden.'

'Ja, iemand zal al die groenten moeten opeten.'

Penny pakte een snijplank en mes en ging aan de slag. Een jaar geleden had ze niet begrepen waarom haar moeder zo bitter was en waarom ze zich als een kluizenaar in haar huis had opgesloten, alsof ze doodsbang was voor vreemde mensen. Maar de geheimen die jarenlang onder de oppervlakte lagen verborgen waren als aardappelen opgegraven. Penny had meer begrip voor haar ouders gekregen.

Ze hadden met geen woord meer over Hazel gesproken. Ze wisten ook niet dat Penny haar had opgezocht en dat Hazel helemaal niet was verkracht. Misschien zou dit geheim ooit aan het licht komen, maar voorlopig had Penny vrede met de situatie. Hazel en zij schreven elkaar nu regelmatig en wisselden nieuwtjes uit. Maar Hazel stuurde de brieven altijd naar het appartement van Eddie om verdere discussies te vermijden.

Penny zag haar ouders in een ander licht. Ze zou hen blijven helpen en vriendelijk tegen hen zijn, maar ze ging niet langer gebukt onder schuldgevoel. Ze had zich bevrijd van alle vooroordelen die zij koesterden: ze was buschauffeur en praatte met vreemden – en Joden. Opnieuw glimlachte Penny toen ze terugdacht aan de tribune waarop ze tijdens Peters honkbalwedstrijd had gezeten.

'Wat is zo grappig aan het snijden van tomaten?' vroeg haar moeder.

'Niets. Ik moest gewoon ergens aan denken.'

Haar ouders hadden haar zo goed als ze konden opgevoed. Het viel niet mee om kinderen groot te brengen – daar was Penny met Esther en Peter wel achtergekomen. Ze had er geen idee van gehad waar ze een jaar geleden aan begonnen was, toen ze Eddie in haar naïviteit had aangeboden om voor zijn kinderen te zorgen. In haar eentje had ze het nooit gered. Meneer Mendel, oma Shaffer en zelfs haar eigen vader hadden allemaal meegeholpen. Opnieuw moest Penny glimlachen toen ze bedacht hoe God altijd achter de schermen aan het werk was.

Met een knal werd de hordeur van mevrouw Shaffer dichtgetrokken, zodat Penny in haar overpeinzingen werd opgeschrikt. Haar moeder klakte met haar tong. 'Ik wilde dat die kinderen die deur niet zo hard dichtgooiden. Ze luisteren ook nooit.'

Even later bonkte Esther op de keukendeur. 'Penny, kom gauw! Er is iets met Woofer aan de hand. Ik denk dat ze doodgaat!'

Penny liet het mes vallen en veegde haar handen aan haar schort af. Haar vader kwam met twee groene paprika's in zijn handen achter Esther de veranda op. 'Wat is er gebeurd?' vroeg hij, voordat Penny de kans had het te vragen.

'Woofer ligt op de keukenvloer te hijgen! Ze kan niet overeind komen.'

'Ze heeft het waarschijnlijk een beetje te warm,' zei Penny's vader. 'Honden hijgen als ze het warm hebben.'

'Nee, er is echt iets met haar aan de hand. Ik weet het zeker! Ze jankt er ook bij.'

Penny wist niet wat ze moest doen. De kinderen verdienden

het niet om met nog meer verdriet in hun leven te maken te krijgen, vooral niet nu ze eindelijk een beetje gelukkig waren. 'Wilt u even komen kijken, pa?' vroeg ze.

'Ik heb geen verstand van honden.' Maar toch legde hij de paprika's neer en liep achter hen aan naar mevrouw Shaffers keuken. Woofer lag in de hoek op een van mevrouw Shaffers oude kleden. Als een lange, roze sok gleed haar tong van de ene kant van haar bek naar de andere en haar flanken bewogen als een blaasbalg op en neer. Het leek inderdaad wel alsof ze doodging. Penny knielde bij de hond neer en aaide over haar kop.

'Wat is er met haar aan de hand?' vroeg Esther. 'Moeten we de dierenarts bellen?'

Penny keek haar vader vragend aan en zag dat zijn schouders begonnen te schokken. Hij legde zijn hand over zijn mond om zich in te houden, maar hij begon steeds harder te lachen, totdat hij het uitbulderde. Penny kon zich niet herinneren hem ooit zo hard te hebben horen lachen. 'Pa! Waarom lacht u zo?'

Hij veegde zijn oog met de muis van zijn hand droog en grijnsde. 'Er is helemaal niets aan de hand met die hond. Ze staat op het punt om te bevallen!'

En tot ieders verbazing gebeurde dat inderdaad: ze bracht vier prachtige, glimmende en kronkelende puppy's ter wereld.

42

Jacob zette de radio uit, omdat hij de moed niet had om verder
te luisteren. Hij keek uit het voorraam en staarde naar de bomen
die langs de weg stonden. De zomer was voorbij en de kinderen
zaten weer op school. Aan de bomen zag je de wisseling van
de seizoenen. Vandaag deden de feloranje en dieprode bladeren
Jacob aan vlammen denken. Vlammen die uit de Amerikaanse
schepen op de Stille Zuidzee omhoogschoten, nadat Japanse ka-
mikazepiloten erop in waren gevlogen. Rook en vlammen die
uit de Duitse dodenkampen opstegen.

Er was een jaar verstreken sinds de sjoel aan de overkant was
afgebrand, een jaar sinds Ed Shaffer was vertrokken. En meer
dan twee jaar sinds Miriam Shoshanna was omgekomen. De
sjoel was volledig herbouwd. Binnenkort zouden de diensten
voor Jom Kipoer er plaatsvinden. Hoe kon de tijd zo snel voor-
bijgaan en tegelijkertijd stil lijken te staan?

Jacob wierp een blik op de klok. Weldra zouden de kinderen
uit school komen. En inderdaad, even later zag hij Peter met
gebogen hoofd en zijn handen in zijn zakken de straat in komen
lopen. Hij rende de trap van de veranda op, opende de voordeur en vloog naar binnen. Waarom had hij zo'n haast? Toen
hij Esther even later met de buurjongen aan zag komen lopen,
begreep Jacob waarom.

Ontstemd deed hij zijn ogen dicht. Toch niet weer. Hij had
gehoopt dat Esther vanwege de voortzetting van haar pianolessen aan het conservatorium geen tijd meer zou hebben voor die

knul. Hij zag ze hand in hand dichterbij komen. Aan de manier waarop ze lachte en aan de verlegen blik waarmee ze hem aankeek, zag hij dat ze gecharmeerd van hem was en gevleid door zijn aandacht. Nu haar vader zo ver weg was, moest ze verlangen naar een sterke schouder waar ze tegenaan kon leunen en naar iemand die haar kon beschermen. Ze was gevoelig voor de avances van de jongen en haar vader was er niet om haar tegen hem te beschermen. Moest Jacob ingrijpen en die rol op zich nemen?

Hij trok zijn jas aan en zette zijn hoed op om een korte wandeling te maken. Net toen hij de deur uit ging, zwaaide Esther de jongen gedag. 'Hallo, meneer Mendel.'

'Hallo, Esther. Wie is die vriend van je?' vroeg hij, hoewel hij precies wist wie de jongen van Hoffman was. Iedereen in de buurt kende hem. Hij herinnerde zich dat Esthers moeder hem ooit een schooier, een vandaal of iets in die trant, had genoemd. Moest hij Esther eraan herinneren hoe haar moeder over hem had gedacht?

'Dat is Jacky Hoffman. Hij heeft aangeboden om met me mee naar huis te lopen.'

'Hoffman?... Zijn familie woont toch in het gebouw hiernaast? Was hij niet een van de jongens die een paar jaar geleden in de problemen raakte, omdat hij een paar garages in de buurt had vernield?'

Gegeneerd keek Esther de andere kant op. 'Jacky is veranderd, meneer Mendel. Hij heeft nu een baantje. Hij is loopjongen voor de supermarkt in het volgende blok. Mensen moeten hem een kans geven.'

Hij merkte dat ze zich begon te verdedigen en geen zin had om te luisteren naar wat een nieuwsgierige oude man als Jacob haar te vertellen had. Maar het was te belangrijk om verder zijn mond te houden. 'Ik heb je al een paar keer met hem gezien, maar waarom zie ik je nooit met andere vrienden en vriendinnen?'

'Ik weet het niet,' zei ze, terwijl ze nonchalant haar schouders ophaalde. 'Jacky is nu mijn beste vriend.'

'Je moet ervoor oppassen dat hij niet al je tijd in beslag neemt. Je bent te jong om je vriendschappen tot één persoon te beperken, vooral als het een jongen is. Wat denk je dat je vader zou zeggen als hij je met hem zag?'

'We lopen alleen maar samen naar huis. Dat is alles. En hij beschermt Peter. Dankzij Jacky durven de andere kinderen hem niet meer te plagen.'

'Peter lijkt niet erg blij te zijn met zijn hulp. Het is me opgevallen dat hij hem niet echt lijkt te mogen.'

'Dat is Peters probleem. Jacky is altijd aardig tegen hem.' Boos en ongemakkelijk keek ze de andere kant op. Ze verplaatste haar gewicht naar haar andere been, alsof ze haast had om weg te gaan. 'Ik moet nu op de piano oefenen. Tot straks, meneer Mendel.'

'Tot ziens, Esther.'

Misschien vergiste hij zich, dacht hij, terwijl hij verder liep. Esther was toch een verstandig meisje? En misschien was de jongen echt veranderd na het uitbreken van de oorlog en had hij wat meer verantwoordelijkheidsgevoel gekregen. Jacob liep naar het einde van het blok en stak de straat over naar het volgende blok. Hij probeerde het ongemakkelijke gevoel dat hem bekroop als hij zich voorstelde de jongen een hand te geven van zich af te schudden.

In de lucht hing de geur van de herfst: rottende bladeren en kampvuren – de geur van verandering. Toen hij in de buurt van de supermarkt kwam, besloot hij om naar binnen te gaan en een praatje te maken met de bedrijfsleider om zijn ongerustheid weg te nemen. Jacob kende de man vaag. Ze waren allebei lid van de Ohel Moshe Gemeente.

'Goedemiddag, meneer Shapiro,' zei hij, terwijl hij zijn hand uitstak. 'Jacob Mendel. Ik wilde u iets vragen over een van de bezorgers. Graag zou ik iets over zijn karakter horen. Hij heet Jacky Hoffman.'

Shapiro's vriendelijke glimlach bestierf op zijn lippen. 'Die werkt hier niet meer.'

'Dat verbaast me. Mij is verteld dat hij een van uw loopjongens was.'

'Ongeveer twee weken geleden moest ik hem ontslaan. Laat ik er verder geen doekjes om winden: we verdachten hem ervan te stelen van een van onze klanten. De hele zomer hadden we klachten gekregen over geld dat gestolen was en vermiste bonnenboekjes. Alles wees in zijn richting.'

'Is de politie op de hoogte gesteld?'

'Die zegt dat we onvoldoende bewijs hebben. We beschikken alleen maar over indirect bewijs. Maar toch hebben we het zekere voor het onzekere genomen en Jacky ontslagen.'

'Dank u wel voor de informatie.'

Jacob liep de winkel uit alsof die in brand stond. Hij was woedend dat zo'n onguur type een onschuldig en kwetsbaar meisje als Esther probeerde in te palmen. Hij moest iets doen, maar wat? Terwijl hij diep in gedachten naar huis liep, zag hij Jacky met een sigaret in zijn mond tegen een auto geleund staan voor het appartementencomplex waar hij woonde. 'Pardon – Jacky Hoffman? Ik wil graag even met je praten.'

'Ik praat niet met smouzen.' Hij gooide zijn sigarettenpeuk naar Jacob. Die ketste tegen zijn borst en viel smeulend op de grond.

Jacob schrok, maar bleef staan. Hij deed een stap naar voren en trapte de brandende peuk met zijn hak uit. Hij vroeg zich af wat de jongen zou zeggen als hij wist dat Esthers moeder Joods was. Jacky rechtte zijn rug, sloeg zijn armen over elkaar en keek Jacob met een uitdagende blik aan. 'Wat moet je van me, ouwe?'

'Ik wil met je over Esther Shaffer praten.'

'Ik ben haar vriendje.'

'Nee, dat ben je niet. Ze is nog veel te jong om een vriendje te hebben.'

'Wat gaat jou dat aan?'

'Ik houd een oogje in het zeil zolang haar vader weg is. Om haar te beschermen.'

'Dat zuig je uit je grote duim. Esther zou het me heus wel verteld hebben als ze een vuile Jood als bewaker had.'

Vastbesloten om zijn kalmte niet te verliezen vervolgde Jacob: 'Ik heb zojuist met je oude werkgever gesproken en gehoord dat je ontslagen bent. Hij zegt dat je niet te vertrouwen bent. Ik ben van plan dit ook aan Esther te vertellen. Van nu af aan wil ik niet dat je nog met Esther mee naar huis loopt of met haar omgaat. Blijf bij haar uit de buurt. Pas maar op, want ik houd je in de gaten.'

Jacky liet zijn armen langs zijn lichaam vallen. Hij balde zijn vuisten. 'Wie denk je wel niet dat je bent om me te vertellen wat ik moet doen?'

'En als je dat meisje ooit pijn zult doen of misbruik van haar zult maken, zal ik ervoor zorgen dat je dit de rest van je leven zult berouwen.'

Even leek Jacky Jacob aan te willen vliegen, maar er was te veel verkeer op straat. In plaats daarvan begon hij Jacob de huid vol te schelden met zo'n venijnige stortvloed van vloeken en racistische scheldwoorden, dat Jacob zich omdraaide en wegliep. Wat een haat voor iemand die nog zo jong was. Jacob had gelijk gehad om in te grijpen.

'Jij zult er spijt van krijgen dat je je met mijn zaken hebt bemoeid, ouwe!' riep Jacky hem na. 'Hoor je me?'

Jacob was van streek door de confrontatie – hoewel die niet te vermijden was geweest. Meer dan ooit moest hij Esther ervan zien te overtuigen dat ze bij de jongen uit de buurt moest blijven. Hij dacht aan zijn mislukte poging van een paar minuten geleden om met haar te praten en besefte dat hij hulp nodig had. Esther had het advies van een vrouw nodig. Penny deed haar best, maar ze was naïef en had weinig levenservaring. Als Jacob de situatie aan Esthers oma zou uitleggen, zou die misschien inzien dat Esther haar nodig had. Hij zou haar dringend vragen om een rol te spelen in Esthers leven.

Verontrust door de haat in Jacky's hart, liep Jacob verder en terwijl hij weer langs de synagoge liep, wist hij dat hij ter voorbereiding van Jom Kipoer zijn eigen hart moest onderzoeken. Dit was de tijd om het goed te maken met degenen bij wie hij in het krijt stond. Om zijn zonden te belijden en zich ervan af te keren. En om degenen te vergeven die hem onrecht hadden aangedaan. Pas dan mocht hij Hasjem om vergeving vragen. Jacob wist dat hij de afgelopen twee jaar vele malen had gezondigd. Hij was boos geweest op de koude regeringsfunctionarissen, omdat ze Avi en zijn gezin geen toestemming hadden gegeven om naar Amerika terug te keren. Boos over het auto-ongeluk dat Miriam Shoshanna het leven had gekost. Maar hij was vooral boos geweest op Hasjem.

Hij liep de hoek om en toen hij de kraam naderde waar Miriam was omgekomen, zag hij de eigenaar appels in een piramidevorm voor zijn winkel opstapelen. De winkelier was ooit zijn vriend geweest, maar sinds het ongeluk had Jacob geen voet meer in zijn winkel gezet en geen woord meer met Chaim gewisseld. Jacob wist dat hij zich voor de Dag der Boetedoening met de man moest verzoenen. Hij stak de straat over en liep met uitgestoken hand op zijn vriend af.

'Hallo, Chaim.'

'Jacob! Mijn vriend!' Een brede glimlach verscheen op het gezicht van Chaim, terwijl hij Jacobs hand tussen die van hem nam. 'Ik heb je al in... hoeveel maanden is het? Ik dacht dat je was verhuisd.'

'We hebben elkaar heel lang niet meer gezien en dat spijt me. Ik herinner me dat je met me probeerde te praten op Miriam Shoshanna's begrafenis, maar ik keerde je de rug toe en daarvoor wil ik mijn excuses aanbieden. Wil je me vergeven?'

'Ik begrijp het, Jacob. Ik wilde je alleen maar vertellen dat het mij speet. Natuurlijk wist ik dat je mij de schuld gaf. Mijn kraam stond te dicht bij de straat. Maar zie je? Ik heb hem een eindje naar achteren verplaatst.'

'Ik neem je het ongeluk helemaal niet kwalijk. Het was jouw schuld niet. Die auto had op iedere winkel in deze straat in kunnen rijden.'

'Maar hij ramde mijn kraam en dat zal ik nooit meer vergeten. Ik zal het mezelf de rest van mijn leven kwalijk blijven nemen.'

Jacob schudde zijn hoofd. Hij had er spijt van dat hij er zo lang mee had gewacht om zijn vriend te vertellen dat hij geen wrok tegen hem koesterde. 'Ik had eerder naar je toe moeten komen. Ik had je moeten vertellen dat ik jou niets kwalijk nam. Ik was boos op Hasjem, niet op jou. Al deze maanden heb ik me afgevraagd waarom Hij zoiets zinloos kon laten gebeuren. En waarom Hij Miriam niet waarschuwde om opzij te gaan.'

Er verscheen een merkwaardige uitdrukking op het gezicht van de winkelier, alsof Jacobs bekentenis hem van zijn stuk had gebracht. 'Wat is er aan de hand, Chaim? Waarom kijk je me zo aan?'

'Ik dacht dat je wist wat er is gebeurd… Ik dacht dat de politie het je verteld had.'

'Wat verteld?'

'Over het ongeluk. Ik heb alles gezien, Jacob. Ik hoorde de ronkende motor en zag de auto recht op het jongetje afkomen. Je vrouw zag het ook. We hadden maar een fractie van een seconde om in te grijpen. Het gebeurde allemaal zo snel,' zei hij, terwijl hij met zijn vingers knipte. 'Ik weet niet hoe jouw Miriam zo alert kon reageren. Ze vloog op het kind af en duwde het opzij. Ze redde zijn leven, Jacob. Miriam stierf, zodat het jongetje dat bij haar was verder zou kunnen leven.'

Jacob struikelde over een leeg krat en zonk erop neer. De tranen sprongen in zijn ogen. Hij probeerde ze tegen te houden, maar dat lukte niet.

'Het jongetje maakt het toch goed, hè?'

'Ja, ja, hij maakt het goed.' Plotseling begon Jacob te snikken. Dit was typisch Miriam Shoshanna. Het was echt iets voor haar om zoiets te doen.

'Het gebeurde allemaal zo snel,' zei Chaim, 'maar dit zag ik in ieder geval. Zeggen de rabbijnen niet dat als je iemand het leven redt, je de hele wereld redt?'

Ja, de hele wereld. Peter Shaffer zou opgroeien en trouwen. Hij zou kinderen en kleinkinderen krijgen en een toekomst hebben. Hasjem had Miriam niet zonder reden van hem weggenomen. Haar dood had een doel gehad.

Zou Jacob zijn eigen leven opofferen voor Peter Shaffer? Ja, dat zou hij zeker doen. Maar voor de oorlog zou hij dat niet hebben gedaan. In die tijd was hij te veel bezig geweest met boeken en wetten om oog te hebben voor mensen die gevaar liepen. Te blind om te zien dat Hasjem vooral om mensen geeft.

'Dank je wel,' zei Jacob toen hij weer kon spreken. 'Dank je wel dat je me dat verteld hebt.' Ten slotte stond hij op. Zijn knieën knikten nog, maar waren sterk genoeg om op de been te blijven.

'Wanneer zie ik je weer, Jacob? Behandel me alsjeblieft niet meer als een vreemde. Ik heb je gemist.'

'Vrijdag, Chaim. Om groenten te kopen voor de sjabbat.'

Chaim kneep in Jacobs schouder. 'Ik kijk ernaar uit.'

Terwijl hij naar huis liep, hield Jacob zijn blik op de stoep gericht. Misschien had de bestuurder de macht over het stuur verloren, maar Hasjem had dat niet. Hoeveel gemakkelijker was het om op Hasjem te vertrouwen in de wetenschap dat deze tragedie niet zinloos was geweest.

Maar zou hij ook op Hem blijven vertrouwen als Avi en zijn gezin waren omgekomen? Hij wist het antwoord niet. Hij dacht aan de man uit de Schrift met de naam Job en het gevecht achter de schermen dat Job niet had kunnen zien. Uiteindelijk herstelde Hasjem alles wat Job had verloren en schonk hem zelfs een nieuw gezin. Het had Jacob altijd dwarsgezeten dat Hasjem zo wreed had kunnen zijn om Jobs kinderen van hem weg te nemen en hem vervolgens een ander gezin ter vervanging aan te bieden. Hoe kon een gezin ooit vervangen worden?

Toen dacht hij aan Esther en Peter. Misschien begreep hij het nu iets beter.

Hij wilde geloven dat Hasjem het kwaad dat zijn vijanden hem wilden aandoen ten goede kon keren, zelfs al kon hij het niet begrijpen. Hij begon langzaam in te zien dat wandelen in geloof betekende dat je een leven leidde waarin je bereid was in onzekerheid te leven en erop vertrouwde dat Hasjem de leiding over alles had.

Op Jom Kipoer zou hij Hasjem vragen om hem zijn gebrek aan geloof te vergeven. En hij zou Hem om hulp vragen om op Zijn goedheid te vertrouwen, zelfs al kon hij die niet zien.

43

Trillend van woede kwam Esther van meneer Mendels bank af. 'Jullie hebben het recht niet om me te vertellen wat ik moet doen! Jullie zijn mijn ouders niet!' Ze kon haar oren niet geloven. Penny en meneer Mendel hadden onder een hoedje gespeeld tegen haar. Ze hadden haar voor een gesprek in de huiskamer uitgenodigd en haar verteld dat ze ieder contact met Jacky Hoffman moest verbreken. Wie dachten ze wel niet dat ze waren? Ze kon geen moment meer blijven zitten.

'We zijn twee mensen die van je houden,' zei meneer Mendel, 'en als je ziet dat iemand van wie je houdt, een gevaarlijke weg inslaat, is het niet meer dan normaal om die persoon te beschermen.'

'Waarom geloven jullie me niet, als ik zeg dat Jacky nu aardig is? En dat hij veranderd is?'

'Omdat uit de feiten blijkt dat dit niet waar is. Ik wilde dat ik je dit niet hoefde te vertellen, Esther, maar hij is ontslagen bij de supermarkt. De bedrijfsleider vertelde me dat hij Jacky ervan verdenkt klanten bestolen te hebben.'

'Dat is niet waar! Waarom heeft iedereen zo'n hekel aan hem?'

'Op jou komt hij misschien charmant en aardig over. Maar anderen die hem kennen, zeggen dat hij niet te vertrouwen is.'

Esther wilde niet huilen. Ze wilde protesteren en hun duidelijk maken dat ze zich in Jacky vergisten en dat zij gelijk had. Ze huilde van boosheid, zo hield ze zichzelf voor. Het waren geen babytranen. 'Hij is mijn vriend,' schreeuwde ze.

'Je bent nog veel te jong om een jongen als goede vriend te

hebben,' zei meneer Mendel, 'en hand in hand met hem te lopen.'

'Hebben jullie ons bespioneerd?'

'Ik weet dat je het niet begrijpt en het misschien pas later zult inzien. Maar Penny en ik hebben dit besluit voor je eigen bestwil genomen, omdat we om je geven. We willen je veel ellende besparen.'

'Ik wil er niets meer over horen.' Ze sloeg haar handen over haar oren en draaide zich om om de kamer uit te lopen.

Penny hield haar tegen. 'Wacht. Je mag zo gaan, maar ik wil je eerst iets vertellen.'

Esther sloeg haar armen over elkaar en ontweek haar blik. Ze wilde niet horen wat Penny Goodrich te zeggen had, maar omdat ze haar waarschijnlijk pas zouden laten gaan als ze waren uitgepraat, kon ze beter even naar haar luisteren om sneller van haar af te zijn.

'Toen ik de afgelopen zomer naar New Jersey ging, was dat om mijn echte moeder te ontmoeten. Ik was erachter gekomen dat ze pas zeventien was toen ik werd geboren. Niet veel ouder dan jij, Esther. Ze had een vriendje op de middelbare school en dacht dat ze echt van elkaar hielden. Sommige jongens vertellen een meisje alles wat ze wil horen om misbruik van haar te maken... Begrijp je wat ik bedoel?'

Ja, Esther begreep wat Penny haar onhandig probeerde duidelijk te maken en ze voelde dat ze een kleur kreeg. Ze knikte nors.

'Mijn moeder dacht dat het echte liefde tussen hen was, maar dat was niet zo. Want toen ze haar vriend vertelde dat ze in verwachting was van mij, liet hij haar zitten. Hij had andere toekomstplannen en daar pasten een vrouw en baby niet bij. Mijn moeder moest me afstaan voor adoptie. De vergissing die ze had begaan, zette haar hele leven op zijn kop... en dat van mij.'

Heel even had Esther medelijden met Penny, die opgescheept zat met twee oude mensen als ouders. Maar dit gevoel verdween, zodra ze er weer aan dacht dat Penny haar had verboden om nog langer met Jacky om te gaan. Haar woede laaide weer op.

'Ben je klaar?'

'Luister, Esther. Ik wilde dat je mijn moeder kon ontmoeten en zelf met haar kon praten. Ik denk dat ik weet wat ze je zou vertellen. Verlies je hart niet aan de eerste de beste leuke jongen die je tegenkomt. Wacht op een goede man. En zoals meneer Mendel heeft ontdekt, is Jacky geen goede jongen.'

'Mag ik nu eindelijk gaan?' vroeg Esther, terwijl ze ongeduldig met haar voet op de grond tikte. Penny knikte. Maar voordat Esther vertrok, legde meneer Mendel zijn hand op haar schouder.

'Het spijt me dat we je op deze manier pijn moeten doen. Maar vertrouw ons alsjeblieft. We zijn ervan overtuigd dat je vader hetzelfde zou hebben gedaan, als hij hier was geweest.'

Esther rende de trap op naar haar slaapkamer en liet zich, snikkend om het zoveelste verlies in haar leven, languit op bed vallen. Hoe graag ze ook volwassen wilde zijn, op dat moment voelde ze zich een heel klein meisje dat om haar moeder huilde. Andere meisjes hadden moeders om hen vast te houden, te troosten en advies te geven – en hun gebroken hart te helen. Esther verlangde ernaar haar eigen moeder terug te hebben, ook al was het maar heel even.

Maar haar moeder was er niet meer.

Tegen de tijd dat haar woede en verdriet waren gezakt, was het avond geworden. Het was donker in haar slaapkamer en haar kussen was nat van haar tranen. Ze rolde op haar rug en dacht aan Jacky Hoffman. Het was vleiend en spannend geweest om zo veel aandacht van een oudere jongen te krijgen, vooral iemand die eruitzag als een filmster. Maar Esther moest heimelijk toegeven dat haar opwinding altijd met iets van angst gepaard ging. Ze herinnerde zich hoe ongemakkelijk ze zich had gevoeld toen ze zich in het hok onder de trap hadden verborgen, alsof ze diep vanbinnen had geweten dat ze er nog niet aan toe was volwassen te zijn. Een of twee keer had ze een kant van hem gezien die haar niet aanstond, zoals die keer dat hij meneer Mendel had uitgescholden en had gezegd dat ze de synagoge beter konden afbreken. Als ze heel eerlijk was, bracht ze de zaterdagmiddag liever in het huis van oma Shaffer door om met Woofers puppy's te spelen dan op het balkon van de bioscoop met Jacky's zweterige arm om haar schouder en oudbakken popcorn onder haar schoenen.

Maar toch kon Esther zich niet over haar diepe verontwaardiging heen zetten dat Penny en meneer Mendel zich met haar leven durfden te bemoeien. Ze hadden haar verboden om nog langer met hem om te gaan. Dat recht hadden ze niet! Helemaal niet!

Toen Jacky haar de volgende dag aanbood om uit school met haar naar huis te lopen, moest Esther hem vertellen dat ze niet langer vrienden konden zijn. Ze verwachtte dat hij even verontwaardigd zou zijn als zij, maar hij haalde zijn schouders op en liep weg. Aan het einde van de week liep hij al hand in hand met een ander meisje uit Esthers klas. Opnieuw voelde ze zich boos en vernederd. En eenzaam. Ze had geen andere vrienden.

'Ik wilde dat je met me kon praten, Peter,' zei ze, terwijl ze met hem naar huis slenterde.

Hij knikte verdrietig en wees naar zichzelf. Ze wist dat hij wilde zeggen: *Ik ook.*

Ze liepen de trap naar de veranda op en keken in de brievenbus. Geen post vandaag. Toen ze door de hal liepen, ging de deur van meneer Mendels appartement open. 'Kunnen jullie even binnenkomen? Er is hier iemand die graag met jullie zou praten.'

Esther had de dame in het appartement van meneer Mendel al een keer eerder ontmoet. Ze hadden samen cake gegeten. Maar ze kon zich haar naam niet meer herinneren.

'Ik zal jullie jassen aannemen,' zei meneer Mendel. 'Ga maar zitten.' Hij was zo beleefd en formeel dat Esther er zenuwachtig van werd. De dame, die midden in de kamer stond, leek ook slecht op haar gemak. Was ze hier om hun te vertellen dat er iets ergs met hun vader was gebeurd? Terwijl ze op de bank ging zitten, wierp Esther een blik op Peter. Ze ging wat dichter bij haar broertje zitten, voor het geval dat...

De dame haalde diep adem alsof ze al haar moed bijeen moest rapen om te beginnen en ademde toen langzaam uit. 'De vorige keer dat we elkaar hebben gezien, had ik meneer Mendel gevraagd om jullie niet te vertellen wie ik was. Mijn naam is Esther Fischer... Ik ben jullie oma.'

Esthers mond viel open, maar er kwam geen geluid uit. De kamer leek voor haar ogen te draaien. En zelfs al had ze kunnen spreken, dan had ze niet geweten wat ze had moeten zeggen. Was dit waar? Was deze rijzige, elegante dame echt hun oma?

Terwijl ze geschokt naar haar oma staarde, begon Esther de gelijkenis te zien. Haar haar had dezelfde kleur als dat van haar moeder en Peter, maar met grijze lokken erdoorheen geweven. En haar handen. Ze waren net zo slank en elegant als die van haar moeder.

'Het spijt me...' begon mevrouw Fischer. Ze kon niet verder spreken.

Esther werd door tegenstrijdige emoties overspoeld. Aan de ene kant wilde ze opspringen en deze vrouw omhelzen. Aan de andere kant wilde ze in woede uitbarsten en tegen haar uitvaren.

'Waar was u al die tijd?' vroeg Esther ten slotte. De woorden klonken harder dan ze bedoelde.

'Hier... al die tijd hier in Brooklyn. Het is een lang verhaal, Esther, en ik... ik hoop dat ik je het allemaal mag uitleggen.'

'Waarom bent u niet op de begrafenis van mama geweest?'

Mevrouw Fischer sloeg haar hand voor haar ogen. Steeds had ze gestaan, maar nu zonk ze op een stoel neer.

'Geef haar een kans, Esther,' zei meneer Mendel zachtjes. 'Probeer een beetje begrip te tonen.'

'Bent u degene geweest die haar heeft gevonden?' vroeg ze hem.

Hij knikte. 'Je oma heeft de pianolessen aan het conservatorium voor je geregeld. En ervoor gezorgd dat Peter afgelopen zomer in het honkbalteam mee mocht spelen.'

'Waarom hebt u dit geheim gehouden? Vond u ons niet aardig? Waarom was u zo boos op mama?'

Mevrouw Fischer liet haar hand zakken en ging rechtop zitten, terwijl ze haar kalmte probeerde terug te vinden. 'Zou je schrikken als ik je vertelde dat ik Joods ben, net zoals je vriend meneer Mendel? En dat je moeder ook Joods was?'

'Nee, dat was ze niet! Ze ging iedere zondag met ons naar de kerk.'

'Maar haar vader en ik zijn Joods, Esther. Je moeder groeide op in een Joods gezin. Toen ze christen werd, ontstond er een breuk in de familie.'

Opnieuw kon Esther niets zeggen. Ze pakte de hand van haar broertje om het nieuws te verwerken.

'Ik wil niet langer dat er onenigheid bestaat in onze familie,' zei mevrouw Fischer. 'Ik wil jullie beiden graag beter leren kennen… als jullie dat goedvinden. Ik zou willen dat we weer één familie zijn.'

De tranen schoten Esther in de ogen. Ze had de familie van haar moeder gevonden – haar familie. Hier had ze toch naar verlangd? Samen met de wens dat haar vader veilig zou terugkomen, was dit haar grootste wens geweest. Maar angst en wantrouwen hielden haar als reusachtige handen op haar plaats. Ze kon zich niet bewegen.

Mevrouw Fischer pakte een fotoalbum dat op de salontafel van meneer Mendel lag. 'Ik heb wat foto's van je moeder meegenomen. Willen jullie ze zien? Ze heeft twee broers, David en Samuel. Dat zijn jullie ooms.'

Peter kwam als eerste overeind en liep naar mevrouw Fischer toe. Hij keek haar aandachtig aan, alsof hij de gelijkenis met hun moeder probeerde te ontdekken, en richtte zijn blik vervolgens op de foto's. Toen leunde hij tegen haar aan en oma Fischer sloeg haar arm om zijn schouders heen.

Even later stond Esther ook op. Ze ging aan de andere kant van haar oma staan om voor de allereerste keer foto's van haar moeders familie te bekijken.

44

November 1944

Lieve vader en moeder Mendel,
Misschien is dit de laatste brief die ik u schrijf. Net nu het einde van
de oorlog in zicht is, vrezen we weer voor ons leven.
In oktober probeerde de Hongaarse regering opnieuw een wapenstil-
stand te tekenen met de geallieerden. De nazi's kwamen erachter en
stuurden de SS hiernaartoe om de regent van Hongarije te arresteren.
Ze hebben hem als krijgsgevangene naar Berlijn overgebracht en hem
vervangen door de leider van de pijlkruisers, de Hongaarse nazipartij.
Deze slechte mensen besturen ons land nu, met de hulp van de SS.
Adolf Eichmann, de Engel des Doods van de nazi's, is teruggekeerd
om de laatste Joden in Boedapest te deporteren. De pijlkruisers heb-
ben geen respect voor de Zweedse veilige huizen of onze documenten.
Onze engel, Raoul Wallenberg, vecht dag en nacht om ons te bescher-
men, maar leden van de pijlkruisers vallen onze huizen binnen, waar
ze mensen mishandelen, vermoorden of wegvoeren. Wallenberg heeft
geprobeerd om de Joodse mannen die zijn overgebleven te mobiliseren,
zodat ze ons kunnen beschermen en ons de benodigde medicijnen en
voedselpakketten kunnen brengen. Een groot aantal vrienden van ons
is al gearresteerd of verdwenen. We vrezen dat ze dood zijn.
We weten dat de Russen steeds verder oprukken, maar dit maakt de
nazi's alleen maar meer vastbesloten om ons allemaal uit te roeien,
voordat hun tijd op is. Adolf Eichmann is er niet in geslaagd om
genoeg wagons te vinden om ons te deporteren en daarom is hij van
plan om ons naar de kampen te laten lopen. We weten niet of onze
Zweedse vriend ons kan redden van deze dodenmarsen.

Ik heb besloten om deze brief en de andere die ik heb geschreven in het Zweedse huis achter te laten in de hoop dat ze – mocht het ergste gebeuren – op een dag gevonden worden en naar u in Amerika worden gestuurd. Hoewel mijn geloof heel zwak is en ik niet begrijp waarom we op deze manier moeten lijden, geloof ik nog steeds in Hasjems goedheid en in een beter leven na dit leven.

Liefs van uw schoondochter
Sarah Rivkah Mendel

45

December 1944

Op een koude middag ergens begin december zette Jacob na zijn dagelijkse wandeling de radio aan om naar het nieuws te luisteren. Hij wilde dat hij het niet had gedaan. De nazi's hadden een massale verrassingsaanval uitgevoerd op de geallieerden op de grens tussen België en Duitsland. Ze waren het geallieerde front binnengedrongen met troepen, pantserdivisies en artilleriegeschut, ondersteund met V1's en V2's. De Amerikanen hadden veel manschappen verloren tijdens de beschietingen die bijna vierentwintig uur hadden geduurd. Nieuwe en onervaren troepen lagen zwaar onder vuur. Voor veel geallieerde soldaten was het de eerste keer dat ze beschoten werden. Het ijskoude weer, snel oprakende munitievoorraden en kniehoge sneeuw maakten de situatie nog miserabeler. Ed Shaffer zat er waarschijnlijk middenin. De kinderen zouden zich grote zorgen over hem maken – en terecht.

Er werd aangebeld en Jacob kwam uit zijn stoel overeind. Toen hij zag wie er voor de deur stonden, stond zijn hart stil. De twee rechercheurs met de Ierse namen waren teruggekeerd. Achter hen stond een politieauto langs de stoeprand geparkeerd met de motor nog aan.

'Ja?' vroeg Jacob.

'U moet met ons meekomen naar het politiebureau, meneer Mendel.'

'Om welke reden?'

'U bent gearresteerd op verdenking van brandstichting.'

Jacob kon hen alleen maar ongelovig aanstaren. Er drukte zo'n zware last op zijn borst dat het leek alsof de mannen erop waren gaan zitten. Jacob had hen af en toe met zijn buren zien praten, maar hij had gedacht dat de rabbijn hen van zijn onschuld had overtuigd.

'Waarom blijft u me lastigvallen?' vroeg hij.

'We hebben al deze tijd geweten dat u schuldig was,' zei een van de rechercheurs, 'en beschikken nu over het benodigde bewijsmateriaal.'

'Het was slechts een kwestie van tijd voordat u gearresteerd zou worden,' voegde de andere rechercheur eraan toe.

'Maar ik heb helemaal niets met de brand te maken.'

'We hebben twee getuigen die beweren dat u dat wel had. Ze zullen getuigen dat ze u kort voordat de brand begon met een papieren tas de synagoge via de achterdeur binnen hebben zien gaan.'

'Ze vergissen zich. Of anders liegen ze.'

'Dat mag de rechter beslissen. De officier van justitie is bezig de dagvaarding op te stellen. Het zal iedereen veel tijd besparen als u gewoon schuld bekent.'

Jacob schudde zijn hoofd. 'Iets bekennen wat ik niet heb gedaan? Ik heb u toch verteld dat ik de brand niet heb aangestoken?'

'In dat geval kunt u beter een advocaat in de arm nemen.'

Jacob had geen geld voor een advocaat. Hij had bijna iedere cent die hij bezat aan de vluchtelingencommissie gegeven. Zijn maandelijkse pensioen en dit appartementencomplex waren het enige wat hij nog had. Zou hij een nieuwe hypotheek moeten afsluiten om zijn naam te zuiveren?

'We gaan,' zei een van de rechercheurs, terwijl hij naar de auto knikte.

Jacobs borst deed pijn. 'Mag ik eerst nog even mijn jas pakken? En ik moet ook wat pillen meenemen.'

'Vlug dan.'

De twee mannen liepen achter hem aan naar binnen en wachtten ongeduldig, terwijl hij rebbe Grunfeld belde. Jacob wist dat hij deze beproeving niet in zijn eentje zou kunnen doorstaan. Nog nooit had hij zo hard een vriend nodig gehad om hem bij te staan. Snel vertelde hij de rabbijn wat er was gebeurd.

'Ze zeggen dat ik een advocaat nodig heb, maar ik ken er geen.'

'Ik zal Abraham Stein van onze gemeente onmiddellijk bellen. We zien je op het politiebureau. Maak je geen zorgen, Yaacov. Het is niet goed voor je gezondheid om je zorgen te maken.'

Maar hoe kon hij dit advies opvolgen? Jacob pakte zijn pillen en jas. Hij deed zijn appartement op slot en werd door de rechercheurs naar het politiebureau gebracht. Het was de eerste keer dat Jacob op een politiebureau was en hij vond het lawaai en de drukte overweldigend. De twee rechercheurs brachten hem naar een piepkleine, grijze ruimte zonder ramen en begonnen hem te ondervragen. Een van de mannen stonk naar zweet.

Het volgende uur had Jacob de indruk weer in Hongarije te zijn. Om de beurt bestookten de mannen hem met beschuldigingen en vragen, vertelden hem wat hij zogenaamd had gedaan en zetten hem onder druk om schuld te bekennen. Zo waren de Joden eeuwenlang behandeld. Hij had net zo goed in Hongarije kunnen blijven.

'Ik kan geen schuld bekennen, omdat ik onschuldig ben,' herhaalde Jacob. 'Ik heb de brand in de synagoge niet aangestoken.'

'Onze twee getuigen zeggen dat u dat wel hebt gedaan. We hebben de afgelopen maanden contact met uw buren gehad zodat ze de brand niet zouden vergeten. En uiteindelijk heeft dit iets opgeleverd.'

'Wie die mensen ook zijn, ze vertellen niet de waarheid.'

Terwijl de mannen vragen op hem bleven afvuren en zijn weerstand probeerden te breken, werd het steeds benauwder in de ruimte. De pijn in Jacobs borst werd heviger. Uiteindelijk was hij zo uitgeput dat hij niet meer verder sprak. Ze luisterden toch niet naar hem.

'Goed, als u weigert om mee te werken, meneer Mendel, dan gebeurt er het volgende. We brengen u naar beneden om vingerafdrukken af te nemen en daarna houden we u hier op het bureau vast, totdat u in staat van beschuldiging bent gesteld. U hebt recht op een advocaat tijdens het proces.'

'Moet ik de nacht in een cel doorbrengen?'

'Dat zal de rechter beslissen als u eenmaal in staat van beschuldiging bent gesteld – maar als ik u was, zou ik er niet op rekenen vannacht in uw eigen bed te slapen. Brandstichting is een ernstig misdrijf.'

Tegen de tijd dat ze Jacobs vingerafdrukken hadden genomen, was rebbe Grunfeld met Abraham Stein op het bureau gearriveerd. De advocaat luisterde naar Jacobs verhaal en ging ermee akkoord dat ze 'onschuldig' tegen de aanklacht zouden pleiten. Toen ze aan de beurt waren om door de rechter gehoord te worden, verzocht meneer Stein deze om Jacob op borgtocht vrij te laten op grond van zijn leeftijd en gezondheidstoestand – en op de buitensporige emotionele schade die het eten van niet-koosjer voedsel hem zou toebrengen.

'De rabbijn van de synagoge in kwestie is bereid om te getuigen voor meneer Mendel, Edelachtbare. De gedaagde heeft geen eerdere veroordelingen en onderhoudt sterke banden met de gemeenschap.'

De rechter stelde een kleine borgsom vast. Binnen enkele minuten was de zitting voorbij. Zodra de borgsom was betaald, zou hij naar huis mogen. Tegen de tijd dat Jacob de ijskoude decemberavond in stapte, was het al donker.

'Wat gebeurt er nu?' vroeg Jacob aan meneer Stein.

'Ik zal de officier van justitie om tijd vragen om de zaak te onderzoeken en te zien hoe betrouwbaar de twee getuigen zijn. Ook moet ik erachter komen wat het andere bewijsmateriaal is. Waarschijnlijk zal de zaak vroeg in het voorjaar voorkomen.

Tenzij u wilt dat ik een verzoek indien om de zaak te versnellen. In het geval van zware misdrijven heeft men er recht op dat het proces snel wordt afgehandeld.'

'Nee, ik heb geen haast. Ik heb tijd nodig om op de een of andere manier aan geld te komen. Ik moet u de borgsom terugbetalen, rebbe Grunfeld.'

'Maak je daar voorlopig geen zorgen over, Yaacov.'

'En ik moet u ook betalen, meneer Stein.'

'In dat geval zal ik er niet op aandringen dat de zaak versneld voorkomt. Ondertussen moet u goed op uzelf passen, meneer Mendel.'

Jacob nam een taxi naar huis. Die nacht deed hij geen oog dicht. Zou hij de laatste jaren van zijn leven in een gevangeniscel moeten slijten? Hij had zijn vrouw en zoon verloren. Nu kon hij zijn huis en vrijheid ook nog kwijtraken. Hij dacht aan het verhaal van Jozef en hoe die ook gevangen was gezet voor een misdaad die hij niet had gepleegd. Uiteindelijk waren Jozefs beproevingen op iets goeds uitgelopen. Maar hoe zou Hasjem zijn situatie ooit ten goede kunnen keren?

46

Februari 1945

Met haar schouders opgetrokken tegen de kou, liep Penny over de ondergesneeuwde stoep naar het appartement. Toen ze die ochtend naar haar werk was gegaan, was het nog donker op straat geweest en nu ze weer naar huis liep, was het ook weer bijna donker. Maar dat kwam niet alleen door de ondergaande zon of de bewolkte hemel. Om tussen 15 januari en 8 mei brandstof te besparen had de regering een nationale verduistering aangekondigd in het hele land.

En nu sneeuwde het weer. De gestadig vallende sneeuwvlokken vormden een dun laagje op de schouders van haar winterjas en maakten de stoepen verraderlijk glad.

Ze had het gevoel dat het al heel lang winter was, terwijl het pas februari was. Kerst was al lang en breed voorbij. Het jaar ervoor had Roy de kinderen leuke en onvergetelijke feestdagen bezorgd, maar dit jaar was het stil geweest zonder hem. Toch had Penny een kleine kerstboom gekocht die ze samen met de kinderen had versierd. Op eerste kerstdag hadden ze cadeautjes gekregen en bij hun oma gegeten. Ook hadden ze samen met haar pakketjes voor Eddie en Roy gemaakt.

Januari had nog meer kou en sneeuw gebracht. Op Oudejaarsavond had Penny eraan teruggedacht hoe ze het jaar ervoor met Sheila naar de dansavond van de USO was gegaan. Hoe kon het een heel jaar later nog steeds oorlog zijn? De jaarwisseling hadden de kinderen en zij in het appartement doorgebracht. Ze hadden naar de radio geluisterd en spelletjes gedaan.

Penny liep de glibberige trap op en bleef op de veranda staan om in de brievenbus te kijken. Ze hoopte en bad dat er vandaag een brief van Roy zou zijn. Ze liet haar schouders hangen toen ze zag dat de brievenbus leeg was. Hoelang geleden had ze voor het laatst een brief van hem gekregen? Meer dan tweeënhalve maand! Roys laatste brief was net na Thanksgiving gekomen en hij had herinneringen opgehaald aan het kerstfeest dat hij met haar en de kinderen had gevierd.

Penny was niet langer teleurgesteld als ze de lege brievenbus zag, maar echt bang. Ze had de kinderen niet verteld hoelang ze al niets van Roy had gehoord. Hoe graag ze haar bezorgdheid over hem ook wilde delen, ze had de kinderen niet van streek willen maken. Ze waren zo op hem gesteld.

Toen Penny de warme hal in stapte en haar laarzen afveegde, ging de deur van meneer Mendels appartement open. Een man in een donker pak en met een koffertje in zijn hand kwam naar buiten. 'De zaak zal ergens in april voorkomen,' zei de man. 'Maar we zullen voor die tijd zeker nog contact met elkaar hebben.'

'Nogmaals bedankt, meneer Stein.'

'Noem me alsjeblieft Abraham, Jacob.'

De laatste tijd was meneer Mendel niet veel thuis geweest en Penny had weinig met hem gesproken. Ze had hem zien komen en gaan samen met de rabbijn met de witte baard en deze man met de koffer en wist dat ze met iets belangrijks bezig waren. Ze keek naar haar vriend; hij zag er vermoeid en bezorgd uit.

Ze wachtte totdat meneer Stein was vertrokken en vroeg: 'Hoe gaat het met u, meneer Mendel? U bent toch niet ziek geweest, hoop ik?'

'Nee, Penny. Ik heb het heel druk gehad.'

'We hebben u al zo lang niet gezien. We hebben u gemist.'

'Wil je niet even binnenkomen? Ik heb net thee gezet.'

'Dat zou heerlijk zijn.' Ze liet haar laarzen naast de deur staan en volgde hem naar de keuken, waar ze haar jas over de rugleuning van een stoel hing. Hij had inderdaad thee gezet en schonk haar een kopje in. 'Ik heb in de krant gelezen dat de Russische troepen in Hongarije zijn aangekomen,' zei ze, terwijl ze wachtte totdat de thee een beetje was afgekoeld.

'Ja. We vragen ons allemaal af of de postdienst hersteld zal worden als het land bevrijd is. Maar het is nog te vroeg om hierop te hopen. Er wordt nog steeds hard gevochten in Boedapest en er kan nog van alles gebeuren.'

Opnieuw dacht Penny aan Roy, terwijl ze over meneer Mendels woorden nadacht: *Er kan nog van alles gebeuren.* 'De kinderen hebben gisteren een brief van hun vader gekregen,' zei ze, terwijl ze in haar thee blies. 'Hij schrijft dat het ook een koude winter in Europa is.'

'Hoe gaat het met de kinderen? Ze lijken er nooit te zijn als ik thuiskom.'

'Goed. Oma Fischer heeft ze vandaag uit school opgehaald om kleren met hen te gaan kopen. Daarom zijn ze er niet. Ze groeien allebei zo hard dat niets hun meer past.'

'En gaat het goed met jou, Penny?'

Ze knikte, maar het was niet waar. De tranen sprongen in haar ogen. Hij stak zijn hand uit en legde die op de hare zonder iets te zeggen.

'Sorry. Ik weet dat u inzit over uw familie, meneer Mendel. Maar ik heb al zo lang geen brief van mijn vriend Roy Fuller gekregen dat ik me nu echt grote zorgen over hem begin te maken. Normaal gesproken schrijft hij me een of twee keer per week.'

'Waar is hij gelegerd?'

'Ergens in de Stille Zuidzee. Hij vecht tegen de Japanners. Ik probeer me geen zorgen te maken, maar de Japanners hebben piloten die met hun vliegtuigen op Amerikaanse schepen invliegen, zodat ze exploderen of in brand vliegen. En ik heb gelezen dat de mariniers momenteel verschrikkelijk hard vechten in Iwo Jima en... ik weet me geen raad.'

'Ik begrijp het.'

Het waren eenvoudige woorden, maar Penny wist dat meneer Mendel meer dan wie dan ook begreep wat ze bedoelde. Zij had tweeënhalve maand niets van Roy gehoord, terwijl meneer Mendel al jarenlang wachtte op nieuws van zijn familie. Hij wist hoe frustrerend het was om geliefden te hebben die ver weg waren en in gevaarlijke omstandigheden verkeerden en hoe het was om op geen enkele manier contact met hen te kunnen leggen. Hij moest de machteloze woede ervaren hebben die zij nu voelde, omdat je helemaal niets kon doen en wachtte op nieuws dat nooit kwam.

'Als er iets met Roy is gebeurd,' zei ze, 'weet ik niet hoe ik er ooit achter zal komen. Zijn verloofde en familie in Pennsylvania zouden uiteraard geïnformeerd worden, maar ik denk niet dat ze het mij zouden laten weten. Roy en ik zijn goede vrienden, maar het is goed mogelijk dat hij niemand heeft verteld over de brieven die we elkaar schrijven. Ik... ik weet niet wat ik moet doen.'

'Ik denk dat je al weet wat mijn advies is,' zei hij zachtjes. 'We moeten blijven zoeken naar de mensen van wie we houden.'

Penny beet op haar lip en had moeite haar tranen te bedwingen. 'Ik weet het. En ik ben zo dankbaar dat u me overgehaald hebt om mijn echte moeder te bezoeken. Ik zou alleen willen...' Ze wachtte even om een zakdoek en een van Hazels brieven uit haar tas te halen. 'Ik wilde u dit laten zien, meneer Mendel. Het is een krantenknipsel dat mijn moeder me heeft gestuurd.' Ze schoof het over de tafel naar hem toe en wachtte totdat hij het opengevouwen had.

'Een overlijdensbericht?'

'De overleden militair was mijn echte vader. Hij was beroepsofficier en is verleden jaar in België gesneuveld.'

'Wat erg.'

'Hoewel ik hem nooit heb gekend, vind ik het erg dat hij dood is, omdat we elkaar nu nooit meer kunnen leren kennen.' Meneer Mendel las het overlijdensbericht, maar Penny kende ieder woord ervan uit het hoofd. 'Er staat dat hij een vrouw en drie kinderen achterlaat, maar dat is niet juist. Hij heeft vier kinderen. Ik zal, denk ik, nooit te weten komen of hij wel eens aan me heeft gedacht of me wilde ontmoeten.'

Meneer Mendel vouwde het krantenknipsel weer op en gaf het terug aan haar. 'Deze vriend van je – Roy – waar komt hij vandaan?'

Penny had even tijd nodig om over te schakelen op een nieuw gespreksonderwerp. 'Moosic in Pennsylvania. Ik heb de naam van het stadje onthouden, omdat ik dacht dat hij het over *muziek* had toen hij de naam voor de eerste keer noemde.'

'Hoe ver is het van hier?'

'Het ligt in de buurt van Scranton, denk ik. Als hij een weekend vrij had, nam hij altijd de bus naar huis, dus kan het niet heel ver weg zijn.'

'Het gemis dat je voelt omdat je je vader nooit hebt leren kennen, is begrijpelijk. En het is heel moeilijk om een heel leven lang met zulke gevoelens rond te lopen. Het is dus niet goed om nog meer van dit soort gevoelens op te stapelen, Penny. Je moet je vriend gaan zoeken en erachter komen waarom hij je niet meer schrijft.'

'Maar… de enige manier om dat te doen, is het aan zijn familie of verloofde te vragen.'

'Dus…?' zei hij, terwijl hij zijn handen uitspreidde.

'Ik kan toch niet zomaar bij hen aanbellen?'

'Dat heb je toch ook bij je moeder gedaan, of niet soms?' Penny knikte. 'Ik denk dat er een last van je af zou vallen, als je met Roys familie hebt gepraat. En als er inderdaad iets met die vriend van je is gebeurd, dan kun je hen condoleren en hun verdriet delen. Als er één les is die ik de afgelopen verschrikkelijke jaren heb geleerd, is het dat verdriet en rouw gedeeld en niet alleen gedragen moeten worden.'

Penny wist dat hij gelijk had. Ze had gezien hoe andere mensen mevrouw Shaffer hadden geholpen toen haar zoon Joe was overleden. En Penny voelde zich veel beter nu ze het nieuws over haar echte vader aan meneer Mendel had verteld.

'Wil je nog meer thee?' vroeg hij. Ze schudde haar hoofd, terwijl ze haar vriend aandachtig aankeek. Meneer Mendel had meer grijze haren in zijn baard en op zijn hoofd dan vroeger. En hij maakte ook een andere indruk, niet alleen verdrietig, maar ook… gelaten.

'Wilt u me niet vertellen waarom u zo verdrietig bent, meneer Mendel?'

Hij keek naar het tafelblad, niet naar haar. 'Als de tijd er rijp voor is, Penny.' Toen stond hij op om de theekopjes in de gootsteen te zetten. 'Mevrouw Fischer heeft me verteld dat ze zaterdag met de kinderen naar een concert gaat. Ik denk dat je die dag moet gebruiken om de familie van je vriend op te zoeken. Misschien zal het nieuws hard aankomen, maar geloof me, als het een einde kon maken aan alle spanning en onzekerheid, zou ik het er graag voor overhebben, hoe pijnlijk de waarheid ook mag zijn.'

De volgende dag bekeek Penny de dienstregeling naar Moosic in Pennsylvania. Meneer Mendel had gelijk gehad toen hij haar had aangeraden om haar moeder in New Jersey te bezoeken. Dus zou ze de bus naar Moosic nemen om erachter te komen wat er met Roy was gebeurd. Ze had geen adres van zijn familie of Sally en kon zich Sally's achternaam zelfs niet herinneren. Maar ze bedacht dat Moosic nog steeds het kleine stadje moest zijn dat Roy haar had beschreven, waar iedereen de buren kende. Ongetwijfeld zou iemand Roys vader kennen, die het hoofd van de lagere school in het stadje was.

Die zaterdag nam Penny vroeg in de ochtend de bus van het hoofdbusstation naar Scranton. De reis over de steile, besneeuwde bergkammen van Oost-Pennsylvania was prachtig. De bossen en uitzichten waren adembenemend. Een jaar geleden zou ze nooit de moed hebben gehad om zo'n eind in haar eentje te reizen, vooral niet om mensen te bezoeken die ze helemaal niet kende. Maar nu was ze op weg naar het huis van haar vriend – haar beste vriend – om erachter te komen wat er met hem was gebeurd.

Als ze Roys lange, gezellige brieven las, had ze het gevoel dat hij weer naast haar in de bus zat en met haar praatte. Ze wilde dat Eddie zulke brieven schreef. Eddies brieven waren kort en zakelijk, alsof ze een werkneemster was in plaats van een vriendin. Maar Roy slaagde er in zijn brieven altijd in om haar te laten glimlachen, hoewel hij ook schreef over de oorlog en de kameraden die hij in de strijd had verloren. En hij vroeg altijd hoe het met haar ging en gaf de indruk dat haar saaie leven hem echt interesseerde.

Tegen de middag kwam ze in Scranton aan, waar ze overstapte op een lokale bus voor de korte rit naar Moosic. Het stadje lag in een bergachtig mijnbouwgebied. Toen ze er aankwam, had ze zo'n trek dat ze besloot om snel iets te eten in het kleine restaurant dat tegelijkertijd als busstation dienst deed. Ze vroeg zich af of de vriendelijke tiener die haar bediende een van Roys leerlingen op de middelbare school was geweest. Penny stond op het punt het haar te vragen, maar bedacht net op tijd dat het meisje drie jaar geleden toen de oorlog begon nog niet op de middelbare school zat. In plaats daarvan vroeg Penny of ze meneer Fuller, het hoofd van de lagere school kende.

'Ja, natuurlijk. Iedereen die hier woont, kent directeur Fuller.'

'Weet je waar hij woont? Ik ben een vriendin van zijn zoon Roy. Ik weet dat Roy ergens in het buitenland is gelegerd, maar ik moet met zijn vader praten.' Het meisje legde Penny de weg uit. Gelukkig bleek het huis niet ver van het busstation te liggen. De serveerster zei tegen haar dat het tien tot vijftien minuten lopen was.

Terwijl Penny de aanwijzingen volgde, vroeg ze zich af hoe het zou zijn om in een leuk plaatsje als Moosic te wonen, ver bij de grote stad vandaan. Het moest geweldig zijn om de namen van alle buren te kennen en in de tuin met elkaar te kunnen praten in plaats van je je hele leven achter vergrendelde deuren op te sluiten zoals haar ouders hadden gedaan. Ze vroeg zich af hoe Eddie het zou vinden om naar een mooi stadje als Moosic te verhuizen, als hij ooit verliefd op haar zou worden en haar ten huwelijk zou vragen. Ze had geen idee. Ze wist niet waar Eddie van hield of niet van hield en wat zijn dromen en verwachtingen voor de toekomst waren.

Zonder problemen vond ze het huis en ze liep over het keurig onderhouden pad naar de voordeur. De man die opendeed, zag er even vriendelijk en gezond uit als Roy.

'Dag, meneer Fuller. U kent mij niet, maar mijn naam is Penny Goodrich. Ik ben bevriend met uw zoon Roy.'

'Kom binnen, juffrouw Goodrich. Het is veel te koud om buiten te blijven staan.'

'Dank u wel. Ik zal u echt niet lang ophouden.'

Ze stampte de sneeuw van haar laarzen en ging naar binnen, terwijl ze zichzelf voornam niet te ratelen. Als ze zenuwachtig was, wist ze van geen ophouden en gaf ze de ander geen kans om er een speld tussen te krijgen. En zenuwachtig was ze in ieder geval.

Het interieur zag er een beetje versleten en ouderwets uit, maar het was heerlijk warm binnen. Penny maakte de knopen van haar jas los, maar hield die aan, terwijl meneer Fuller haar naar de huiskamer leidde. 'Wilt u koffie of iets kouds drinken?' vroeg hij.

'Nee, dank u. Ik heb net iets gegeten in het restaurant op het busstation.'

Meneer Fuller gebaarde naar een stoel en ging tegenover haar zitten. 'U zei dat u bevriend bent met Roy?'

Penny knikte. Ze haalde diep adem en bereidde zich op het ergste voor. 'Ik heb Roy leren kennen toen hij op de marinewerf in Brooklyn was gestationeerd. Daar woon ik. In Brooklyn bedoel ik. Niet de marinewerf. Om een lang verhaal kort te maken: Roy en ik raakten bevriend en ik ben de tel kwijtgeraakt hoe vaak hij me niet ergens mee heeft geholpen. Hij heeft me alles over zijn verloofde, Sally, verteld, en ik hem alles verteld over Eddie, mijn…' Ze zweeg even en zei toen hakkelend: 'V-vriend.'

'Ja, ik herinner me dat hij het wel eens heeft gehad over een goede vriendin die hij in Brooklyn had leren kennen. Jullie zaten elke dag in dezelfde bus, nietwaar?'

'Inderdaad.' Ze glimlachte en was verbaasd dat Roy zijn vader over haar had verteld. 'Sinds hij is uitgezonden, schrijven Roy en ik elkaar, maar nu heb ik al meer dan tweeënhalve maand niets van hem gehoord. Ik ben heel ongerust. En daarom… daarom ben ik hiernaartoe gekomen.'

'Helemaal vanuit Brooklyn.' Het was een constatering, geen vraag. Hij glimlachte even en zei: 'U moet wel een heel goede vriendin van hem zijn, juffrouw Goodrich.' Meneer Fuller wachtte even en Penny merkte dat ze haar adem inhield. 'Roy is tijdens de Slag in de Golf van Leyte in de Filippijnen gewond geraakt. Ik heb een telegram van de Marine gekregen.'

Penny slikte moeizaam. 'Wordt hij weer beter?'

'Het is nog te vroeg om dat met zekerheid te zeggen. Hij ligt ergens in een veldhospitaal in het gebied en is te ziek om naar huis vervoerd te worden. Bij een explosie heeft hij ernstige brandwonden opgelopen. Ze weten niet of hij ooit weer zal kunnen zien.'

'Wat verschrikkelijk! Maar hij haalt het toch wel, hè? Hij mag niet doodgaan!'

'De artsen beloven niets. Met zulke ernstige brandwonden bestaat er altijd een risico op infecties – en hij bevindt zich in een primitief gebied.'

Penny was opgelucht te horen dat hij nog leefde. Alleen al om die reden was de reis de moeite waard geweest. Ze wilde iets voor hem doen, zodat hij de hoop niet zou opgeven. 'Denkt u dat hij mijn brieven zal krijgen, als ik hem blijf schrijven?'

'Ik weet het zeker. Ik kan u zijn nieuwe adres geven.' Hij stond op om het voor haar op te schrijven.

'Hoe gaat het met Sally?' vroeg Penny. 'Ze moet zich grote zorgen over hem maken.'

'Misschien wel.' Het leek een vreemd antwoord en meneer Fuller ontweek haar blik toen hij dit zei. 'Ze werkt in de kapsalon bij het busstation, voor het geval u bij haar langs wilt gaan.'

'Dank u wel. Misschien doe ik dat wel.' Penny stond op. Ze wist wat er met haar vriend was gebeurd en had nog een lange busreis voor de boeg. 'Ik zal voor hem bidden, meneer Fuller. En ook voor u,' voegde ze eraan toe, toen ze zich herinnerde dat hij weduwnaar was. 'Als u het goedvindt, geef ik u ook mijn adres, zodat u contact met me kunt opnemen als er nieuws over Roy is – of als er iets is wat ik voor u kan doen.'

'Heel graag.'

'Ik moet gaan,' zei ze, nadat ze haar adres aan hem had gegeven.

'Nu al? U bent er net.'

'Ik weet het. Maar het is een lange reis terug naar huis.' Hij liep met haar mee naar de deur. 'Roy is een goed mens, meneer Fuller. U moet wel heel trots zijn op uw zoon.'

'Dank u wel. Dat ben ik zeker.'

'En Sally mag zich gelukkig prijzen.'

Penny liep terug naar het station en vond zonder moeite de kapsalon waar Sally werkte. De salon had een grote etalage en Penny zag de kapsters binnen aan het werk. Ze waren bezig haar te wassen, te knippen en in model te brengen. Ze had haar hand al op de deurknop gelegd om naar binnen te gaan, toen ze Sally herkende. Lachend kamde ze het haar van een oudere vrouw. Sally was in werkelijkheid nog knapper dan op de foto's.

Plotseling leek het een dom idee om kennis te maken met Sally. Stel je voor dat Roy haar niet had verteld over zijn goede vriendin in Brooklyn? Stel dat Sally niet wist dat ze elkaar al deze maanden hadden geschreven? Penny zou het zichzelf nooit vergeven als ze iets doms deed dat tot een breuk tussen deze twee zou leiden, vooral niet na alle moeite die Roy had moeten doen om Sally's hart te veroveren. Penny wist hoeveel Roy van Sally hield.

Gebruik je verstand, zei ze tegen zichzelf. Ze draaide zich om en haastte zich naar het busstation om de lange, koude reis terug naar Brooklyn te maken.

47

April 1945

Esther legde de krant die ze net had gekocht op de eettafel en liep naar de woonkamer om de radio aan te zetten. Eindelijk was het lente geworden en in de wereld volgden de gebeurtenissen elkaar zo snel op dat ze in het oude patroon was teruggevallen om iedere ochtend en avond naar het nieuws te luisteren en elke krant te lezen die ze te pakken kreeg.

Twee weken geleden was het Pasen geweest. Penny had in het huis van haar ouders een feestelijke maaltijd gekookt en ze hadden er met z'n allen gegeten. Oma Shaffer was met hen mee naar de kerk gegaan en had zelfs bij de buren meegegeten. Die dag stond er de volgende grote kop op de voorpagina van de krant: *Amerikaanse troepen op Okinawa*. Meneer Goodrich had uitgelegd dat het piepkleine eilandje deel uitmaakte van Japan, wat betekende dat het einde van de oorlog weer een stapje dichterbij was gekomen.

Tien dagen na Pasen hadden geallieerde soldaten op 11 april een vernietigingskamp met de naam Buchenwald bevrijd. De kranten stonden vol van de verschrikkingen die ooggetuigen er hadden aangetroffen. Esther was naar beneden gegaan om meneer Mendel te troosten.

'Lief dat je aan me denkt, Esther,' had hij gezegd. 'Maar je moet me beloven dat je niet meer over deze gruweldaden leest. Als je de foto's eenmaal hebt gezien, staan ze voor altijd op je netvlies gebrand.'

De volgende dag kreeg de natie het schokkende en verbijsterende nieuws dat president Roosevelt plotseling aan een hersenbloeding was overleden. De hele oorlog door was hij voor Esther als een grootvader geweest die hen iedere week in hun huiskamer had bezocht om iedereen moed in te spreken met zijn praatjes bij het haardvuur. En net nu de overwinning in aantocht was, zou de president er niet meer zijn om die met hen te vieren.

Esther spreidde de laatste krant op de eettafel uit. Ze liet haar blik over de krantenkoppen glijden en zocht naar nieuwe artikelen om uit te knippen. Plotseling werd haar aandacht getrokken door een foto van een uitgebrand gebouw. Ze had de synagoge aan de overkant zo vaak gezien dat ze het bouwwerk op de foto onmiddellijk herkende.

'Hé, Peter. Kom eens kijken! Er staat een artikel over de brand aan de overkant in de krant.'*Proces voor verdachte van brandstichting synagoge.*' Peter en Penny haastten zich naar de eetkamer om over Esthers schouder naar de foto te kijken. 'Heb je dit artikel gelezen, Penny? Ik wist niet dat ze iemand hadden gearresteerd. Jij wel?'

'Nee, ik heb er niets over gehoord,' zei Penny. 'Ik ben verbaasd dat meneer Mendel er niets van heeft gezegd.'

Esther las het artikel hardop aan hen voor: '*Op maandag 23 april begint het proces van de man die ervan verdacht wordt de brand gesticht te hebben die achttien maanden geleden zware schade heeft toegebracht aan een synagoge in Brooklyn. De politie heeft afgelopen december een voormalig lid van de Ohel Moshe Gemeente gearresteerd, nadat twee getuigen in de zaak naar voren waren gekomen. De verdachte, Jacob Mendel…*' Esther sprak niet verder en staarde geschokt naar de naam.

Jacob Mendel.

Esther kon zich niet verroeren en was met stomheid geslagen. Dit kon niet waar zijn. Er was een verschrikkelijke vergissing gemaakt. Terwijl ze vol ongeloof naar de naam van haar vriend staarde, hoorde ze een benauwde schreeuw achter zich.

'Neeee!'

Ze draaide zich met een ruk om. De schreeuw was afkomstig van Peter.

'Neeee!' zei hij weer. Het schorre geluid klonk alsof het met geweld uit zijn keel werd geperst. Zijn lichaam kronkelde alsof hij verging van de pijn, terwijl hij er meer woorden probeerde uit te persen. 'H-hij heeft het n-n-niet...!'

Het duurde even voordat het tot Esther doordrong wat ze zojuist had gehoord: Peter praatte weer! Eindelijk praatte hij weer!

'Natuurlijk heeft hij het niet gedaan,' zei Penny sussend. 'Daar zullen ze ongetwijfeld gauw genoeg achter komen.'

Esther kon haar broer alleen maar aangapen. Eindelijk, na al deze maanden, praatte hij weer. Maar daar was wel een vreselijke ramp voor nodig geweest. *Meneer Mendel was gearresteerd!*

Peter sloeg wild met zijn armen om zich heen en wurmde zich los uit Penny's armen. Hij wankelde naar de voordeur en stormde de trap af. Terwijl Penny en zij achter hem aan stormden, hoorde Esther hem op de deur van meneer Mendel bonken.

'Ik h-h-heb..!' stotterde Peter toen meneer Mendel de deur opende. 'I-ik w-weet w wie!'

'Hij praat weer,' zei Esther verbaasd. 'Peter praat weer!'

Meneer Mendel pakte Peter bij zijn schouders om hem te kalmeren. 'Wat wil je me precies vertellen, jongen?'

'De b-b-brand...'

'We hebben het net in de krant gelezen,' zei Esther. 'Is het echt waar? Bent u echt gearresteerd?'

Meneer Mendel knikte. 'Het proces begint aanstaande maandag.'

'Waarom hebt u niets gezegd?' riep Esther. 'Dit is vreselijk!'

'Ik heb al die tijd gehoopt dat het zover niet zou komen. Mijn advocaat heeft zijn best gedaan, maar...'

Peter pakte meneer Mendel bij zijn overhemd vast. Hij werd

rood van de inspanning om weer iets te zeggen. 'Wat is er, Peter?' vroeg meneer Mendel. 'Doe maar rustig aan. Het geeft niet.'

'U hebt het niet gedaan... Ik weet het zeker!... De b-brand... Ik was erbij. Jacky heeft het gedaan.'

'Jacky Hoffman? Hij is een van de getuigen die me beschuldigt.'

Esther herinnerde zich dat Jacky had gezegd dat ze de synagoge moesten afbreken en er een sportveld van moesten maken. En hoe hij en zijn broer Gary hadden gelachen en in de plassen gestampt, terwijl het gebouw afbrandde. 'Waarom zou hij u beschuldigen?' vroeg ze aan meneer Mendel. 'Waarom zou hij liegen?'

'Omdat hij weet dat ik je verboden heb om nog langer met hem om te gaan.'

'O nee!' Esther kreeg een wee gevoel in haar maag. Meneer Mendel zat in de problemen en dat was haar schuld. Ze had Jacky Hoffman nooit mogen vertrouwen. 'Heeft Jacky de synagoge echt aangestoken?' vroeg ze aan haar broertje.

'J-ja,' zei Peter. 'Ja, hij en Gary... en... ik.'

'Jij?' zei Esther verbijsterd.

Peter begon te snikken, zodat het moeilijk was te verstaan wat hij zei. 'Ik had de kerosine gevonden. Omdat ik boos was dat papa wegging, ben ik met hen naar binnen gegaan...'

'Nee,' mompelde Esther. 'O, Peter... nee.'

'En... en toen het gebouw in brand vloog, zeiden... zeiden ze dat ik mijn mond moest houden, omdat ze... omdat ze anders...'

'Daarom kon je al die tijd niet praten?' Esther herinnerde zich hoe Peter de slaapkamer was binnengerend, terwijl haar vader zijn koffer aan het pakken was. Toen de sirenes in de verte begonnen te loeien, had Peter zich jammerend aan hem vastgeklampt. Sindsdien had hij geen woord meer gezegd.

'Ik wilde echt niet...' huilde hij. 'Het spijt me.'

'Shh... shh...' kalmeerde meneer Mendel hem. Hij hield Peter stijf tegen zich aan en troostte hem. 'Ik weet het, Peter. Ik weet het. Alles zal goed komen.'

'Nee, dat is niet waar! Z-zeg tegen hen dat u het niet hebt gedaan!'

'Arme jongen, dat je al die tijd met zo'n verschrikkelijk geheim hebt rondgelopen. Geen wonder... geen wonder...'

'Zal Peter de politie nu achter zich aan krijgen?' vroeg Esther.

'Hij is nog maar een kind. Ik weet zeker dat de oudere jongens verantwoordelijk zullen worden gehouden.'

'Wat moeten we nu doen?' vroeg Penny.

'Laat hem eerst uithuilen. En daarna zal ik, als Peter het goedvindt, mijn advocaat bellen en kan Peter hem het hele verhaal vertellen.'

Ze gingen allemaal in het appartement van meneer Mendel zitten en tegen de tijd dat de advocaat, meneer Stein, aanbelde, was Peter gekalmeerd. Vol ongeloof hoorde Esther hoe Peter een blik kerosine in de kelder bij de wastobbes had gevonden. Hij was boos geweest op zijn vader en had iets drastisch willen ondernemen om hem te dwingen thuis te blijven. Op dat moment waren de twee jongens van Hoffman langsgekomen. Ze waren met z'n drieën via de achterdeur de synagoge binnengeglipt en hadden zich in een ruimte onder de trap verstopt, totdat de gebedsdienst was beëindigd en de mannen naar huis waren gegaan.

Toen de jongens uit hun schuilplaats tevoorschijn waren gekomen, had Jacky een kamer vol boeken gevonden. Ze hadden de boeken op de grond gesmeten, er bladzijden uitgescheurd en er een stapel midden in de kamer van gemaakt. Gary had de kerosine erover uitgegoten, terwijl Jacky Peter een doosje lucifers had overhandigd. 'Wil jij het aansteken?'

Peter was bang geworden. Plotseling vond hij het niet leuk meer en hij wilde naar huis. Ze hadden hem een uilskuiken genoemd en geprobeerd hem te dwingen de lucifer aan te steken.

441

Peter had willen weglopen, maar Jacky had hem tegengehouden en hem gedwongen toe te kijken, terwijl Gary de lucifer had aangestoken en op de stapel had gegooid. Het papier had meteen vlam gevat.

'*Dit is jouw schuld*,' had Jacky tegen hem gezegd, toen de boeken begonnen te roken en te branden. '*Je kunt beter je mond houden, want als je het tegen iemand vertelt, zullen we jou en je huis in brand steken.*'

Jacky had Peters armen achter zijn rug gehouden en hem gedwongen toe te kijken, terwijl de vlammen omhoogschoten en de rook dikker werd. Peter was doodsbang geweest. Hij probeerde te gillen, maar er kwam geen geluid uit zijn keel. Toen de vlammen de gordijnen hadden bereikt, gooide Jacky Peter op de grond en ging ervandoor. Peter was overeind gekrabbeld, de synagoge uit gevlucht en zonder achterom te kijken naar huis gerend.

Ook toen hij klaar was met zijn verhaal, bleef Esther haar broertje aanstaren. Hij had zich schuldig gemaakt aan brandstichting. Ze was verbijsterd en verdrietig. Haar wereld stortte in elkaar. Ze had meneer Mendel willen helpen, maar niet ten koste van Peter. 'Gaan ze mijn broer nu arresteren?' vroeg ze aan de advocaat.

'Tijdens de voorbereiding van het proces heb ik al gekeken naar de achtergrond van de twee zogenaamde getuigen,' antwoordde hij. 'Jack en Gary Hoffman hebben zich in het verleden al schuldig gemaakt aan vandalisme en andere misdrijven. Jouw broer toch niet?'

'Nee, hij is een goede jongen,' zei Esther. 'Hij heeft het niet met opzet gedaan.'

Meneer Stein had aantekeningen gemaakt. Hij stopte die nu in zijn koffertje en deed het dicht. 'Ik heb een paar dagen nodig om een aantal verzoeken tot rechterlijke uitspraak in te dienen en dit nieuwe bewijsmateriaal aan de politie te overleggen. Ik wil niet te optimistisch zijn, maar ik denk dat de zaak zal worden geseponeerd en de aanklacht tegen meneer Mendel zal worden ingetrokken.'

'En Peter?' vroeg Esther.

'Hij is minderjarig. Ik zal mijn best ervoor doen dat hij niet wordt aangeklaagd.'

Een paar minuten later vertrok meneer Stein. Meneer Mendel, Penny en Peter keken elkaar verlamd van schrik aan. Esther kon zich ook niet verroeren. 'Ik wilde dat ik Jacky nooit had vertrouwd,' zei ze.

'Sorry,' mompelde Peter. 'Het was echt mijn bedoeling niet... het spijt me.'

'Nu moeten jullie twee eens goed naar me luisteren,' zei meneer Mendel. 'We maken allemaal fouten. Maar wij, joden, geloven – en ik denk jullie christenen ook – dat als we onze zonden aan Hasjem belijden, als we berouw hebben over de dingen die we verkeerd hebben gedaan en beloven het kwaad de rug toe te keren en een nieuwe weg in te slaan, Hij ons zal vergeven. Indien mogelijk moeten we altijd proberen om de schade te herstellen. En soms moeten we de gevolgen van onze daden dragen. Maar in de Schrift staat dat zo hoog de hemel boven de aarde is, zo groot Hasjems liefde voor ons is. Zo ver het oosten van het westen is verwijderd, zo ver heeft Hasjem onze zonden van ons verwijderd. We kunnen vergeven worden. En vanaf die dag mogen we met een nieuw leven beginnen.'

Esther wist dat hij gelijk had. Eerder die maand had ze in de kerk geluisterd naar het Paasevangelie. Haar zonden waren vergeven, omdat Jezus gestorven was. En die van Peter zouden ook vergeven worden.

48

Juni 1945

Toen Jacob naar buiten kwam om in de brievenbus te kijken, zag hij Esther op de stoep aan komen huppelen. 'Vandaag is het v-e-dag, meneer Mendel,' zei ze. 'Victorie in Europa.' Ze hield de krant omhoog die ze net had gekocht om hem de kop te laten lezen: HET IS v-E-DAG! *Laatste Duitse eenheden geven zich over.*

Een week geleden had Hitler zelfmoord gepleegd. Gisteren had Duitsland gecapituleerd. Vandaag vierde iedereen feest. Dat wil zeggen, bijna iedereen. De Joodse gemeenschap was verbijsterd toen de geheimen van de vernietigingskampen aan het licht kwamen: de dodentreinen, gaskamers en crematoria. Het nieuws was erger dan wie dan ook had vermoed. Door de strijd geharde soldaten die de kampen hadden bevrijd konden hun tranen niet bedwingen toen ze de verschrompelde lijken en uitgemergelde overlevenden zagen. Jacob had Esther laten beloven om niet naar de foto's te kijken.

Nu de Russen Hongarije hadden bezet, begon ook uit dat land het nieuws langzaam binnen te druppelen. Jacob had gehoord dat de Joden in dorpen en op het platteland als eersten naar de vernietigingskampen waren gedeporteerd – plaatsen zoals die waar Avraham, Jacobs broer Yehuda en de meeste andere familieleden woonden. De Joden in Boedapest, waar zijn broer Baruch woonde, waren als laatsten gedeporteerd. Jacob probeerde er uit alle macht achter te komen wat er met zijn geliefden was gebeurd. Vol spanning wachtte hij af, terwijl organisaties als het Rode Kruis vermisten probeerden te lokaliseren, gezinnen te herenigen en informatie naar familieleden in Amerika te sturen. De afgelopen weken leken eindeloos lang geduurd te hebben en Jacob bereidde zich op het ergste voor.

'Je vader zal nu wel snel naar huis komen, denk ik?' vroeg hij aan Esther.

'Ja! Dan hebben we papa weer terug!' Ze opende de brievenbus en haalde er twee brieven uit. 'Ik was boos op hem dat hij wegging en ons zomaar achterliet, maar nu begrijp ik waarom hij moest gaan vechten.'

Arme, kleine Peter was ook boos geweest. Boos genoeg om iets heel ergs te doen. Twee dagen geleden had Jacob gehoord dat hij niet vervolgd zou worden – en Peter ook niet. Hij vond het passend dat Miriam Shoshanna het leven van Peter Shaffer had gered en dat Peter Shaffer hem nu had gered.

'Als papa thuiskomt, zal ik hem vertellen dat ik trots op hem ben,' zei Esther. 'Tot later, meneer Mendel.' Ze zwaaide naar hem en rende de trap op naar haar appartement. Jacob zwaaide terug, draaide zich om en opende zijn eigen brievenbus.

Hij trof er een brief in aan, geadresseerd aan Jacob en Miriam Mendel. Het handschrift herkende hij onmiddellijk: het was dat van Avraham.

Jacob wankelde en verloor bijna zijn evenwicht. Hij leunde tegen de muur van de veranda en zijn hart sprong op van vreugde en hoop. Hij draaide de brief om om die open te scheuren en zag dat er in een onbekend handschrift een boodschap in het Hongaars op de achterkant was gekrabbeld: *Ons dorp is nu in Russische handen. Ik stuur u deze brief, zoals ik uw zoon, Avraham Mendel, heb beloofd en vertrouw erop dat God u deze veilig zal doen toekomen.*

Jacob strompelde naar zijn appartement en hield zich vast aan muren en deurposten om niet onderuit te gaan. Hij liet zich in de eerste de beste stoel neerzinken om de brief te lezen die twintig maanden geleden geschreven was.

Oktober 1943

Lieve mama en abba,
Het is al zo lang geleden dat ik een brief van u heb gekregen. Ik weet
dat de stilte even moeilijk voor u in Amerika te verdragen is als voor
mij in Hongarije. Iedere keer dat ik naar mijn dochtertje kijk en me
probeer voor te stellen hoe het is om van haar gescheiden te worden en
niet te weten hoe het met haar gaat, begrijp ik hoe u zich moet voelen.
En na veel gebed heb ik besloten om u deze brief te schrijven en erop
te vertrouwen dat Hasjem ervoor zal zorgen dat u die op een dag in
Amerika zult ontvangen.
Ik ben bevriend geraakt met de dominee van een christelijke kerk
hier in het dorp. Hij is een zeer goed mens en ik ben van plan om
hem deze brief te geven en hem te vragen die na de oorlog naar u te
sturen.

Vlug en vol verlangen om de stem van zijn zoon na al deze tijd
weer te horen, las Jacob de rest van de brief om erachter te komen wat er met Avraham was gebeurd. Als hij klaar was, zou hij
de brief opnieuw en deze keer wat langzamer lezen.

Avi wist wat Hitler met de Joden van plan was, ook al had
de rest van de wereld het niet geloofd. Maar zijn zoon had zijn
geloof in Hasjem niet verloren.

Zoals de profeet Habakuk schreef:
Al zou de vijgeboom niet bloeien, en er geen opbrengst aan de wijn-
stokken zijn, de vrucht van de olijfboom teleurstellen; al zouden de
akkers geen spijs opleveren, de schapen uit de kooi verdreven zijn en
er geen runderen in de stallingen zijn, nochtans zal ik juichen in de
Eeuwige, jubelen in Hasjem, die mijn Redder is.

Avraham beschreef hoe hij in tegenstelling tot alle andere mannen in het dorp op het nippertje was ontsnapt aan een deportatie naar een werkkamp. Daarna had Avi besloten om met zijn

gezin naar Boedapest te vluchten en bij Jacobs broer Baruch in te trekken.

Ik houd van u, mama en abba. En ik hoop dat u deze brief op een dag zult ontvangen, wat er ook met ons zal gebeuren. Ik stel al mijn vertrouwen in Hasjem, die altijd voor ons zal blijven zorgen.

Veel liefs van Avraham

Twee dingen in de brief gaven Jacob hoop: Avraham en zijn gezin waren naar Boedapest verhuisd, waar sommige Joden erin geslaagd waren om de oorlog te overleven. En zijn zoon was ondanks alles vast blijven houden aan zijn geloof in Hasjem.

De rest van de maand juni bleef Jacob constant in de buurt van de brievenbus in de hoop meer nieuws uit Hongarije te krijgen. Het werd juli en Jacob las in de krant dat verschillende organisaties hard werkten om vluchtelingen in het bevrijde Europa met hun families te herenigen. Met miljoenen vermiste mensen was dit geen eenvoudige taak. In augustus bracht Amerika twee atoombommen tot ontploffing en capituleerde Japan. Eindelijk was de oorlog voorbij.

Toen Jacob op een hete augustusmiddag uit de sjoel terugkeerde, vond hij een dikke envelop in zijn brievenbus. Hij zag aan het retouradres dat de envelop afkomstig was van het Zweedse Rode Kruis. Zijn hart bonkte zo hard van angst, hoop en vrees dat hij amper kon ademhalen. Hij haastte zich met het pakket tegen zijn borst geklemd naar de overkant van de straat, waar hij rebbe Grunfeld nog in de studieruimte aantrof.

'Yaacov, wat is er aan de hand? Je ziet zo wit als een doek.'

'Dit vond ik net in de brievenbus. Het is uit Hongarije afkomstig. Ik heb zolang op nieuws gewacht, maar nu... kan ik dit niet alleen doen.'

'Je hebt gelijk, Yaacov. Deze post moet je in geen geval in je eentje openen. We hebben elkaar nodig. En op de dag dat er een brief voor mij komt, weet ik dat jij me ook bij zult staan.'

Jacob overhandigde hem de envelop. 'Hier. Lees het me alstublieft voor.' De inhoud van het pakket zou in het Hongaars geschreven zijn, een taal die de rebbe ook sprak. Jacob ging zitten en wachtte totdat de rebbe de envelop geopend had. Hij trilde, alsof hij 's winters zonder kleren buiten in de ijzige wind stond.

'Het zijn brieven, Yaacov. Een hele stapel.'

Jacob keek vlug naar het handschrift. 'Ze zijn niet door Avi geschreven. Dat weet ik in ieder geval.'

'De eerste begint: "Lieve vader en moeder Mendel, Dit is een brief van uw schoondochter Sarah Rivkah. Avraham heeft me gevraagd om u te blijven schrijven zoals hij altijd deed, zodat u na de oorlog zult weten wat er met ons is gebeurd."'

De rebbe zweeg en bladerde door de stapel. 'Er zit een aantal brieven van haar bij, allemaal met een verschillende datum, als een soort dagboek.'

'Leven Fredeleh en zij nog?'

'Ik zal de laatste brief aan je voorlezen en dan zul je het weten.'

'Nee, rebbe! Wacht!'

Nu het langverwachte nieuws van zijn familie er eindelijk was, merkte Jacob dat hij er niet klaar voor was om het te horen. Hij wilde zijn verdriet nog even uitstellen. De waarheid zou alles onherroepelijk veranderen. 'Lees de brieven in chronologische volgorde, rebbe. Ik wil Sarah Rivkahs verhaal stukje bij beetje horen, zodat het gemakkelijker zal zijn om het einde te horen.' Jacob ging zitten om naar Sarah Rivkahs verhaal te luisteren. Zijn hart klopte zo langzaam en zwaar als een kerkklok.

Ze beschreef hoe ze bij Jacobs broer in Boedapest waren ingetrokken en hoe Avraham uiteindelijk ook was weggevoerd om dwangarbeid te verrichten. Voor zijn deportatie had hij een christelijk weeshuis gevonden dat ermee ingestemd had om Fredeleh op te nemen en haar samen met andere Joodse kinderen te verbergen.

'Kan ik mijn kleindochter daar vinden?' viel Jacob de rebbe in de rede. 'In dat weeshuis?'

De rebbe las zachtjes verder. 'Het spijt me, Yaacov. Sarah schrijft dat ze het niet kon verdragen om gescheiden te worden van Fredeleh en Avraham. Ze heeft Fredeleh er niet naartoe gebracht.'

Jacob kon het haar niet kwalijk nemen. Hij leunde weer achterover in zijn stoel om naar de tweede brief te luisteren die in maart 1944 was geschreven. Tegen die tijd waren de nazi's en Adolf Eichmann al in Hongarije aangekomen. Sarah en de andere Joden waren bijeengedreven en in een getto opgesloten. Ondertussen waren Sarahs en Jacobs familie – alle Joden op het platteland – naar de vernietigingskampen gedeporteerd.

De rebbe wachtte even. 'Gaat het, Yaacov? Wil je dat ik even stop?'

'Ik denk dat ik het vervolg al ken,' zei hij zachtjes. 'We waren er allemaal van op de hoogte. Maar toch is het moeilijk om het te horen.'

Het nieuws in Sarahs volgende brief was zelfs nog slechter. De nazi's waren gekomen om het getto in Boedapest te ontruimen. Ze hadden Sarah, haar moeder en Fredeleh net na zonsopgang gewekt en op een deportatietrein gezet. Maar toen was er een wonder gebeurd – het wonder waar Jacob om had gebeden, toen de kinderen en hij kaarsen op het chanoekafeest hadden aangestoken. Er waren Zweedse mannen gearriveerd om hen te redden. Ze hadden valse identiteitspapieren uitgedeeld, die door de Duitsers geaccepteerd werden. Sarah, Fredeleh en een baby behoorden tot degenen van wie het leven gespaard werd, maar de moeder van Sarah Rivkah werd weggevoerd.

De rebbe ging onmiddellijk verder met de volgende brief, waarin beschreven werd hoe een Zweedse diplomaat met de naam Raoul Wallenberg met behulp van het geld dat door de vluchtelingencommissie in Amerika was verzameld, zo veel mogelijk Joden in Boedapest had gered. Sarah Rivkah had onderdak gevonden in een Zweeds veilig huis. De rebbe zweeg. Jacob en hij keken elkaar even aan. Al het geld dat ze hadden ingezameld, alle gebeden... Hasjem was achter de schermen aan het werk geweest.

Jacob hoorde de wanhoop die in Sarahs volgende brief door-klonk, waarin ze vertelde hoe ze uiteindelijk toch met Fredeleh naar het klooster was gegaan en haar dochter bij de christenen had ondergebracht. Het betekende dat een van Jacobs familie-leden misschien nog in leven was, zelfs al zouden Sarah en Avi omgekomen zijn. Toen legde Sarah uit dat de nazi's en Adolf Eichmann in november waren teruggekeerd, waarna zelfs de veilige huizen niet meer veilig waren.

De rebbe haalde diep adem, voordat hij aan de laatste brieven begon.

Lieve vader en moeder Mendel,
De weinige Joodse mannen die in Boedapest waren overgebleven –
sommigen niet ouder dan zestien, anderen al in de zestig – werden
naar de buitenwijken van Boedapest meegenomen, waar ze grachten
moesten graven om de Russen tegen te houden. We hoorden dat het
Russische leger steeds verder oprukte. Ondertussen waren de nazi's
nog steeds vastbesloten om ons volk naar de kampen te deporteren.
Maar omdat er geen treinen meer waren, besloot Adolf Eichmann om
ons bijeen te drijven en ons te dwingen om de meer dan honderdvijftig
kilometer naar de Duitse grens te lopen.
Ze kwamen ons halen op een bitterkoude dag en we waren niet ge-
kleed voor de reis. Velen van ons waren al verzwakt door ziekte en
ondervoeding. Het kon de nazi's niets schelen. Iedereen die onderweg
van uitputting in elkaar zakte, werd doodgeschoten. Degenen die het
tempo niet konden bijhouden, werden doodgeslagen. Sommige men-
sen die vielen en niet meer konden opstaan, werden later doodgevroren
teruggevonden. Ik dacht aan Avraham en Fredeleh en dwong mezelf
om door te lopen. Ik heb geen idee hoelang of hoe ver we liepen.
Toen ik dacht dat ik geen stap meer kon zetten, verscheen Raoul Wal-
lenberg als een engel van Hasjem in zijn grote, zwarte auto. 'Heeft ie-

mand hier een Zweeds paspoort?' vroeg hij. Ongeveer driehonderd van ons kregen toestemming om met hem terug te keren naar Boedapest.

Ik bad dat de nachtmerrie gauw voorbij zou zijn. We konden het geschut rondom Boedapest horen. Maar net toen de Russen ons wilden bevrijden, besloten de nazi's het getto op te blazen en alle overgebleven inwoners te doden. Ze haalden ons uit de veilige huizen en dreven ons naar het getto om met alle anderen te sterven. Opnieuw greep meneer Wallenberg in. Hij waarschuwde de nazi's dat als ze deze gruwelijke daad ten uitvoer brachten, hij er hoogstpersoonlijk voor zou zorgen dat ze na de oorlog voor moord en genocide zouden worden aangeklaagd. Voor de zoveelste keer redde hij ons het leven.

Rebbe Grunfeld zweeg en slikte, omdat hij te ontroerd was om verder te spreken.

'Dus Sarah Rivkah leeft nog,' mompelde Jacob. 'Ik sta diep in het krijt bij deze man, Raoul Wallenberg. Maar hoe kun je iemand die zoiets heeft gedaan ooit terugbetalen?'

De rebbe schudde zijn hoofd en pakte de volgende brief.

Lieve vader en moeder Mendel,

De oorlog is voorbij. De nazi's zijn verslagen. Toen ik zeker wist dat het veilig was, ben ik Fredeleh in het klooster gaan halen. Ze hadden goed voor haar gezorgd en ze was heel blij om me te zien. Ik nam haar mee naar het veilige huis en nu volgt ze me overal. Dat is niet erg, want ik kan mijn ogen niet van haar afhouden. Ik wilde Yankel, de baby, ook mee naar huis nemen. Zijn moeder vertrouwde hem aan mijn zorgen toe en ik ben bang dat hij geen familie meer heeft. Maar er is amper genoeg te eten voor Fredeleh en mij en daarom is het beter dat hij voorlopig bij de christenen blijft.

Ik begrijp nog steeds niet waarom ik, in tegenstelling tot zo veel anderen, nog leef. Die gedachte is bijna ondraaglijk. Ik moet bij de dag leven, voor mijn dochter en mezelf zorgen en naar Avraham en de rest van mijn familie zoeken.

We hebben gehoord dat de geallieerde troepen alle Hongaren proberen op te sporen die de concentratiekampen hebben overleefd en dat deze, zodra ze in staat zijn vervoerd te worden, naar een gebouw hier in Boedapest zullen worden overgebracht. Nu de eerste overlevenden beginnen binnen te druppelen, gaan Fredeleh, ik en de andere bewoners van de veilige huizen iedere dag naar dat kolossale gebouw om naar onze families te zoeken. We hebben foto's bij ons, laten ze aan vreemden zien en vragen: 'In welk kamp zat je? Heb je deze persoon gezien?' We kijken de mensen aandachtig aan en zoeken naar een bekend gezicht.

Als familieleden of vrienden elkaar vinden, wordt er gelachen en gehuild en iedereen huilt vol nieuwe hoop met hen mee. Misschien zijn wij de volgenden die het geluk hebben een vermist familielid terug te vinden. We hebben ook briefjes op een prikbord gehangen met de naam, beschrijving en het oude adres van onze geliefden. We vragen of iemand hen heeft gezien of weet wat er met hen is gebeurd. De teruggekeerde overlevenden laten er vaak berichten op achter, zoals: 'We waren in dit kamp samen,' of: 'Ik heb hem na de bevrijding levend gezien.' En soms vertellen ze ons dat ze onze geliefden de linkerkant uit hebben zien gaan – naar de gaskamers. Maar ik zal desnoods de rest van mijn leven blijven zoeken en nooit opgeven.

Veel liefs,
Sarah Rivkah en Fredeleh

Jacob haalde diep adem, terwijl de rebbe even stopte met lezen, voordat hij aan de volgende brief begon. Hij zag dat er nog maar een paar bladzijden waren overgebleven. 'Gaat het, Yaacov?' vroeg de rebbe. Jacob knikte en vroeg hem verder te lezen.

Lieve vader en moeder Mendel,
Vandaag is er een wonder gebeurd! Ik heb Dina Weisner gevonden, de vrouw in de trein die me haar zoon Yankel in de handen drukte. Ik had een briefje voor haar op het prikbord achtergelaten en we hebben elkaar weergezien. Ze vertelde me dat ze door Yankel bij me achter te laten zonder het van tevoren te weten haar eigen leven had gered. Alle

452

vrouwen in de trein die kleine kinderen hadden, werden naar links, naar de gaskamers gestuurd. Maar omdat Dina jong, sterk en alleen was, heeft ze het werkkamp overleefd. Toen ik haar naar mijn moeder vroeg, schudde ze verdrietig haar hoofd. Mama was verdwenen.

Mama is niet meer.

Ik kan het nog steeds niet bevatten. Vaak denk ik terug aan onze laatste ogenblikken in de trein en begrijp niet waarom ik nog leef. Ik ben dankbaar dat Dina me verteld heeft wat er met mama is gebeurd. Maar ik weet niet hoe ik verder zou moeten leven als ik zou horen dat Avraham er ook niet meer is.

Ik ben met Dina naar het weeshuis gegaan om Yankel op te halen. Ze huilde van vreugde toen ze haar baby eindelijk weer in haar armen hield. Na zo veel lijden en verdriet was dit een moment van vreugde en hoop. We zijn teruggekeerd naar het Zweedse huis en zoeken nu samen verder naar onze mannen. Iedere dag hoop ik op goed nieuws. Iedere dag wanhoop ik. Ik weet dat u in Amerika met mij bidt. Ik geloof dat uw gebeden mij al deze tijd de kracht hebben gegeven om door te gaan.

Liefs,
Sarah Rivkah en Fredeleh

'Dank je wel voor het voorlezen van de brieven,' zei Jacob, toen de rebbe klaar was. 'Ik had het niet in mijn eentje kunnen doen. Sarah Rivkah en Fredeleh leven. Hasjem zij geprezen.'

Hij stond op en wilde het stapeltje brieven pakken om het papier in zijn handen te voelen en ze aan zijn hart te houden. Hij zou ze lezen en herlezen.

'Wacht, Yaacov. Er is nog één andere brief hier...'

Lieve vader en moeder Mendel,
Ik heb Avraham gevonden! Hij leeft!

Jacob zonk op de grond neer en huilde.

49

Eindelijk was de oorlog voorbij. Iedere dag kwamen er meer goede berichten binnen. Penny had een brief gekregen van Roys vader waarin stond dat Roy op een hospitaalschip naar San Diego was vervoerd. Zijn brandwonden genazen goed, maar omdat hij zijn handen nog niet kon gebruiken, moesten de verpleegsters de brieven voor hem schrijven. Penny stopte even om God te danken toen ze las dat zijn ogen volledig waren genezen en hij weer kon zien. In de volgende brief stond dat Roy uit het ziekenhuis was gekomen, uit dienst was ontslagen en naar Sally zou terugkeren. Penny hoopte dat Roy niet zou vergeten om haar een uitnodiging voor de bruiloft te sturen.

Hazel schreef dat haar twee zonen – Penny's halfbroers – binnenkort ook naar huis zouden komen. Ze wilde dat Penny hen zou ontmoeten. Het leek een wonder om plotseling familie te hebben. Iets wat ze nooit had kunnen dromen. Penny beloofde Hazel dat ze haar zou komen opzoeken zodra Eddie thuis was gekomen en hij de zorg voor Esther en Peter weer op zich had genomen. Maar misschien zouden ze het bezoek nog even moeten uitstellen, totdat alle militairen thuis waren. De bussen en treinen zaten zo vol dat het moeilijk was een kaartje te kopen.

Maar voor Penny was het beste nieuws dat meneer Mendels zoon was teruggevonden – uitgemergeld, maar levend. Amerikaanse troepen hadden hem en 30.000 andere gevangenen bevrijd uit het concentratiekamp Dachau. Hij herstelde nu in een ziekenhuis van het Rode Kruis. Meneer Mendel werkte dag en nacht om de papieren in orde te krijgen waarmee zijn familie naar Amerika kon komen.

De oorlog had het leven van iedereen op zijn kop gezet en na de bevrijding hernam het langzaam weer zijn normale gang. Penny wist dat er de komende maanden ook veel in haar leven zou veranderen. Haar baas had de vrouwelijke buschauffeurs al gewaarschuwd dat hun banen teruggegeven zouden worden aan de mannen die ze voor de oorlog hadden gehad. Penny was verdrietig toen ze weer achter het loket belandde om kaartjes te verkopen, maar ze had er begrip voor. Ze had in ieder geval een rijbewijs gehaald en was erachter gekomen dat ze helemaal niet zo dom was.

Op een prachtige middag in september kwam Eddie – twee jaar nadat hij in het leger was gegaan – weer thuis. Opnieuw trok Penny haar grijze pakje en nette schoenen aan en ging hem met Esther en Peter ophalen. Deze keer wachtten ze op een pier in Manhattan. Het schip was vol soldaten die over de reling hingen en uitzinnig van blijdschap naar de menigte zwaaiden die hen op de wal stond op te wachten. Penny bedacht dat er genoeg blijdschap op dat enorme schip was om het hoog in de wolken te laten opstijgen.

En daar was Eddie. Hij haastte zich over de treeplank naar de wal en rende op hen af. Hij zag er net zoals de andere soldaten uit, maar Penny zou hem uit duizenden herkennen. Hij was nog net zo knap als vroeger. Zijn golvende blonde haar begon weer te groeien ter voorbereiding op zijn terugkeer naar de burgermaatschappij. De kinderen vlogen op hem af en hij sloot ze in zijn armen. Iedereen was in tranen, omdat ze eindelijk weer herenigd waren.

'Welkom thuis, papa!' zei Peter luid en duidelijk.

'Het is zo fijn om je stem weer te horen, Peter. Een beter welkomstgeschenk is er niet. En kijk eens naar Esther – je bent zo volwassen. Toen ik wegging, was je nog een klein meisje en nu ben je een knappe jongedame.'

Eddie omhelsde Penny als laatste en het was goed om hem zo gezond en gelukkig te zien. Ze gingen naar het appartement om het welkomstdiner te eten dat ze had gekookt. Toen iedereen lachend en genietend van elkaars gezelschap aan tafel zat, keek Penny naar Eddie Shaffer en zag een vreemde voor zich.

Het kwam niet alleen doordat ze hem zo lang niet had gezien. Zijn uiterlijk, stem en gebaren waren niet veranderd. Maar het drong tot Penny door dat ze helemaal niets van hem wist – zijn lievelingskleur of lievelingseten, zijn dromen en toekomstver-wachtingen. Net zo min als dat hij iets van haar wist. Haar liefde voor Eddie Shaffer was helemaal geen liefde geweest, maar een dwaze verliefdheid op een buurjongen. Voor een meisje dat zo beschermd en met zo'n grote angst voor vreemden was opge-voed, was hij een veilige fantasie geweest.

Ze aten het nagerecht en Penny deed de afwas. Ze wist dat het tijd was om te gaan. 'Je hoeft nu toch nog niet te gaan?' vroeg Eddie. 'Kun je niet wat langer blijven?'

'Nee, ik moet echt gaan. Het is goed dat je even alleen bent met je kinderen.' Ze herinnerde zich hoe ze zichzelf had opge-drongen en altijd bij oma Shaffer was komen buurten als Eddie en de kinderen op bezoek waren – iets waar ze zich nu voor schaamde. Ze had zich als een nieuwsgierig buurmeisje gedra-gen dat haar plaats niet kende.

De kinderen waren verdrietig toen ze wegging. 'Dank je wel dat je voor ons hebt gezorgd,' zei Esther.

Peter omhelsde haar. 'Ik wilde dat je kon blijven.'

'Maak je geen zorgen,' zei ze terwijl ze hem ook omhelsde. 'We blijven elkaar zien. Ik ben hier in Brooklyn, een telefoontje bij jullie vandaan, als jullie met me willen praten.'

Penny's ingepakte koffer stond al bij de deur. Ze had een nieu-we gekocht om haar spullen naar huis te brengen. Misschien zou ze hem op een dag gebruiken om bij Hazel te gaan logeren. Of om op vakantie te gaan naar de Niagarawatervallen of Atlantic City. Onderweg staarde Penny uit het raam van de bus, maar zag helemaal niets.

'Hallo, ma. Ik ben thuis,' zei ze toen ze via de achterdeur naar binnen kwam.

'Deze keer voorgoed hoop ik,' zei haar moeder met gefronste wenkbrauwen. 'Het is de hoogste tijd dat je ermee ophoudt om van hot naar her te vliegen en dat je hier weer komt wonen, waar je thuishoort.'

Penny besloot te geloven dat haar moeder deze woorden, ondanks de boze toon die ze aansloeg, uit liefde had gesproken, en dat ze Penny had gemist en blij was dat ze weer thuis was. Binnenkort zou ze haar moeder moeten uitleggen dat haar thuis hier niet meer was en dat ze op zoek was naar een eigen appartement. Maar Penny kon zich de huur niet veroorloven en het was niet gemakkelijk om een huisgenoot te vinden. De meeste alleenstaande meisjes van haar werk verwachtten een huwelijksaanzoek, nu hun verloofdes waren teruggekeerd uit de oorlog.

Penny omhelsde haar moeder even en bracht haar volle koffer naar haar oude slaapkamer. Voorlopig zou ze hier blijven. Totdat ze had besloten wat ze verder zou doen.

Toen Penny drie weken later na haar dienst het busstation uit liep, zag ze Roy Fuller drie meter bij haar vandaan op de stoep staan. Ze herkende hem bijna niet. Hij droeg een pak en stropdas in plaats van zijn mariniersuniform en had zijn hoed over zijn ogen getrokken, zodat die de helft van zijn gezicht bedekte. Hij hield zijn ene hand een beetje onhandig tegen zijn lichaam gedrukt en de huid op zijn gezicht glom van de littekens, maar voor Penny was hij geen haar veranderd – en ze was dolblij om hem te zien.

'Roy!' Ze rende op hem af, sloeg haar armen om hem heen en drukte hem tegen zich aan. 'Wat doe je hier?' vroeg ze toen ze elkaar uiteindelijk loslieten.

'Ik ben eerst naar het appartement gegaan. Esther vertelde me dat je nog op het busstation werkte. Ze zei dat je rond deze tijd klaar was met je werk.'

'Ik ben zo blij je te zien! Je ziet er goed uit!'

'Jij ook.'

Ze stonden op de parkeerplaats, terwijl de bussen aan- en afreden, maar Penny was zich amper bewust van de drukte om hen heen. Roy keek haar aan, zoals hij dat nog nooit eerder had gedaan. Hij keek recht in haar ogen en deed haar hart sneller kloppen. Ze probeerde iets te bedenken om te zeggen.

'En… hoe gaat het met Sally? Ze zal wel blij zijn dat je weer thuis bent.'

'Misschien wel.' Hij zweeg en ze wachtte totdat hij verder zou praten. 'Mensen veranderen, Penny. De oorlog verandert alles. Ik ben niet meer dezelfde persoon als voor de oorlog – en dat is Sally ook niet. Ze zegt dat ze nog steeds van me houdt, maar ik zie dat ze het moeilijk vindt om verder dan de littekens te kijken.'

'Zeg dat niet, Roy. Ik weet zeker dat ze veel om je geeft. En je bent nog net zo geweldig als vroeger. Dat kan ik heel duidelijk zien.' Opnieuw antwoordde hij niet. 'Wat brengt je naar Brooklyn?' vroeg ze ten slotte.

'Jij, Penny. Ik kwam jou opzoeken. Ook toen ik weer bij Sally was, bleef ik aan je denken. En daarom besloot ik om je op te komen zoeken en te zien hoe het met jou en Eddie gaat. Hebben jullie al toekomstplannen gemaakt?'

Penny schudde haar hoofd. 'Behalve in mijn verbeelding hebben we nooit iets gehad. Jarenlang dacht ik dat ik van hem hield, maar ik had geen idee wat liefde inhield. Er is geen sprake van liefde als het maar van één kant komt. En zo was het al die tijd. Eddie zag me niet staan, totdat ik aanbood om op zijn kinderen te passen. Hij houdt nog steeds van zijn vrouw en is nog niet over zijn verdriet heen.'

'Heeft hij je dat verteld?'

'Nee, maar het is zo. Sinds hij thuis is gekomen, is hij heel aardig tegen me. We hebben zelfs een paar uitstapjes met de kinderen gemaakt, maar het lijkt alsof het na al die jaren voor de eerste keer tot hem doordringt dat ik besta. We staan helemaal aan het begin. We moeten elkaar nog leren kennen en zien of we, behalve onze liefde voor de kinderen, nog andere dingen gemeen hebben. Ik weet niet zeker of we ooit verliefd op elkaar zullen worden… ik weet zelfs niet of ik dat wel wil.'

Het gesprek gaf Penny een verdrietig gevoel, maar ze wilde de tijd die ze met Roy had niet bederven door te verdrinken in zelfmedelijden. 'Ik ben zo blij je te zien. We hebben allemaal zo over je ingezeten en wisten lange tijd niet of je weer beter zou worden.'

'Weet je aan wie ik al die tijd dat ik in het ziekenhuis lag maar bleef denken? Aan jou. En weet je welke brieven ik de verpleeg-sters constant liet voorlezen? Die van jou. Pas toen besefte ik hoeveel ik om je geef, Penny.'

Haar hart begon zo snel te bonken dat ze zich duizelig voelde. Ze vroeg zich af of ze flauw zou vallen. Had ze het echt goed gehoord?

'Om mij? Maar hoe zit het dan met Sally?'

'Ze was een schoolmeisje dat verliefd was op haar leraar – op mij. Ze was opgewonden toen ze eindelijk mijn aandacht had getrokken. Dat is geen liefde. Ik ben altijd nogal onhandig met meisjes geweest en daarom kon ik mijn geluk niet op toen ik een knap meisje als Sally het hof had gemaakt.'

'Ze is heel knap, Roy. Ik zag haar toen ik je vader opzocht. Heeft hij je verteld dat ik bij hem ben langsgegaan? Maar ik heb niet met haar gesproken. Ik wilde je niet met een probleem opzadelen.'

'Mijn vader zei dat jij veel bezorgder over me was dan Sally. Je bent helemaal naar Moosic gereisd om te horen wat er met me was gebeurd. Sally en ik praatten nooit zoals jij en ik dat deden. Na een paar maanden kende ik je beter dan dat ik haar ooit gekend heb. Iedere keer dat ik op verlof was en Sally ging opzoeken, hadden we elkaar niets te vertellen.'

Penny kon haar oren niet geloven. Ze moest wel dromen,

want dit was te mooi om waar te zijn. Ze drukte haar hand tegen haar borst, omdat ze bang was dat haar hart zou barsten.

'Maar Sally en jij zijn toch verloofd? Je hebt haar een ring gegeven.'

Roy lachte even. 'Weet je waarom ze mijn aanzoek accepteerde? Vanwege mijn brieven. Die vond ze zo romantisch. Ik denk dat je ook wel weet wie al die romantische dingen heeft geschreven.' Weer lachte hij. 'Uiteindelijk begreep ik waarom ik zo veel moeite had om Sally te vertellen wat ik voor haar voelde. Het kwam omdat het geen liefde was. Als je echt van iemand houdt, zou het je geen moeite moeten kosten. Zelfs als je geen woord weet uit te brengen, vind je andere manieren om je gevoelens duidelijk te maken. Die gevoelens had ik niet voor haar. Ik was onder de indruk van haar knappe uiterlijk en in de wolken dat ze me zag staan.'

'Je bent zo'n geweldige man, Roy. Wie zou jou niet zien staan?'

Roy leek haar niet te horen. 'Sally is nog zo jong. Ze is nog nooit van haar leven verder dan Pennsylvania geweest. Ik ben in de hel geweest en weer teruggekomen. Toen ik weer thuis was, waren we vreemden voor elkaar geworden. Ik denk dat we allebei beseften dat er niets tussen ons was. Maar we zijn allebei bang om het uit te maken en laten dit aan de ander over. Vooral nu ik aan deze kant een en al litteken ben. Het is niet aardig om het uit te maken met je verloofde als die gewond uit de oorlog is teruggekeerd.'

'Maar, Roy, je ziet de littekens amper.'

'En daarom besloot ik om je op te zoeken. Je hebt me altijd goede raad gegeven wat Sally betrof. Ik wilde erachter komen of het jou en Eddie beter was vergaan.' Hij zweeg even en boog zijn hoofd verlegen. 'Eerlijk gezegd hoopte ik dat het niet zo goed ging tussen jou en Eddie.'

'Er is nog helemaal niets tussen ons. En zelfs als er iets was… Vroeger wilde ik de plaats van Rachel innemen. Maar nu…'

'Je moet niemands plaats innemen. Hij mag van geluk spreken als hij jou krijgt.'

'Steeds was ik ervan overtuigd dat ik van Eddie hield, maar ik denk dat ik verliefd was op het idee om verliefd te zijn. Ik denk dat ik naar te veel films had gekeken en te veel romans had gelezen. Nu weet ik dat liefde van twee kanten moet komen. Er is geen sprake van liefde als maar één persoon liefde voelt.'

'Weet je wat ik zou willen?' vroeg hij zachtjes. Tot Penny's verbazing begon hij de woorden te herhalen die ze zo lang geleden voor hem had opgeschreven. '"Ik wilde dat ik de tijd in een fles kon stoppen als we samen zijn en die midden in de oceaan kon gooien. Dan zou ik voor altijd bij je kunnen zijn. Ik zou geen lucht nodig hebben om te ademen of voedsel om te leven. Jou in mijn armen te houden, zou het enige voedsel zijn dat ik nodig had. Jouw liefde te hebben zou me genoeg lucht geven om te ademen."'

'Herinner je je die woorden nog? Na zo veel maanden?'

Hij knikte. 'Ik zou graag in de tijd terug willen gaan, omdat ik deze keer verstandig genoeg zou zijn om te zien dat ik in de bus verliefd op je ben geworden.' Hij keek haar aandachtig aan. 'Wat denk je ervan, Penny?'

'Ik houd van jou, Roy.' Nog nooit in haar leven was ze ergens zekerder van geweest. Ze sloeg haar armen om hem heen en omhelsde hem innig. Ze wilde hem nooit meer loslaten.

Toen kuste hij haar midden op de parkeerplaats van het busstation. Het was haar eerste kus – de kus waarvan Penny Goodrich haar hele leven had gedroomd. Alleen was het niet Eddie Shaffer die haar kuste, maar Roy.

En het was even mooi als ze zich altijd had voorgesteld.

Epiloog

29 november 1947

Jacob boog zich naar de radio toe en luisterde aandachtig naar ieder woord dat de nieuwslezer zei. Op de bank luisterden Avraham, Sarah Rivkah en Fredeleh met hem mee, terwijl de Verenigde Naties over een resolutie stemden om een nieuwe Joodse staat in Palestina te stichten. Het was een live-uitzending en gespannen hoorden ze ieder land zijn stem uitbrengen. Avraham hield de uitgebrachte stemmen op papier bij, omdat tweederde van de lidstaten voor een resolutie zou moeten stemmen om deze aangenomen te krijgen.

En plotseling kwam er een einde aan de spanning. De drie-endertigste lidstaat had voor Resolutie 181 gestemd. Het Joodse volk zou na bijna tweeduizend jaar ballingschap weer een eigen natie en thuisland hebben.

'Abba! We zien de profetie voor onze eigen ogen in vervulling gaan,' zei Avraham, terwijl ze lachten, huilden en elkaar omhelsden. 'Weet u nog wat Jesaja schreef? *Wie heeft zo iets gehoord, wie heeft iets dergelijks gezien? Wordt een land op één dag voortgebracht of een volk op eenmaal geboren? Maar Sion heeft nauwelijks barens-weeën gekregen, of zij baarde haar kinderen.* Dat is precies wat er is gebeurd. Vandaag is een nieuwe natie – onze eigen Joodse natie – geboren.'

'Uit de as herrezen,' mompelde Jacob.

'Dat was ook wat de profeet Ezechiël schreef: *Zo zegt de Eeu-wige: zie, Ik open uw graven en zal u uit uw graven doen opkomen, o Mijn volk, en u brengen naar het land Israëls. En gij zult weten, dat*

Ik de Eeuwige ben, wanneer Ik uw graven open en u uit uw graven doe opkomen, o mijn volk.'

Hasjem had Ezechiël naar een dal vol dorre beenderen geleid. '*Mensenkind, kunnen deze beenderen weer tot leven komen?'* had Hasjem gevraagd. Het antwoord van de profeet zou vanaf nu het antwoord van Jacob zijn, als hij moeilijke vragen voor Hasjem had, vragen waarop geen antwoord leek te bestaan: '*Dat weet U alleen.'*

Van de auteur

Raoul Wallenberg, een Zweedse zakenman van tweeëndertig, bood aan om tijdens de Tweede Wereldoorlog als diplomaat naar het door Duitsland gecontroleerde Hongarije te gaan om zo veel mogelijk Joden te redden. Toen hij in juni 1944 in Boedapest aankwam, kwam hij erachter dat de nazi's al 400.000 Joodse mannen, vrouwen en kinderen naar vernietigingskampen hadden gedeporteerd. Met durf, moed en een grote vindingrijkheid zat hij de nazi's op de hielen en zette hen onder druk om de Zweedse identiteitspapieren die hij had gefabriceerd te accepteren. Hij haalde Joden uit treinen en dodenmarsen en zorgde voor voedsel en onderdak in 'veilige huizen' die beschermd werden door de Zweedse vlag. Er wordt aangenomen dat hij maar liefst 100.000 Joden in Boedapest van de ondergang redde.

Na de bevrijding van Hongarije door het Russische leger vertrokken Wallenberg en zijn chauffeur op 17 januari 1945 uit Boedapest naar het hoofdkwartier van het Russische leger. Hij vertelde vrienden dat hij ongeveer een week later terug zou zijn. Sindsdien ontbreekt ieder spoor van hem en zijn chauffeur.

Volgens de Russen overleed Raoul Wallenberg op 17 juli 1947 aan een hartaanval in een Russische gevangenis. Maar voor zijn familie en de duizenden Joden die hem als een held zien, is er nooit een bevredigende verklaring voor zijn arrestatie en verdwijning gegeven. De regering van Israël heeft Raoul Wallenberg als een 'Rechtvaardige onder de Volken' erkend.